Christa Wolf

Die Dimension des Autors

Band I

Christa Wolf

Die Dimension des Autors

Essays und Aufsätze
Reden und Gespräche
1959–1985

Band I

Aufbau-Verlag

Auswahl: Angela Drescher

Wolf, Christa:
Die Dimension des Autors: Essays u. Aufsätze, Reden u. Gespräche 1959–1985 / [Ausw.: Angela Drescher]. – 1. Aufl.
Berlin; Weimar: Aufbau-Verl., 1986. – Bd. 1–2. – 470, 491 S.
[Sammlung].
NE: Drescher, Angela [Hrsg.]

ISBN 3-351-00315-3

1. Auflage 1986

Einbandgestaltung Martin Hoffmann
Typographie Christa Wendt
Karl-Marx-Werk, Graphischer Großbetrieb, Pößneck V 15/30
Printed in the German Democratic Republic
Lizenznummer 301.120/32/86
Bestellnummer 613 505 8
I/II 02980

Selbstauskünfte

Einiges über meine Arbeit als Schriftsteller

Neulich gestand mir meine kleine Tochter eine merkwürdige Angewohnheit: Abends im Bett verwandelt sie sich unverzüglich in eine Prinzessin und erlebt die seltsamsten Abenteuer in ihrem herrlichen Schloß, wo sie von einem Prinzen besucht wird, der nichts anderes im Sinn hat, als sie zu erlösen, und wo eine Schar von Tieren eigens engagiert ist, um sie zu bedienen. Menschen als Diener anzustellen, und sei es in der Phantasie, verbietet ihr soziales Empfinden. – Irgend etwas, was ihr frohes, rundum ausgefülltes Kinderleben ihr nicht gibt, legt sie in diesen Traum. Tagsüber malt sie ihre nächtlichen Erlebnisse mit bunten Tuschfarben auf Zeichenpapier.

Diese Sehnsucht, sich zu verdoppeln, sich ausgedrückt zu sehen, mehrere Leben in dieses eine schachteln, auf mehreren Plätzen der Welt gleichzeitig sein zu können – das ist, glaube ich, einer der mächtigsten und am wenigsten beachteten Antriebe zum Schreiben. Auch meine Kindheitsträume hingen oft mit Verwandlungen zusammen. Manchmal wünschte ich sie mir, manchmal fürchtete ich sie: Was, wenn ich eines Morgens als Kind anderer Eltern, als eine andere erwachte? Ich habe früh versucht, die Verwandlung zu vollziehen, auf weißem Papier: Der Schmerz über die Einmaligkeit und Unwiederholbarkeit des Lebens ließ sich mildern. – Später vergessen wir zu schnell, worüber wir schon als Kinder trauern konnten ...

Nicht vergessen kann ich, wie man uns, die wir bei

Kriegsbeginn zehn Jahre alt waren, falsche Trauer, falsche Liebe, falschen Haß einimpfen wollte; wie das fast gelang; welche Anstrengung wir brauchten, uns aus dieser Verstrickung wieder herauszureißen; wieviel Hilfe wir nötig hatten, von wie vielen Menschen, wieviel Nachdenken, wieviel ernste Arbeit, wieviel heiße Debatten. Wie wir uns auch auf die alten Kinderträume wieder besinnen mußten.

Ich war in einer mittelgroßen, eigentlich eher kleinen Stadt jenseits der Oder aufgewachsen. Ich hing an dieser Umgebung, an dem Blick aus meinem Fenster über die ganze Stadt und den Fluß, an den Seen, an den Kiefernwäldern, an dieser im ganzen vielleicht kargen Landschaft. Ich konnte mir keinen anderen Hintergrund für mein Leben vorstellen. So weit, wie ich als Fünfzehn-, Sechzehnjährige mit unserem Umsiedlertreck kam, war ich als Kind nie gereist. So nah hatte ich den Krieg nie gesehen. Ich erfuhr, daß es etwas anderes ist, tote, zerfetzte „Feinde" im Kino auf der Leinwand zu sehen, als selbst plötzlich einen erfrorenen steifen Säugling im Arm zu haben und ihn der Mutter geben zu müssen; etwas anderes, das Wort „Kommunist" immer nur im Zusammenhang mit „Verbrecher" flüstern zu hören, als plötzlich, in einer kalten Nacht, nach vielen Wochen auf der Landstraße, nach vielen nie für möglich gehaltenen Bildern, neben einem deutschen Kommunisten in KZ-Kleidung am Feuer zu sitzen.

In den nächsten Jahren erlebten wir, wieviel leichter ein „Nein" sich ausspricht als ein neues „Ja", das sich auf Wissen gründet und nicht auf neue Fehlschlüsse und Illusionen; wieviel leichter, sich seines Volkes zu schämen, nachdem man die ganze Wahrheit wußte, als es wieder neu lieben zu lernen. Für unsere Generation war es schwer, frühzeitig eine gültige literarische Aussage über ihr Grunderlebnis zu formulieren. Zuerst mußte dem Grunderlebnis unserer Jugend ein neues, nicht weniger intensives Erlebnis hinzugefügt werden – eines, das uns nicht zufiel oder aufgedrängt wurde wie das erste; das wir selber uns schaffen mußten: Unser Weg ins Leben, unsere Suche nach dem uns gemäßen Platz in diesem Leben fiel – eine einmalige Lage! – mit dem Aufstieg der neuen Gesellschaft zusammen, mit ihrer Suche nach Existenzformen, mit ihrem Wachstum, ihren Irrtümern, ihrer Konsolidierung. Seit wir gelernt haben, uns frei und sicher in dieser Gesellschaft zu bewegen, eins mit ihr und zugleich kritisch, wie man sich nur der eigenen Arbeit gegenüber verhalten kann – seitdem sind die Bücher der heute Dreißig-, Fünfunddreißigjährigen lebendiger, wahrhaftiger, wirklichkeitsvoller geworden (auch die Bücher über das Ende des Krieges).

Mein eigenes Leben? Ich wohnte seit 1945 an neun verschiedenen Orten der Republik; ich war Schreibhilfe beim Bürgermeister in einem kleinen Dorf; ich beendete die Schule, studierte Germanistik in Jena und Leipzig; ich war wissenschaftliche Mitarbeiterin im Deutschen Schriftstellerverband, ich arbeitete als Lektorin bei verschiedenen Verlagen, als Redakteurin in der Zeitschrift „Neue Deutsche Literatur". Ich schrieb Literaturkritiken und Essays über unsere neue Literatur – manche gemeinsam mit meinem Mann, der auch Lektor und Kritiker ist. Wir haben zwei Kinder, Mädchen, die unsere häufige Abwesenheit kritisieren ...

Manche meinen, von der Germanistik und der Literaturkritik führe ein direkter Weg zur „richtigen" Literatur. Ich will nicht bestreiten, daß die Kenntnis der literarischen Entwicklung und der genaue Einblick in Probleme angehender Schriftsteller mir nützlich sind, mir vielleicht Umwege ersparen. Andererseits wird es einem, je länger man sich mit Literatur beschäftigt, immer schwerer, selbst etwas zu veröffentlichen. Für mich ist das Beste an all diesen Jahren, daß sie mich mit vielen verschiedenen Menschen zusammenbrachten, daß sie mich in alle Schichten der sich gerade formierenden neuen Gesellschaft führten. Die genaue Kenntnis dieser noch „rohen", „flüssigen" Übergangsformen von der alten zur neuen Gesellschaft ist gar nicht zu überschätzen.

Ich wußte immer, daß ich „eigentlich" schreiben wollte, und ich schrieb auch. Heute bin ich froh, daß all diese Manuskripte der Selbstzensur zum Opfer fielen. Als erstes ließ ich die „Moskauer Novelle" passieren, eine nicht sehr umfangreiche Erzählung, die 1961 veröffentlicht wurde. Ich schrieb sie nach meinem zweiten Aufenthalt in Moskau; die Motive dazu hatten mich seit langem beschäftigt und waren durch neue Erlebnisse und Erfahrungen, vor allem durch den Wunsch, sich zu verdoppeln, hier und dort sein zu können, aktiviert worden. Ich versuchte, einen Teil der Nachkriegsproblematik unserer beiden Völker in der konfliktreichen Liebesgeschichte zwischen einer Deutschen und einem Russen, einem ehemaligen Frontoffizier, zu erfassen – zwei Menschen, die sich eineinhalb Jahrzehnte nach ihrer ersten Begegnung unter neuen Aspekten wiedertreffen und noch einmal entscheiden müssen, wie sie weiterleben wollen.

Als ich die Erzählung „Der geteilte Himmel" schrieb, wohnten wir in Halle, der tausendjährigen Stadt, ehemals Handelsknotenpunkt und Salzsiederkolonie, heute eines unserer größten Industriezentren: Chemie und Maschinenbau. Eine Stadt mit vielen Schichten, unruhiges Gemisch aus Tradition und Gegenwart, rußig, unschön auf den ersten Blick, Knotenpunkt vieler Widersprüche. Manches davon habe ich in meinem Buch zu beschreiben versucht, in dem Maß, wie ich selbst es nach und nach durchschaute. Mir war und ist klar, daß man nur mit exaktem Wissen in das Innere der interessanten Vorgänge eindringen kann, die gerade in diesen Jahren schnelle Veränderungen in den Beziehungen der Menschen zueinander hervorrufen. Ich verlor mich damals zuerst in dem scheinbaren Durcheinander, wurde in Fragen hineingezogen, die mir ganz neu waren, schloß mit vielen neuen Menschen Bekanntschaft, mit manchen Freundschaft. Durch sie entdeckte ich mein Interesse für die nüchterne Wissenschaft Ökonomie, die das Leben meiner neuen Bekannten so direkt bestimmte, die der Schlüssel wurde zu manchen menschlichen Dramen, zu vielen Konflikten, zu Klagen und Kämpfen, Erfolgen und Niederlagen. Wir saßen gemeinsam über Zahlen und Artikeln, über Aufrufen, Beschwerden und Rechenschaftsberichten. Manchmal verstand ich nicht, warum das Vernünftige, das jedem einleuchten mußte, so schwer durchzusetzen war.

Jedem denkenden Menschen mußte damals in jedem Betrieb auffallen, daß der Schlüssel zur Lösung vieler Probleme in der Steigerung der Arbeitsproduktivität lag. Gerade dadurch, daß ich Menschen in schweren, komplizierten Situationen erlebte, sah ich: Der Sozialismus ist in unserem Land, fünfzehn Jahre nach der Zerschlagung des deutschen Faschismus, für Millionen eine Realität geworden, Wirklichkeit des täglichen Lebens, Ziel ihrer Arbeit. Er wurde in einem Teil Deutschlands zur menschenbildenden Kraft. Diese Tatsache gibt uns die Sicherheit, uns frei in unserem Stoff zu bewegen, die Vorteile immer besser zu nutzen, die unsere Gesellschaft dem Schriftsteller bietet: Daß er in die Lage versetzt wird, sich das Wissen und die Erlebnisse zu verschaffen, die nötig sind, um ein Gesamtbild der modernen, komplizierten Industriegesellschaft zu bekommen; daß er sich nicht, wie ein großer Teil der bürgerlichen Literatur heute, mit Randerscheinungen zufrieden geben muß, sondern zum Wesentlichen gedrängt wird.

Ich spreche so viel von den objektiven Bedingungen des Schreibens, weil mein Genre die Prosa ist und im wesentlichen bleiben wird (obwohl auch Film und Drama mich reizen). Ich bin sicher, daß auch in der Prosa das Subjekt des Autors eine große Rolle spielt; aber der sozialistische Prosaschriftsteller ist, wie mir scheint, verpflichtet, sein Subjekt möglichst auszuweiten, möglichst vieles möglichst richtig zu erfassen, immer wieder neu zu versuchen, Lebenstatsachen zu verarbeiten, zu deuten.

Ein wissenschaftliches Weltbild sollte seiner Arbeit zugrunde liegen – dann kann er übrigens die subtilsten und subjektivsten Ausdrucksmittel verwenden, ohne dabei willkürlich, manieriert zu werden.

Ich bewundere Romanciers, die in unserer Zeit verstanden haben, ein Gesamtbild ihrer Gesellschaft zu geben – wie Aragon, Anna Seghers, Thomas Wolfe. Das große Thema unserer Zeit ist: Wie aus der alten eine neue Welt aufsteigt. Das kann kaum irgendwo deutlicher, erstaunlicher, schärfer und konfliktreicher vor sich gehen als in unserem Land. Als Schriftsteller muß man es „nur" sehen.

Scheinbar habe ich meinen ursprünglichen Antrieb zum Schreiben aus den Augen verloren – die Sehnsucht, sich verwandeln, vervielfältigen zu können – und bin auf ganz nüchterne, alltägliche Antriebe übergegangen: Ökonomie, Politik, Weltanschauung ... Erwachsene haben es eben nicht immerzu mit verwunschenen Prinzessinnen und ähnlichen Alltäglichkeiten der Kinderwelt zu tun. Trotzdem: Auch heute noch kommt mir insgeheim mancher Mensch wie verzaubert vor, und ich wünsche mir oft, die Literatur wäre etwas wie ein Zauberstab, ihn, sie alle zu erlösen: Die toten Seelen zum Leben zu erwecken, ihnen Mut zu sich selbst zu machen, zu ihren oft unbewußten Träumen, Sehnsüchten und Fähigkeiten ...

Anfang 1965

Tagebuch – Arbeitsmittel und Gedächtnis

Auf einer der letzten Seiten meines Tagebuchs steht ein Brecht-Gedicht aus dem Jahr 1944:

Lektüre ohne Unschuld

In seinen Tagebüchern der Kriegszeit
Erwähnt der Dichter Gide einen riesigen Platanenbaum
Den er bewundert – lange – wegen seines enormen Rumpfes
Seiner mächtigen Verzweigung und seines Gleichgewichts
Bewirkt durch die Schwere seiner wichtigsten Äste.

Im fernen Kalifornien
Lese ich kopfschüttelnd diese Notiz.
Die Völker verbluten. Kein natürlicher Plan
Sieht ein glückliches Gleichgewicht vor.

Tagebuch! Das Thema ist erweiterungsbedürftig. Wer könnte, wer möchte dreißig Minuten über sein Tagebuch reden? Aber: der Autor und das Tagebuch *anderer* – damit ließe sich beginnen. Am liebsten: das Tagebuch derer, die selbst nicht Autoren sind . . .

Die Leute, die in hundert Jahren leben, werden vielleicht neugierig sein auf ihre Vorfahren; sie werden, nehme ich an, Zeit haben, jede Art von Neugier zu befriedigen. Es wird ihnen nicht ganz leicht werden, sich uns vorzustellen. Sie werden nach den Büchern suchen, in denen wir uns selbst beschreiben. Ein bißchen ratlos werden sie sie wieder aus der Hand legen: Mehr haben die nicht über sich gewußt? Oder: Mehr haben sie nicht sagen wollen? Vielleicht auch werden sie, besser als wir selbst, begreifen, was alles, wieviel Verschiedenes sich heutzutage zwischen einen Autor und die schlichte, wahrheitsgetreue Erzählung über seine Welt schiebt.

Wie auch immer – Auskunft über die inneren Vorgänge um die Mitte dieses Jahrhunderts werden sie in Dokumenten dieser Zeit suchen müssen.

Wie ja auch wir selbst es schon tun. Ich kann nicht sagen, daß Romane meine erregendste Lektüre der letzten Jahre gewesen wären. Wir sind mißtrauisch geworden gegen Erfindungen über das Innenleben unserer Mitmenschen. Außerdem: die Wirklichkeit hat sich als unübertrefflich gezeigt. Wenn auch nicht als unübertrefflich schön. „Wie dieser Vers stockt das Herz", heißt es in einem Gedicht von Stephan Hermlin, in dem sich auch die Zeile findet: „Die Zeit der Wunder ist vorbei."

Wir lesen Akten, Briefsammlungen, Memoiren, Biographien. Und: Tagebücher. Wir wollen Authentizität. Nicht belehrt – unterrichtet wünscht man zu sein. Die großen Fragen, welche die Kunst zu stellen hat, können nicht aufgegeben werden. Wer sonst als die Kunst soll die Synthese finden all jener oft schwer erklärbaren menschlichen Verhaltensweisen unserer Tage? Wer, wenn nicht sie eine vernünftige, uns gemäße Ordnung bringen in die Sturzflut der sogenannten Fakten?

Vier Tagebücher liegen vor mir. Das zeitlich früheste und das zeitlich späteste sind fast gleich weit vom magischen Datum der Jahrhundertmitte entfernt. Die da schrieben, waren oder sind unsere Zeitgenossen. Sie lebten auf kleinem Raum: tausend Kilometer im Quadrat. Wir lesen ihre Aufzeichnungen und fragen: Wieviel Schichten hat die Zeit? Wieviel Möglichkeiten, in ihr zu leben?

Dawid Rubinowicz, ein jüdischer Junge aus dem Dorf Krajno in der Wojewodschaft Warszawa, ist zwölf Jahre alt, als er beginnt, seine Erlebnisse und seine Gefühle in gelbbraun gebundene Schulhefte einzutragen. Er ist vierzehn, als die Notizen mitten in einem Satz abbrechen. Das vorletzte Wort – jedenfalls in der deutschen Übersetzung – heißt: Blut. Das letzte – Dawidek hat es nicht mehr aufschreiben können – müßte Tod heißen. Genauer: Mord. Mord in Treblinka. Vor diesem Un-Wort stehen die paar tausend Worte Dawideks.

Er beginnt:

„Frühmorgens bin ich durch das Dorf gegangen, in dem wir wohnen. Von weitem sah ich an der Mauer des Ladens eine Bekanntmachung, ich ging schnell hin, sie zu lesen. Die neue Bekanntmachung war, daß die Juden überhaupt nicht mit Fuhrwerken fahren dürfen (mit der Eisenbahn war schon lange verboten)."

„... Die ganze Nacht konnte ich nicht schlafen, so seltsame Gedanken kamen mir in den Kopf."

Durch Zufall ist der Name dieses Jungen unbekannt geblieben neben dem Namen Anne Frank. Allerdings mag, wie die meisten Zufälle, auch dieser seine Gründe haben. Sollte Westeuropa weniger aufnahmebereit sein für die Todesgeschichte eines armen Bauernjungen aus dem weltabgelegenen polnischen Dorf? Weniger reizbar durch Leid dieser Art: entfernt genug, um als „fremd" gelten zu können, und wenig geeignet, etwas wie eine kollektive Selbstreinigungsepidemie auszulösen?

Dawidek, ein sensibles, tapferes, begabtes Kind, erzählt mit unfehlbarer Echtheit und Genauigkeit von seiner Welt – das Dorf, die Natur, die Familie –, die sich in zwei Jahren auf einen schrecklichen Punkt verengt: die ebenso unausweichliche wie unfaßbare Konsequenz der Verfolgung.

„... Und dann sind sie gekommen, zuerst haben sie Haussuchung bei einem Bauern gemacht und sind dann weggefahren. Als sie nah bei uns waren, habe ich geglaubt, daß mein Herz rausspringt, so hat es geschlagen."

Alle Lebensmöglichkeiten, die sonst diesem Alter aufzugehen beginnen, verkehren sich ihm in Todesmöglichkeit: „Wenn sich schon einmal ein bißchen Hoffnung zeigt, wenn ein ganz kleiner Strahl leuchtet, dann kommt gleich ein Sturm, und alles ist aus ..." – „Ich kann es kaum glauben, aber alles ist möglich. Ein Mädchen wie eine Blume, wenn sie erschossen werden konnte, wird wohl bald das Ende der Welt dasein ..."

Die Schranke des Unaussprechbaren steht vor ihm auf: „Aber jetzt ist so eine Zeit, wo man nichts sagen darf, nur still sein muß und alles erdulden ..." – „Es ist mir schwer, alles, was Vater erzählte, zu beschreiben ..."

Das Schicksal des Dawid Rubinowicz könnte kaum anders als in der subjektiven und zugleich streng dokumentarischen Form seines Tagebuches überliefert sein. Die schauerlichen Tatsachen spotten jeder „Überhöhung" durch Phantasie. Dokumente aus den Archiven der Mörder und ihrer Beamten, Tagebücher der Opfer stehen sich gegenüber – beredter, als ein Roman, ein Gedicht es sein könnten. Das Tagebuch, „privat" seinem Wesen nach, oft heimlich geschrieben, an keinen Leser denkend, nicht einmal an ihn glaubend, übernimmt für eine heillose Epoche und ihre verheerendsten Untaten das Amt des unbestechlichen, gerechten und wahrhaftigen Zeugen.

Es gibt dieses Amt ab, wenn die Zeit, das nackte Grauen überwindend, vergessend, verbergend oder in ferne Erdteile verlegend, sich dem durchschnittlichen Menschen in durchschnittlicher Problematik zeigt. Erlöst wird der Einbruch des Selbstverständlichen, Normalen aufgenommen in jene Welt, da „nichts mehr selbstverständlich war". Johannes R. Becher beschreibt diesen Vorgang in seinem Tagebuch aus dem Jahr 1950: „Das Unmenschliche hat das Selbstverständliche usurpiert ... Aber welch eines Mutes bedurfte es, damit das Selbstverständliche sich wieder von selbst verstehe ..."

Fast auf den Tag genau sechs Jahre, nachdem das Tagebuch des Dawid Rubinowicz verstummt ist, entsteht im Sommer 1948 das „Bukolische Tagebuch" Wilhelm

Lehmanns. In ihm findet sich die folgende Anekdote um einen Schmetterling:

„... Ich komme näher und entdecke am Rockaufschlag des Alten einen Falter mit vibrierenden Flügeln. Auf meinen bittenden Blick überläßt er ihn mir. ... Zu Hause setze ich ihn auf einen Schwertlilienstrauß. ... Schalt ich die müde Flüchtigkeit der modernen Zivilisationsmenschen, so danke ich der Aufmerksamkeit derer, die vor uns gewesen sind. Es geht nichts über einen guten Namen: die Flecke auf den Hinterflügeln, unter den Vorderflügeln versteckt, trafen mich als erstes, da ich den Falter auf dem Rockaufschlag sah. So hat jener aufmerksame Mensch Jedermann, der nach Voltaire klüger ist als der einzelne, bei solchen Flecken an die Augenspiegel des Pfauen gedacht und den Falter zum Unterschied von jenem häufigen Tagschmetterling ‚Abendpfauenauge' gerufen. ... Zwar habe ich mich gescheut, dem Tier meine Menschlichkeit aufzudrängen, aber es ist an der Luft meines Zimmers gestorben. Sein süßer Leichnam ruht auf dem Papier, ich sinne ihm nach."

Zweifellos ist auch dies: Alltäglichkeit, Dasein, Natur. Wenn man so will: „das gute Recht" des Menschen. Ist es unbillig, auszusprechen, daß Dawid Rubinowicz' Tagebuch solche Zeilen in Un-Natur verwandelt? Obwohl das eine vom anderen nichts weiß?

Also nicht: die genaue Idylle anstelle der sentimentalen. Was aber dann, da wir uns doch auf das Durchschnittliche berufen? Wieso denn nimmt meine Entfernung zu dieser kunstvollen Beschwörung eines Schmetterlings mit Namen Pfauenauge so schnell zu? Wieso tauchen diese Zeilen unerbittlich unter in der Masse des „Nicht-Zeitgenössischen"? Während die Stimme des Dawid Rubinowicz immer näher klingt, als sei man erst jetzt fähig, sie wirklich zu hören – *sie* zu hören und nicht in ihr nur sich selbst. Ihr ist nichts anzuhaben. Sie tritt hervor. Die menschliche Stimme der Zeit, in der das Unmenschliche selbstverständlich geworden war.

„... Auch der unscheinbarste Mensch hat seine Geschichte", heißt es in Bechers Tagebuch, zwei Jahre nach den bukolischen Idyllen Wilhelm Lehmanns. „Geben wir dem Menschen, was des Menschen ist: eine Geschichte der Unscheinbaren und Namenlosen, und wir werden die alle unsere Erwartungen und unsere kühnste Phantasie übertreffende Entdeckung machen, welch eine abgründige und abenteuerliche, welch eine reichhaltige und widerspruchsvolle Geschichte jeder einzelne Mensch hat, und gerade auch der geringe, den wir als unbedeutend und als langweilig abzutun gewohnt sind und unter die graue Masse der Namenlosen einzureihen uns anmaßen. . . . Welch ein Unruheherd ist die menschliche Seele, die zu befrieden wir kein Mittel scheuen, aber welche Mittel wir auch immer anwenden und uns gegenseitig vorschreiben: diese Unruhe ist nicht zu bändigen, und erneut bricht der Aufstand im Menschen los. . . . Denn diese tiefe Unruhe der menschlichen Seele ist nichts anderes als das Witterungsvermögen dafür und die Ahnung dessen, daß der Mensch noch nicht zu sich selber gekommen ist. Was ist das: dieses Zu-sich-selber-Kommen des Menschen?"

Literatur, in der diese Frage nicht wenigstens mitschwingt – und sei es als Klage, als Verzweiflungsschrei –, verfällt dem Verdikt der Sterilität. Der Vorstoß zu den Fragen unserer Zeit ist – jedenfalls in der Prosa, wenn sie sich nicht im Gleichnishaften bewegen will – an das Alltägliche gebunden. Die Banalität dieses Alltags wiederum scheint viele Prosaschriftsteller vor einen unlösbaren Widerspruch zu stellen. Max Frisch sagt in seinem Tagebuch: „Eine ganze Welt aber, eine entscheidend andere, eine terra incognita, die unser Weltbild wesentlich verändern könnte, haben unsere Epiker nicht mehr abzugeben."

Tatsächlich treibt der moderne bürgerliche Roman im Teufelskreis der Variationen über ein Thema, das vor zweihundert Jahren von der Literatur – einer Brief- und Tagebuchliteratur übrigens! – entdeckt wurde: Wie der Mensch die Wahl hat, entweder physisch oder moralisch von der Gesellschaft zerbrochen zu werden. Wir, verbunden mit einer neuen Gesellschaft, Angehörige einer Generation, die mit dieser Gesellschaft zusammen erwachsen wurde und die nun, genau wie sie, ihre erste Jugend hinter sich hat, den glücklichen Zustand früher Unbefangenheit verlor, blicken uns um: Wo liegt unsere Terra incognita, und wie sieht sie aus, bei nüchternem Tageslicht, von Wunschbildern befreit?

Seit zwei Minuten mindestens spreche ich – wenn nicht vom ersten Wort an – über mein eigenes Tagebuch. Doch noch einmal greife ich zu einem Zitat aus dem „Tagebuch anderer" – anderer, die nicht schreiben, weil es ihr Beruf ist. Eine Kohlefahrbrigade aus dem Braunkohlenkombinat Deuben bei Bitterfeld hat folgende Notizen in ihrem Brigadetagebuch:

„Ein Hundewetter, ein tobender Nordost – Wind, daß man kaum atmen kann – und dann noch Uneinigkeit?

Ich schreibe hier genau nieder, warum Kollege K. nicht mit einer Prämie bedacht wurde, und dann entscheidet selbst: Wir sollten in die Kohle runterfahren, sobald die schiefe Ebene fertig war. Die Kabeltrommel war aber nicht in Ordnung. Sie lief schneller, als das Gerät fuhr. Dabei verwickelte sich das Kabel so um die Trommel, daß wir anhalten mußten, um es wieder in die richtige Lage zu bringen. Und was tat in dieser Situation Kollege K.? Er verließ das Gerät und uns, weil er angeblich seinen Bus sonst nicht schaffte. Kollege T. blieb eine halbe Stunde länger als K. und erreichte seinen Bus trotzdem!"

Leicht, aber auch leichtfertig wäre es, diese Notiz „banal" zu nennen. Auch die Antwort des Kollegen K., die siebzehn Tage später im gleichen Tagebuch erscheint, mag Phantasielosen banal erscheinen: „... Gut, ich gebe zu, ich hätte die halbe Stunde länger noch bleiben können. Aber die ganze Schicht war ich unten in der Kohle und habe erbärmlich gefroren. Da habe ich mich dann eben umgezogen und bin gegangen. Das war nicht richtig. Aber ist es richtig, daß die Kollegen V., R. und der

Schichtführer D. die Prämien allein aufteilen, als wären die anderen Brigademitglieder nicht da? – Das ist kein kollektives Verhalten! . . ."

Mir scheint nicht banal, was in diesem Mann vorgegangen sein muß, sondern, als winziges Teilchen eines größeren Prozesses, bemerkenswert im Sinne von: literaturwürdig. Von der „Banalität des Bösen" ist im Zusammenhang mit Eichmann die Rede. Doch bringt nicht gerade dieses belastete Wort, wenn wir ihm den herabmindernden Unterton nehmen, das Brigadebuch auf überraschende und – endlich! – hoffnungsvolle Weise in Kontakt mit den Aufzeichnungen des Dawid Rubinowicz? Die Banalität des Guten; das Gute als Banales – oder sagen wir jetzt: als Gewöhnliches, Durchschnittliches, Selbstverständliches –, das allein ist wirksame und dauerhafte Garantie gegen Treblinka. Ein Wunschbild, wiederum? Wie sagt doch Becher? Es sei „. . . höchste Stufe schöpferischer Phantasie, die Dinge so zu sehen, wie sie sind . . ."

Man kann über die Form des eigenen Tagebuchs nicht schreiben, ohne zugleich etwas von seinem Inhalt preiszugeben. Seine Vorzüge für den Autor liegen auf der Hand. Erstens: Im Tagebuch trifft sich ursprüngliches menschliches Bedürfnis, sich auszudrücken, noch mit Literatur als Kunstform. Zweitens – ich sagte es schon: In „normalen Zeiten" wird das Tagebuch Spiegel der Durchschnittsproblematik gewöhnlicher Menschen, zu denen der Autor sich rechnet; es kann, von Formenzwang frei, unverfälschter Ausdruck innerer und äußerer Erlebnisse sein. Drittens: Es bewahrt sich durch seine Unmittelbarkeit die Nähe zu dem Material, welches schließlich Hauptquelle auch der Kunst ist: zum Lebensstoff. Wenn es die an ein gewisses Lebensalter gebundenen Stadien der Selbsterforschung, der Selbstbekenntnisse durchlaufen hat, kann es sich öffnen für die Spiegelung aller möglichen Arten von Realität. Das Fragezeichen kommt häufiger vor als das Ausrufezeichen, der Punkt als Zeichen einer sachlichen Aussage wird geschätzt. Der Zauber der Realität, die Poesie, ohne die kein Mensch leben kann, wird in den Dingen selbst gesucht, so, wie sie sind, nicht in den mannigfachen Verkleidungen ihrer verschiedenen Namen. Dann erst wird Benennung möglich sein. Das Tagebuch sammelt Stoffe, Anekdoten, Geschichten, Gespräche, Beobachtungen an Menschen, Städten und Landschaften, Auszüge aus Büchern, Fragen zu Zeitereignissen, Nachrichten, neue Wörter und Redewendungen, Namen. Aber es ist nicht verpflichtet – im Gegenteil: es hütet sich – dies alles mundgerecht zu zerkleinern durch voreilige Schlüsse. Ja, es ist Vorarbeit, Halbfabrikat (deshalb so schwer zitierbar), aber es ist auch Arbeit, Training; Mittel, aktiv zu bleiben, der Versuchung des dahindämmernden Konsumierens zu widerstehen.

Übrigens hat es seine Gezeiten – Ebbe und Flut. Es gibt Tagebuchmüdigkeit und Tagebuchwut (die oft im umgekehrten Verhältnis zur literarischen Produktivität stehen). Nie aber ist an Veröffentlichung gedacht, nie wäre daran zu denken: Gerade das ist Grundlage seiner Existenz (auch deshalb ist es so schwer zitierbar). Innere Spannung bekommt es – wie die Existenz jedes bewußt lebenden Menschen heute – von zwei Polen, die vielleicht am deutlichsten durch zwei Eintragungen gekennzeichnet sind (in meinem Tagebuch stehen sie weit auseinander, erst nachträglich stellt sich ein Zusammenhang her). Thomas Mann schrieb in einem erstaunlichen Brief vom August 1945: „Wir sind so weit, daß die Erde durch Explosions-Rückstoß aus ihrer Bahn geworfen werden kann, so daß sie nicht mehr um die Sonne läuft, – wozu man allerdings einfach sagen mag: ‚Wenn schon!‘ Aber beschämend ist es doch, daß das Leben sich eine andere kosmische Unterkunft wird suchen müssen, weil es auf Erden vollkommen fehlgegangen ist.“ Und, fast hätte ich gesagt: „dazu“ Brecht, 1955: „In einem Zeitalter, dessen Wissenschaft die Natur derartig zu verändern weiß, daß die Welt schon nahezu bewohnbar erscheint, kann der Mensch dem Menschen nicht mehr lange als Opfer beschrieben werden, als Objekt einer unbekannten, aber fixierten Umwelt. Vom Standpunkt eines Spielballs aus sind die Bewegungsgesetze kaum konzipierbar."

Der objektive Zynismus (falls es so etwas gibt), der in dieser Situation, in diesem noch niemals je so gefährlichen Widerspruch zwischen dem Entwicklungsstand der Wissenschaft und den vielerorts zurückgebliebenen Gesellschaftszuständen liegt, führt zu den mannigfachsten Formen zynischer Verhaltensweisen; ihr gemeinsamer Ursprung ist: Unglaube an die Veränderbarkeit der Welt. Neu und dringlich steht vor uns die Frage nach Veränderung, nach ihren Formen, ihren Möglichkeiten; nach den Hindernissen, denen sie begegnet. Nach der Notwendigkeit, das revolutionäre Prinzip lebendig, wirksam zu erhalten.

Dies wäre der Problemkreis. Mit Stichworten, Notizen versucht man, ihm näherzukommen. Dabei steht immer die Frage vor Augen: Wie aber soll man heute schreiben?

Nicht, daß man immer bitterernst sich verhielte.

Kleine Alltagsgeschichten finden sich an, vergnüglich oder nicht, jedenfalls erfreulich morallos. Wie diese: „B. erzählt von ihrer Freundin, die, Studentin, sich in einen jungen verheirateten Dozenten verliebt. Während einer Reise seiner Frau verbringt sie mit ihm Flitterwochen in seiner Wohnung. Da sie in dieser Zeit alle Vorlesungen versäumt, wird sie vom Studentendekanat zur Rede gestellt. In ihrer Angst verschafft sie sich von B.s Mutter, Arzthelferin in einer Poliklinik, ein fingiertes Attest, das ihr für die bewußte Zeit Krankheit bescheinigt. Ein Telegramm der Mutter: ‚Attest nicht abgeben!' kommt am nächsten Tag zu spät. Der Betrug wird entdeckt, das Mädchen für ein Jahr von der Universität ausgeschlossen. Gegen B.s Mutter, die sonst die Korrektheit in Person ist, wird die Untersuchung niedergeschlagen. Das Mädchen studiert heute wieder. Es erinnert sich seiner früheren Leidenschaft mit Lächeln."

Keine Moral, sagte ich? Ich hätte auch sagen können: mehrere; zum Aussuchen.

Kindergeschichten machen mir Spaß, Geschichten der eigenen Kinder. Sie haben an sich, daß sie keine Geschichten sind, sondern kleine Etüden mit offenen Schlüssen nach überallhin. Oder ist es eine Geschichte, wenn die Fünfjährige ein schönes, grün und rot und blaues Sommerbild malt, mit Haus und Wiese und Himmel und zwei Kindern, und an jeder Ecke des Himmels eine Sonne, „... damit jedes Kind seine eigene Sonne hat"? Oder die Tür mit den zwei Türklinken, eine hoch, eine niedrig angebracht, „... damit auch die kleinen Kinder sich allein die Tür aufmachen können ..."

Manchmal gibt es genaue Aufzeichnungen über einen bestimmten Tag. Eine beginnt so: „Tinka singt ihrer Puppe lauthals ein Lied vor, das die Kinder neuerdings sehr lieben; die letzte Strophe heißt:

Eines Abends in dem Keller
aßen sie von einem Teller,
eines Abends in der Nacht
hat der Storch ein Kind gebracht ...

‚Morgen habe ich Geburtstag, da können wir uns heute schon freuen', sagt sie. ‚Aber du hast ja vergessen, daß ich mich alleine anziehen kann!' – ‚Hab's nicht vergessen. Dachte nur, dein Fuß tut dir zu weh.' – Wir gehen zum Arzt. Sie hat Angst vor dem Verbinden. Sie redet und redet. ‚Wenn ich groß bin und du klein, renne ich auch so schnell die Treppen runter. Ich werde größer als du. Dann spring ich ganz hoch. Kannst du übrigens über das Haus springen? Nein? Aber ich. Über das Haus und über einen Baum. Soll ich?' – ‚Mach doch!' – ‚Ich *könnte* ja leicht. Aber ich will nicht.' – ‚So, du willst nicht.' – ‚Nein.' – Schweigen. Nach einer Weile: ‚Aber in der Sonne bin ich groß. Groß bis in die Wolken!' Unsere Schatten sind lang, weil die Sonne noch tief steht. Kleine Dunstwolken sehr hoch am Himmel."

Manchmal notiere ich kleine Monologe von Leuten, die ich im Geschäft, beim Friseur, in der Straßenbahn treffe. Wie reden sie? Worüber reden sie? Was ist ihnen wichtig? Das wird man niemals verwenden – dieses ganze Tagebuch unterliegt ja zum Glück nicht dem Nützlichkeitszwang –, aber man braucht es immer. Überhaupt: Man vergißt. Auf mein Gedächtnis kann ich mich nicht verlassen. Natur, Landschaftserlebnisse verschwimmen allzu leicht zu Stimmungen und sind dann nie wieder reproduzierbar. Ich brauche eine Stütze, knappe, anspruchslose Notizen: Winterlandschaft bei Werder 1961. „Sonne, in die man nicht blicken kann. Weiße Kondensstreifen der Flugzeuge als Meridiane über eisblaues Himmelsgewölbe. Jeder Schilfhalm am See hat seine Eismanschette: sie alle funkeln wie Kristall und stoßen leise klingend aneinander. Scharfer Wind. Durchwehte Landschaft: Flächigkeit, ohne durch Weite zu erdrücken. Verwahrloste Obstgärten. Ganz nah: die neuen Wochenendhäuser am anderen Seeufer. Trockendurchsichtige Luft.

Wie das zu einem Eindruck zusammenfassen, der mehr wäre als ein Bild? Nacktes Weidengestrüpp. Ein Schwarm von Distelfinken mit bunten Köpfen und grüngelben Brustlätzen stiebt von den dürren Halmen am Wegrand auf: trockene, grauglänzende Blätter.

Gespräch über den Einfluß von Landschaften auf das Schreiben."

Faszinierender als alles aber bleiben Beobachtungen an der Gesellschaft der beiden deutschen Staaten, die, jeder auf seine Art, inzwischen genügend Zeit hatten, bezeichnende Züge zu entwickeln. Sie sind aus ihrem Gärstadium heraus. Die freien Plätze wurden eingenommen. Die Typen hatten ihre Gelegenheit, sich zu bilden; die Gegensätze treten deutlich genug hervor. Von einem Aufenthalt in Frankfurt/Main im März dieses Jahres notierte ich die Bemerkung einer jungen Soziologin: „Ich lebe gern hier in Frankfurt. Hier weiß man wenigstens, woran man ist. Wenn man aus dem Bahnhof tritt und sieht die Reklamen der großen Versicherungen, wenn man durch das Bankviertel geht, springt in die Augen: Hier geht es um Geld, um nichts sonst. In anderen Städten versuchen sie das durch Kultur zu verkleistern. Das ist hier unmöglich.“

Bei uns in der DDR wird es mir natürlich leichter, den heraufkommenden neuen Menschentyp genau kennenzulernen. Mich beschäftigt die Frage: Was werden das für Leute sein, die auf die Knöpfe der Automaten drükken?

Ich notiere Lebensläufe fünfunddreißigjähriger Werkleiter. Es zeigt sich: Meine Generation hat schon ihre eigene Biographie. Wenn ich in meinem Tagebuch blättere, über Jahre Entwicklungen verfolge, steht das Steigen und Sinken der Figuren in der großen Retorte Gesellschaft mir deutlich vor Augen. Wie das Tragische zum Banalen, das Gefährliche zum Komischen herabsinkt, wie, in der gleichen Bewegung, das Unauffällige auf einmal mächtig hervortritt – wie eh und je kann das Quell ästhetischen Vergnügens sein.

Manchmal, alle paar Jahre, tritt eine ganze Generation geschlossen ins Rampenlicht der Bühne. Es ist noch kein Jahr her, daß ich den Auftritt einer solchen neuen Gruppe bemerkte: Berlin, im Januar 1964: „Das war eine der kältesten Wochen in diesem Winter. Berlin trug Pelzmützen. Es trippelte in den modernen Piroschkastiefelchen, die es nirgends zu kaufen gab. Alle Leute liefen, wie es schien, unbekümmert in dieser merkwürdigen Stadt herum. Wir fragten uns oft: Wie soll man aus dieser Ansammlung von Wohnvierteln, von neuen Häusern, Ruinen, leeren Plätzen und pompösen Dienstgebäuden einmal wieder eine Stadt machen? Dieses Nichtmehr und Noch-nicht, das im äußeren Stadtbild auffiel, scheint auch in den Leuten zu stecken. Die einen macht es ungeduldig, die anderen ängstlich ... In den Theatern besetzen jüngere Männer und Frauen unserer Generation die meisten Plätze. Und neben uns, unübersehbar, die Zwanzigjährigen. Bei Brecht in der Überzahl, sind sie plötzlich überall da – selten unangenehm auffallend, wie jene vier Rowdys in der S-Bahn, die, schon betrunken genug, über die Vor- und Nachteile verschiedener Nachtlokale meditierten. Sie hatten alle das gleiche knappe unverschämte Hütchen auf.

Fielen uns zuerst die vielen Ausländer auf, deutlich herauszufinden durch eine bestimmte betonte Ungezwungenheit des Benehmens, drehten wir uns bald nur noch nach einheimischen jungen Leuten um. Da ist ein gewisser Typ von Mädchen, schlank, mit glatt herabfallendem Haar, leger gekleidet, die Augen stärker betonend als den Mund. Sie verstehen einen Schimmer von Romantik zu verbreiten, meist durch den Blick. Vorbei der nüchtern-knabenhafte Typ früherer Jahre. – Die jungen Männer fallen viel weniger auf. Sie sind korrekt angezogen, höflich, gewandt, aber ein bißchen hilflos vor den spöttischen Anforderungen der Mädchen ... Wie eine Gilde kamen sie mir vor, ein Orden, zu dem keiner Zutritt hat, der nicht das Losungswort kennt. Und sie, selbst wenn sie wollten, könnten es keinem verraten ...

Wie kommt man an das Innere dieser Stadt heran? Wie lange noch soll die kleine Spitze des Eisbergs beschrieben werden, und sechs Siebentel darunter bleiben unbekannt, unbenannt, unerlöst?

Was ist das: Zeit? Was verändert in wenigen Jahren das Gewebe dieser Stadt? Was treibt sie an, hält sie in Bewegung, läßt sie einmal lahm dahinkriechen, dann wieder losjagen wie nicht gescheit? Was bringt alle paar Jahre ihre neuen Träume hervor? Der Fortgang der Zeit. Aber was ist das: Zeit?“

Weiter möchte ich nicht gehen. Wer einen anderen über dessen Tagebuch befragt, muß in Kauf nehmen, wenn man ihm mehr verschweigt als sagt. Nicht zu reden war über Pläne, die, im Tagebuch genau ablesbar, entstehen, sich verändern, fallengelassen werden, mißlingen oder, unerwartet, scheinbar unvermittelt fertig da sind. Nicht zu schildern waren die Versuche, zeitlich sehr nahen Lebensstoff durch Denkanstrengung auf Abstand zu bringen. Und die Irrtümer bei diesen Versuchen. Und, natürlich, bleiben die Namen unerwähnt, die, einmal oder häufig, im Tagebuch auftauchen.

Wer weiß – vielleicht beendet diese Betrachtung überhaupt eine Zeit der Tagebuchfreudigkeit. Denn schließlich bleibt es Mittel, das Tagebuch, wie immer man es ansieht: Arbeitsmittel und Gedächtnis. Mag es sich eignen, die „Güte des Alltags“ herauszufinden, das „Positive als Banalität“ zu entdecken. Den Kern der Wirklichkeit, den das Kunstwerk sucht, kann nur das Kunstwerk freilegen.

Eine kleine Anekdote steht auch in meinem Tagebuch. Anna Seghers will sie von Brecht gehört haben. „Ich weiß nicht“, sagt sie, „ob er sie erfunden hat oder einer chinesischen Anekdote nacherzählt: Ein berühmter, alter chinesischer Maler, befragt, was sich am schnellsten und leichtesten male, erwiderte ohne Zögern: ‚Drachen und Gespenster.‘ – ‚Warum?‘ wollte man wissen. ‚Weil ihre Echtheit niemand kontrollieren kann‘, sagte er. Und fügte hinzu: ‚Wie anders dagegen, wenn mich der Hafer sticht und ich mich an das Porträt des Schusters von der Ecke wage, den jedermann in dieser Straße kennt.‘“

Dezember 1964

Abgebrochene Romane

Auf Schritt und Tritt stößt man auf sie. Romane, die für die Beteiligten Anfang und Höhepunkt und Ende haben, Zuspitzungen und Kollisionen, Motive und Gegenmotive – aber nicht für uns, den zufälligen Beobachter. Die Gier nach fremdem Leben läßt uns die Ohren spitzen und den Hals verrenken, aber es nützt nichts. Unsere Station wird ausgerufen, wir verlassen den Zug; unser Kaffee ist getrunken, wir müssen zahlen und gehen. Der fremde Roman bleibt zurück, in dem wir niemals eine Rolle spielen werden.

Manchmal genügt es, den Telefonhörer abzuheben. „Nein", hört man da. „Nein, Frau A., geben Sie sich keine Mühe. Mein Entschluß steht fest. Ich mache es nicht mehr. Sie kennen ja meine häuslichen Verhältnisse." – „Um Gottes Willen", sagt jetzt Frau A., die ich mir in einem Büroraum sitzend denke, „gerade mit Ihnen haben wir fest gerechnet! Die ganze Kulturkommission fliegt auseinander!" Das scheint Frau B. nicht ungern zu hören, obwohl sie versichert, es täte ihr leid. Jedoch hätte man nach den „neulichen Vorkommnissen" wohl damit rechnen müssen. „Nicht doch", sagt wieder die Frau im Büro, „der Kollege C. ist ja bereit, sich zu entschuldigen!" – „Wennschon", sagt Frau B., „er wird uns dann wieder den Arbeitsplan vorschreiben wollen . . . Aber was rede ich überhaupt: Sie kennen ja meine häuslichen Verhältnisse. Ich kann es nicht mehr machen." Aus irgendeinem Grund müssen die häuslichen Verhältnisse der Frau B.

jeden Widerstand im Keim ersticken. „Ja dann“, sagt die Bürostimme. „Aber schade ist es doch.“

Später Abend im Zug von Zagreb nach München. Außer uns sitzen drei Männer im Abteil, die sich zuerst leise in serbisch unterhalten. Dann fängt der eine an zu schlafen, der andere spricht mit uns, der dritte beobachtet spöttisch, wie mir scheint, unser Gespräch. Ja, sagt der Mann, der hager ist und ein auffallend rotes Gesicht hat, sie kommen aus den Dörfern bei Lubljana und fahren in die Gegend von München zur Arbeit. Bauarbeit, schwer, aber gut bezahlt. Mit einem Seitenblick auf seinen spöttischen Kollegen: Natürlich hätten sie ein bißchen Abschied gefeiert, daran sollten wir uns nicht stoßen. So erträgt es sich leichter.

„Sie fahren schwer von zu Hause weg?“

„Was wollen Sie“, sagt der Mann. „Denken Sie, leicht? Eine Frau mit vier Kindern. Man muß leben.“

In einer Buchhandlung im Berliner Zentrum. Einer der Verkäufer stürzt zu seiner Kollegin an der Kasse: „Hast du das gesehen? Lauter Särge.“ – „Särge?“ – „Mindestens zwei Dutzend. Auf Wagen von der Straßenreinigung!“ – „Na und? Was gehen dich die Särge an? Wird doch keiner dringelegen haben!“ – „Du hast Nerven! Mit der Straßenreinigung!“ – „Wennschon. Mit irgendwas müssen sie ja gefahren werden.“ – „Am hellerlichten Tag! Mir sind die Knie weich. Sich vorzustellen ...“ – „Stell dir nicht immer soviel vor. Trink ’n Schnaps. Der vertreibt dir die Särge.“

Mittags im Automatenrestaurant am Alex. Drei junge Männer stehen an einem Tisch und löffeln Erbsensuppe. Sie sind zu feierlich gekleidet für die Tageszeit und diesen Ort. Einer von ihnen trinkt schon das dritte Bier. „Hör auf“, sagen die beiden anderen. „Sonst trinkst du nie, und heute besäufst du dich womöglich.“ – „Heute hab ich eben Durst“, sagt der Biertrinker. „Als ob du dich mit 'ner Fahne vor die Prüfungskommission stellen kannst!" – „So?" sagt der Biertrinker. „Kann ich nicht? Dann eben nicht." – „Aber nun sind wir doch extra hergefahren! Auch deine Frau haben wir 'rumgekriegt. Du wolltest doch selber den Lehrgang mitmachen!" Der Mann trinkt sein viertes Bier. „Wer sagt euch denn, daß ich es immer noch will? Laßt mich doch in Ruhe. Ich pfeif auf die Prüfung und auf den ganzen Lehrgang. Das könnt ihr euch merken: Ich pfeif drauf!"

Keine Pointe, keine Auflösung. Ich weiß nicht, was es mit den häuslichen Verhältnissen der Frau B. auf sich hat. Ich kenne Herrn C. nicht, der die Kulturkommission beleidigte. Ich werde nicht erfahren, was der Mann aus dem Dorf bei Lubljana zum Abschied seiner Frau versprochen hat und ob er sein Versprechen hält. Ich kann nur vermuten, warum der Buchverkäufer sich so über die Särge entsetzt, welche Bilder am hellerlichten Tag in ihm aufsteigen, daß ihm die Knie weich werden. Und den Biertrinker müßte man schon sehr genau kennen, um zu wissen, welche Schranke da plötzlich zwischen ihm und diesem Lehrgang niedergegangen ist.

Nichts von alledem werde ich je wissen. Man kann sich nicht nach den Angelegenheiten der Leute erkundigen, die man belauscht hat. Aus solchen Angelegenheiten setzt sich unser Leben zusammen. Manchmal hat ein Roman den Mut, all diese abgeschnittenen Fäden aufzunehmen, zu bündeln, miteinander zu verknüpfen und weiterzuführen. Aus dem Autor ist die Bürofrau, der Arbeiter im nächtlichen Zug, der erschrockene Verkäufer, der trotzige Biertrinker geworden. Ja, sagt dann vielleicht einer von denen, der zufällig etwas Ähnliches in einem Buch liest. Ja – das gibt es.

Sehr oft aber erkennen sie sich nicht.

1965

Selbstinterview

Frage: Was lesen Sie?
Antwort: Ich lese die ersten Seiten einer neuen Erzählung, an der ich, womöglich noch längere Zeit, arbeite. Wahrscheinlich wird sie heißen: „Nachdenken über Christa T."
Frage: Können Sie etwas über den Stoff dieser Erzählung sagen?
Antwort: Schwerlich. Denn da ist kein „Stoff" gewesen, der mich zum Abschildern reizte, da ist kein „Gebiet unseres Lebens", das ich als Milieu nennen könnte, kein „Inhalt", keine „Fabel", die sich in wenigen Sätzen angeben ließen. Zu einem ganz subjektiven Antrieb muß ich mich bekennen: Ein Mensch, der mir nahe war, starb, zu früh. Ich wehre mich gegen diesen Tod. Ich suche nach einem Mittel, mich wirksam wehren zu können. Ich schreibe, suchend. Es ergibt sich, daß ich eben dieses Suchen festhalten muß, so ehrlich wie möglich, so genau wie möglich.
Frage: Gut. Aber die Substanz dieses Suchens? Was wird denn die Seiten Ihres Manuskripts füllen?
Antwort: Ich dringe in die frühere Welt dieser Toten ein, die ich zu kennen glaubte und die ich mir nur erhalten kann, wenn ich es unternehme, sie wirklich kennenzulernen. Ich stütze mich nicht nur auf die trügerische Erinnerung, sondern auf Material: Tagebücher, Briefe, Skizzen der Christa T., die mir nach ihrem Tod zugänglich gemacht wurden. In dem Strom meiner Gedanken schwimmen wie Inselchen die konkreten Episoden – das ist die Struktur der Erzählung.

Frage: So schreiben Sie also eine Art von postumem Lebenslauf ...

Antwort: Das dachte ich zuerst. Später merkte ich, daß das Objekt meiner Erzählung gar nicht so eindeutig sie, Christa T., war oder blieb. Ich stand auf einmal mir selbst gegenüber, das hatte ich nicht vorhergesehen. Die Beziehungen zwischen „uns" – der Christa T. und dem Ich-Erzähler – rückten ganz von selbst in den Mittelpunkt: die Verschiedenheit der Charaktere und ihre Berührungspunkte, die Spannungen zwischen „uns" und ihre Auflösung, oder das Ausbleiben der Auflösung. Wäre ich Mathematiker, würde ich wahrscheinlich von einer „Funktion" sprechen: Nichts mit Händen Greifbares, nichts Sichtbares, Materielles, aber etwas ungemein Wirksames.

Frage: Immerhin haben Sie nun zugegeben, daß zwei authentische Figuren auftreten: Christa T. und ein Ich.

Antwort: Habe ich das zugegeben? Sie hätten recht, wenn nicht beide Figuren letzten Endes doch erfunden wären ...

Frage: Sie sprachen von Material, das Sie verwendeten. Von Erinnerungen.

Antwort: Das Material habe ich souverän behandelt. Die Erinnerung habe ich durch Erfindung ergänzt. Auf dokumentarische Treue habe ich keinen Wert gelegt. Ich wollte dem Bild gerecht werden, das ich mir von ihr, Christa T., gemacht hatte. Das hat sie und das Ich, um das ich nicht umhingekommen bin, verwandelt.

Frage: Sie betonen die subjektiven Elemente. Können Sie trotzdem so etwas wie eine Idee angeben?

Antwort: Als ich schon bei der Arbeit war, als das Material, die Fakten, mir geläufig und wieder fremd geworden waren, sah ich allmählich wenn nicht eine Idee, doch so etwas wie ein Motto. Ich fand es bei Becher formuliert und werde es meiner Arbeit voranstellen: „Denn diese tiefe Unruhe der menschlichen Seele ist nichts anderes als das Witterungsvermögen dafür und die Ahnung dessen, daß der Mensch noch nicht zu sich selber gekommen ist. Was ist das: dieses Zu-sich-selber-Kommen des Menschen?"

Es ist ein großer Gedanke, daß der Mensch nicht zur Ruhe kommt, ehe er zu sich selber gefunden hat. Die tiefe Wurzel der Übereinstimmung zwischen echter Literatur und der sozialistischen Gesellschaft sehe ich eben darin: Beide haben das Ziel, dem Menschen zu seiner Selbstverwirklichung zu verhelfen. Die Literatur nimmt sich, wie unsere Gesellschaft, gerade der Unruhigen an. Menschen darzustellen, denen diese Unruhe fremd ist: Selbstzufriedene, Platte, allzu Anpassungsfähige – das erscheint mir langweiliger und unergiebiger. Es kann allerdings nötig sein. Zum Beispiel, um den Hintergrund zu zeigen, von dem ein unruhiger, produktiver Mensch sich abhebt, oder um die besondere Qualität seiner Unruhe herauszuarbeiten. Auch, um die Gründe zu finden, warum seine Unruhe steckenbleibt – wenn dies der Fall sein sollte; warum sie nicht aus sich heraustreten und sich voll verwirklichen kann.

Frage: Das wäre wohl doch der Fall der Christa T.?

Antwort: Sie meinen, weil sie so früh starb? Weil die Ergebnisse ihres Lebens nicht leicht aufzählbar und vorweisbar sind? Nein. Ich habe gefunden, daß sie in der Zeit, die ihr gegeben war, voll gelebt hat.

Frage: Also keine Trauer?

Antwort: Doch: Trauer. Aber nicht Verzweiflung oder Resignation. Ich halte es für das Äußerste an Anti-Resignation, wenn man sich mit dem Tod nicht abfindet, wenn man gegen ihn aufbegehrt.

Frage: Sie haben also, indem Sie schrieben, etwas erfahren wollen, was Sie vorher nicht wußten?

Antwort: Ja.

Frage: Wie kommen Sie darauf, daß es auch andere interessiert?

Antwort: Ich bin dessen nie sicher. Ich kann mir nur Mühe geben beim Fragenstellen. Ich kann nur darauf vertrauen, daß mein ganzes Leben, meine Erfahrung aus der intensiven Anteilnahme an der Entwicklung unserer

Gesellschaft, Probleme und Fragen in mir erwecken, die auch anderen Menschen wichtig sind. Vielleicht lebenswichtig, aber das wage ich nicht vorauszusagen.
Frage: Sie halten Literatur für lebenswichtig?
Antwort: Ich glaube nicht, daß sich die Menschheit die große Anstrengung, die wir Kunst nennen, über Jahrtausende hin auferlegt hätte, daß sie in Zeiten größter materieller Not die Kräfte dafür freigegeben hätte, wenn nicht die Kunst dem Leben etwas Notwendiges und Neues hinzufügen würde. Nicht unbedingt Materielles, obwohl ich mich frage, ob nicht Anna Karenina sich so gut wie materialisiert hat ...
Frage: Sie kennen den Drang unseres Zeitalters nach Wissenschaft, nach Dokumentation.
Antwort: Ich kenne und schätze und teile ihn. Aber unser wissenschaftliches Zeitalter wird nicht sein, was es sein könnte und sein muß – bei Strafe einer unerhörten Katastrophe –, wenn nicht die Kunst sich dazu aufschwingt, dem Zeitgenossen, an den sie sich wendet, große Fragen zu stellen, nicht lockerzulassen in ihren Forderungen an ihn. Ihn zu ermutigen, er selbst zu werden – das heißt, sich dauernd, sein ganzes Leben lang, durch schöpferische Arbeit zu verwandeln.
Frage: Liegt nicht ein Widerspruch zwischen dieser Zielstellung und dem konkreten Ergebnis? Können Sie die manchmal sehr intimen, auch privaten Konflikte der Christa T. mit diesem Maß messen?
Antwort: Ich weiß, worauf Sie hinauswollen: Deutet sich hier etwas an wie Rückzug in die Innerlichkeit, Ausflucht ins Privatleben? Ich finde nicht. Die absurde Meinung, die sozialistische Literatur könne sich nicht mit den feinen Nuancen des Gefühlslebens, mit den individuellen Unterschieden der Charaktere befassen; sie sei darauf angewiesen, Typen zu schaffen, die sich in vorgegebenen soziologischen Bahnen bewegen: diese absurde Meinung wird niemand mehr vorbringen. Die Jahre, da wir die realen Grundlagen für die Selbstverwirklichung des Individuums legten, sozialistische Produktionsver-

hältnisse schufen, liegen hinter uns. Unsere Gesellschaft wird immer differenzierter. Differenzierter werden auch die Fragen, die ihre Mitglieder ihr stellen – auch in Form der Kunst. Entwickelter wird die Aufnahmebereitschaft vieler Menschen für differenzierte Antworten. Das Subjekt lebt immer souveräner in seiner Gesellschaft, die es als sein Werk empfindet.
Frage: Sie plädieren also für Empfindsamkeit in der Literatur? Wie wird die Jugend mit ihrem Hang nach Nüchternheit darauf reagieren?
Antwort: Empfindsamkeit ist nicht Rührseligkeit. Neben anderen Wirkungen hat die Literatur von alters her versucht, die Sensibilität des Menschen zu steigern. Echte Empfindungen lehnt die Jugend nicht ab. Warum nicht an die alte Losung erinnern: denkend fühlen und fühlend denken?
Frage: So haben Sie also bei dieser Arbeit herausgefunden, wie Sie in Zukunft zu schreiben haben?
Antwort: Im Gegenteil. Ich habe einen Weg probiert, den ich nicht noch einmal gehen kann. Andere Autoren werden ihn für sich nicht angebracht finden, das ist selbstverständlich. Aber ich habe herausgefunden, daß man um jeden Preis versuchen muß, den Kreis dessen, was wir über uns selbst wissen oder zu wissen glauben, zu durchbrechen und zu überschreiten.

1966

Gegenwart und Zukunft

Die Antwort auf Ihre Fragen versuche ich in einem Heim in der Nähe von Leningrad. Als ich ein Kind war, kam der Name dieser Stadt nur in den Frontberichten des Oberkommandos der Wehrmacht vor. Damals wußten wir nicht, daß der Haß gegen andere Völker sehr häufig einem eigenen tiefen Minderwertigkeitsgefühl entspringt, einer dumpfen Ahnung eigener Unfähigkeit, vernünftig und friedlich miteinander zu leben. Zerstörerische und selbstzerstörerische Machtdemonstrationen suchen diese Ahnung niederzustampfen. Die deutsche Geschichte zeigt diesen Vorgang vielleicht besonders häufig, zeigt besonders drastisch, welche Folgen eine zu schwache Organisation der Gegenkräfte hat. Nicht zufällig ist die Geschichte unserer Literatur voller Dichtertragödien: Kein Volk, keine starke Klasse standen hinter unseren Schriftstellern, die ihnen das Erlebnis der Ohnmacht ihrer Bestrebungen und den Zusammenbruch erspart hätten. Resignation, Pessimismus, Zynismus oder der Weg in die Idylle waren und sind die häufigsten Reaktionen auf die niederschmetternde Erfahrung, daß man nicht Subjekt, sondern Objekt der Geschichte ist.

Die Generation, zu der ich gehöre, erlebte auf der Schwelle zwischen Jugend und Erwachsensein den Zusammenbruch einer Welt von Pseudo-Idealen. Die erste produktive Phase unseres eigenen Lebens, die Zeit, in der man entscheidende Prägungen empfängt, fiel dann zusammen mit den sehr turbulenten, erlebnisreichen und produktiven Phasen einer neuen Gesellschaft. Die starken Impulse, die von dieser Entwicklung ausgingen, haben unser Lebensgefühl bestimmt und sich, wie ich glaube, in unseren Büchern niedergeschlagen. Ich habe diese Situation immer als günstig empfunden. Vielleicht kann man nachträglich sehen, daß der Bruch in der Entwicklung dieser Generation nicht ohne Folgen auf ihre innere Reife geblieben sein kann. Sie hatte es schwer, sich ein neues, ruhiges Selbstbewußtsein zu erwerben, das aber – neben anderen Faktoren – Voraussetzung für gültige Leistungen in der Literatur ist. Die ältere Generation sozialistischer deutscher Schriftsteller hat klassische Werke vorzuweisen, die in unserer Generation fehlen. Vielleicht wird unser Beitrag zur Literatur darin bestehen müssen, daß wir den Mut finden, unseren eigenen Lebensstoff schonungslos und wahrheitsgetreu zu erzählen.

Mir scheint, daß die starke Anspannung aller Kräfte, die frühe Übernahme von Verantwortung, die Möglichkeit, vielfältig tätig zu sein und mit der Haupttendenz der Gesellschaft übereinzustimmen, in unserem Teil Deutschlands in vielen Menschen Verhaltensweisen und Wünsche ausgeprägt haben, die produktiv sind und jene alte gefährliche Tendenz zur hemmungslosen Aggressivität nach innen und außen von Grund auf getilgt haben. Ich halte diesen Prozeß für historisch sehr bedeutsam – besonders, wenn ich mir die Lage der Welt von heute vor Augen halte und die unheilvollen Möglichkeiten, die in den neuen Entdeckungen und Erfindungen von Wissenschaft und Technik stecken, falls es uns nicht gelingen sollte, sie menschenwürdig zu nutzen.

Literatur in unserer Zeit, wenn sie überhaupt einen Sinn haben soll und sich selbst ernst nimmt, muß mithelfen, den Gebrauch, den wir von den selbstgeschaffenen Geräten und Instrumenten machen, zu humanisieren. Das heißt aber, die menschlichen Beziehungen so produktiv und reich wie möglich zu machen und es nicht zuzulassen, daß Technik und Ökonomie zum Selbstzweck entarten und dann ihren eigenen destruktiven

Gesetzen folgen. Ich bin überzeugt, daß diese Zukunftsaufgaben nur in einer sozialistischen Gesellschaft gelöst werden können. Also sollte der sozialistische Autor auf keines der bequemen Kapitulationsangebote eingehen, von welcher Seite sie ihm auch gemacht werden mögen, wie immer man sie auch begründen mag. Er hat festzuhalten an der Aufgabe, seine Leser, so gut er es kann, zu aktivieren, gesellschaftlich Unbewußtes in die Sphäre des Bewußtseins zu heben und ein wahrheitsgetreuer Chronist zu sein.

In diesem größeren Zusammenhang halte ich Genrefragen für zweitrangig. Die Auswahl an künstlerischen Mitteln war vielleicht noch nie so groß wie heute. Für mich möchte ich die Prosa als das angemessenste Genre ansehen, eine Gattung, deren Möglichkeiten noch nicht ausgeschöpft sind und die in der Lage ist, die Vielschichtigkeit und Kompliziertheit unserer Zeit in interessanten Raffungen wiederzugeben. Eine Gattung, in der man Verhaltensweisen vorführen und zugleich über sie nachdenken kann, in der Synthese und Analyse methodisch möglich sind. Eine Gattung, die den Autor als Person ganz fordert, ohne ihn zur Identifikation zu zwingen. Gute Prosa ist ein aufregendes Erlebnis.

Danach wird es sich merkwürdig anhören, daß meine Hauptarbeit in diesem Jahr ein Filmszenarium ist. Als Stoff habe ich das deutsche Volksbuch vom „Till Eulenspiegel" gewählt, konzipiere die Figur aus dem vorhandenen Material neu und stelle sie in eine historisch sehr interessante Epoche, die Zeit vor dem Großen Deutschen Bauernkrieg zu Beginn des 16. Jahrhunderts. Damals hatte eine soziale Bewegung in Deutschland zum letzten Mal für mehrere Jahrhunderte Aussicht, das ganze vermoderte gesellschaftliche Gefüge zum Einsturz zu bringen. Die Niederlage dieser Bewegung hat unsere Geschichte für lange Zeit bestimmt, aber dieser Eulenspiegel soll an ihren hoffnungsvollen Anfängen mitwirken. Er ist eine plebejische Figur, ein Mann aus der Tiefe des Volkes, vielleicht darum von der bürgerlichen Literatur nicht so intensiv beachtet wie andere Gestalten aus Volksbüchern.

Danach möchte ich wieder zur Gegenwart, zur Gestaltung eigener Erfahrungen zurückkehren. Sicher werde ich eine Reihe von Geschichten schreiben. Vor allem aber beschäftigt mich der große, sehr komplizierte Stoff, den meine Generation als Lebensgeschichte erlebt hat und erlebt, mit allen seinen Widersprüchen, Spannungen und starken Konflikten. Eine Form für diesen Stoff, der schwerlich in herkömmliche Geschichten und Fabeln zu pressen ist, weiß ich noch nicht.

1970

Dankrede zum Fontane-Preis

Der gute alte Fontane, von dem ein Schreibender heute vielleicht nicht mehr ausgehen, zu dem aber jeder als Leser in allen Lebenslagen immer wieder mit Gewinn zurückkehren kann – er hat natürlich auch für die Gelegenheit, die uns hier versammelt, ein passendes Wort gesprochen. 1891, also in seinem 72. Lebensjahr, schreibt er in sein Tagebuch: „Ende April erfahre ich, daß ich den ‚Schiller-Preis' erhalten habe, was mich natürlich sehr freut, vielleicht am meisten wegen der dreitausend Mark. Denn mit der Ehre ist es so: im Publikum sind einige (auch nicht viele), die's mir gönnen, unter den Kollegen eigentlich keiner; jeder betrachtet es als eine Auszeichnung, die meinen Anspruch darauf übersteigt. Wenn man sich auch noch so niedrig taxiert, macht man immer wieder die Wahrnehmung, daß es doch noch zu hoch war und daß man in der allgemeinen Schätzung noch niedriger steht. Nun, auch gut."

Fontane – durchaus nicht immer alt, und „gut" auch nicht im Sinne von harmlos und dumm – hatte schon, als er jung und hitziger war, eine unbezähmbare Abneigung gegen unechte Gefühle, tönende Phrasen und angemaßte Feierlichkeit – gleich jenem Heinrich Heine, den wir auch heute hier mit Recht feiern und mit dem er so schlecht nicht zusammenpaßt.

Manches hat sich geändert seit den Lebzeiten dieser beiden. Meine Kinder zum Beispiel konnten nie einstimmen in unser Zitieren einer Fontaneballade, wenn wir, im Auto gen Norden fahrend, an dem Ortsschild „Ribbeck“ vorbeifuhren:

Herr von Ribbeck auf Ribbeck im Havelland,
ein Birnbaum in seinem Garten stand . . .

Man lernt dieses Gedicht nicht mehr in unseren Schulen, weil eben die von Ribbecks, unter denen es auch nicht bloß kinderfreundliche Birnenverschenker gegeben haben mag, nicht mehr im Havelland sitzen. Nun, auch gut, würde Fontane sagen. „Über unsern Adel muß hinweggegangen werden.“

Aber wirklich staunen würde er, der mit sechzig Jahren zum großen Gegenwartsbuchautor wurde, wenn er die heutigen Auflagen seiner und unserer – der heutigen Gegenwartsautoren – Bücher mit den Zahlen vergleichen könnte, die seine Zeitgenossen ihm abkauften. „Effi Briest“ erreicht mit Mühe die 5000 und ist ein Rekord. „Mehr als 100“, sagt der resignierende Autor, „werden aus dem Herzen heraus nicht gekauft.“

Bei allen Unterschieden: Die Nüchternheit, mit der Fontane seine Lebensumstände und sich selbst, also auch gegebene und verweigerte Ehrungen betrachtete, stünde auch uns nicht übel an. So hoffe ich, auch im Sinne der anderen heute Ausgezeichneten zu sprechen, wenn ich in unseren Dank für das Wohlwollen und die gute Meinung der Preisverleiher uns gegenüber die Versicherung einschließe, daß wir schon richtig verstehen, wie es gemeint ist: „Das Beste im Leben ist Arbeit.“

Und das hat natürlich wieder Fontane gesagt.

Dezember 1972

Über Sinn und Unsinn von Naivität

Ihr Ansinnen, lieber S., so schlicht es scheinen mag, macht mir zu schaffen. Vielleicht, wenn ich dafür Gründe suche, kann ich Ihnen doch noch Genüge tun. Von Anfang an hatte ich keine Lust, diesen kleinen Artikel zu schreiben, dessen pünktliche Lieferung Sie aber nach empfangener Zusage billigerweise erwarten konnten. Man weiß ja auch von klein auf, daß man sich manchmal zwingen soll, etwas gegen seine Lust zu tun, da dachte ich wohl, dies wäre eine Gelegenheit, mich zu zwingen. Das Ergebnis – die übliche Zettelwirtschaft auf dem Schreibtisch, die üblichen, zu Häufchen von unterschiedlicher Stärke sortierten Manuskriptanfänge auf dem Fußboden – gab mir diesmal nicht ein Gefühl von Ungeduld und Zuversicht, sondern von Mißlingen. Nur durch die Erfindung einer Überschrift – derselben, die auch Sie gewiß sonderbar finden – wurde der vorzeitige Abbruch der Arbeit verhindert, weil sie mir die Chance zu einer allgemeinen, daher ausweichenden Erörterung des Gegenstandes zu geben schien.

Inzwischen ist mir klargeworden, daß Sie auf Mitteilungen erpicht sind, die ich entschlossen bin, Ihnen vorzuenthalten, und daß genau diese Diskrepanz die Quelle meiner Unlust ist und bleiben muß. Ahnen Sie eigentlich, was Sie einem zumuten? Die Geschichte einer beliebigen literarischen Arbeit erzählen – das hieße ja nicht mehr und nicht weniger als Rechenschaft geben über die ganze Lebensperiode, die ihr vorausging; hieße die Wurzeln gewisser als „eigen“ betrachteter Motive, so zaghaft sie angeschlagen sein mögen, zurückverfolgen bis zu ihrem Ursprung, hieße ihre Entwicklung markieren, sie von fremden Einflüssen trennen und so die Spuren sichern, die zu einem selber führen – doch wer könnte, und vor allem: wer *wollte* das? Und wie dann, um des Himmels willen, die Andeutungen filtern, bei denen es bleiben müßte, wie fast immer?

Ferner: Sollte man gewisse Dinge nicht mit dem Mantel der Nächstenliebe bedecken? „Erstlingswerk"! – Übrigens gibt es das überhaupt nicht. Immer noch frühere Versuche in immer noch jüngeren Jahren fallen einem ein, von halb und dreiviertel ausgeführten Roman- und Dramenplänen über Tagebücher, politische und private Gelegenheitsdichtungen, gefühlsgesättigte Briefwechsel mit Freundinnen bis hin zu den kindlichen Märchenerfindungen, Rache- und anderen Phantasien, Tag- und Nachtträumen und dreisten Lügengeschichten für den praktischen Gebrauch – jene lebenswichtigen Vorformen naiver Kunstausübung, deren Entzug für das Kind verheerende Folgen hätte und aus denen das Bedürfnis wachsen kann, sich schreibend auszudrücken. Was immer noch nicht viel besagen will, denn Sie als Lektor wissen wohl, wie weit verbreitet dieses Bedürfnis ist und die Anfälligkeit gegen gewisse Grund-Erfahrungen, denen nun mal jeder standzuhalten hat, auch: Schwäche, Ohnmacht, Angst, Schmerz, Zorn, Scham, Stolz, Mitleid, Trauer, Glück, Verzweiflung, Freude, Triumph. Die man, ginge es nach den besorgten Eltern, zwar fühlen, doch nicht zu stark fühlen soll, damit nicht, gottbehüte!, eine Daueranfälligkeit für Hirngespinste und Schwärmerei daraus werde.

Aber eine Kindheit, zwischen private Trivialität und öffentlichen Fanatismus gespannt, kann womöglich keinen anderen Ausweg finden als eine geheime Überspanntheit und den Versuch, ihr mit einem handgreiflichen Beruf zu begegnen: zum Beispiel Lehrerin, was ich bis zum einundzwanzigsten Jahr in alle Fragebögen schrieb. Daß ich mich danach jahrelang am Rande einer

Tätigkeit bewegte, zu der ich mir eine Fähigkeit nicht einmal in Gedanken anmaßte, läßt sich nicht nur aus der Tatsache erklären, daß sehr junge Menschen selten Prosa schreiben können. Hier wirkte jene Hemmung, über die später, in anderem Zusammenhang, noch zu reden sein wird und die natürlich nur durch starke Erschütterungen zu überwinden war, und nicht auf einmal. Kurz und gut, Sie werden es selber wissen, wie aus einem lauen Bedürfnis ein Zwang werden kann, der sich über alle Gebote hinwegsetzt, denen man etwa sonst noch unterworfen ist – einfach dadurch, daß er einem das Mittel an die Hand gibt, wenigstens vorübergehend mit sich selbst übereinzustimmen.

Kein Gedanke an Leserschaft, ganz im Gegenteil: Die frühen Produkte werden in einem sicheren Versteck aufbewahrt, da es sich um allervertraulichste Angelegenheiten handelt, deren Doppelzüngigkeit sich nicht deutlicher verraten könnte als durch die Tatsache, daß sie weder ganz und gar offenbart werden noch unartikuliert bleiben wollen. Dieser ausgesucht infame Widerspruch, den man sich nicht zu harmlos vorstellen soll, setzt ein Perpetuum mobile in Gang, welches in einem niemals zu ermittelnden Prozentsatz der Fälle jenes Gebilde hervorbringt, das Sie in Ihrer Anfrage „Erstlingswerk" nennen.

Wenn aber der Schreiber es bei sich selbst so nennen würde, wäre er schon verloren, denn er befindet sich in dem prekären Stadium zwischen zwei Stufen der Naivität und soll sich hüten, zu fest auf einen Boden zu stampfen, dessen Tragfähigkeit sehr zu bezweifeln ist. Übrigens erhebt sich hier die erste in einer längeren Kette von Gewissensfragen, nämlich die, ob jene erste Arbeit, die das Glück oder Pech hatte, veröffentlicht zu werden, zur Veröffentlichung geschrieben wurde und ob diese Absicht die Haltung des Schreibenden bei der ihm schon vorher vertrauten Tätigkeit verändert. Beide Fragen müssen mit ja beantwortet werden, die letzte mit dem Ausdruck des Bedauerns. Beim Übergang vom laienhaften zum berufsmäßigen Schreiben gehen in dem schreibenden Subjekt, während es zum Autor wird, Veränderungen vor (nennen wir nur den Verlust von Naivität im Sinne von Unschuld), die um so gefährlicher werden, je später man sie bemerkt, und denen nur durch energische und schonungslose Gegensteuerung einigermaßen zu begegnen ist . . .

Da sehen Sie selbst, wohin wir geraten, wenn man sich Ihre Bitte nur versuchsweise durch den Kopf gehen läßt. Sie brauchen sich gar nicht zu rechtfertigen. Ich habe schon verstanden, welche Auskünfte Sie „in Wirklichkeit" haben wollen: die üblichen. Welche von Ihren Arbeiten wurde als erste veröffentlicht? (Die „Moskauer Novelle", wenn man von Buchbesprechungen und Aufsätzen zur Literatur absieht.) Wann? (1961) Wo und unter welchen Umständen wurde sie geschrieben? (In der Stadt Halle an der Saale, in einer stillen Straße namens Amselweg, durch die der Chemiegestank von Leuna und Buna zog, an einem hellen Schreibtisch, der vor ein Fenster gerückt war, das mir den Blick auf unseren Balkon und einen leicht verwilderten Garten ermöglichte, in dem unsere Kinder laut mit den Kindern unserer Nachbarn spielten; die Namen der Nachbarn und die Namen der Kinder könnte ich Ihnen aufzählen, auch ihre Eigenschaften, aber welche Jahreszeit ich draußen sah, wenn ich aufblickte, das habe ich vergessen.) Vor allem nun: Woher nahmen Sie den Stoff zu dieser Erzählung, was heißen soll: was daran ist „erlebt", was „erfunden", wo hätte also der neugierige Leser den „autobiographischen Kern" des Erzählten zu suchen, der doch im allgemeinen, wie man weiß, zu Literatur verarbeitet wird? (Diesen Versuch, mich zu unfreiwilligen und überdies unwichtigen und irreführenden Geständnissen zu verleiten, schlage ich mit dem Hinweis ab, daß sich die Mühe des „Verarbeitens" nur lohnt, wenn sie nicht später durch leichtfertiges Ausplaudern zunichte gemacht wird.) Dann wenigstens: Gab es nicht für die eine oder andere der Figuren Vorbilder im Leben, und wenn ja, welche? (Kein Kommentar.) Wie alt waren Sie denn, als Sie das schrieben? (Schon beinahe dreißig.) Kannten Sie Moskau? (Zu wenig, wie Sie an dem Text leicht feststellen können, falls Sie Moskau besser kennen, wie jetzt ich, ohne daß es mir einfallen würde, darüber zu schreiben.) So nennen Sie doch ein paar der wichtigsten Motive, die zur Niederschrift dieser Geschichte geführt haben!

Ihre Zudringlichkeit (auch wenn ich sie mir nur eingebildet habe) stieß auf eine so zuverlässige Sperre, daß mir tagelang gar nichts einfiel und ich die Angelegenheit für erledigt erklären wollte, bis mir die unselige Idee kam, jenes Produkt, von dem gegen meinen Willen noch einmal die Rede sein sollte, nach vierzehn Jahren wieder zu lesen. Daß die Lektüre genauso peinlich war, wie ich sie mir vorgestellt hatte, brauche ich Ihnen nicht zu versichern. Ebensowenig, daß ich mir hier nicht das billige Unvergnügen machen will, mich über den für jedermann offenliegenden Mangel an formalem Können zu mokieren, über ungeschickte Sätze, verunglückte Bilder, hölzerne Dialoge, naturalistische Beschreibungen – alles das, was auch in guten Büchern vorkommt und was man halb zu Recht das „Handwerk des Schreibens“ nennt, das angeblich ein jeder lernen kann. Mehr schon bestürzte mich ein Zug zu Geschlossenheit und Perfektion in der formalen Grundstruktur, in der Verquickung der Charaktere mit einem Handlungsablauf, der an das Abschnurren eines aufgezogenen Uhrwerks erinnert, obwohl doch, wie ich ganz gut weiß, die Vorgänge und Gemütsbewegungen, welche Teilen der Erzählung zugrunde liegen, an Heftigkeit und Unübersichtlichkeit nichts zu wünschen übrigließen.

Da zeigt sich (beinahe hatte ich begonnen, es zu vergessen), wie gut ich meine Lektion aus dem germanistischen Seminar und aus vielen meist ganzseitigen Artikeln über Nutzen und Schaden, Realismus und Formalismus, Fortschritt und Dekadenz in Literatur und Kunst gelernt hatte – so gut, daß ich mir unbemerkt meinen Blick durch diese Artikel färben ließ, mich also weit von einer realistischen Seh- und Schreibweise entfernte. Das beginnt mich nun doch zu interessieren, außerhalb und jenseits Ihrer Fragestellung. Wie kann man mit fast dreißig Jahren, neun Jahre nach der Mitte dieses Jahrhunderts und alles andere als unberührt und ungerührt von dessen bewegten und bewegenden Ereignissen, etwas derart Traktathaftes schreiben? (Traktat im Sinne der Verbreitung frommer Ansichten, denn allerdings läßt sich dieser Liebesgeschichte zwischen einer Deutschen und einem Russen, wie sie da säuberlich in Grenzen gehalten und auf das Gebiet der seelischen Verwirrungen gewiesen wird, eine gewisse fromme Naivität nicht absprechen. Verzicht soll ja gar nicht beschimpft werden, nur müßte man ihn nicht moralisch motivieren, wenn die geltenden Gesetze – wir schreiben das Jahr 1959 – ihn sowieso erzwingen.)

Aber fürchten Sie nicht Selbstbezichtigungen oder ein Herausreden mit Unvermögen. „Angeboren, natürlich" (dies laut Hermann Pauls Wörterbuch die ursprüngliche Bedeutung des Wörtchens „naiv") mag einem zwar jenes obenerwähnte Bedürfnis sein, sich schreibend zu äußern. „Talent" aber hat von alters her keine Eigenschaft bezeichnet, sondern (lat.-griech. talentum) ein bestimmtes Gewicht und danach eine bestimmte Geldsumme und ist seit dem Gleichnis von den „vertraueten Centnern" (Matth. 25,14) im übertragenen Sinn angewendet worden: das Pfund, mit dem man zu wuchern hat. So daß es an einem jeden selber liegt, dem auch nur einige Gramm des Pfundes „vertrauet" sind, ob er sie verkommen oder sich vermehren läßt. Talent als ein Prozeß, als eine Herausforderung, ein Stachel, dem man auch die Spitze abbrechen kann.

Das ist es übrigens, was in jenem Text passiert sein muß: Auf dem Weg über Kopf, Arm, Hand, Federhalter, Maschine auf das Papier scheint nicht nur, wie bei Literatur nötig, eine Verwandlung, sondern ein Verlust an Energie stattgefunden zu haben. Anscheinend wurden da aus Angst vor schwer kontrollierbaren Sprengkräften eindämmende Erfindungen zu Hilfe geholt, Bauteile, die zu einer Geschichte verknüpft werden konnten: Dies ist die Geburtsstunde der Fabel (Fabel im alten Sinn von „Gerede" als Gegensatz zum wahrheitsgemäßen Bericht). Fabel-Wesen finden in ihr, wenn sie sich nur ein bißchen hineinzwängen, ein gutes Unterkommen, trocken und überwindig, und lernen es, fabel-haft miteinander umzugehen und eine handliche Moral zu erzeugen.

Nicht daß ich die eminenten Beziehungen zwischen Literatur und gesellschaftlicher Moral leugnen wollte; nur sollte die gesellschaftliche Moral eines Autors sich nicht darin erschöpfen, daß er seiner Gesellschaft möglichst vorenthält, was er von ihr weiß; obwohl es doch eine Zeit gab – man vergißt zu schnell! –, da gewisse, nach vorgefertigten Rezepten hergestellte Abziehbilder unter dem Stempel „Parteilichkeit" laufen konnten und wir, Anwesende immer eingeschlossen, uns an einen recht fahrlässigen Gebrauch dieses Stempels gewöhnten.

Zur Sache. Vielleicht wußte man es nicht besser? Auffällig ist doch, daß die gemischten Gefühle, die beim Wiederlesen der Erzählung in mir aufkamen, gerade durch die fast völlige Abwesenheit gemischter Gefühle in dem Text hervorgerufen wurden. Treu und Glauben, Liebe, Freundschaft, Edelmut und Geradlinigkeit – sind es nicht die klaren, reinen, unzweideutigen, weder durch Hinter- noch durch Abgründe bedrohten Gefühle, die uns an Kindern rühren und bei Erwachsenen als Zeichen ihrer Naivität erheitern (das Wort in der simplen, nicht durch Friedrich Schiller beeinflußten Bedeutung genommen: als Einfältigkeit, in der es heutzutage am häufigsten gebraucht wird)? Was um alles in der Welt sollte einen daran so entsetzen, daß man sich Mühe geben muß, den heillosen in einen vielleicht doch noch heilsamen Schrecken zu verwandeln?

Eben dies: daß man es nicht besser (jedenfalls nicht *viel* besser) wußte, es doch aber besser hätte wissen können und müssen. Im Jahre *neunundfünfzig* konnte man doch schon ein paar Informationen über den realen Hintergrund des Lebens einer sowjetischen Familie haben oder über die Schwierigkeiten in den Beziehungen zwischen zwei Völkern, von denen das eine noch vierzehn Jahre vorher das andere hatte versklaven, sogar ausrotten wollen – da genügt es nicht, schlechtes Gewissen auf die eine und Großmut auf die andere Seite zu setzen. Wie überhaupt Gewissen, wenn es nur als *schlechtes* Gewissen auftritt, nicht genügt, sowenig die frömmsten Wünsche genügen, wenn sie als Realität geboten werden. Und es kann nicht einmal einer Liebesgeschichte erlaubt sein, von einem Ereignis, wie es zum Beispiel der XX. Parteitag war, nur ein paar Reflexe in einer Idylle aufzufangen. So könnte ich fortfahren mit dem übrigens undurchführbaren Versuch, noch einmal in diese Geschichte hineinzukriechen, sie andauernd mit Zwischenrufen, hämischen Bemerkungen und Korrekturanforderungen zu unterbrechen, wenn nicht die seit vierzehn Jahren zunehmende Erfahrung in Sachen Selbstzensur mich hindern würde, das in ungebrochenem Ton zu tun.

Mit dem Wissen allein ist es ja nicht getan, und wie einfach wäre es doch, wenn nur äußere Umstände einen hindern könnten, „alles" zu sagen, was man weiß; denn wenn auch wahr ist, daß geschrieben wird, um bisher Unbekanntes auszusprechen, so kann man doch auch in jeglicher Literatur – selbst großer Autoren – nachweisen, daß sie dazu gebraucht wurde, manches zu verdekken. Und gerade diese Auseinandersetzung des Autors mit sich selbst, die zwischen den Zeilen, hinter den Sätzen stattfindet: an die Grenze des ihm Sagbaren zu kommen und sie womöglich an einer unvorhersehbaren Stelle zu überschreiten, und es doch nicht zu können, nicht zu *dürfen*, weil er ein selbstgesetztes Tabu nicht ungestraft berühren kann, gegen das jedes Verbot eines Zensors belanglos wird: diese Hochspannung macht den Reiz des Schreibens aus und, wenn man sie erst entdeckt hat, den Reiz des Lesens, auch wenn sich der Leser nicht bewußt werden muß, was ihn, über die Schicksale der Romanfiguren hinaus, so mitgenommen hat.

Ein neuer Ansatz: Ein gewisses Maß an Selbst-Täuschung – Naivität –, das dauernd ausgeschöpft wird und sich dauernd neu füllt, scheint uns zum Leben nötig. Auch soll hier weder bestritten noch etwa bemängelt werden, daß dieses Maß in der Jugend größer sein muß als späterhin, wenn Ent-Täuschungen mehr Nüchternheit hervorgebracht haben, ein Vorgang, der nicht beklagenswert ist. Nur *ist* dreißig Jahre nicht mehr Jugend. Und ich wüßte ganz gerne einige Gründe für die Spät-Reife meiner Generation, die auch Ihnen nicht entgangen sein wird.

Dies ist nun eine Behauptung, gegen die ich mich damals, vor vierzehn Jahren, sicher gewehrt hätte. Doch glaube ich zu wissen, wovon ich spreche. Achten Sie nur einmal darauf, worüber Angehörige meiner Generation fast nie von sich aus reden und welche Gesprächsstoffe, wenn sie doch gestreift werden, öfter Affektausbrüche auslösen, so wissen Sie mehr über jene „unbewältigten" Einlagerungen in unsere Lebensgeschichten, die das Selbständig- und Erwachsenwerden beeinträchtigen. Natürlich glaubte ich, was ich schrieb: die „Wandlung" der Generation, zu der ich gehöre, sei „vollzogen". Und wahr ist: die Umwälzung der bewußten Denk-Inhalte (dies mußte ja die erste Stufe dieser Wandlung sein) war eine erschütternde, die ganze Person ergreifende Erfahrung, und wer sich jene Untaten, zu denen wir alle ausersehen gewesen und denen wir ohne unser Verdienst knapp entgangen waren, ernsthaft vor Augen hielt, konnte, wie der Reiter über den Bodensee, an dem Schock nachträglich zu Boden gehen. Da ist wohl damit zu rechnen, daß eine tiefe Unsicherheit, ein fast unausrottbares, wenn auch häufig unbewußtes und durch rastlose Tätigkeit überdecktes Mißtrauen gegen sich selbst in vielen Angehörigen dieser Generation zurückgeblieben ist, das sich in ihrem gesellschaftlichen Verhalten – darunter in ihrer Literatur – ausdrücken muß.

Denn mit dem tiefen, nachhaltigen Entsetzen vor der Barbarei, die, solange von uns geleugnet, von unserm Land ausgegangen war, ist es nicht getan; auch nicht mit einer Ernüchterung, die sich nur auf vergangene Geschichtsabläufe bezieht. Wenn die Denk-Fehler erkannt, bereut, unter nicht geringer Anstrengung korrigiert waren, Ansichten und Meinungen, das ganze Weltbild sich radikal verändert hatten – die *Art* zu denken war nicht so schnell zu ändern, und noch weniger waren es bestimmte Reaktions- und Verhaltensweisen, die, in der Kindheit eingeschleust, die Struktur der Beziehungen eines Charakters zu seiner Umwelt weiter bestimmen: die Gewohnheit der Gläubigkeit gegen übergeordnete Instanzen, der Zwang, Personen anzubeten oder sich doch ihrer Autorität zu unterwerfen, der Hang zu Realitätsverleugnung und eifervoller Intoleranz. Zu erklären ist das ja alles, nur würde ich es gerne einmal erklärt *lesen*: Das alte hypertrophe Selbstbewußtsein (dem ja ein tiefes Minderwertigkeitsgefühl zugrunde lag), verdientermaßen zerstört, war nicht einfach durch ein fertiges neues zu ersetzen. Um aber doch weiterleben zu können, griff man begierig auch nach nicht vollwertigen Ersatz-Teilen, einem neuen blinden Glaubenseifer zum Beispiel (in einer Zeit, die, das brauche ich Ihnen nicht zu belegen, gerade von Sozialisten ein dialektisches Denken gefordert hätte) und der anmaßenden Behauptung, ein für allemal im Mitbesitz der einzig richtigen, einzig funktionierenden Wahrheit zu sein. Wovon auch jener Text, der hier immer noch besprochen wird, Zeugnis ablegt: indem er sich rührend bemüht, untergründige Bedrohungen durch Leidenschaften oder Trauer mit Hilfe von Rationalität abzuwehren, und indem er Veränderungen behauptet und voraussetzt, die erst zu beweisen gewesen wären. Was alles beides ihm nicht vollkommen gelingt, und das macht jene Durchlässe und Brüche, die doch zu Hoffnung Anlaß geben.

Sie werden mir glauben: dies ist kein Lamento und keine Beschuldigung. Eher ein Selbstverständigungsversuch, Vor-Formulierung von Problematik in abstrakter Form, die konkret in der Literatur wohl noch aufzuarbeiten ist. Nun ist die Prosa ja eine derjenigen Gattungen, die, auf Nüchternheit und Souveränität angewiesen, für Naivität keine Verwendung zu haben scheinen. Zugleich aber lebt sie, wie alle sogenannte Kunst, aus jenem Vorrat an ursprünglichem Verhalten, für das in der Kindheit der Grund gelegt wird. Ihre Bedingungen sind spontanes, direktes, rücksichtsloses Reagieren, Denken, Fühlen, Handeln, ein unbefangenes (eben doch „naives"), ungebrochenes Verhältnis zu sich selbst und zu seiner persönlichen Biographie – genau das, was wir eingebüßt haben.

Nun ist es eben dieser Widerspruch, der mitbestimmt, wie wir leben und auch wie wir schreiben. Man kann ihn ignorieren oder leugnen, ihn verharmlosen oder überspielen, sich gegen ihn versteifen, ihn beklagen und verfluchen. Man kann sich vor ihm in unproduktive Lebensmechaniken flüchten und an ihm zerbrechen, auch ohne es selbst zu wissen. Aber wie man es (oder sich) auch drehen und wenden mag, ein freies, schöpferisches Verhältnis zu unserer Zeit ist nur aus der Verarbeitung dieses Konflikts zu gewinnen, der das Zeug in sich hat zu modellhaften Darstellungen, da er ja nicht nur eine Generation betrifft. Nicht, um unnötigerweise gesellschaftliche Kräfte an die Vergangenheit zu binden, sondern um sie produktiv zu machen für die Gegenwart, hat eine andauernde unerschrockene Arbeit gerade an jenen Vergangenheitskomplexen stattzufinden, deren Berührung schmerzt. Ein Vorgang, der, mit Konsequenz betrieben, zu literarischen Entdeckungen führen könnte, auf die wir nicht gefaßt sind.

Denn vierzehn Jahre sind eine zufällige Zeitspanne. Wie sollen wir ahnen, eines wie fernen oder nahen Tages wir die Gutgläubigkeit unserer heutigen Äußerungen – zum Beispiel auch dieser Seiten – ungläubig bestaunen werden. Das soll so sein. Schon im Entstehen zerstörte Hoffnungen brächten jede Produktion und damit die Hoffnung selbst zum Erliegen, während heute, da jedes Wort komplizierteren und strengeren Tests unterworfen wird als früher, die Arbeit zwar mühevoller und langwieriger, aber doch keineswegs unmöglich geworden ist. Neue Arten von Nachrichten erfordern neue Entschlüsse und Techniken, sich wirksam einzumischen. Noch finden wir keine Worte, wenn wir zu hören bekommen, das fast zwölfjährige „militärische Engagement" der USA in Indochina sei eines Morgens „Punkt fünf Uhr" – „beendet" worden, und zwar nach dem Abwurf von insgesamt 6,6 Millionen Tonnen Bomben für mehr als 30 Milliarden Mark auf die Länder Vietnam, Laos und Kambodscha, mit, wie es heißt, „geringem Erfolg". – Da nützt uns unser gutes altes Wort „Wahnsinn" wenig, und es wird eine harte Arbeit werden, die Anführungszeichen in solchen Sätzen aufzulösen. Für jede eingreifende, nicht nur mechanische Tätigkeit brauchen wir aber wieder jenes Grundvertrauen in uns selbst.

So ende ich, zu Ihrer und meiner Überraschung, mit einem Lob der Torheit. Jener Torheit, die viele Gesichter hat, darunter solche, die ganz gut mit Einsicht und Erfahrung zusammengehen. Jener Torheit, auf deren Boden die großen Experimente gedeihen, aber Frivolität, Zynismus, Resignation nicht aufgehen. Die uns instand setzt, Häuser zu bauen, Bäume zu pflanzen, Kinder in die Welt zu setzen, Bücher zu schreiben – zu handeln, so anfechtbar, ungeschickt und unvollkommen, wie uns eben möglich. Was doch allemal vernünftiger ist als eine Kapitulation vor den verschiedenen, manchmal schwer kenntlichen perfekten Techniken der Destruktion.

August 1973

Ein Satz

Bremer Rede

Meine Damen und Herren, jetzt sollte ich sagen: Ich danke Ihnen. Ein simpler, deutschsprachiger Satz, hierher gehörig. Subjekt, Prädikat, Objekt. Was fehlt ihm denn, oder mir? Ich weiß nicht, ob Sie es hören können: Er klirrt. Als hätte er einen feinen Sprung.

Das greift um sich: Sprünge in den Wörtern, Risse durch die Sätze, Brüche über die Seiten, und die Satzzeichen – Punkte, Kommas – wie Klüfte und Gräben. Nicht zu reden von den Fratzen der Fragezeichen, vom rätselhaften Verschwinden der Ausrufezeichen. Eine Sprache, die anfängt, die üblichen Dienstleistungen zu verweigern. Worauf das hinweist, woher es kommt und wozu es führen mag – dies zu erörtern bin ich nicht hier; es ist schwierig und langwierig, entzieht sich auch bis auf weiteres der wörtlichen Rede. Den einen Satz aber – „ich danke Ihnen" –, den ich ertappt habe und dingfest machen kann, will ich mir vornehmen, und zwar, weil es kein schwerer Fall zu sein scheint, mit Hilfe der „Kleinen Grammatik der Deutschen Sprache", die ich seit langem besitze und selten benutze. Erstes Hauptkapitel: Der Satz.

„Lebendiges Sprechen", lese ich da gleich – ein Stichwort, das ich hier nicht gesucht hätte –, „lebendiges Sprechen wird aus einer Sprechsituation geboren, das heißt aus einer Lage, die wegen bestimmter innerer und äußerer Voraussetzungen zu einer sprachlichen Äußerung führt."

Vortrefflich, das hilft weiter. Situation, Lage, Voraussetzungen – die äußeren jedenfalls – könnten zwingender kaum sein. Umblätternd erfahre ich, der kürzeste vollständige Satz, den das Deutsche kennt, sei der Imperativ der zweiten Person. Hier lautet er: Sprich!

Lebendiges Sprechen. Ja, wie denn. Gewiß, ich weiß, am ehesten noch in Vor-Sätzen wie diesem: „Ich will mein Herz nicht mehr binden und rädern, frei soll es die Flügel bewegen, ungezügelt um seine Sonne soll es fliegen, flöge es auch gefährlich, wie die Motte um das Licht." Heinrich von Kleist; und man weiß, wohin solche Reden führen; nämlich zum Tode nicht nur, sondern auch zu gewissen Nach-Sätzen: „Es ist nichts trauriger anzusehen als das unvermittelte Streben ins Unbedingte in dieser durchaus bedingten Welt." Johann Wolfgang Goethe, natürlich, und man weiß: er hat ja recht, und man möchte nicht Schiedsrichter sein müssen zwischen diesen beiden Sätzen, die selbstverständlich nicht in der Grammatik stehn, zu der ich also zurückkehre.

Auf festen Boden, zwischen nüchterne Paragraphen, die wohl imstande sein sollten, den Zweifel aus meinem Satz herauszutreiben. .

§ 56: *Das Subjekt:* „Das Untergelegte." In unserm Fall ein Personalpronomen: „Ich." – „Begabt mit der Kraft, ein Verb an sich zu binden." Dem Satz untergelegt, damit es ihn zuverlässig trage. – Nun: Die Geschmacklosigkeit, zu fragen: Wer bin ich?, werde ich nicht besitzen. Doch: Wer bin ich denn für Sie? Genauer: Für wen halten Sie mich? Glauben Sie zu wissen, wen Sie auszeichnen, oder wissen Sie es? Und: Täten Sie es noch, wenn Sie es wüßten? – Ich frage.

§ 63: *Das Prädikat:* „Das öffentlich Ausgerufene." Eben. Dabei kamen Massenmedien in den Alpträumen der alten Lateiner noch gar nicht vor; die Öffentlichkeit meines Satzes erschwert ihm sein Dasein; krankhafte Sensationsgier und bedenkenlose Interpretationswut zerstören die Bedingungen für unbefangene Aussagen.

„Danken" – ein Vollverb, jener Gruppe von Verben

angehörend, die persönliches Verhalten ausdrücken: danken und übelnehmen; beipflichten und widersprechen; gefallen und mißfallen; begehren und entsagen; nützen und schaden; vertrauen und mißtrauen; huldigen und schmähen; nachgeben und widerstehen; helfen und wehe tun: Gäbe es ein Tätigkeitswort, das von diesen allen etwas in sich hätte! Darauf ist die Sprache nicht gefaßt. – Oder doch? Die Reibung, der Wider-Spruch, sind nicht ins Wort, sie sind in den Satz eingebaut. „Gott weiß, daß oft dem Menschen nichts anders übrigbleibt, als Unrecht zu tun“ (Kleist). Schmerzlichster Widerspruch, auf die Allerhöchste Autorität angewiesen, um nicht vor Angst zu vergehn – und auf eine kompliziertere Satzstruktur als unser Sätzchen. Denn in der hierarchisch geordneten Sprache macht der Haupt-Satz andere Satzglieder, ganze Neben-Sätze von sich abhängig, regiert sie nach Herzenslust, unterwirft sie sich, kann binden und lösen – nach Regeln, an deren Verfestigung er sehr interessiert zu sein scheint.

§ 84: *Das Objekt:* „Das Entgegengeworfene.“ Nicht ohne Schuldgefühl lasse ich mir Muster-Sätze vorhalten, in denen, genau wie in dem bescheidenen Satz, der zur Debatte steht, „ein Dativ-Objekt dem Verb entgegenkommt oder von ihm betroffen wird“. „Das Kind gehorcht den Eltern.“ – „Die Gesetze dienen dem Menschen.“ – „Er vertraut seinem Freund.“ Das klirrt und scheppert mir, unter uns gesagt, ganz gehörig, doch dieses Eingeständnis mag überflüssig sein. Bleiben wir bei „Ihnen“, dem Dativ-Objekt unseres Satzes, das mir, ich sage es rundheraus, fremd ist. Ich kenne Sie nicht. In welchem Sinne, möchte ich wissen, kommen Sie meinem Dank entgegen? In welch anderem Sinn könnte er Sie treffen? Begegnen sich, und sei es flüchtig, unsere Ansichten und Absichten in einem Wort? Ich weiß es nicht, hoffe es. Subjekt und Objekt sind einander nicht gewiß, das kann ja sein; die tieferen Sprünge kommen doch erst, wenn man die Stimme hebt, Gewißheit vorzutäuschen.

Ich stocke. Habe ich den Anlaß, den Satz, die Sprechsituation überanstrengt? Sind wir alle nicht oftmals heilfroh, wenn wir glatte, verbindliche Sätze aneinander vorbeigleiten lassen können? Und die Nichtübereinstimmung von Anlaß und Befinden – das, was wir „gemischte Gefühle" nennen –, so neu ist das ja nicht. Erfrischend immerhin das ungebrochene Behagen des alten Wieland, den meine Grammatik mit einem Beispielsatz für das Genitivobjekt zitiert: „Ich genieße meines Reichtums und andere genießen ihn mit mir!" Wie schön! möchte ich rufen.

Aber wenigstens wissen wir jetzt, warum ein schlichter Satz mir nicht glatt von der Zunge geht: Ich zweifle, ob er genau dem Sachverhalt entspricht, richtiger: dem Personenverhalten, den „inneren Voraussetzungen". „Vor allem eins, mein Kind, sei treu und wahr" – den Kinderschuhen sind wir entwachsen, nicht ohne Einübung in die Kunst des Lügens, die ja zu den Überlebenstaktiken gehört. Dennoch, und weil wir uns heute auf Literatur beziehen und weil Literatur auf die Dauer nicht taktisch sein kann, wenn sie überleben will: gilt also und soll weiter gelten, was die Grammatik als ein Beispiel für vielfältige Möglichkeiten des Satzgefüges anführt: „Es hört doch jeder nur, was er versteht"?

Beziehungsweise: Ein jeder liest nur, wie er's lesen will? Verkennende Kritik, umdeutendes Lob, und dies, das ist das bedenklichste, oftmals nicht in böser oder guter, sondern in „ehrlicher" Absicht, die aber unbekümmert bleibt um die Voraus-Setzungen des jeweils andern. Man kennt einander nicht, und warum? Die Fähigkeit zum Urteil ist von der Lust am Vor-Urteil, die Fähigkeit zum Nachdenken vom Zwang zum Wunsch- und Verwünschungsdenken aufgezehrt. Wir leisten uns das Vergnügen, ungerecht zu sein, und zahlen, kaum merken wir es noch, den Preis: daß wir uns selbst nicht wirklich kennenlernen. Wie es scheint, ist es nicht. Aber ein Heer von öffentlichen Ausrufern will uns glauben machen, daß der Schein nicht trügt. Wollen wir uns denn noch so sehen, so loben, tadeln, auch bedanken, vor allem aber: erfahren, wie wir sind? „Um zu begreifen, daß der Himmel überall blau ist, braucht man nicht um die Welt zu reisen“, liefert meine Grammatik als erweiterte Infinitivkonstruktion.

„Aufrichtig zu sein kann ich versprechen, unparteiisch zu sein aber nicht.“ Treffliches Goethesches Beispiel für eine Satzverbindung. Wenn das jeder, dem öffentliche Rede obliegt, von sich wüßte und gelegentlich sagte! Überhaupt gefallen mir Sätze mit „aber“, sie lassen sich schwerlich zu Lehr-Sätzen erhärten; Literatur, die nicht Sprüche klopft, sondern Widersprüche hervortreibt, kann auch zum „Aber“-Sagen ermutigen – auf die Gefahr hin, daß die feinen und unfeinen Risse in den Grund- und Lehrsätzen sehr spürbar werden und daß man das vielleicht schwer erträgt. Nun stellte sich bisher jedem „Aber“ immer wieder ein „Dennoch“ gegenüber: „Sei dennoch unverzagt. Gib dennoch unverloren.“ Dies mitten im Dreißigjährigen Krieg, als die Dichter noch Lebensregeln gaben: Paul Fleming, der, im gleichen Gedicht, die unglaubliche Zeile wagt: „Was du noch hoffen kannst, das wird noch stets geboren.“

Drei Jahrhunderte. Natürlich: Die Zeit selbst ist es, die den Zweifel heraustreibt, sehr weit heraus, tief in die Sprache hinein, daß sie – auch den verwickeltsten Umständen und jeder Feinheit eigentlich gewachsen – nun oft, allzuoft, kapituliert. Nicht die klirrenden und schweratmenden Sätze sind ja die gefährlichen. Die einschläfernden, plattgeschlagenen, bis auf die Knochen abgenutzten, die herrischen und die schmeichelnden sind es, die Lug und Trug betreiben, also Mord und Totschlag. – Es zieht meine Grammatik, in deren Labyrinth ich mich lange verlor, mächtig zu den Partizipialsätzen hin. „Fanatisch sein Recht verfechtend, wurde Michael Kohlhaas zur tragischen Gestalt“: Ja, als sein Recht schon sein und vieler Leute Leben aufgefressen hatte, so daß er sich nicht mehr befragen durfte, wohin es ihn trieb, und

warum. Zweites Beispiel: „Und tiefer suchend fr
mehr, und dann, gestorben, kam ich hier ins Sch
reich" (Brecht). Erfrieren, Ersterben, Selbstverl
Folgen „tieferen Suchens"?

Ich wundere mich nicht, daß wir Angst habe
über die dunkle, unenthüllte Tiefe der Sprache
gen, von der Humboldt spricht, und Anteil zu n
an ihren Schicksalen: Da es uns so schwerfällt, u
uns selbst zu interessieren. Unpersonen trifft kein
rede mehr. In unpersönlichen Sätzen gehen sie m
ander um, effektiv, unverbindlich. Sprache, die leerl
Zweck wird, anstatt Mittel zu sein: böser Zauber in e
entzauberten Welt.

Ohne Anteilnahme kein Gedächtnis, keine Literatu
Ohne Hoffnung auf Anteilnahme keine lebendige, nu
gestanzte Rede; keine ruhigen, klaren Aussage-Sätze
weil an die Stelle der Tatsachen Behauptungen treten; keine Frage-Sätze („Was ist das, was in uns lügt, mordet, stiehlt?" Büchner); kein Zwiegespräch, nur strikte Monologe; kein Selbstbekenntnis, aus Furcht vor der eifernden Meute; keine Klage („Ach, das Leben wird immer verwickelter und das Vertrauen immer schwerer!" Kleist); kein Mitleid („Wenn das deine Mutter wüßt, das Herz im Leib tät ihr zerspringen"). Keine Sprache, die unsern notwendigsten, auch gefährdetsten Denk- und Fühlwegen folgen, sie festigen könnte. Keine Weisheit, keine Güte. Und kein Satz, der offenbleibt, offen wie eine Wunde. Dafür – anwachsende Teilnahmslosigkeit versuchsweise vorausgesetzt – mehr Sätze, die uns im Halse steckenbleiben, die uns in ihn zurückgestoßen werden. Die unausgesprochenen Sätze sind die, nach denen nicht dringlich genug gefragt wird. An ihrer Stelle immer häufiger Er-Satz, Zu-Sätze, Bei-Sätze, Auf-Sätze
Fort-Sätze.

Was tun? Anteil nehmen, reden, schreiben. Das Buc
das Ihnen einen Preis wert ist, erinnert unter andere
an eine Kindheit in einem Deutschland, das, ich erho
es leidenschaftlich, für immer vergangen ist. Auch he

wachsen Kinder auf, in den beiden deutschen Staaten. Fragen wir uns denn ernst genug: Wie sollen die, wenn sie groß sind, miteinander reden? Mit welchen Wörtern, in was für Sätzen und in welchem Ton?

Meine Damen und Herren, ich danke Ihnen.

Januar 1978

biblioteka universalis

Literatur: Wunder aus einem Widerspruch, aus entgegengesetzten Kräften und Erfindungen, flüchtigem Geist, bleiernen Lettern. Die alten kiloschweren Folianten bezeugen die Mühsal seiner Herstellung, die neueren Bücher belegen unsern Hang, es uns leichter zu machen, und sollte uns auch das Wundern dabei vergehn. Dann lehren sie es uns wieder, und Ehrfurcht dazu: in mehr als hundertjahrelanger Reihe stehn sie da, ein Angebot, das seinesgleichen sucht. Ich spreche von Reclams Universal-Bibliothek, von der deutschen Literatur, die sie präsentiert, und von dem wundersamen Gespräch, in das sie uns hineinzieht.

Jenes berüchtigte einzige Buch für die einsame Insel ist ein überholtes Ansinnen aus der Zeit der Folianten. Grüne Insel Mecklenburg, einsam gewiß nicht, doch Ort für Besinnung – fünf UB-Hefte nehme ich mit, wahllos herausgegriffen. Sie fallen nicht ins Gewicht. Wie weit, wohin käme ich hier, allein mit diesen fünf? Mit dem „Armen Heinrich" des Hartmann von der Aue – mein ältestes Reclam-Bändchen, Seriennummer 456 –, mit Luthers Schrift „Von weltlicher Obrigkeit, wie weit man ihr Gehorsam schuldig sei", mit „Komm, Trost der Nacht", deutschen Gedichten aus dem 17. Jahrhundert, mit Hebbels „Maria Magdalene" und mit den „Gedichten" von Volker Braun, die, der Zufall will es, genau hundert Jahre nach dem „Armen Heinrich" herauskamen, 1972.

Drei Tage las ich, streng nach der Chronologie, jetzt hör ich Stimmen. Des Armen Heinrich Jammer über den

Aussatz, die „Schand an seinem Leibe", über seinen Sturz aus Beliebtheit in Gemiedensein, mischt sich mit Luthers unerschrockener Predigt, die der weltlichen Obrigkeit das Recht auf die Seelen der Untertanen bestreitet, mit der klaren Stimme des großen Paul Fleming (der findet, im Dreißigjährigen Krieg, „ein weltlich Himmelreich, ein sterblich Paradeis" in seiner Freundin Schoß), mit dem Entsetzensschrei des Bürgermädchens Klara („Vater, Er ist schrecklich!") und mit Volker Brauns Ausruf: „Ich kann nicht leben ohne die Freunde / Und lebe und lebe hin!"

„Ist es denn so schwer zu erkennen, daß die deutsche Nation bis jetzt überall keine Lebens-, sondern nur eine Krankheitsgeschichte aufzuzeigen hat", fragt Hebbel 1844, im Vormärz. Wir stehn vor einer Literatur bitterer Schmerzen, harter Anfechtungen, tiefer Gewissensangst. Das gräßliche Menschenopfer, das der christliche Heinrich sich verbietet („Und blieb ihm von der Stunde an keine Hoffnung und kein Wahn") – sechshundert Jahre später wird es in Christi Namen gebracht: Klara, die sich in den Brunnen stürzt. „O Gott, ich komme nur, weil sonst mein Vater käme!" – Wenn die Welt sich neu in Gut und Böse, Recht und Unrecht teilt, spaltet Gewissensnot des einzelnen Brust, eine Qual, die ihn reden, schreien, singen macht: So spricht er sich frei. Wir stehn vor einer Literatur des Aufbegehrens. „Darumb ists gar überaus ein närricht Ding, wenn sie gebieten, man solle der Kirchen, den Vätern, Concilien glauben . . ." Doktor Martin Luther – der, wenn einer, von Anfechtung und Selbstbefreiung zu sagen wüßte – zwei Jahre vor den Bauernkriegen, da die Welt sich aufs neue teilen wird.

Danach Paul Fleming, nicht minder kühn, in Selbstanrede, ein „Dennoch" ein für allemal voraussetzend: „Sei dennoch unverzagt, gib dennoch unverloren" . . . Was sind sechs-, was siebenhundert Jahre? Schneller, immer schneller scheint die Welt sich zu teilen, mehr als ein Riß durch ein jedes Leben. Schmerz, Angst, Schuld, die Qual der Ausstoßung, Selbstopfer und Menschenopfer

– wir kennen alles. Wir kennen das Dennoch und den Triumph der Selbstbehauptung. Uns ist schmerzlich unverlierbare Heimat die Sprache und die sie uns aufhebt, die Literatur, in der, wie nirgends sonst, bewahrt ist, was wir waren und was wir werden wollen. Die große Sehnsucht nach den „tätigen Gefährten", die Volker Braun ausspricht: „Und was ich beginne, mit ihnen / Bin ich erst ich / Und kann leben, und fühle wieder / Mich selber in meiner Brust."

Eine Bücherreihe, die uns auf unsern Platz in einer andern, unsichtbaren Reihe hinweist und die Bestand haben wird, wie oft gerade das Verletzliche besteht. Bleibt zu danken denen, die sie fortführen.

Juni 1978

Auskunft

Was ich über mich zu sagen habe, kann nur kurz und trocken sein. Ich bin 1929 geboren, in Landsberg an der Warthe. Östliche Städte blieben mir das Muster für Städte überhaupt. Östliche Landschaften mit Fluß lösen in mir ein Gefühl von Wiedererkennen aus. Meine Eltern betrieben ein Lebensmittelgeschäft. Meine Kindheit fiel in die Herrschaftszeit des Nationalsozialismus. Mir die Prägungen bewußt zu machen, die aus dieser generationstypischen Lage entstanden, sie schreibend zu bearbeiten, das war ein elementarer Antrieb für spätere Arbeit. Die Brüche, die meine Generation in ihrer äußeren und inneren Biographie erfahren hat, können, so glaube ich, für die Brüche und die Zerrissenheit dieses Zeitalters stehen. Dies könnte ein Schreibender auch als Gücksfall begreifen – falls er nicht als Person zu viele seiner schöpferischen Energien darauf verwenden muß, diese Zerreißprobe ohne ernste Deformation zu durchleben.

Kunst – im weiteren Sinn – ist mir in meiner Kindheit und Jugend nicht begegnet. Obwohl ich den Büchern früh verfallen war, wußte ich nicht, was Literatur ist oder sein könnte. Daß ich die ersten bestürzenden Wirkungen von Gedichten unvorbereitet und unangeleitet erfuhr – vielleicht ist auch dies ein Glücksfall, von jener Art, die Glücksfälle heute an sich haben. Es war im Frühjahr 46, es war während einer langen Krankheit, die ich in einem mecklenburgischen Bauerngarten unter einem Apfelbaum „auslag“, es war ein kleines blau eingebundenes Buch mit Goethes Gedichten, es war „Wie herrlich leuchtet mir die Natur". Das Maß war gesetzt, unbewußt, später bewußt, verlangte ich dann nach dieser Erschütterung. Allmählich, über Jahre, lernte ich es, auf ihr als auf einem nicht nur ästhetischen, auch moralischen Zentrum meines Lebens zu bestehen.

Vielleicht sollte ich erklären, wie ich, als Sechzehnjährige, in dieses mecklenburgische Dorf kam, das mir sehr fremd war. Es war die erste Station nach der Umsiedlung meiner Familie gegen Ende des Krieges; die Städte und Ortschaften, in denen ich bis heute in der DDR gelebt habe und lebe, will ich nicht alle aufzählen. Aber zählen will ich sie einmal: Es sind elf. Unter ihnen die Universitätsstädte Jena und Leipzig, in denen ich Germanistik studierte. Heimatsuche kann man aus häufigem Ortswechsel sicher herauslesen; aber vor allem: Da war eine große Neugier, eine starke aktive Anteilnahme an dem Unternehmen einer Gesellschaft, mit den Eigentumsverhältnissen „das Leben" zu ändern. Es schien uns – vielen meiner Generation – ändernswert, und das scheint es mir heute noch. Auch der Widerstand, den eine durch historische Setzungen bedingte Realität einer inständigen Sehnsucht entgegenstellt, kann produktiv machen. Mir scheint, daß der anstrengende, schmerzhafte Versuch, nicht zu Vereinbarendes miteinander zu vereinbaren, seit langem schon, und bis heute, eine Wurzel für den Zwang zum Schreiben ist. So entsteht – entstand – bei mir Bindung, als ein widersprüchlicher Prozeß; so – aus Übereinstimmung und Reibung, aus Hoffnung und Konflikt – entstanden die Bücher, die ich bisher geschrieben habe.

Von der besonderen Art von Spannungen, welche eine Frau, die schreibt, auch bei uns erfährt, will ich nicht sprechen. Ich habe – um das Wort zum dritten und letzten Mal zu bemühen – die Möglichkeit, die Widersprüche unserer Gesellschaft als Frau von Grund auf zu erleben, immer als Glücksfall angesehen. Meinen Büchern kann man vielleicht entnehmen, in welchem Sinn.

Ich habe mir überlegt, was Sie bewogen haben mag, mich zum Mitglied dieser Akademie zu wählen. Wenn ich davon ausgehe, daß eine bestimmte Art von scheinlogischem Wahndenken, eine verbreitete Art von Denken in falschen Alternativen zu sehr ernsten Gefahren unserer Zeit geworden sind; wenn es stimmt, was ich glaube: daß diese Gefahren wenigstens teilweise aus Unkenntnis des jeweils anderen, aus Angst vor dem Fremden gespeist werden, dann wäre es wohl meine Aufgabe, in wie bescheidenem Maße auch immer, Kenntnisse zu vermitteln über die Literatur, die in der DDR entstanden ist und entsteht, auch Kenntnisse über die Umstände ihres Entstehens und über die Bedingungen, unter denen meine Kollegen und ich leben und arbeiten. Ich danke Ihnen also für diese Wahl und für Ihre Aufmerksamkeit.

Oktober 1979

Anekdotisches

Voriges Jahr, als ich über ein bestimmtes Thema nachzudenken begann, in jener schönen Phase, da es verlockend aufleuchtet, noch nicht beschädigt, zerlegt, eingeengt durch zu festen oder ungeschickten, noch nicht verfehlt durch zu lockeren, nachlässigen Zugriff; als die Gründe dafür mir noch plausibler waren als dann, sehr bald, die Gegengründe; als mich die Grenzen des Sagbaren beschäftigten und dabei eine Sprachunmächtigkeit in mir aufkam, ein Ungenügen an der vorgefaßten Sprache, die wir sprechen und schreiben, eine Sehnsucht nach einer andern Sprache, die ich im Ohr, noch nicht auf der Zunge habe: Als alles dies noch in seinen Anfängen steckte und ich alles und jedes, was ich sah, hörte, erfuhr und las auf dieses Anfangsgebräu ganz unwillkürlich bezog, da stellte sich mir überraschend die Frage: Warum hat Goethe eigentlich, als er ihn fertig hatte, seinen „Faust" versiegelt?

Zufällig war ich in Weimar. Ich ging ins Goethemuseum, das aufgeräumt und spiegelblank ist und – wie ein jedes Museum sein Objekt – den Dichter nur zeigen kann, wie er war, nicht, wie er wurde. Doch sind die Exponate nach neuesten Gesichtspunkten geordnet und allein durch ihre Vielzahl geeignet, dem Nachgeborenen das vernichtende Gefühl seiner Unterlegenheit zu vermitteln, das sicherlich noch weit schmerzlicher würde, wenn es nicht durch tröstende Kommentare, die niedrigere Gesellschaftsformation betreffend, in der der große Dichter verharren mußte, wieder leicht gelindert würde. Ich fand also auch Goethens letzten Brief an Wilhelm von Humboldt und jene Stelle, da Goethe, fünf Tage übrigens vor seinem Tod, Gründe dafür beibringt, daß er den zweiten Teil des „Faust“, das „Hauptgeschäft“ seiner letzten Jahre nicht nur, sondern seines Lebens, nicht einmal engen Freunden zu lesen gibt.

„Ganz ohne Frage“, schreibt er da – und ich stellte mich gegen die Wand, an der das Briefblatt befestigt ist und schrieb es ab – „ganz ohne Frage würd es mir unendliche Freude machen, meinen werten, durchaus dankbar anerkannten, weit verteilten Freunden auch bei Lebzeiten diese sehr ernsten Scherze zu widmen, mitzuteilen und ihre Erwiderung zu vernehmen. Der Tag aber ist wirklich so absurd und konfus“ – Goethe bezieht sich auf das Jahr 1832 –, „daß ich mich überzeuge, meine redlichen, lange verfolgten Bemühungen um dieses seltsame Gebräu würden schlecht belohnt und an den Strand getrieben, wie ein Wrack in Trümmern daliegen und von dem Dünenschutt der Stunden zunächst überschüttet werden. Verwirrende Lehre zu verwirrtem Handel waltet über die Welt ...“

Mein Versuch, mich auf den Sinn der sibyllinischen Worte zu konzentrieren, mußte vorerst scheitern. Im Nebenraum, in welchem man Pflanzen und Knochen betrachten kann, die Goethe nicht nur gesammelt, auch zu deuten gesucht hat, nahm eine Leipziger Oberschulklasse die Belehrungen eines wissenschaftlich ausgebildeten Museumsführers entgegen. Ich schlich mich an ihnen vorbei, zu den Steinen, die mich auch nicht stark fesseln. Da hörte ich aus dem Mund des Museumsführers, leicht thüringisch gefärbt, die Frage, die mich bleiben ließ. Warum, fragte der junge Mann, befaßten sich eigentlich nach Meinung der Schulklasse die Schriftsteller der DDR – er nannte drei repräsentative Namen – außer mit ihren literarischen Produktionen nicht, wie Altmeister Goethe, auch mit den Naturwissenschaften! Ich stand in Hörweite und schrieb Namen von Mineralien ab, während die sechzehnjährigen Leipziger, ihrer Natur nach entgegenkommend, ehrlich um Antwort rangen. Ich bin überzeugt, eine Schulklasse aus der Hauptstadt hätte höhnisch, eine aus Rostock befangen geschwiegen, die Leipziger aber, von Ironie und Selbstzweifel nicht berührt, trugen in ihrem anheimelnden Idiom Steinchen auf Steinchen herbei, aus denen, dessen waren sie wie ich ganz sicher, der Museumsführer schon das Rechte aufbauen würde.

So erfuhr ich – Horcher an der Wand –, zu Goethes Zeiten seien einerseits die Naturwissenschaften weniger kompliziert, andererseits die Literaten allseitiger gebildet gewesen; als mildernden Umstand müsse man den heutigen zugestehen, daß sie, die meisten von ihnen, nicht so alt wie Goethe würden, daher weniger Zeit hätten, an ihrer Bildung zu arbeiten; die Schriftsteller von heute beschäftigten sich auch vorwiegend mit sich selbst, sie seien nicht so fleißig, wie Goethe es war; heutzutage könne man in den Naturwissenschaften nur im Kollektiv etwas leisten, die Schriftsteller aber seien Außenseiter und Einzelgänger; unsere Gesellschaft liefere den Schriftstellern so viele neue Fakten, daß sie genug damit zu tun hätten, diese aufzuschreiben: anders als Goethe, der in einer alten Gesellschaft gelebt habe, wo alles schon bekannt gewesen sei; die Naturwissenschaft von heute verlange mathematisches Denken – die meisten Schriftsteller aber brüsteten sich bekanntlich damit, daß sie nicht rechnen können.

So, sagte der wissenschaftliche Museumsführer, und jetzt fassen wir zusammen. Also, Wissenschaften und Künste haben in den letzten hundertfünfzig Jahren einen derart immensen Fortschritt zu verzeichnen, daß Wissenschaftler und Künstler sich voll auf ihr Gebiet konzentrieren müssen und so in unserer Gesellschaft in der Lage sind, ungleich Größeres zu leisten als ihre Vorgänger in früheren Zeiten.

Mit genau dieser Zusammenfassung schien die Schulklasse gerechnet zu haben. Ich auch. Dann rief ich mich zur Ordnung. War ich nicht hergekommen, zu erfahren, warum Goethe seinen „Faust“ versiegelt hat?

Juli 1980

Irritation

Liebe Kollegen, gebeten, dem Almanach zum Verlagsjubiläum auch einen Beitrag zu liefern, suchte ich in meinem Kopf nach Anekdoten. Manche, die mir einfielen, kann ich nicht erzählen, andere will ich nicht erzählen. Übrigens habe ich den Eindruck, alles, was über Literatur und Verlage gesagt werden könnte, ist schon gesagt. Daß ich Ihnen allen, und einigen von Ihnen ganz besonders, dankbar bin für Ihre Mitarbeit, versteht sich, aber es soll doch einmal ausdrücklich gesagt sein. Woran ich einige von Ihnen erinnern möchte, ist kein literarischer, sondern ein tektonischer Vorgang: Einmal haben wir gemeinsam gespürt, wie die Erde bebte.

Das war an einem ersten Donnerstagabend eines Frühlingsmonats, wir saßen im Club in der Otto-Nuschke-Straße, der Referent – welcher, ist mir entfallen – hatte uns über sein Fachgebiet belehrt, das gesellige Beisammensein mit Brötchenverzehr war im Gange, da blickte ich zufällig nach oben und sah: Die Lampe schwankte. Ich glaubte, ganz nüchtern zu sein, und machte ein paar Kollegen am Tisch auf das Phänomen aufmerksam. Sie wunderten sich wie ich. Jemand sagte, in den oberen Räumen sei vielleicht eine Tanzveranstaltung. Aber hätte die Lampe dann nicht eher schüttern, keineswegs schwanken müssen? Ich behielt die Lampe im Auge: Sie schwankte. Mir wurde wunderlich zumute, so hätte man es früher ausgedrückt, ein bißchen unwirklich kam mir, vielleicht nur für Sekunden, unsere Versammlung vor, der Raum, das Gestühl, das kalte Büfett, die Teilnehmer, ich. Als könnten wir alle uns ebensogut auflösen.

So soll es wohl sein bei Erdbeben, denn ein Beben war es ja, wie ich am nächsten Morgen erfuhr, das unsere Lampe ins Schwingen gebracht hatte. Ja wußtest du das nicht! sagte Anna Seghers mir. Das Schwanken der Lampen ist doch immer das erste Erdbebenzeichen. – Nein, ich hatte es nicht gewußt. Ich war auch noch nie in Mexiko gewesen. Etwas wie einen absurden Stolz empfand ich: Selbst hier bei uns, in unseren nördlichen Breiten, hat einmal die Erde gezittert.

Weiter war nichts, ist nichts. Warum ich das erzähle? Einfach so. Einmal haben wir zusammen ein sehr kleines Erdbeben erlebt. Etwas sehr Geringes, das wir selbst nicht spürten, hatte die Lampe angestoßen. Kaum, gar nicht spürbar war die feine Erschütterung für uns, die sich den festen Mauern des Hauses mitgeteilt hatte. Mich hat das verwundert, das ist alles. Wenn mich jetzt, häufiger, dieses Gefühl von Unwirklichkeit überkommt, erkenne ich es wieder.

Ohne Überleitung, ohne Nutzanwendung, grüße ich Sie, liebe Kollegen des Verlags, herzlich.

Juni 1984

Netzwerk

In Graz, einer Stadt, von der so viele Autoren ausgingen, in der so viel Literatur entstand oder sich begegnete und begegnet, einen Literaturpreis zu bekommen, ist für einen Literaten eine Freude und eine Ehre.

Was immer Ihre Stadt geographisch, politisch, ökonomisch, ethnologisch, sozial und historisch kennzeichnen mag – auf der Landkarte der Literatur, die es nirgends zu kaufen und nirgends zu besichtigen gibt, hat sie ihren besonderen Platz. In dem gleichen Sinn, in dem bei Shakespeare und dann in dem bekannten Gedicht der Ingeborg Bachmann „Böhmen am Meer" liegt, und auf der gleichen imaginären Landkarte, ist Graz ein Knotenpunkt für Hoffnungen, Erwartungen, für Möglichkeiten, Begegnungen, für die Erinnerungen von Schriftstellern.

Ich möchte dafür sprechen, daß man solche imaginären Landkarten nicht gering schätzen soll, daß man sie mit dem gleichen – nein, mit einem anderen Ernst wahrnehmen und behandeln sollte, wie zum Beispiel, Generalstabskarten; und daß – es ist eine meiner Lieblingsvorstellungen – die imaginären Landkarten vieler Menschen, auf denen Städte und Länder als Wohnorte eines Freundes, eines besonders geliebten Dichters, Malers, Musikers, als Gesprächsort mit Kollegen, als Ort einer erschütternden oder befreienden Erfahrung oder Einsicht eingetragen sind, mehr und auf andere Weise Macht über uns gewinnen könnten, als eben jene realen, wenn auch geheimen Karten, auf denen Orte und Länder als Operationsbasen und Zielpunkte eingetragen sind.

Es liegt schon etwas daran, glaube ich, von welcher Art Imagination wir uns in Besitz nehmen, überwältigen lassen. Eine meiner inneren Landkarten, die ich mir bei Bedarf heraufrufen kann, ist eine Topographie von Gesichtern. Als ich das erstemal in Graz war – 1977, beim steirischen Herbst, der damals unter dem Thema „Männersprache – Frauensprache" stand – habe ich viele Gesichter in Erregung gesehen. Das Thema wühlte verschüttete Gefühle auf. Seitdem ist mir, wenn ich das Signal „Graz" empfing, das erschütterte Gesicht einer Frau aufgetaucht, die, empört und weinend, über ein schreiendes Unrecht sprach, das man ihr angetan hatte; oder das offene, ihr zugewandte Gesicht von Erich Fried, der damals neben mir auf dem Podium saß.

Oder das betroffene, nachdenkliche Gesicht eines anderen Kollegen, der inzwischen gestorben ist und den ich damals, hier in Graz, zum letztenmal sah. Zwar könnte ich es nicht beweisen – die Vorgänge, von denen ich spreche, liegen ja nicht innerhalb der Beweiszwänge, die das kausale, positivistische Denken uns auferlegt –, aber ich bin ganz sicher, daß der Ausdruck dieser Gesichter, den ich damals in mich aufnahm, beeinflußt hat, was ich danach schrieb. Er wurde, in meine eigenen Erlebnismuster eingefügt, zu einer Erfahrung, auf die ich zurückkommen konnte. Und wenn ich nun, behutsam den Fäden folgend, die mit bestimmten Namen, Gesichtern, Stichworten verknüpft sind, noch einmal die inständige Behauptung der Bachmann zitiere, daß Böhmen am Meer liege, da sofort auf Erich Frieds schönen Aufsatz über dieses Gedicht stoße, und eigenen Assoziationen nachhänge, die von zwei solchen Namen zu einer Reihe anderer Namen, zu einer Fülle von Erlebnissen, eigenen Arbeiten, Plänen führen – dann versuche ich damit eine Ahnung dessen zu vermitteln, was ich meine, wenn ich vom „Gewebe der Literatur" spreche. Es scheint mir doch dasjenige Netz zu sein, das sich dem alltäglichen Netz menschlicher Beziehungen am dichtesten anschmiegt und das, vor allem, nicht versucht, den

Erscheinungen, die es nachzeichnet und miteinander verknüpft, Gewalt anzutun. Zwar ist es darauf gefaßt, auch die Gründe für die Angst so vieler Menschen heraufzuziehen, die sie zwingt, eine Fülle von Angst- und Abwehrsystemen aus sich herauszustellen, sich zu wappnen, sich zu panzern, sich in einem Labyrinth starrer Institutionen zu verkriechen, von denen die Tötungsapparaturen nur diejenigen sind, die ihren Zweck am deutlichsten verraten. Aber ich glaube, daß Literatur heute und in diesem Teil der Welt nicht müde werden darf, die destruktiven Mechanismen aufzudecken, die in uns wirksam sind, und die Freiheit zu einem unverstellten, produktiven Umgang miteinander mit hervorzubringen. Diese anstrengende Bemühung, die den Autor, der sich ihr stellt, am meisten angreift, braucht, um eine Wirkung entfalten zu können, eben jene beteiligten, oft enthusiastischen Mittler, ohne die die Entwürfe und Angebote der Literaten sich kaum zu jenem Netzwerk auf unserer imaginären Landkarte der Literatur verdichten könnten.

Lassen Sie mich, meine Damen und Herren, die Behauptung aussprechen, daß in Ihrer Stadt solche bewußt und zielstrebig arbeitenden Enthusiasten am Werke sind; lassen Sie mich die Vermutung wagen, daß der Anlaß, der uns heute hier zusammenführt, von Ihrer Seite her ein weiterer Versuch ist, die literarische Topographie Ihrer Stadt mit literarischen Topographien in anderen Teilen der Welt zu verknüpfen. Und lassen Sie mich Ihnen dafür danken.

März 1983

Warum schreiben Sie?

Mit einem Bonmot könnte ich antworten: Ich schreibe, um herauszufinden, warum ich schreiben muß. – Tatsächlich wird Schreiben für mich immer mehr der Schlüssel zu dem Tor, hinter dem die unerschöpflichen Bereiche meines Unbewußten verwahrt sind; der Weg zu dem Depot des Verbotenen, von früh an Ausgesonderten, nicht Zugelassenen und Verdrängten; zu den Quellen des Traums, der Imagination und der Subjektivität. Das geistige Abenteuer des Schreibens besteht für mich darin, jene Kräfte in mir wiederzufinden und womöglich zu entfesseln, die im Lauf meines Lebens unter diesen unseren historischen Umständen als unnütz, überflüssig, schädlich, unbrauchbar, unangemessen, belanglos, unvorteilhaft, unbefugt, abträglich, anarchisch, amoralisch, gewissenlos, strafbar, gesetzwidrig, ungeeignet, untauglich, unratsam, schändlich, ordnungswidrig, untüchtig, lächerlich, krankhaft, töricht, wertlos, willkürlich, verächtlich, albern, verrückt, unsittlich, verantwortungslos, verfehlt, ungehörig, ungebührlich, unanständig, zerstörerisch, egoistisch, unzulässig, undankbar, radikal, aufsässig, unvernünftig – kurz, als subjektivistisch verdächtigt, mit einem Verdikt belegt, zurückgedrängt, narkotisiert, gefesselt und lahmgelegt wurden. Der Schrecken darüber, wie in Industriegesellschaften die Selektion der „nützlichen" Kräfte und Strebungen eines Menschen auf Kosten seiner „unnützen" Bedürfnisse und Wünsche funktioniert, und die Trauer über die Folgen dieser Spaltung und Amputation fließen sicherlich in mein Schreiben ein. Heute ist die Kunst wohl der einzige Hort, zugleich das einzige Erprobungsfeld für die Vision von ganzheitlichen menschlichen Wesen. Insofern ist Schreiben für mich eine Art Selbstversuch. Ob und wie in der Zukunft die Menschen der heute arbeitsteilig organisierten Industrieländer, deren Bedürfnisse verfälscht und mit Ersatzprodukten abgespeist werden, sich ihrer Wurzeln, der Fülle menschlicher Möglichkeiten und also auch der Kunst entsinnen werden – das weiß ich nicht. Ich, für mein Leben, brauche die Verbindung mit einer anderen Dimension in mir, um nicht das Gefühl von Da-Sein zu verlieren. Und darum schreibe ich.

Februar 1985

Wiener Rede

Bei meinem Nachdenken über die Implikationen dieses Preises fiel mir auf, daß er es fertigbringt, Wörter wie „Staat", „europäisch" und „Literatur" in einem Satz zu versammeln – Wörter, die für mich sofort ein Spannungsfeld aufbauen; der Satz wird spannend. In unterschiedlichen Zeitaltern hat dieser Satz seine Haupt-Wörter aufgelesen – wie sollte da nicht ein jedes von ihnen an eine andere Moral gebunden sein? Und all diese unterschiedlichen Moralvorstellungen leben, mehr oder weniger verblaßt oder zwingend, in uns, den Spätgeborenen: die jener frühen Vorfahren, deren Handabdrücke im weichen Lehm der Höhle von Altamira uns Heutige anrühren, und die der daran gemessen sehr jungen differenzierten Abbilder des Menschen in der Kunst der Neuzeit. Nun schon über zweieinhalb Jahrtausende setzen sich Heldenlob und Schlachtbeschreibung in der europäischen Literatur fort; jene Differenzierung des europäischen Menschen, von der ich sprach, war begleitet von der Kolonisierung ferner Kontinente und fremder Völker und von Greueln auf dem eigenen Kontinent, aus denen die heutigen Staaten hervorgingen. Die Literatur Europas überblicken wir von den Epen des Homer bis hin zu den Erzählfragmenten der Ingeborg Bachmann, um ein mir besonders naheliegendes Beispiel zu nennen: bis hin zu jenem Franza-Fragment aus dem Zyklus „Todesarten", an dessen Ende der Schreckensruf steht: Die Weißen kommen!, und damit sind ja wiederum wir Europäer gemeint, die heutzutage, sagt die

Bachmann, die Gehirne kolonisieren, das Denken und Wünschen der Menschen in jener Welt, die wir uns anmaßen, die „dritte" zu nennen, infizieren mit unserer eigenen Hybris, mit unseren Wertvorstellungen, an deren Spitze, was immer unsere Religionen und Ideologien beteuern, teilweise sogar glauben mögen, Macht und Besitz stehen – selbstredend in ihrer jeweils modernen Form.

Die Formen, die dieser Größenwahn in unserer Gegenwart annimmt, muß ich nicht nennen, aber vielleicht ist es nicht unnütz, daran zu erinnern, daß der Faschismus, nicht zufällig in der Mitte Europas entstanden, sich graduell, nicht grundsätzlich vom Wahndenken derjenigen unterscheidet, welche für das Ziel der Vernichtung des vorher verteufelten Feindes die Existenz des Planeten aufs Spiel setzen.

„Erkenne dich selbst!", die Losung über dem Tempel von Delphi wird, seit sie den frühen Europäern als Forderung bewußt wurde, von ihnen und ihren Nachfahren aus so vielen Generationen, und am allermeisten von unseren Zeitgenossen, geflohen wie nichts sonst. Mit Raketengeschwindigkeit suchen wir uns von ihr zu entfernen, mit ohrenzerfetzender Lautstärke sie in uns zu übertönen. Fassungslos sehen wir auf unseren Fernsehschirmen ehemalige KZ-Kommandanten erscheinen, die sich heute noch für gute Menschen halten, und in der Mehrzahl der Fälle würden wir uns wahrscheinlich irren, wenn wir sie als gemeine Lügner abtun würden. Sie wissen nichts von sich. Menschen, die von sich nichts wissen, sind die sichersten Objekte für Demagogie und Massenwahn. So läßt sich aus dem Durchschnittsmenschen das Monstrum heraustreiben. Die arbeitsteilig organisierten Industriegesellschaften müssen die Fähigkeiten, Strebungen und Wünsche ihrer Mitglieder nach dem Gesichtspunkt der Effektivität in „nützliche" oder „unnützliche" einteilen; mir fällt es schwer, mich der Assoziation an Zustände zu erwehren, die es zulassen, Menschen als „noch brauchbar" oder „lebensunwert" zu selektieren. Die Kunst ist heute wohl der einzige Ort, zugleich beinahe das einzige Erprobungsfeld für die Vision von ganzheitlichen menschlichen Wesen.

Daher wird Literatur, wird jedenfalls für mich das Schreiben immer mehr ein Instrument zur Öffnung unbewußter Bereiche, der Weg zu dem Depot des Verbotenen, von früh an Ausgesonderten, nicht Zugelassenen, Verdrängten; zu den Quellen des Traums, der Imagination und der Subjektivität – was auch bedeutet, daß Schreiben für mich eine Dauer-Auseinandersetzung mit jenen Bindungen ist, die auch durch Wörter wie „Staat", „europäisch" und „Literatur" gekennzeichnet sind. Die Spannung, die aus dieser Konfliktlage entsteht, ist, wie ich hoffe, nicht zerstörerisch, sondern ein kleiner Teil jener Energie, die in unserer Gegenwart, auch, zum Glück, auf unserem alten Kontinent, daran gewendet wird, das Überleben durch ein neues Wertgefüge zu sichern.

März 1985

Zeitgenossen
I

Brecht und andere

Eine der ersten Brecht-Aufführungen, die ich erlebte, war die Bearbeitung des Lenzschen „Hofmeisters", 1950. Von Jena, wo wir studierten, waren wir zu dem Gastspiel nach Weimar hinübergefahren, ausgerüstet mit dem Wissen des germanistischen Seminars über den bürgerlichen deutschen Sturm und Drang und über den kommunistischen Stückeschreiber Brecht.

An diesem Abend teilte ich meine Aufmerksamkeit zwischen der Bühne und Brecht, der wenige Meter von uns entfernt auf einem Eckplatz des ersten Rangs saß. Heute noch sehe ich Einzelheiten dieser Aufführung vor mir: den verzweifelten Schlittschuhlauf des noch nicht entmannten Hofmeisters, Gustchens übermütiges Füßeschnicken nach ihrer Rettung; aber ich sehe auch heute noch Brecht, wie er sich vor Lachen schüttelt. Sein Vergnügen an den oft gar nicht vergnüglichen Vorgängen im Rampenlicht provozierte und steigerte mein Vergnügen – weckte aber auch eine leichte Verwunderung. Nicht überall, wo Brecht lachen mußte, hätte ich mich zu lachen getraut. Seine Respektlosigkeit gegenüber dem „bürgerlichen Trauerspiel" machte uns die Köpfe heiß. Heute lesen wir zum „Hofmeister" in Brechts Theaterschriften: „... Auf diese Weise sind die Personen auch nicht entweder ernst oder komisch, sondern bald ernst, bald komisch. Der Hofmeister selbst erntet unser Mitgefühl, da er so sehr unterdrückt wird, und unsere Verachtung, da er sich so sehr unterdrücken läßt."

Da Brecht überzeugt war, daß die Veränderbarkeit der

Welt, um die es ihm ging, „auf ihrer Widersprüchlichkeit besteht", unternahm er es, zu zeigen, was in den Menschen „sie so macht, wie sie sind" – aber auch, „was sie anders macht" –, und stieß, was er wohl vorausgesehen hat, auf unser Unverständnis oder Scheinverständnis. Es könnte eine interessante Studie werden, wenn jemand unternähme, das Verhältnis meiner Generation zu Brecht zu untersuchen. „Verhältnis" ist schon so ein Wort, das Brecht mißbilligen würde, weil es die Spannungen und die Entwicklung eben dieses „Verhältnisses" kaum wiedergibt.

Und Spannung war da durchaus: zwischen uns (die wir Anfang der fünfziger Jahre glaubten, alles über Kriege und speziell über den Krieg zu wissen, der uns betroffen hatte) und der „Courage" da vorn auf der Bühne, der gegenüber wir uns, eben im Besitz unseres allzu runden Wissens, eine ungeduldige Überlegenheit herausnahmen, wo doch geduldiges Nachdenken am Platze gewesen wäre. Brecht hat wohl recht gehabt, als er damals schrieb, daß man die „Courage" in Berlin noch nicht verstehen könne. Begeistert und überzeugt wiederholten wir seine Thesen vom „Anbruch des wissenschaftlichen Zeitalters", fühlten uns selbst angesprochen, wenn er sagte: „Die Menschen des wissenschaftlichen Zeitalters werden ...", und wußten nicht, *konnten* nicht wissen, daß er durch uns hindurch sah auf jene, die wir nach unerhörter Anstrengung vielleicht einmal sein würden; oder sonst auf die, die nach uns kommen.

Das ist es, was ich „anspruchsvoll" nenne. Unsere Verwirrung darüber, daß, anders, als wir es gewohnt waren, nicht einmal die Tragödie tränenden Auges und widerspruchslos hingenommen, sondern höchst nüchtern befragt wurde, ob sie denn nötig, ob sie nicht vermeidbar sei (und wenn ja, wodurch) – diese Verwirrung erwies sich, wenn sie in richtige Fragen und genaues Denken übergeleitet werden konnte, als fruchtbar. Die „Anwendbarkeit" der Brechtschen Kunst und seiner Kunsttheorie lag nicht in der einfachen Nachahmung (obwohl sie dagegen nicht geschützt ist), sondern in der Ermunterung zu eigenen Entdeckungen. Brecht machte und macht uns Appetit auf Entdeckungen, und wenn Ernst Busch als Galilei mit deutlichem Bezug auf uns, das Publikum, verkündete: „Und es ist eine große Lust aufgekommen, die Ursachen aller Dinge zu erforschen" – dann verstanden wir ihn wirklich. Diese Lust hatten wir kennengelernt, die neue Gesellschaft stachelte sie an, und, was wichtiger ist: sie brauchte sie. „Herr, mein Schönheitssinn wird verletzt, wenn die Venus in meinem Weltbild ohne Phasen ist!" sagt derselbe Galilei später – die kürzeste sinnliche Formel dafür, daß einem neuen Publikum Schönheitsbedürfnis und Wahrheitsdurst verschmelzen, weil ihm „Vergnügen erwächst aus der Meisterungsmöglichkeit menschlichen Schicksals durch die Gesellschaft".

Ich sehe, wie unbedacht es war, auf die Frage nach entscheidenden Kunsterlebnissen den Namen „Brecht" zu nennen. Immerhin hätte ich ihn, auch wenn mancher andere Name mir auf der Zunge lag, nicht auslassen können. Gorki, Anna Seghers, Thomas Mann, Thomas Wolfe, Aragon – die Verschiedenartigkeit dieser Autoren unseres Jahrhunderts springt ins Auge. So ist es gewiß Verschiedenartiges, was sie einem unentbehrlich macht. Gemeinsam ist ihnen, daß die Struktur ihrer Arbeiten auf eine sehr komplizierte, öfter durchaus indirekte Weise mit der Struktur ihrer Wirklichkeit übereinstimmt, mit der sie andererseits, Veränderung wünschend und verändernd, dauernd im Streit liegen. Und auch: daß sie das kleine triumphierende Füßeschnicken eines gefallenen, aber geretteten Mädchens nicht vergessen ...

1966

Die zumutbare Wahrheit

Prosa der Ingeborg Bachmann

1

> Auf diesem dunkelnden Stern, den wir bewohnen, am Verstummen, im Zurückweichen vor zunehmendem Wahnsinn, beim Räumen von Herzländern, vor dem Abgang aus Gedanken und bei der Verabschiedung so vieler Gefühle, wem würde da – wenn sie noch einmal erklingt, wenn sie für ihn erklingt! – nicht plötzlich inne, was das ist: Eine menschliche Stimme?
>
> *Ingeborg Bachmann, „Musik und Dichtung"*

Man soll, im Begriff, diese Prosa zu lesen, nicht mit Geschichten rechnen, mit der Beschreibung von Handlungen. Informationen über Ereignisse sind nicht zu erwarten, Gestalten im landläufigen Sinn sowenig wie harthörige Behauptungen. Eine Stimme wird man hören: kühn und klagend. Eine Stimme, wahrheitsgemäß, das heißt: nach eigener Erfahrung sich äußernd, über Gewisses und Ungewisses. Und wahrheitsgemäß schweigend, wenn die Stimme versagt.

Weder sprechend noch schweigend ohne Grund. Ohne auf dem Grund der Hoffnung, ohne auf dem der Verzweiflung zu stehen. Geringere Anlässe, das Wort zu nehmen, hat sie verschmäht.

Kühnheit? Wo hätten wir sie zu suchen, bei eingestandenem Rückzug vor Übermächten, bei eingestandener Ohnmacht gegenüber dem Fremderwerden der Welt? In den Eingeständnissen selbst? Gewiß, da sie nicht aus Routine, nicht leicht und freiwillig gegeben werden. Mehr aber noch im Widerstand. Nicht kampflos weicht sie zurück, nicht widerspruchslos verstummt sie, nicht resignierend räumt sie das Feld. Wahrhaben, was ist – wahrmachen, was sein soll. Mehr hat Dichtung sich nie zum Ziel setzen können.

Klage? Nicht über Geringfügiges, und niemals kläglich. Über bevorstehende Sprachlosigkeit. Über die drohende Auflösung der Kommunikation zwischen Dichtung und Gesellschaft, die jedem ehrlichen Schriftsteller in einer bürgerlichen Umwelt vor Augen steht. Über die Aussicht, allein zu bleiben mit dem Wort („das Wort wird doch nur andere Worte nach sich ziehen, Satz den Satz"). Über die unheimliche Versuchung, durch Anpassung, Blindheit, Billigung, Gewöhnung, Täuschung und Verrat zum Kumpan der tödlichen Gefahren zu werden, denen die Welt ausgesetzt ist.

Tapferkeit? Sie ist verwundet, aber nicht besiegt, voll Trauer, doch ohne Selbstmitleid, leidend, aber nicht ins Leid verliebt. Man steht vor einem Kampfplatz. Sieht die Kräfte sich sammeln. Lyrik, Prosa, Essay schlagen die gleiche Richtung ein: aus dem Fraglosen ins Fragwürdige; aus dem Gewöhnlichen ins Ungewohnte; aus dem Unverbindlichen in die Verbindlichkeit, auch Verbundenheit; aus dem Ungenauen in die Authentizität. „Mir nach, ihr Worte!" Eine Art Schlachtruf, tapfer genug, würdig genug.

Repräsentanz? Der Dichter als Repräsentant seiner Zeit? Ingeborg Bachmann, bescheiden übrigens, aber auch stolz, wagt diesen Anspruch. Muß Anstoß erregen, da man in der Literatur der Moderne weithin auf Repräsentanz verzichtet hat. Sie geht weiter. „Der verändern wollende Dichter", fragt sie, als sei es ausgemacht und nicht gerade in ihren Breiten heftig bestritten, daß der Dichter verändern will: „Wieviel steht ihm frei und wieviel nicht?" Das heißt: Ist er, in ihrer Zeit, in dem Land, in dem sie lebt, noch Herr der Wirkungen, die er hervorzubringen wünscht? Da macht sie sich nun nichts vor, bleibt unbestechlich: „Nichts rührt sich, nur dieser fatale Applaus." Nichts rührt sich. So hätte der Dichter umsonst gesprochen? Wäre die Abstumpfung des Publikums, hervorgerufen durch die „vielen spielerischen Schocks", die ihm seit Jahren zugefügt werden, unwiderruflich? Wie aber müßte denn Dichtung sein, um, vor allem anderen, das zu verändern?

2

> Poesie wie Brot? Dieses Brot müßte zwischen den Zähnen knirschen und den Hunger wiedererwecken, ehe es ihn stillt. Und diese Poesie wird scharf von Erkenntnis und bitter von Sehnsucht sein müssen, um an den Schlaf der Menschen rühren zu können. Wir schlafen ja, sind Schläfer, aus Furcht, uns und unsere Welt wahrnehmen zu müssen.
>
> *Ingeborg Bachmann, „Frankfurter Vorlesungen"*

Sehend werden, sehend machen: ein Grundmotiv in den Werken der Ingeborg Bachmann. Das Gedicht „An die Sonne", ihre Rede „Die Wahrheit ist dem Menschen zumutbar" und das Prosastück „Was ich in Rom sah und hörte" gehören zusammen. Man sieht, wie sie zu sehen beginnt; wie ihr die Augen aufgehen, wie ihr Hören und Sehen vergeht. Wie sie Stolz zieht aus dem, was sie sehen konnte („der Stolz dessen, der in der Dunkelhaft der Welt nicht aufgibt und nicht aufhört, nach dem Rechten zu sehen"), Beglückung („Nichts Schönres unter der Sonne als unter der Sonne zu sein ...") und Einsicht: „Ich hörte, daß es in der Welt mehr Zeit als Verstand gibt, aber daß uns die Augen zum Sehen gegeben sind."

Sehen, einsehen, durchschauen: „Denn es ist Zeit, ein Einsehen zu haben mit der Stimme des Menschen, dieser Stimme eines gefesselten Geschöpfs, das nicht ganz zu sagen fähig ist, was es leidet ..." Das Klassische: „... gab mir ein Gott, zu sagen, was ich leide", wird aufgehoben, bezweifelt, unpolemisch bestritten. „Nicht ganz" – Fixierung einer anderen, späteren Erfahrung. Ein Grunderlebnis der Ingeborg Bachmann: Sie hat als Dichter der Summe von Erfahrung, die in der Welt ist, redlich ihre eigene hinzuzufügen. Ihre Sache ist es, den Mut zur eigenen Erfahrung immer neu in sich zu erzeugen und ihn gegen die wahrhaft überwältigende Masse und die entmutigende Herrschaft leerer, nichts sagender und nichts bewirkender Phrasen zu behaupten. Selbstbehauptung ist ein Grundantrieb ihrer Dichtungen – nicht schwächlich als Selbstverteidigung, sondern aktiv: Selbstausdehnung, auf ein Ziel gerichtete Bewegung. Auch: sich stellen, das Eigene, auch die eigene Schwäche, vorweisen, getroffen werden, wieder hochkommen, das Zentrum des Gegners erneut angreifen, andauernd selbst im Lebenskern gefährdet sein ... Selbstbehauptung als Prozeß. Rein dargestellt in dem Prosastück „Was ich in Rom sah und hörte", das sie, seltsam genug, unter die Essays einreiht. Ein Versuch – aber so könnte man alles nennen. Versuch, sich eine Stadt anzueignen. Eine Souveränität wiederzugewinnen, die durch Unterwerfung verlorengegangen war. Ihrer Herr zu werden durch Benennung. Den Zauber des genauen, sinnlichen Wortes wieder einmal zu probieren – ob es denn wirklich noch die Kraft hat, zu binden und zu lösen.

„In Rom sah ich, daß der Tiber nicht schön ist, aber unbekümmert um seine Kais, aus denen Ufer treten, an die keiner Hand legt." Mit dem ersten Satz ist die Tonhöhe angeschlagen. Heilige Nüchternheit. Pathos der innerlich angespannten Beschreibung. Vor sich hin gesprochene Sätze, wie sie aus großer äußerer Aufmerksamkeit und aus großer innerer Vorurteilslosigkeit kommen. Behutsamkeit des Zweifelnden und zupackende Genauigkeit dessen, der weiß. Sätze, die sich immer wieder auf Sachverhalte der Wirklichkeit beziehen, aber nie vorgeben, dieselbe Wirklichkeit zu wiederholen oder zu ersetzen. Doch lohnt es, die neue Realität, die sie herstellen, nicht zu mißachten. Sie ist, einem überraschenden Bezugssystem untergeordnet, die Hervorbringung eines ununterdrückbaren und unstillbaren Verlangens nach Durchdringung der natürlichen und gesellschaftlichen Umgebung mit menschlichen Maßstäben. Ist wie eine Schneise, die einer schwer arbeitend in einen Urwald haut: Vor ihm und hinter ihm schlägt die nackte, unreflektierte Realität wild zusammen.

Denn sie wird nicht verletzt: nicht durch Voreiligkeit

oder Schwerfälligkeit, weder durch Hochmut noch durch Schwäche. Ein nachdenklicher Blick liegt auf ihr, duldsam, doch nicht alles verzeihend. Zwingend, ohne zudringlich zu sein. Ein Blick, der das allzu Feste, Starre aufzulösen und das scheinbar Schwache zu festigen scheint: „Sie schlafen, wo die Platanen ihnen einen Schatten aufgeschlagen, und sie ziehen sich den Himmel über den Kopf." Es braucht die Worte „Armut" und „Freiheit" nicht, um das Gefühl zu vermitteln, daß diese Menschen arm und mit der Begabung und dem Recht zur Freiheit ausgezeichnet sind. Diese Art Teilnahme nimmt sich der Beobachter heraus: mit – zu – teilen, mit uns zu teilen. Höchste Subjektivität, aber keine Spur von Willkür, auch nicht die Willkür des Mitleids oder des Überschwangs, sondern spannungsreiche Authentizität.

Elegie und Hymne – lyrische Kategorien, eine Haltung bezeichnend, sind anwendbar. Stehen manchmal auf demselben Blatt, schließen einander nicht aus, vermischen sich aber auch nicht. Die Alten im Ghetto „erinnern sich ihrer Freunde, die mit Gold aufgewogen wurden; als sie losgekauft waren, fuhren trotzdem die Lastwagen vor, und sie kamen nicht wieder." Und, wenn der Blick sich hebt: „Ich sah, wo Roms Straßen ausfallen, den triumphalen Himmel in die Stadt einziehen." Das Preiswürdige wird gepriesen, ohne den Gestus maßvoller, konzentrierter Mitteilung zu durchbrechen. Kein selbstauferlegter Zwang zur Kargheit. An Stimmung gesättigt, könnte man diese Prosa nennen, wenn nicht im Deutschen „stimmungsvoll" zu oft als Ersatzwort für „vage" gebraucht worden wäre. Hier aber wird Stimmung aus den realen Beziehungen gewonnen, wird vor unseren Augen erzeugt als Übereinstimmung zwischen der Sinnenhaftigkeit des Sprechers und der sinnlichen Glut der Stadt, als Nichtübereinstimmung mit den Wunden, die sie trägt, den Verbrechen, die sie begeht oder zuläßt. Als Zustimmung, im ganzen, zu ihrer wunderbaren Existenz.

Und wunderbarerweise bedarf die Stadt der Zustimmung dieses Gastes, dieses ihres Bewohners: Sie lebt davon. Der herrliche Mut und die Selbstverständlichkeit des Menschen, der in die Stadt hineingeht, in ihr untertaucht, mit sich geschehen läßt, was da geschehen kann, die Augen nicht verschließt, auch wenn ihm nach Wegblicken zumute ist; der wieder auftaucht; weiß, das ist eine Atempause, sich des Bodens unter seinen Füßen zu versichern. Der dasteht und einfach „ich" sagt, ohne Selbstüberhebung, doch mit erhobenem Kopf: Die Haltung dieses Menschen, des Autors, macht diese Prosa aus, macht sie konkret und sehnsuchtsvoll, hält sie im schwierigen Gleichgewicht zwischen Anspruch und Erfüllung, zwischen Realität und Vision.

Da sieht man auch, der Vision hat man sich nicht zu schämen, sie ist nichts Leichtfertiges oder Ausgeklügeltes, sondern das Zeichen, daß die Arbeit an einem Stoff beendet ist – ein Zeichen, das sich nicht einstellt, wenn die Bemühung steckengeblieben ist, auf halbem Weg oder einen Schritt vor dem Ziel. Vision! hört man leichtfertig sagen, was ist das: Vision? – Man sieht plötzlich, was nicht zu sehen ist, was aber da sein muß, weil es Wirkungen zeitigt. Die Vergangenheit in der Gegenwart zum Beispiel. Oder die immer unterdrückten maßlosen Wünsche, die jeden Augenblick, keiner weiß, woher, in jedermann aufschießen können („aber morgens, gegen drei, fällt Tau. Wer da wach liegen und seine Lippen feuchten könnte!"). Vor allem aber Zusammenhang und Bedeutung hinter scheinbar zusammenhanglosen und unbedeutenden Vorfällen. Die Entdeckung, wovon sie alle leben und woran sie, was immer sie vorzuspiegeln suchen, in Wirklichkeit zugrunde gehn.

Es stellt sich heraus, daß jede Stadt aus dem Material ernster und redlicher Visionen ihre Zukunft macht, denn sie ist darauf angewiesen, sich an Lebendiges, Lebensfähiges zu halten. An die schlafenden Arbeiter auf den Balustraden, an die Alten im Ghetto, an die schreienden Marktfrauen; an das Kind, das in der Bar

Tassen spült, oder an die Abschiednehmenden auf dem Bahnhof Termini, und an den Jungen, der die Opfergelder der Fortfahrenden nachts aus dem Brunnen fischt. Sie alle ganz wirklich. Und über das Wirkliche hinaus: phantastisch. Um ihretwillen und mit ihrer Hilfe weicht das Vernichtungsgefühl, das den Gast wohl auch befallen kann in dieser Stadt, weicht die Verführung zur Verantwortungslosigkeit zurück, die im Bewußtsein der Ohnmacht liegt. Abgewehrt und geleugnet, und sei es für die Dauer dieser Seiten. Dafür tritt der Mensch hervor, der sich gegenüber der Stadt und der Natur nicht lumpen läßt und auf die Herausforderung seiner Möglichkeiten mit dem Anspruch auf Würde antwortet.

3

> Was aber möglich ist, in der Tat, ist Veränderung. Und die verändernde Wirkung, die von neuen Werken ausgeht, erzieht uns zu neuer Wahrnehmung, neuem Gefühl, neuem Bewußtsein.
>
> *Ingeborg Bachmann, „Frankfurter Vorlesungen"*

Ingeborg Bachmann weiß: „Dichten findet nicht außerhalb der geschichtlichen Situation statt." Die geschichtliche Situation ist derart, daß im Zentrum aller Dichtung die Frage nach der Möglichkeit der moralischen Existenz des Menschen stehen muß. Diese Fragestellung ist einer der Hauptantriebe der Bachmannschen Prosa – oft in seltsamer Verkleidung, nicht gleich erkennbar, als subjektiver Reflex, als Angst, Zweifel, Bedrohtheit: „Am Starkstrom Gegenwart hängen."

Ingeborg Bachmann ist keine ursprüngliche Erzählerin, wenn man darunter verstehen will, daß jemand unbefangen Geschichten erzählen und sich selbst dabei vergessen kann. Sie berichtet keine Fälle, sondern denkt über Fälle nach – über den „Grenzfall, der in jedem Fall steckt". Die Lyrikerin verleugnet sich nicht: Bloßlegung eines überliefernswerten Menschen auch hier. Überliefernswert, weil bereit und fähig, wichtige Konflikte der Zeit in sich auszutragen.

Ein anderes Medium also für die gleichen Fragen. „Und stellen wir sie in Hinkunft so, daß sie wieder Verbindlichkeit haben“: Mag sein, sie hat sich der größeren Verbindlichkeit des prosaischen Stoffes stellen wollen, wie sie in ihrer Umwelt der krassen prosaischen Banalität ausgesetzt ist. Es mag sie reizen, die Banalität schreibend zu besiegen. Komposition, eine straffe Fabel, kunstvoller dramatischer Aufbau, Erzählungen im strengen Sinn des Wortes stellen sich ihr nicht her. Der Zwang zu sprechen steht hinter ihrer Prosa wie hinter ihren Gedichten, eine Bedrängnis, die echt ist und sie legitimiert. Konkrete Situationen wird man oft vergebens suchen, ebenso wie die realistische Darstellung gesellschaftlicher Prozesse. Wir haben es mit Geschichten von Empfindungen zu tun.

Wie jeden Schreibenden quält Ingeborg Bachmann das Problem der Wahrheit, des Wahrheit-Sagens. „Genau sagen, was geschehen ist“ – genügt das? In der Wildermuth-Geschichte, die vom „Er“ zum „Du“ und „Ich“ hinüberspielt, wird das Scheitern des Versuchs seziert, Wahrheit durch krankhafte Genauigkeit zu ersetzen, durch einen Detailrausch. Der Richter Wildermuth, mit der Gestalt des Erzählers unverkennbar verstrickt, geht bis an das Ende der Zweifel, nachdem ihm bewußt geworden ist, daß seine guten alten stabilen Maßstäbe ihm abhanden gekommen sind. Nicht mehr wissen, was wahr ist, Wahrheit-Finden für unmöglich halten, am Ende den Glauben an den Wert der Wahrheit verlieren: „Aber will ich denn noch weiterkommen mit der Wahrheit? Wohin? Bis nach Buxtehude, bis hinter die Dinge, hinter den Vorhang, bis in den Himmel oder nur hinter die sieben Berge ... Diese Entfernungen möchte ich nicht zurücklegen müssen, weil mir der Glaube längst fehlt.“

Geschichte einer Desillusionierung, die bewegungsunfähig macht: Lähmung durch den scheinbar unvermeidlichen Verlust des Glaubens. Miniaturmodell für einen typischen Vorgang in der bürgerlichen Intelligenz dieses Jahrhunderts, selbstquälerisch bis zur absoluten Fragestellung gesteigert. Der einzige Ausweg – handelnde Verbindung mit wirklichen gesellschaftlichen Prozessen – scheint versperrt durch Hoffnungslosigkeit, zieht immer neue Nahrung aus der Entfremdung der realen Vorgänge, die sie beobachtet. Der Kreis ist geschlossen.

Ingeborg Bachmann, sehr bewußt der Tradition, in der sie steht, des Problemkreises, aus dem sie schöpfen kann und an den sie gebunden bleibt, ist von ihrer Erfahrung so glaubhaft, so ursprünglich und auf eigene Weise betroffen, daß der Eindruck des Epigonalen nicht aufkommen kann. Sie spielt nicht mit der Verzweiflung, Bedrohtheit und Verstörung: Sie *ist* verzweifelt, *ist* bedroht und verstört und wünscht daher wirklich, gerettet zu werden. Die Zeichen, die sie gibt – Klopfzeichen, Ausbruchsversuche –, sind echt. Die Anstrengungen, die sie unternimmt, sind schonungslos auch gegen sich selbst.

Eine Gestalt, eine lyrische Existenz, die ihre innere Erfahrung auch zum Gegenstand ihrer Prosa macht und daher immer wieder zurückkehren muß zur Problematik des Dichters in dieser Zeit – so, wie sie sich ihr darstellt. Sie kennt alles, was immer wieder gesagt wurde über die Fragwürdigkeit der dichterischen Existenz in der spätbürgerlichen Gesellschaft, über das Herabsinken des Literaturbetriebs zur Börse, über den angeblich unausweichlichen Zwang der „Nachfahren" zum Epigonentum. Sie hat es geprüft, aber sie widersetzt sich der Versuchung zum Selbstbetrug, der in der Kapitulation läge. Sie kehrt zu einfachen Fragen zurück: Wozu schreiben, „seit kein Auftrag mehr da ist von oben und überhaupt kein Auftrag mehr kommt, keiner mehr täuscht. Woraufhin schreiben, für wen sich ausdrücken und was ausdrücken vor den Menschen, in dieser Welt?"

Sie begreift die Schuldgefühle, die Selbstanklagen, diese „Stürze ins Schweigen" und sogar in den Tod bei vergangenen und gegenwärtigen Dichtern, sie weiß um den Schmerz, wenn die Welt nicht auf denselben Ton gestimmt ist wie man selbst. Sie nimmt diese Erfahrungen an, ohne mit ihnen einverstanden zu sein: weder Dünkel noch Snobismus, noch die gängige formale Scheinrevolte kommen für sie in Frage. Die Zerstörung des Glaubens bis auf den Grund, der Zynismus heißt, findet nicht statt. In ihren Essays, stärker als in ihrer Prosa, fixiert sie ihre Widerstandsposition: „Wenn wir es dulden, dieses ‚Kunst ist Kunst', den Hohn hier hin nehmen, stellvertretend für das Ganze – und wenn die Dichter es dulden und befördern durch Unernst und die bewußte Auflösung der stets gefährdeten Kommunikation mit der Gesellschaft – und wenn die Gesellschaft sich der Dichtung entzieht, wo ein ernster und unbequemer, verändernwollender Geist in ihr ist, so käme das der Bankrotterklärung gleich."

Sie verteidigt keine Außenbezirke, sondern „Herzländer". Den Anspruch des Menschen auf Selbstverwirklichung. Sein Recht auf Individualität und Entfaltung seiner Persönlichkeit. Seine Sehnsucht nach Freiheit. „Erkenntnissüchtiger, deutungssüchtiger und sinnsüchtiger" als andere reibt sie sich an dem Gegensatz ihrer Existenz zu dem lässigeren, vielleicht bunteren, aber platten bürgerlichen Dasein. Die „Wonnen der Gewöhnlichkeit", nach denen der junge Thomas Mann sich noch sehnen konnte, sind in diesem Jahrhundert zu Ausgangspositionen und Reservaten des Verbrechens geworden und haben jede Anziehungskraft gründlich verloren. Zermürbend ist sicher die individuelle Auflehnung gegen die technische Perfektionierung der barbarischen Banalität, das einzige Ziel, das der kapitalistischen Gesellschaft geblieben ist: „Dressurakt auf Dressurakt". Zermürbend durch das Gefühl, Außenseiter zu sein, durch den Verdacht des Anachronismus, der sich zuweilen gegen sie selbst richtet.

Da gehen die Namen der Figuren mit ihrem Gesicht verloren, da heißen alle Männer „Moll", da bewegen sie sich nach vorgegebenen Klischees, da lohnt es nicht mehr, Individuen zu erfinden zu den kümmerlichen Funktionen, die ihnen geblieben sind. Da wird, so allein gelassen, die normale Anstrengung des Autors, immer neue, immer schwierigere Gebiete der Wirklichkeit zu durchdringen und bewußt zu machen, zur Über-Anstrengung, die notwendige Spannung zwischen den eigenen Möglichkeiten und den Anforderungen, die man akzeptiert hat, zur Über-Spannung. Der radikale Anspruch auf Freiheit wird, wenn keine gesellschaftliche Bewegung ihm entspricht, zur verzehrenden Sehnsucht nach der absoluten, der schrankenlosen und irrealen Freiheit; die vollkommene Verzweiflung an der Möglichkeit nächster Schritte schlägt um in illusionäre Forderungen: „die Welt neu" zu „begründen" durch „Auflösung alles Bestehenden". Und die Abkehr von dieser Radikalität, die Rückkehr in normale Tätigkeiten und Lebenshaltungen, wird entweder als Kapitulation empfunden oder bleibt, wie in „Das dreißigste Jahr", unmotiviert und ohne Grundlage: „Ich sage dir: Steh auf und geh! Es ist dir kein Knochen gebrochen!" – Selbstvertrauen, ohne das man nicht leben kann, hier als Ergebnis einsamen Kampfes.

Zivilisationsmüdigkeit und Fortschrittszweifel sind am heftigsten in „Undine geht": vollkommene Entfremdung des Menschen von sich und seinesgleichen und romantischer Protest dagegen. Romantisch nicht nur in der Übernahme des Fouquéschen Märchenmotivs, der Undine-Figur, romantisch auch in der Haltung, der Gegenüberstellung platten Nützlichkeitsdenkens mit einem „Geist, der zu keinem Gebrauch bestimmt ist". Der dazu bestimmt wäre, menschenwürdigen Gebrauch von sich selbst zu machen, der helfen würde, „Zeit und Tod" zu verstehen.

Endzeitgefühl – ja. Aber keine Resignation. Immer wieder dieser Glaube an den Menschen, ergreifend, weil er die Verletzbarkeit unendlich erhöht. Selbst Undine, Anklägerin der Männerwelt mit der kaum verhüllten Stimme der Autorin, glaubt „ganz und gar", „daß ihr mehr seid als eure schwachen, eitlen Äußerungen, eure schäbigen Handlungen, eure törichten Verdächtigungen". Aber sie ist verdammt, „ihr" zu sagen, sich zu trennen, zu gehen. Da sie keine Möglichkeit sieht, den Kampf aufzunehmen, weicht sie vor den unzumutbaren Forderungen der Gesellschaft zurück, in der Hoffnung, so sich selbst bewahren zu können. Immer aber endet dieser Rückzug mit Selbstaufgabe, weil die Trennung von der gesellschaftlichen Praxis auch die inneren Widerstandskräfte des einzelnen aushöhlt.

Es gibt Versuche, dem zu entgehen. In „Unter Mördern und Irren" – demjenigen Prosastück, das einer konkreten Schilderung gesellschaftlicher Bezüge am nächsten kommt – fragt die Autorin nach dem Sinn der Opfer und damit nach dem Sinn des Widerstands. Der junge Mann, die Ich-Figur dieser Erzählung, ist ein Ratloser, Suchender, Angewiderter, irritiert durch den häufigen Wechsel der Wertmaßstäbe, dem er ausgesetzt ist: „Damals, nach 45, habe ich auch gedacht, die Welt sei geschieden, und für immer, in Gute und Böse, aber die Welt scheidet sich jetzt schon wieder und wieder anders." Er drückt ein Grunderlebnis seiner Generation aus: die unheimliche Wiederauferstehung der Reaktion. Aber er scheint nicht mehr bereit zu sein, bei jedem neuen Wechsel immer wieder überrascht, immer wieder verwirrt „nur auf seiten der Opfer" zu sein: „Das ergibt nichts, sie zeigen keinen Weg." Anscheinend könnte er sich vorstellen, auf einer anderen Seite zu stehen, die Haltung der Wehrlosigkeit aufzugeben, einen Weg zu suchen, in der Gesellschaft, real, also auch den Gesetzen der Realität unterworfen. Eine Andeutung nur, eine vorsichtige Frage an den Grenzen des Bereichs, der durch Literatur alleine nicht zu verändern ist . . .

In ihrem beharrlichen Veränderungswunsch wird die gedankliche, fast möchte man sagen: menschliche Leistung der Ingeborg Bachmann am deutlichsten. Sich nicht „auf mittlere Temperaturen" einstellen lassen, nicht zugeben wollen, daß alles „auf eine Frage des

Nachgebens, des Beipflichtens reduziert" wird. Eine „neue Sprache" suchen, ein „Denken, das Erkenntnis will und mit der Sprache und durch Sprache hindurch etwas erreichen will. Nennen wir es vorläufig: Realität."

4

Aber einige tranken den Schierlingsbecher unbedingt.

Ingeborg Bachmann, „Das dreißigste Jahr"

Sie sieht: Keine Hoffnung auf Veränderung mehr „im Rahmen des Gegebenen". So weit gegangen, muß sie sich fragen, inwieweit sie selbst, der Dichter, noch etwas anderes sein kann als eine Institution eben dieser veränderungswürdigen Gesellschaft. Ob sie nicht verdammt ist, mit zu erziehen „halb für die wölfische Praxis und halb auf die Idee der Sittlichkeit hin". Das ist die schonungsloseste und schrecklichste Frage, der ein Schreibender sich aussetzen kann. Wenn die Antwort dauernd gegen ihn ausschlägt, mag dies der Grund für Verstummen werden. Zumal die Lösung dieser Kardinalfrage nicht vom Schriftsteller allein abhängt, sondern von sozialen Veränderungen, die seinem Beruf eine neue Grundlage, ihm selbst eine neue Verantwortung geben würden.

Von dieser Art Veränderungen erhofft Ingeborg Bachmann sich nichts. Nie ist sie in die Lage versetzt worden, Anschluß an eine progressive geschichtliche Bewegung zu suchen. Eher neigt sie dazu – oder läßt doch einige ihrer Figuren dazu neigen –, aus der Gesellschaft herauszutreten, in verzweifelter Isolierung die Bedingungen aufzuspüren, die ihre Gesellschaft dem einzelnen diktiert, den Preis herauszufinden, den das nackte Leben kostet und der millionenfach gezahlt wird. Einigen ist er immer zu hoch gewesen. „Einige tranken den Schierlingsbecher unbedingt." Einige waren nicht käuflich, nicht durch Verführung zu gewinnen, noch durch Erpressung zu zwingen, sie zogen den Tod der

Selbstaufgabe vor, um in ihrer Zeit lebendig bleiben und in der Zukunft wirken zu können. An sie, scheint es, an ihr moralisches Beispiel sucht Ingeborg Bachmann sich zu halten. Ihnen zur Seite zu stehen, sieht sie wohl als Aufgabe ihrer Literatur.

Literatur als moralische Institution, der Dichter als Anwalt neuer moralischer Antriebe, die in seiner Epoche zum Ausdruck drängen. Der sich selbst vorauszuwerfen hat in Lust und Schmerz, der bis zum Äußersten zu gehen hat und sich zu erkennen gibt durch „Richtungnehmen, Geschleudertwerden in eine Bahn, in der von Worten und Dingen nichts Zufälliges mehr Zulaß hat".

Die Strenge und Integrität dieser Konzeption verbirgt doch nicht, daß das Bezugssystem, an dem ja auch die noch so kühnen Bahnen einzelner zu messen sind, ungenannt bleibt, wahrscheinlich ungedacht. Literatur als Utopie. Aber wessen Utopie? Utopie von welcher realen Grundlage aus? Tapferer, tief anrührender Entwurf eines neuen Menschen. Aber ein einsamer Entwurf, und nicht die Andeutung realer Schritte von der Misere ihrer Gegenwart weg zu dieser Zukunftsvision hin. Immer nur die Selbstbewegung des Geistes?

Zu diesen Fragen gelangen wir mit Hilfe dieser Dichtung – Fragen, die uns nicht gleichgültig lassen. Ingeborg Bachmann aber scheint in einem geschlossenen Kreis von ihnen umstellt. Sie markiert damit eine äußerste Position in der heutigen bürgerlichen Literatur, den Versuch, humanistische Werte gegenüber dem totalen Zerstörungstrieb der spätkapitalistischen Gesellschaft zu verteidigen. Nach unserer Erfahrung kann der Dichter diese Einkreisung nicht allein und nicht nur im Reich der Dichtung durchbrechen; die höchst fragwürdige bürgerliche Gesellschaft tatsächlich, das heißt durch Tatsachen, in Frage zu stellen setzt voraus, den „Rahmen des Gegebenen" zu sprengen. Dann erst, auf neuer gesellschaftlicher Grundlage, beginnt wirklich die „Verteidigung der Poesie".

Durch den Filter dieser Erfahrungen lesen wir die

Prosa der Ingeborg Bachmann. Vielleicht gewinnt sie so, da sie ernst und echt ist, noch eine Dimension, die die Autorin selbst nicht voraussehen konnte, denn jeder Leser arbeitet an dem Buch mit, das er liest. Und Ingeborg Bachmann gehört zu den Autoren, die sich ausdrücklich von der Mitarbeit ihrer Leser abhängig machen. Sie erhebt und erfüllt den Anspruch auf Zeitgenossenschaft.

Dezember 1966

Das Eigene

Juri Kasakow

„Meine Erfahrungswelt ist offenbar die der meisten meiner Altersgenossen. In der Kindheit der Krieg, ein Leben, düster und von Hunger beherrscht, dann Schule, Arbeit, Studium . . . Kurz, eine Erfahrung, die sich nicht durch besondere Mannigfaltigkeit auszeichnet. Aber ich neige dazu, der Biographie des Innenlebens den Vorrang zu geben. Für einen Schriftsteller ist sie besonders wichtig. Wer in seinem Innern eine reiche Entwicklung durchgemacht hat, der kann sich in seinem Schaffen dazu erheben, seiner Epoche Gestalt zu verleihen, obwohl er ein an äußeren Ereignissen armes Leben geführt hat . . ."

Kasakows Prosastücke bewegen sich auf jener Grenze, die zwischen der herkömmlichen Prosa als dem Bericht von etwas Geschehenem und der Poesie, dem Instrument für feine, kaum noch registrierbare Vorgänge, aufgerichtet zu sein scheint. Kasakow respektiert diese Grenze nicht. Er weiß: Poesie hängt nicht von einer literarischen Gattung ab, nicht etwa von Rhythmus und Reim; sie wird nicht durch die Kunst erzeugt und dem Leben „künstlich" aufgesetzt, um es „schöner", erträglicher zu machen. Poesie ist nicht an die Kunst gebunden, sondern an die Menschen, an ihr Zusammenleben als Arbeitende, Liebende, einander Stützende, Kämpfende, voneinander Lernende. Die Kunst kann Poesie nicht machen, nur finden. Sie ist da, wo wahrhaftige menschliche Beziehungen sind. In schwerer Arbeit, sogar in Kummer und Tränen, kann Poesie sein. Nur vor Verlogenheit und Roheit zieht sie sich zurück.

Poesie lebt im schwermütigen Gesang des Bojenwärters, eines Säufers, und in der verhaltenen Zärtlichkeit eines Mädchens, das mit ihm ist; sie lebt in der Sehnsucht jenes jungen Burschen am nächtlichen Lagerfeuer nach „wahrer Reinheit" in der Musik: „Aber ein Lied, besonders, wenn es lang ist, muß seinen eigenen Duft haben wie der Fluß und der Wald dort."

Einen Interpreten braucht Juri Kasakow nicht. Seine Geschichten versteht jeder, obwohl sie alles andere als simpel sind. Der heute neununddreißigjährige Autor hat sie vor 1965 geschrieben. Sie konnten erst in dieser Zeit entstehen – in dieser Zeit, da die sowjetische Literatur, da besonders die jüngeren Schriftsteller, zu denen Kasakow gehört, begannen, wie von neuem unvoreingenommen um sich zu blicken. Zu ihren Entdeckungen gehören feine, komplizierte Vorgänge im Innern des Menschen, schmerzende Zurückgebliebenheit und neue Einsichten in die oft scheuen, einfachen, ja alltäglichen Glücksvorstellungen der Leute, auf die man zu achten hat.

Rußland und der Norden sind die Landschaften der Kasakowschen Prosa. Einer ihrer größten Vorzüge neben Sensibilität ist Konkretheit. Dieser Autor, möchte man meinen, hebt einfach ein sorgfältig – aber auch wieder nicht zu sorgfältig – abgestecktes Stückchen Erde mit allem, was auf ihm lebt und kriecht, behutsam hinüber auf die Seiten seines Manuskriptes. Er scheint das Mittel zu kennen, wie man diese schwierige Operation bewerkstelligt, ohne den Lebensnerv seines Gegenstandes zu verletzen, ohne ihn zu töten oder zu verfälschen. Was vorher lebte, lebt sein wunderbares und manchmal sonderbares Leben weiter, unbekümmert um die Betrachter, die nun nicht ausbleiben (diese typisch russischen Geschichten wurden in den letzten Jahren in fast alle europäischen Sprachen übersetzt). Der Mann, der die Operation gemacht hat, scheint sich selbst herauszuhalten. In Wirklichkeit aber – denn das ist das „Mittel" – gibt er sich jedesmal zu dem Stück Menschen-, Tier- und Pflanzenwelt ganz und gar dazu. Manchmal läßt er es durchblicken und nennt sich „Ich“: „Ich war glücklich in jener Nacht, weil mit dem nächtlichen Dampfer sie kommen würde.“ Dann wieder, viel öfter, erlegt er sich Abwesenheit auf zugunsten anderer, sogar zugunsten eines Tieres.

Das „ihm Eigene“. Es ist ein Schlüsselwort für Mensch und Tier in diesen Erzählungen. Kasakows Gestalten sehnen sich nach dem ihnen Eigenen, sie suchen es, sie sind unglücklich seinetwegen und froh, es zu finden oder wenigstens zu ahnen. Darin und nicht nur darin erinnern sie an Gestalten, die wir zu kennen glauben: Gestalten Tschechows, Gorkis, Prischwins, Bunins oder Paustowskis. Ja, auch das „alte Rußland“ scheint noch einmal aufzustehen mit rechtgläubigen Sektierern, mit Wallfahrern, Jägern, Fischern, Dorfleuten, mit Nachtwächtern und sehnsüchtig sich hingebenden Mädchen. Dazwischen Krymow, dieser Moskauer Mechaniker. Er und seinesgleichen, zu denen der Autor sich zählt, sind das unerläßliche Ferment von Gegenwart in diesen Geschichten. Des Autors Blick auf seine manchmal fast urtümlichen Figuren ist ein Gegenwartsblick: direkt, aufrichtig, unromantisch, unbestechlich und nüchtern, dabei liebevoll, nachdenklich, behutsam, staunend und aufmerksam. Er sieht die zarten Züge in scheinbar stumpfen Menschen, wie er die zynische Grobheit des Burschen sieht, der sein Mädchen beim Abschied von sich stößt, ohne Grund, nur um ihr weh zu tun.

„Große“ und „kleine“ Themen, von denen man oft hören kann, gibt es nicht. Jedes Thema kann großzügig oder kleinlich behandelt werden. Natur kann zur Idylle, Liebe in Liebelei, Trauer in Sentimentalität, Glück in Wohlbehagen verzerrt werden. Doch zu den kleinlichen Naturen gehört dieser Schriftsteller nicht. Er analysiert selten, er deklamiert nie; aber er versteht; er versteht selbst jene Regungen und Aufwallungen der Menschen, die sie selbst nicht begreifen: Den dumpfen Ausbruch jener Moskauerin am Grab der Mutter in ihrem Heimatdorf zeigt er als vielleicht letzten Durchbruch von Gram über ein versickerndes Leben, das unmerklich in andere Gleise geglitten ist, als das junge Mädchen es sich einst erträumt haben mag.

Alles, was mich an Kasakow fesselt, tritt mir am deutlichsten in einer seiner jüngsten Erzählungen entgegen: „Herbst in den Eichenwäldern". Stärker als jede andere hat sie „ihren eigenen Duft". Das Erlebnis, die Ankunft des geliebten Mädchens, unverhüllt und doch verhalten dargeboten, nimmt die Farbe aller Dinge an, die nicht als einfache Zeugen, sondern als Mithandelnde zu ihm beitragen: die Farbe jenes Abends, des Motorengeräusches von diesem Dampfer; es verbindet sich mit dem schwankenden Lichtkreis der Laterne. Diesen Weg vom Fluß hinauf glaubt man gegangen zu sein, dieses Haus hat man doch betreten, vor diesem Kamin haben auch wir gelegen, dieses stockende Gespräch haben auch wir geführt.

Und das ist auch wahr. Der Mann und das spröde Mädchen aus dem Norden sind, wenn wir jeden pathetischen und deklarativen Sinn aus dem Wort nehmen, unsere Zeitgenossen. Ihren Wald an der Oka kennen wir nicht, wenn wir uns nun auch nach ihm sehnen. Aber diesen Weg sind wir doch wirklich gegangen, diese schwankende Laterne hat uns doch geleuchtet, dieses Feuer gab es doch, und diese Gespräche haben wir miteinander gehabt. Das Ferment Gegenwart – nirgends spürte ich es so stark. Noch in die Unbeholfenheit, die Schwierigkeit ihrer Liebe folgen wir den beiden. Sie durch Grobheit zu verletzen, würde bedeuten, unsere eigene Erinnerung grob herabzuziehen.

Was passiert denn eigentlich? Nichts. Nicht viel: Die geliebte Frau kommt an, vielleicht für immer, und er holt sie ab. Das ist, so genau es beschrieben sein mag, nur Vorwand – so wie ich alle diese Geschichten von Kasakow für Vorwände halten möchte: legitime Vorwände eines Schriftstellers, seine Haltung zur Welt auszudrücken. Das ist es, was ihn zum Schreiben drängt, mehr als die unscheinbaren, fast zufälligen Erlebnisse, die ihm auf seiner Wanderschaft zuteil werden. Die Suche nach dieser Welthaltung, ihre Überprüfung, ihr Reifwerden – das ist die einzige Dramatik, die der Leser in diesem Buch finden wird. „Aber ich neige dazu, der Biographie des Innenlebens den Vorrang zu geben . . .“

Und Einsichten wird er finden, unscheinbar wie die äußeren Ereignisse, Einsichten der Art, wie sie das häßliche Mädchen, aus ihrer Demütigung sich aufrichtend, fand: „. . . daß sie trotzdem ein Herz hatte, eine Seele, und daß derjenige glücklich sein würde, der das verstand.“

1966

Der Sinn einer neuen Sache

Vera Inber

Aus der großen und umfangreichen sowjetischen Literatur siebzehn Seiten aussuchen und dazu erklären, warum – eine solche Wahl muß fast zufällig sein. Oder nicht?

Den „Platz an der Sonne“ habe ich lange nach „Zement“ oder dem „Stillen Don“ gelesen, der Name Vera Inber war mir noch unbekannt, als Gladkow und Scholochow schon geläufig waren. Das Büchlein – hundertvierzig Seiten – fiel mir zufällig in die Hand, fast fünfunddreißig Jahre nachdem es – 1928 – in der Sowjetunion erschienen war. Zehn oder auch nur fünf Jahre früher hätte ich es kaum beachtet. Wie Menschenbekanntschaften gibt es auch Buchbekanntschaften zur rechten oder unrechten Zeit.

Vera Inber ist damals achtunddreißig Jahre alt. Ein neues Bedürfnis läßt sich nicht abweisen: sich früherer Erfahrungen zu versichern. Damit verquickt der Wunsch, Vergangenes möge nicht vergangen, nicht tot sein, es möge sich nicht ein für allemal verfestigen. Das Mittel dagegen ist die Neuerschaffung der Vergangenheit, die allerdings auch nicht zu jedem beliebigen Zeitpunkt möglich ist, sondern nur genau in jenem vergänglichen Moment, da die undurchsichtige Gegenwart so weit zurückgetreten ist, um durchsichtig, dem Erzähler verfügbar zu sein; aber noch nah genug, daß man nicht damit „fertig“ ist: „In einer südlichen Stadt kamen im Jahre des Bürgerkriegs im Herbst herrliche Tage, das Meer erstrahlte in ungetrübtem Blau, und der Wind schlief, zusammengerollt wie ein Ankertau.“

Eine junge, literarisch gebildete, bürgerlich erzogene Frau erlebt die Bürgerkriegszeit in Odessa: „Die Nächte waren dunkel und bebten mit den fallenden Sternen." In diesem Sinn ist „Der Platz an der Sonne" ein Erinnerungsbuch. Dieses Haus am Stadtrand von Odessa wird es gegeben haben, der Winter wird so trostlos kalt gewesen sein, und der Frühling kam im letzten Moment, „wenn der Mensch in Verzweiflung geraten ist".

Ich liebe Bücher, deren Inhalt man nicht erzählen kann, die sich nicht auf die simple Mitteilung von Vorgängen und Ereignissen reduzieren lassen, die sich überhaupt auf nichts reduzieren lassen als auf sich selbst. Was Vera Inber mitzuteilen hat, kann auf keine andere Weise mitgeteilt werden als auf diese, kein anderer hätte es erzählen können als sie – obwohl, natürlich, ihre Erfahrung nicht einzigartig ist.

Was rührt uns denn an dem großen, kalten Haus am Rande jener unbekannten Stadt, das allmählich einfriert und nur durch den schwachen, bangen Atem von drei Menschen notdürftig am Leben gehalten wird? Wahrscheinlich hat man doch auch schon in solchem Haus gewohnt, muß wohl die Sorge kennen, es könnte einem den Atem verschlagen. Es – nicht nur die Kälte. Die Zeit, die da angebrochen ist, der Weg, der da bevorsteht.

Das Wort „Revolution" kommt selten vor. Muß nicht vorkommen, da ohne sie das Buch nicht geschrieben, die Frau, die da behutsam und zurückhaltend von sich erzählt, keine Dichterin geworden wäre. Was sie erzählt, ist ja gerade – zwischen den Zeilen allerdings –, wie ihre Begabung herausgefordert wird durch den Einbruch von Wirklichkeit, wie sie produktiv wird durch den jähen Abbruch des sanften, wahrscheinlich mühelosen Lebens. Es ist nicht wahr, daß rauhe Verhältnisse immer im Gegensatz zur Poesie stünden, weil Rauheit nicht Roheit bedeutet und, wie sich zeigt, Zartheit nicht ausschließt. So geht, scheinbar merkwürdig, in ungünstigen, turbulenten Zeiten in der tiefsten Schicht der Menschen, im innersten Innern, der schwierige Prozeß einer

Geburt vor: alte Häute werden abgestoßen, oder abgerissen, neue müssen wachsen, der Zwang, das nackte Leben zu sichern, bringt den Zwang mit sich, sich diesem Leben zu verbinden, das in Gestalt höchst eigenartiger Menschen ihr gegenübertritt. Es reizt sie zuerst, im doppelten Sinn des Wortes, es belustigt sie sogar, zieht sie an wegen seiner Ursprünglichkeit. Am Ende hat sie ihm Rede und Antwort zu stehen, wenn auch vor keiner anderen Instanz als vor ihrem eigenen Innern: es gibt kein Außen und kein Innen mehr, die Revolution ist überall. Bessere Bedingungen zum Schreiben kann es nicht geben.

Neue Sinne entwickeln sich, weil sie gebraucht werden, um hinter den Sinn der neuen Sache zu kommen. Der Aufbau neuer Empfindungen vor unseren Augen. Wir erleben noch einmal den Reiz, der im wirklich Neuen liegt: Die erste, frühe Spur im Staub der noch unbefahrenen Straße. Der einfache, wahre Gedanke, wenn er einen zum erstenmal ergreift: „Wichtig sind: wir. Wir sind viele, und das Leben ist groß."

Teilnahme an einer Schöpfung: Vielleicht ist es das. Das Haus am Rande Odessas kann ja nicht verfallen und zerbröckeln, weil jeder Leser es wieder aufbaut, wie er sich auch den Strand erschafft, an dem einen Sommer lang die duftenden Fischsuppen gekocht werden, das Büro der Eieraufkaufstelle und den Genossen Schuljak, der bekümmert an die Stirn der ungeschickten jungen Frau tippt: Was summt denn da? Sie alle können nun nicht mehr sterben und verderben, da man immer wieder nach ihnen fragen wird. Nach ihnen mit Haut und Haar, als Ganzes, ohne Rest. Denn da bleibt nicht jener miese Rest, keines jener sorgfältig gehüteten Reservate, vor denen unsichtbar die alte verfluchte Tafel steht: „Privat!" Keines Menschen Eigentum sein. Sich selbst in Besitz nehmen, mit Haut und Haar. Wie denn? Arbeitend. Anders ist es nicht möglich.

In diesem Buch gibt es keinen kleinlichen, verkümmerten Satz, weil es keine kleinlichen, unehrlichen, verkümmerten Gefühle gibt. Sondern Klugheit, Nachdenklichkeit, eine stille Art von Humor, viel Selbstironie, Lebensfreude und eine große Lust an allem, was menschlich ist, eine große, produktive Sehnsucht.

Ein kleines Buch. Es braucht sich nicht zu scheuen, in diesem Jahr neben die großen Bücher seines Landes gelegt zu werden.

1967

Ein Briefwechsel

20. 4. 65

Sehr geehrte Frau Wolf!
Entschuldigen Sie bitte, daß ich mich so ohne weitere Umstände an Sie wende. Nach der Lektüre Ihres Beitrages zum internationalen Kolloquium (letzte NDL) stellte ich fest, daß mich ähnliche Probleme bewegen (Sinn unserer Anstrengungen, Kampf gegen Position des Abwartens und Beobachtens . . .). Vor allem beschäftigt mich schon seit Jahren die Beobachtung, daß viele junge Menschen (Studenten) im Laufe der Jahre an Begeisterungsfähigkeit und Elan verlieren und nicht selten ohne ihre früheren Ideale (Drang nach Erkenntnis, Verachten von Mittelmäßigkeit usw.) durch das Leben „trotten". Ich versuche darüber zu schreiben . . . Den Anfang dieser größeren Erzählung lege ich bei. Die scheinbar glückliche Liebe wird auf die Probe gestellt, als sich im Laufe der Zeit immer mehr die unterschiedlichen Auffassungen von Karin und Dieter zu ihrem Platz und ihrer Aufgabe im Leben herausstellen. Dieter war einmal voller Tatendrang und ist an einem Fehler, den er damals machte, „aufgehangen" worden (etwas, was sehr oft mit Absolventen geschieht). Durch die Position des Beobachtens und Abwartens hat er sich den Ruf eines klugen, nüchternen, verläßlichen Menschen verschafft und wurde in seine frühere Position zurückgeholt (eigentlich paradox, aber mir scheint, das kommt oft vor, weil die, die nichts wagen, auch nicht viel verderben und sich daher auf einer sanft ansteigenden, aber kontinuierlichen Erfolgslinie bewegen). Aus dieser Erfahrung heraus resultiert also seine Haltung. Karin dagegen hat das ele-

mentare Bedürfnis, an den Entdeckungen des Lebens teilzunehmen, selbst zu experimentieren und zu suchen ... Sie trennt sich von ihm ... Mich bewegen zwei Hauptfragen:

1. Halten Sie dieses Thema für gestaltenswert und verallgemeinerungswürdig genug, daß es andere Leute (u. a. junge) interessiert? Könnte es weiterbringen in der Erkenntnis, daß solche es immer schwerer haben, aber daß sich so ein Leben „lohnt“, weil etwas getan werden muß?
2. Halten Sie mich nach dem, was Sie vorliegen haben, für talentiert genug, daß ich mich an so eine Sache wagen kann?

Und, falls Sie wirklich genügend Zeit dafür finden sollten, bitte ich Sie: Seien Sie ganz offen! Ich vertrage wirklich jedes Urteil, bloß nicht das Drumherumreden um die Wahrheit ...

Mit freundlichen Grüßen
Gerti Tetzner

22. 6. 65

Liebe Frau Tetzner,
es ist bei mir sonst nicht üblich, daß ich einen Brief wie den Ihren schon zwei Monate lang liegen lasse. Aber diesmal kam allerhand dazwischen. Eine Reise nach Finnland, das internationale Schriftstellertreffen, dann wurde ich krank. So muß ich Sie um Entschuldigung bitten, daß ich Ihnen erst jetzt antworte.

Ich habe mich allerdings öfter mit der Problematik Ihres Briefes beschäftigt und auch Ihr Manuskript zweimal gelesen. Schade, daß Sie nicht ein bißchen mehr von sich selbst schreiben: Wie alt Sie sind, was Sie für einen Beruf haben usw. (ich rede Sie mit „Frau“ an, aber vielleicht sind Sie noch ein junges Mädchen?). Man sollte es nicht überschätzen, aber ein bißchen leichter fällt durch solche Angaben ein Rat für den unbekannten Autor eines noch unvollendeten Manuskripts.

Zuerst will ich Brief und Manuskript mal voneinander trennen: Was Sie im Brief von der Problematik, die Sie bewegt – egal, ob Sie darüber schreiben wollen oder nicht – berichten, hat mich sehr interessiert. Mir scheint, Sie haben da eine weit verbreitete Entwicklungstendenz richtig beobachtet: daß so viele jüngere Leute bei uns, wenn sie erst einmal durch eigene oder häufiger noch fremde Schuld gestoppt worden sind, in die Position des Abwartens und Beobachtens verfallen. Ihre Bemerkungen bestärkten mich sogar in bestimmten wichtigen Einzelheiten meines Vorhabens, an dem ich jetzt arbeite. Ich sehe auch die wachsende innere Inaktivität (oder nur auf plattestes „eigenes Fortkommen" gerichtete Aktivität) unter vielen jungen Leuten als eine große Gefahr an, die, wenn wir nicht viel und das *Richtige* dagegen tun, den Sinn unserer Anstrengungen in Frage stellen könnte. Außer einer schnell fortschreitenden echten Demokratisierung des öffentlichen Lebens kann auch die Literatur eine Menge dazu tun – nicht, indem sie, wie etwa die Klassik, Ideale *schafft*, die nicht im öffentlichen Leben, sondern nur im Geiste zu realisieren sind: sondern, indem sie Kräfte weckt, die unbewußt vorhanden sind und Bestätigung, Ermutigung, Anstoß brauchen. Sehr oft wird also die Literatur, die ehrlich solche Ziele verfolgt, kritisch sein müssen.

Alle diese Ansätze zu einer wichtigen Problemstellung habe ich in Ihrem Brief gefunden. Das Manuskript nun, die 36 Seiten, die Sie mir schickten, zeigte mir nicht die Tiefe Ihrer theoretischen Überlegungen und der abstrakten Schilderung von möglichen Handlungslinien und Konflikten. Ich weiß nicht, ob Sie mich verstehen. Der Stil, die Art der Menschenschilderung und Beschreibung machte mir den Eindruck von Unterhaltungsliteratur. Das heißt: Es sind zu viele Klischees verwendet. Originelle Vergleiche („ein flinkschnäbliger Spatz an der Seite eines preisgekrönten Hahns") wirken gesucht. Die Dialoge sind zu naturalistisch, zu sehr Alltags- und Umgangssprache, nicht bewußt genug eingesetzt. Wenn besondere Gefühlstiefe oder sogar Überschwang dargestellt werden soll (Seite 33), dann tauchen Wörter wie „jubeln" auf, „liebkosen" oder: „... trugen ihre Beine gewichtslose, schwebende Körper".

Ich habe den Eindruck gewonnen, daß Sie etwas sagen wollen, was noch kaum literarisch gestaltet ist. Sie greifen dazu nach den Mitteln, nach den Erfindungen, die sich zuerst anbieten. Dadurch wird Ihre neue Aussage nivelliert, auf ein mittleres Niveau gedrückt, wo sie nicht aufregt. Sie geht vielleicht überhaupt dabei verloren, was ich allerdings nach diesen ersten Seiten nicht beurteilen kann.

Was Ihnen passiert ist, passiert sehr vielen, auch begabten Autoren, wenn sie zu schreiben anfangen. Daher hätte ich gern gewußt, wie alt Sie sind. Meine eigenen frühen Versuche, zum Beispiel aus meiner Studentenzeit, müssen ungefähr so ausgesehen haben. Das ist also kein Unglück, man wird trotzdem weiterschreiben, wenn man es wirklich will. Ich kann Ihnen keinen anderen Rat geben, als daß Sie so einfach und dabei so genau wie möglich, mit treffenden, daher dauerhaften Worten aufschreiben, was Ihnen an der jeweiligen Situation wesentlich erscheint. Ich weiß auch nicht, wie ich sonst den Prozeß beschreiben soll, in dem, wenn man Glück hat, vielleicht beim sechsten Versuch eine bloße äußere Beschreibung sich mit der Idee des Buches verbindet, plötzlich alle reportagehaften und naturalistischen Züge verliert und „wahr" wird. Sie können bei Anna Seghers, bei Hemingway, bei Scholochow oder Thomas Wolfe finden, wie die das auf so ganz verschiedene Weise schaffen. Allerdings schafft man selbst es auch nicht wesentlich leichter dadurch.

Sie werden mich bestimmt verstehen: Es hätte keinen Sinn, wenn ich Sie nur wegen Ihres guten Vorhabens lobte und nicht auch meine wirkliche Meinung zu Ihrem praktischen Versuch sagte – mit Vorbehalt, weil ich Sie nicht kenne. Wir haben uns jahrelang in unserer Literatur mit guten Absichten begnügt. Heute lesen die Leute diese Bücher nicht mehr, und für manche Autoren hat die zu frühe Zustimmung und Veröffentlichung (weil sie doch etwas Gutes und Richtiges wollten) tragische Folgen gehabt. – Ich würde mich freuen, wenn Sie mir etwas über sich selbst und wenn Sie *weiter*schreiben werden!

Herzlich
Ihre Christa Wolf

10. 7. 65

Liebe Frau Tetzner,
Ihr letzter Brief hat mich nun erst recht auf Sie neugierig gemacht. Sie schreiben so interessant über Ihre Erlebnisse der letzten Jahre, über das „Tot"-sein und „Lebendig"-werden, daß ich diese Erlebnisse gerne genauer kennenlernen würde. Und Sie auch. Ich wage es, Ihnen einen Vorschlag zu machen, den Sie natürlich zurückweisen können: Lassen Sie mich doch mal Ihr Tagebuch lesen. Vielleicht ist das ergiebiger als der Anfang Ihrer Erzählung (der Vergleich zwischen der Erzählung und Ihrem Brief bringt mich darauf). Sie sollten sich ruhig überwinden, es mir zu geben, es wird in keine anderen Hände kommen und mit niemandem besprochen werden als mit Ihnen. Ich glaube, es könnte vielleicht uns beiden nützen.

Wenn Sie das aber nicht wollen oder können, dann müssen Sie mir noch einmal einen langen Brief schreiben, in dem Sie etwas genauer über Ihre Erlebnisse berichten: Was war es denn, was Sie gegen Ihre vorgesetzte Dienststelle ausfechten wollten usw. Tatsächlich, das sollten Sie machen.

Im übrigen haben Sie natürlich recht, daß Sie weiterschreiben, Tagebuch und anderes. Es lohnt sich wirklich, sich darum zu mühen, das zu gestalten, was Sie Ihr „Grunderlebnis" nennen. Wie heißt Ihre erste Erzählung, die gedruckt wurde? Wo ist sie erschienen? Bei welchem Verlag sind Sie, und wer ist Ihr Lektor? Schikken Sie mir doch bitte Ihre erste Erzählung! Natürlich will ich auch spätere Stufen Ihrer jetzigen Erzählung lesen!

Herzlichen Gruß
Christa Wolf

23. 8. 65

Liebe Frau Tetzner,
diesmal habe ich wirklich so lange Zeit gebraucht, um die vielen Seiten, die Sie mir geschickt haben, gründlich mehr als einmal zu lesen, darüber nachzudenken und mir darüber klar zu werden, was ich Ihnen darauf antworten könnte. Ich bin ganz entsetzt, daß Sie sich anscheinend die Arbeit gemacht haben, extra für mich solche umfangreichen Tagebuchauszüge herzustellen – falls das stimmt, danke ich Ihnen besonders, aber das war natürlich nicht die Absicht!

Ich würde mich über das alles viel lieber mit Ihnen unterhalten, statt Ihnen zu schreiben, das können Sie sich denken. Sie wollen ja auch weniger etwas zu Ihren direkten Erlebnissen hören als zu Ihrem literarischen Vorhaben. Beides hängt allerdings eng zusammen.

Beim Lesen Ihrer Tagebuchauszüge habe ich oft gedacht, daß diese Tagebuchform vielleicht am geeignetsten ist, unmittelbar und ohne den Verlust an Direktheit, der bei einer literarischen Umformung fast unvermeidlich ist, Ihr Anliegen auszudrücken. Ich bin nicht sehr glücklich über Ihre Idee, diese Erlebnisse weit von sich wegzurücken, um eine Liebesgeschichte zu gruppieren und in die Landwirtschaft zu verlegen. Ich sage sicher etwas, was im Widerspruch zu den Ratschlägen Ihres Lektors und der Kollegen in Ihrem Zirkel steht, die die Entwicklung Ihrer Arbeit besser kennen als ich. Daher will ich mich auch mit Vorschlägen und Ratschlägen zurückhalten, es hat keinen Zweck, wenn jetzt noch jemand kommt und Sie durcheinanderbringt.

Ihr Tagebuchbericht jedenfalls wirkt auf mich bis jetzt

echter und erregender als die Seiten Ihrer Erzählung, die ich kenne. Sie wissen ja sicher selbst, daß Ihre Erlebnisse „typisch“ sind – im banalen wie im literarischen Sinn. Der Prozeß der Desillusionierung in der Praxis wiederholt sich fast bei allen jungen Menschen, besonders bei denen, die Ideale haben. Es geht ja eigentlich darum, Lebenserfahrung zu sammeln, den „anderen“ gewachsen zu sein, Verbündete zu gewinnen, sich nicht geschlagen zu geben. Übrigens kommen hinter vergangenen Illusionen immer noch neue Illusionen hervor, eine Schicht nach der anderen; wenn man wollte, könnte man das ganze Leben als dauernden Prozeß der Desillusionierung sehen, und man müßte sich dauernd fragen, ob man sich nicht schon wieder täuscht oder täuschen läßt und würde darüber versäumen, überhaupt noch was zu tun. Ich verstehe gut, wie Sie sich dagegen wehren und den Stand, den Sie jetzt erreicht haben, fixieren wollen.

Wissen Sie – ich glaube, man kann die Zustände, unter denen Sie und Ihre Kolleginnen gelitten haben, nicht genügend tief darstellen, wenn man sie aus ihren Zusammenhängen herauslöst und als Erzähler auf der Ebene dessen bleibt, der das alles erlebt. In Ihrem Tagebuch fand ich kaum Fragen danach, woher solche Menschen wie x. oder y. oder dieser Mann aus dem Ministerium, der sich Ihre Kritik anhört und dann abdampft, ohne etwas zu tun – woher also solche Menschen bei uns in solchen Stellungen überhaupt kommen. Es muß doch wohl für sie Entwicklungsbedingungen gegeben haben (genau, wie es für Ihren Idealismus und Ihr gesellschaftliches Verantwortungsgefühl Entwicklungsbedingungen gegeben haben muß). Und es *hat* sie gegeben. Teilweise gibt es sie noch. Woher kämen sonst all die Leute mit angeknacktem Rückgrat?

Es hat keinen Sinn, wenn Sie all Ihre verwirrten Fragen, die ganz echt im Tagebuch stehen, dann in der Erzählung durch eine ein bißchen klischierte Handlung zudecken. Davor habe ich Angst. Was Sie bis jetzt schreiben, ist im wesentlichen ein Wechsel von Beschreibung und Dialog – man könnte es sich in Szenen eines Fernsehspiels zum Beispiel gut umgesetzt denken. Es fehlt noch die Tiefe, die dritte Dimension der Prosa. Ich glaube, Sie denken beim Schreiben anstatt an Ihre eigenen echten Erlebnisse noch zu viel an die vielen schwachen, oberflächlichen Bücher, die bei uns erscheinen. Sie müssen den Mut haben – es gehört wirklich Mut dazu, und ein Entschluß – aufzuschreiben, was *Sie* gesehen und empfunden haben. Es *muß* ja nicht jede Verwicklung sich auflösen und alles zu einem guten Ende kommen – nicht wahr? Zum Beispiel werden die Beobachtungen, die Sie auf S. 14 Ihres Tagebuchs über Ihre Leipziger Kollegen niederschreiben, doch nicht aufgehoben durch Ihre Erkenntnis, daß Sie auch nicht alles richtig gemacht haben usw. Menschen, wie sie wirklich geworden sind, müssen in voller Schärfe kommen, nicht gemildert durch unser Wunschdenken, unsere guten Absichten und vor allem nicht durch vorgefaßte Meinungen von unserer Gesellschaft. Wir müssen sie darzustellen versuchen, wie sie ist und uns von der Zwangsvorstellung lösen, daß wir nur eine im ganzen vorwärtsschreitende historische Bewegung zu illustrieren hätten.

Um dieses Mißverständnis der meisten Germanisten und Kritiker gingen ja die literarischen Debatten der letzten Jahre.

Schön fand ich Ihren Satz: „Ich versuchte, das Schicksal meiner Schwester zu einer Erzählung zu formen, um herauszubekommen, wodurch sie im einzelnen anders geworden ist." Genau das ist es, was man sich vornehmen sollte. Ihre Erzählung „Ein neuer Frühling" erreicht es noch nicht, das wissen Sie ja selbst. Sie haben irgendwie noch eine Scheu, an die Sachen selbst heranzugehen, die Sie doch gut kennen. Im letzten Moment schiebt sich anscheinend eine Schablone dazwischen, und dann denkt man, man habe so eine Geschichte über genau die gleiche Frau schon öfter gelesen. Dabei kennen Sie doch Ihre Schwester, und sie ist anders als jede andere Frau. *Das* müßten Sie herausfinden. Trotzdem spürt man durch die Zeilen das Echte, das wirkliche Erlebnis, das dahintersteht.

Sie verstehen sicher, daß all das, was ich hier Ihnen sage, genausogut mir selbst gesagt werden muß (und auch wird) und daß ich Sie nicht entmutigen will. Zu Ihrer neuen Konzeption kann und will ich gar nicht viel sagen. Ich habe früher jahrelang mit Autoren Fabeln und Konzeptionen beraten – das war mein Beruf, als ich im Schriftstellerverband arbeitete – und habe dann gesehen, daß ein Buch nicht von Plänen und Konzeptionen und Handlungslinien abhängt (anders vielleicht als ein Drama), sondern von der Lebenswahrheit und Lebensfülle, die ein Autor einfängt. Und von der Widersprüchlichkeit, zu der er innerlich den Mut findet (ich meine natürlich nicht den oberflächlichen Mut vor etwaigen Kritikern usw., das ist das wenigste). Ihr Leben, angefangen von Ihrem Weggehen von zu Hause und den Gründen dafür, ist so interessant, daß Sie sich nicht allzusehr aufs Erfinden von Geschichten verlegen sollten, die doch am Ende nur Erkenntnisse illustrieren. Das ist aber nicht die Aufgabe der Literatur, zumindest nicht die wichtigste, da es ja genug andere erkenntnisvermittelnde Institutionen in unserer Gesellschaft gibt.

Ich breche hier ab, weil man sonst nicht aufhören würde. Ich danke Ihnen für Ihr Vertrauen. Melden Sie sich doch wieder, mit literarischem Anlaß oder ohne ihn.

Herzlich
Ihre Christa Wolf

30. 4. 68

Liebe Christa Wolf,
gewiß ist es nach landläufiger Sitte eine deftige Unverschämtheit, sich zweieinhalb Jahre nicht zu rühren, keinen Dank und gar nichts, und nun einfach so daherzuschreiben, als sei das ganz in der Ordnung. Meine ein-

zige Hoffnung ist, daß Sie ebensowenig ein Formenmensch sind wie ich ...

Als ich Ihren letzten Brief (Sommer 65) erhielt, habe ich zunächst gründliche Abrechnung gehalten und unter den Bruchstrich geschrieben: Schluß, literarische Unfähigkeit (ich hatte mir das alles zu leicht vorgestellt). Aber es ist seltsam mit dem Schreiben: Man kann's nicht mehr lassen. Ich machte mich also nach einiger Zeit wieder dran, x-mal von einem anderen Ende; heimlicher Schwur: der Christa Wolf schreibst du erst wieder, wenn die Sache ein bißchen mehr Hand und Fuß hat. Bis Anfang dieses Jahres hat das gedauert ... Ich bin immer noch am Anfang, keineswegs mit der jetzigen Fassung zufrieden, aber mir scheint, jetzt habe ich endlich den richtigen Ausgangspunkt für die Geschichte. Der Verlag bestätigt das, auch mein Betreuer M. W. Schulz u. a., aber mir liegt sehr an *Ihrem* Urteil, Sie haben das alles gründlicher durchdacht, weil Sie sich mit einem ähnlichen Stoff beschäftigten, außerdem ... (aber Komplimente sind billig!) Also: Darf ich Ihnen die jetzige Fassung wieder schicken?

Ich hatte das Manuskript schon vor ein paar Monaten bei mir, als ich zum ersten Mal zu einem „Persönlichkeitsgespräch" des Verlags nach Halle geladen war. Da triffst du sie, dachte ich, aber Sie waren verhindert.

Nun hoffe ich auf eine andere Gelegenheit. Seit Herbst studiere ich am Literaturinstitut. Schon lange wünschen sich die Studenten und Dozenten ein Gespräch mit Ihnen, aber keiner raffte sich zu einer Einladung auf. Hiermit tue ich es: Ich bitte Sie herzlich im Namen der Kollegen vom Institut, recht bald einmal zu uns zu kommen. Besonders gut würde es mittwochs an einem unserer Klubabende passen, aber selbstverständlich auch an einem anderen Tage.

Eventuell würde ich Ihnen das Manuskript vorher schicken, daß Sie mir mündlich sagen könnten, was Sie davon halten – wenn Sie dann überhaupt für so was Zeit haben, denn sicher werden Sie bei solcher Gelegenheit von der Direktion usw. „beschlagnahmt". (Ich würde mich so gern einmal mit Ihnen über vieles unterhalten . . .)

Herzlichst
Ihre Gerti Tetzner

9. 5. 68

Liebe Gerti Tetzner,
ich hatte schon gehört, daß Sie auf dem Literaturinstitut gelandet sind und freue mich, wieder von Ihnen zu hören. Ist mein letzter Brief an Sie schon drei Jahre her? Und wieso konnte er so auf Sie wirken, daß Sie nicht mehr schreiben wollten? Das müßte ich mir sehr zum Vorwurf machen.

Wie dem auch sei: Sie schreiben ja. Natürlich können Sie mir was schicken, nur müssen Sie damit rechnen, daß ich nicht sofort antworte, weil ich bis Ende Mai nicht da bin. Aus demselben Grund wird es auch nichts vor den Sommerferien mit einem Besuch in Leipzig, ich habe zwei Reisen vor. Aber klopfen Sie doch zum Herbst noch mal an. – Auf alle Fälle schicken Sie mir das Manuskript unabhängig davon.

Mehr schreibe ich heute nicht, wenig Zeit, aber es ist wohl das Wichtigste.

Herzlich
Ihre Christa Wolf

Mai 68

Liebe Frau Wolf,
ich danke Ihnen herzlich für Ihre Antwort.

Bitte – machen Sie sich keine Gedanken über meine ungeschickte Formulierung, nach Ihrem letzten Brief hätte ich das Schreiben aufgeben wollen. Das stimmt, aber das ist kein Vorwurf an Ihre, sondern an meine Adresse (Sie haben so behutsam geschrieben!). Sehen Sie, ich war damals drauf und dran, mich in Kleingeld zu verausgaben, Zustimmung zu meinem damaligen Manuskript hatte mir genügt; ich sah im Schreiben ein Mittel, meine Enttäuschung loszuwerden und mich selbst dabei rauszuhalten. Da schrieben Sie: „... Haben Sie den Mut, *das* zu schreiben, was *Sie* gesehen haben ..., wozu das Erfinden usw." Mit diesem Satz habe ich viele Wochen zu tun gehabt – das bedeutete ja, mich aus der Hand geben, einfach von jedermann in den Mund oder in die Fäuste genommen werden dürfen, dazu hatte ich nicht den Mut. Und dann sagte ich mir: Wenn einer so was sagt – also Sich-aus-der-Hand-geben, dann muß die literarische Qualität über alle Klatscherei erhaben sein, dann darf's da einfach nichts zu bekritteln geben, sonst wird das Anliegen und die ganze große Selbstüberwindung vorher einfach mit dem Nachweis künstlerischer Mängel vom Tisch gewischt. Und daß ich so schreiben könnte, daß ich dem Anliegen gerecht würde, das schien mir Größenwahn (auch heute manchmal noch), denn ich hatte eine Kindheit und Jugend hinter mir, in der ich mich systematisch auf Unempfindlichkeit getrimmt hatte (sonst hätte ich's nicht durchgehalten), und gerade das hatte die Justiz noch verstärkt. Aber zum Schreiben gehört Empfindsamkeit, gehört ein Ohr für Zwischentöne und Geschwiegenes. Besaß ich das überhaupt, oder war es nur verschüttet? –

So ungefähr sahen meine Gründe aus, warum ich nicht mehr schreiben wollte.

Ich bin Ihnen für diesen Satz von damals sehr dankbar! Vielleicht wäre die Karin-Geschichte ohne ihn heute fertig, aber ich hätte mich ihrer zu schämen. Ich kann nicht gerade behaupten, daß ich darüber glücklich bin, wie lange ich mit ihr zu tun habe und ob ich überhaupt mit ihr fertig werde, aber lieber soll sie nicht fertig werden, als daß ich sie verderbe, es gibt viel zu viele belanglose Geschichten. Das klingt alles irgendwie blödsinnig und ist mir auch peinlich (so ein Psalm), aber ich kann ja nun wahrhaftig nicht zulassen, daß Sie sich der falschen Methode verdächtigen oder dergleichen ...

Sehen Sie, diese ganzen Dinge waren auch mit der Grund, warum ich an das Becher-Institut gegangen bin. Man sagt, ich schreibe seitdem schon durchdachter. Ich selbst bin davon noch nicht überzeugt, vielleicht ist das Studium sogar falsch im jetzigen Stadium meiner Geschichte, denn ich komme ganz selten zum Schreiben, ich befürchte, die Geschichte stirbt mir dabei. Es gibt manchmal schon Stunden, wo sie mir wie zäher Brei vorkommt, den ich immer an meinen Schuhen mitschleppe; dann hasse ich die Geschichte. Dann drängen sich mir eine Menge kleiner Geschichten auf, überschaubare Geschichten, die mir viel verlockender vorkommen ... Zudem stellt natürlich das Institut Anforderungen, da muß eben eine kleine Geschichte für das „Werkbuch“ (so eine Art Nachweis für die Existenzberechtigung des Instituts) da sein, Notate dazu usw. – wenn einer nebenbei an einer größeren Geschichte schreibt, ist's gewissermaßen Privatvergnügen, bitte, wer sich den Luxus leisten kann ... Aber der Verlag besteht auf diesem Luxus. So stand ich schon ein paarmal vor der Entscheidung, meine Zelte am Institut abzubrechen. Aber das will ich mir nicht gestatten, denn in die Justiz gehe ich nicht wieder, somit habe ich keinen Beruf; so muß ich wenigstens das Institut beenden und mir dann eine geeignete Tätigkeit suchen – aus dem Schreiben wird bei mir nichts, wenn ich es mit dem Geldverdienen verquicke (da komme ich wieder in die Gefahr, es in Kleingeld zu verschleudern ...)

Im Moment ist es ein bißchen kompliziert (wir haben auch keine Oma für die leidige Hausarbeit, und dann hat man doch hin und wieder den Ehrgeiz, eine bessere Mutter zu sein als man selber hatte), aber bei wem ist es schon leicht!

Wichtiger ist, daß ich mit der Karin-Geschichte auch jetzt noch nicht zufrieden bin. Richtig scheint mir, daß Karin nach Hause geht, an ihren Ausgangspunkt zurück. Aber wie ich es jetzt gemacht habe, unterwerfe ich mich immer noch zu sehr Gesetzen der Chronologie der Ge-

genwartshandlung, einer Logik, die sich gegen vieles richtet, was ich eigentlich erzählen will. Ich müßte einen Punkt finden, von dem aus ich vollkommen frei aus Karins Erlebnissen *die* aussuchen kann, *die* mir wichtig erscheinen. –

Ich war letzten Monat wieder mal in der Justiz und habe einige Bekannte aufgesucht. Das war hochinteressant. Ich kann davon hier im einzelnen nicht schreiben, aber interessant war für mich vor allem folgender Unterton: „Du hast versagt, du bist feige, du hast gekniffen." Ganz unrecht haben sie damit nicht, und trotzdem war es richtig wegzugehen, ich wäre ein schlimmer Typ geworden. Das brachte mich auf folgenden Gedanken: Man müßte die Geschichte als Erwiderung auf den Vorwurf der Gesellschaft (das, was man von außen sehen kann) schreiben, und zwar von dem Punkte aus, wo Karin das Dorf wieder verläßt, weil sich die Idee vom Verkriechenmüssen als Illusion für sie erwiesen hat. Karin müßte also einem Partner (ihrem ehemaligen Mann oder einer Kollegin . . .) auf dessen Angriffe hin ihre Geschichte „entwickeln" und sich im Verlaufe dieses „Aufrollens" selber erst recht über viele Dinge klar werden.

Da hätte ich die Möglichkeit, das Wesentliche herauszupflücken, da wäre keine Chronologie nötig. Allerdings würde die Geschichte dann noch reflektiver und „intellektueller", als sie jetzt ist (man machte mir diesen Vorwurf schon des öfteren).

Es steht die Frage: Wird das der Art Karins nicht gerechter? Oder sind die Bedenken ernster? Oder gar Geschmacksurteile?

Aber so wie jetzt geht es auch nicht: Das ganze zweite Kapitel ist doch zusammengetragen, kommt mir nicht harmonisch fließend vor; überhaupt geht das mit dem Tagebuch so nicht – das fällt irgendwie raus.

Nun darf ich meinem Lektor um Gottes willen jetzt nicht mit einem neuen Anfang kommen. Ich hatte einen Vorvertrag auf 100 Seiten und muß das wohl oder übel erst mal weiterschreiben, um den Termindruck loszuwerden. Aber für mich ist es nicht die letzte Fassung – es ist immer noch eine Oberflächenschicht, wenn auch schon weiter dem Grunde zu.

Entschuldigen Sie bitte, daß das nun so ein langer Brief geworden ist, das hatte ich überhaupt nicht vor; aber es hat mal richtig gut getan.

Fühlen Sie sich um Gottes willen nicht zu einer raschen Antwort veranlaßt aus Höflichkeit oder innerer Korrektheit oder so. Wenn es Ihnen mal *irgendwann* paßt, würde ich mich natürlich sehr freuen. Aber vor der Sommerpause komme ich ohnehin nicht zum Schreiben, es ist so viel Zeit . . .

Ich wünsche Ihnen wunderschöne Reisewochen und Eindrücke und bleiben Sie gesund und „kampffähig". (Es scheint so, daß Sie mit jedem Buch eine besondere Probe zu bestehen haben, die Leuten mit geringeren Forderungen an sich erspart bleibt.)

Herzlich
Ihre Gerti Tetzner

Prieros, 19. 8. 68

Liebe Gerti Tetzner,
nun sind doch drei Monate vergangen, seit Sie mir Ihr Manuskript schickten. So lange sollte es natürlich nicht dauern, ich bin selbst erschrocken, als ich gestern das Datum auf Ihrem Brief sah. Ich hatte Anfang Juni eine interessante Reise in die Sowjetunion, als ich zurückkam, lag viel Post da, und dann mußte ich unbedingt eine eigene Arbeit beenden – da mache ich immer möglichst nichts nebenbei. So ist es gekommen, daß ich Ihr Manuskript erst gestern gründlich gelesen habe. Nun sitze ich da, weiß, daß ich Ihnen schreiben will, weiß aber nicht recht, was.

Merkwürdigerweise habe ich das Gefühl, daß ich Sie besser kennen müßte, um Ihnen wirklich etwas sagen zu können. Denn es geht doch eigentlich nicht nur darum, ein paar Seiten zu beurteilen und etwa mit an der Fabel einer Geschichte herumzubasteln – das hab ich mir ganz und gar abgewöhnt. Die Frage ist also nicht, ob Sie diese Geschichte zu Ende schreiben und wie, sondern, ob Sie auch weiterhin schreiben werden. Denn diese Karin-Geschichte darf nun nach meiner Ansicht nicht mehr allzulange bei Ihnen steckenbleiben, ein Stoff kann auch anfangen zu gären (dabei bestreite ich nicht, daß man Jahre brauchen kann, um etwas erzählen zu können).

Also zuerst zu der Geschichte selbst: Mich stört anscheinend dasselbe wie Sie: Die jetzige Fassung – die übrigens viel besser ist als die frühere, an die ich mich etwas erinnere – ist noch ein Konglomerat aus verschiedenen Elementen. Wahrscheinlich ist Ihr Gefühl richtig, daß Sie immer noch bei einer Oberflächenschicht und nicht beim Kern der Dinge sind. Wenn Sie meine Vermutung dazu hören wollen: Vielleicht gehen Sie noch zu sehr davon aus, was herauskommen soll oder muß, das heißt von einer gewissen, wenn auch vielleicht unbewußten Manipulation Ihrer Erfahrungen. Darüber könnte ich besser mit Ihnen *sprechen*, außerdem müßte ich dazu wissen, was Sie weiter vorhaben mit dem Mädchen. Mir kam es beim Lesen vor – trotz der Schärfe mancher Partien – ein Stück Literatur von vor ein paar Jahren in den Händen zu haben, alles nicht mit den Augen von heute gesehen. Ich weiß nicht, ob Sie verstehen werden, was ich meine: Man schreibt doch alle zwei Jahre (mindestens!) dieselbe Geschichte anders. Und Sie schleppen sich mit dieser schon ein bißchen lange herum, bringen Veränderungen an, die Ihren veränderten Einsichten und Ihrem veränderten Lebensgefühl entsprechen, müßten aber wahrscheinlich, wenn Sie selbst sich ganz zufriedenstellen wollten, an die Wurzel gehen, den Abstand zu der Heldin vergrößern, eine ganze Epoche, in der sie „Heldin" war, kritisch beurteilen usw. (ohne daß das direkt vorkommen sollte: Es läge in der Erzählung). Ich fürchte, Sie arbeiten auf die Aussage hin, daß man sich nicht abseits halten, vom Gang der Geschichte absondern kann. Nun tun das ja aber die meisten Leute, nicht? Also müßte man genauer begründen, warum diese Karin es wahrscheinlich nicht kann. Tatsächlich könnte es sein, daß die Chronologie einfach stört, dann werfen Sie sie weg. Haben Sie keine Angst vor „Intellektualismus“, das ist ein blöder Vorwurf, berechtigt nur dann, wenn jemand sich prätentiös über seinen eigenen Intellekt hinaushangelt. – Vielleicht ist es sogar schade, daß Sie sich nicht zur Ich-Form entschließen konnten, obwohl ich es verstehe. Ja, die Tagebuchpartien fallen heraus, während der Anfang noch am ehesten dem nahekommt, was Sie wohl anstreben. Aber wissen Sie – es geht nicht um diese Einzelheiten, die man schließlich selber finden muß und auch findet, wenn man erst mal den Mut zu sich selber hat und sich von Klischees befreit. Überlegen Sie doch mal, wie Ihre Enkel diese Geschichte sehen werden. Überdenken Sie den Gang unserer Geschichte und denken Sie nach, welchen Platz dieses Mädchen mit ihrer verallgemeinernswerten Erfahrung darin hat (es gibt übrigens schon eine Reihe psychologisch gut beobachteter Einzelheiten). Sprechen Sie wie zu sich selbst. Fragen Sie sich, ehrlich, was aus Ihnen seit dieser Erfahrung mit der Justiz geworden ist. Und versuchen Sie nicht, den Lesern etwas anderes einzureden als sich selbst. Denken Sie, daß der Kosmos, den Sie da aufbauen, nur in sich funktioniert, wenn rücksichtsloseste Ehrlichkeit ihn zusammenhält, allerdings eine gewisse Reife vorausgesetzt.

So – zu viele allgemeine Ratschläge. Das kommt daher, daß ich den Eindruck hatte, Ihre Geschichte schwebt noch um einige Zentimeter über dem Boden. Wenn es Ihnen gelingt, das wegzukriegen, wird sie interessant werden, und Sie haben was Wichtiges für Ihre nächsten Sachen gelernt.

Stilistisch hätte ich auch etwas zu bemeckern, es liegt in der gleichen Richtung: Sie wollen aus ganz banalen Vorgängen manchmal etwas Besonderes machen. Bloß ein paar Beispiele:

S. 1: „Gestern ist der Aprilsturm durch diesen riesigen, rauschenden, rank gewachsenen Wald gebrochen."

Bahnschienen „streben" nicht.

Gut: „So grundverschieden unsere Gläubigkeit war, so grundverschieden ist unsere Ernüchterung." Übrigens: Dies wäre natürlich ein Kernsatz, der zu beweisen wäre. Ich glaube, daß viele Ernüchterte Ihnen sehr dankbar wären, wenn Sie ehrlich darüber nachdächten, was sie mit ihrer Ernüchterung nun eigentlich anfangen sollen.

S. 80: Tante Lina lebt bewußt im „Jetzt-Überschaubaren".

S. 61: „. . . ein elementares Kraftgefühl bricht aus ihr heraus inmitten dieses unnachsichtigen Einander-Forderns."

Setzen Sie sich eines stillen Nachmittags mal hin und versuchen Sie, voller Heiterkeit die traurigen Erfahrungen Ihrer Karin – und Ihre eigenen – zu sehen. Komischer Rat, wie? Riecht nach Konfliktverkleinern, ist aber das Gegenteil davon: Entkrampfen. Nun, darüber könnte man noch lange sprechen, und ich weiß, daß nichts so unmöglich ist, und auch so widersinnig, wie die eigene Haltung auf einen anderen übertragen zu wollen.

Ich glaube, etwas Handfestes habe ich Ihnen nicht sagen können, seien Sie mir nicht böse, das fällt mir auch immer schwerer. Machen Sie Ihre Geschichte jetzt fertig, aus einem Zug heraus, pusseln Sie nicht mehr viel dran rum, schreiben Sie dann Neues, wenn es Sie wirklich drängt. Hoffentlich erlauben Ihre häuslichen Verhältnisse es Ihnen, sich ein bißchen Spielraum zum Nachdenken und Sinnieren zu schaffen, das muß unbedingt sein. Lassen Sie wieder von sich hören und nehmen Sie diesen Brief nicht so ernst wie den vorigen – ein Autor, der einem anderen rät, rät im Grunde immer sich selbst.

Herzlich
Ihre Christa Wolf

27. Dezember 1968

Liebe Frau Wolf,
den Jahreswechsel möchte ich zum Anlaß nehmen und wieder etwas von mir hören lassen.

Zunächst herzlichen Dank für Ihre Post vom August. Sie traf mich in guter Stimmung und hat sie gewissermaßen nachträglich gerechtfertigt, denn ich hatte im Juni das bisherige Manuskript der Karin-Geschichte weit hinten ins Schreibtischfach geschlossen und Anfang August neu angefangen. Es wird im Grunde eine andere Geschichte; Erfahrungen aus diesem reichlichen Jahr Literaturinstitut, neue Bekanntschaften und Erlebnisse haben mich dazu veranlaßt und vor allem eine Generalunzufriedenheit mit meinem Vermögen (und auch mit der literarischen Genügsamkeit vielerorts). Ich will mich hier nicht theoretisch über die Geschichte auslassen, nur so viel: Im Moment macht mir die ganze Sache wieder Spaß, im Februar werde ich Arbeitsurlaub bekommen und will das nun endlich hinter mich bringen (natürlich wird das kein Meisterwerk werden, wovon man als Anfänger zu träumen pflegt, aber so gut ich eben im Moment kann). Wenn ich die letzte Seite geschrieben habe, schicke ich Ihnen das Manuskript insgesamt (wenn ich darf?) und bin dann wieder sehr dankbar für Frage- und Ausrufezeichen.

Es scheint eine merkwürdige Sache zu sein mit meinem geheimen Wunsch, irgendwann einmal mit Ihnen richtig so Sessel an Sessel plaudern zu können. Das Institut hat vom 1. Februar bis zum Herbst ein Praktikum eingelegt – auf das wir uns ehrlich freuen –, für Ihren Besuch werden wir uns weiter mit „irgendwann" trösten müssen; denn ob im Herbst das Studium regulär weitergeht, ist noch ungewiß, in dieser Hinsicht sind wir durch ständig neue Wendungen vor weiträumigen Plänen gewarnt.

Nun weiß ich nicht, soll ich den Brief erst anfangen oder schon beenden. Das letzte Jahr steckte so voller Erlebnisse und Probleme – nicht nur im großen. Sie wissen ja, ich war fünf Jahre zu Hause, auf diese isolierende und vereinsamende Weise würde ich das nicht noch einmal tun. Am liebsten möchte ich jetzt wie Gorki kreuz und quer im Lande herumlaufen, zuhören, miterleben, immer neue Leute kennenlernen, nicht wissen, wie der nächste Tag sich anläßt. Wir haben das im Praktikum gemacht: Wo uns was interessierte, blieben wir hängen, abends brachte jeder seinen Tag mit ins gemeinsame Zimmer, und dann schlugen wir uns gemeinsam damit rum. Ich weiß nicht, wie es einem mal ergeht, wenn man länger schreibt und vielleicht festgelegt wird usw., aber den Anfang, diesen Aufbruch ohne Maß und Regel finde ich herrlich (vorausgesetzt, man hat ihn mit echten, neidlosen Freunden zusammen, bei denen dieser Literatenklatsch nicht ankommt). Wenn ich meine Geschichte hinter mir habe, werde ich wieder eine Weile herumziehen, Leute aufsuchen, die ich von früher kenne; und auch nach dem Studium wieder, mir hängt die Theorie richtig zum Halse raus, ich möchte immerzu was erleben, und meinen Freunden am Institut geht es ebenso. (Unsere Tochter ist nun schon acht Jahre, manchmal kann ich sie schon mitnehmen, manchmal kommt sie mit dem Vati allein zurecht – wenn ich nun nichts zuwege bringe, dann liegt das ganz allein an mir.)

Irgendwie sind viele von uns durch das anerzogene „Denken in Zusammenhängen" in eine so deduktive Denkmethode hineingewachsen, daß teilweise das individuelle, naive Erleben verlorengegangen ist. Ich muß gestehen, daß mir das einige Schwierigkeiten macht, die Dinge unvoreingenommen zu sehen, den Leuten ohne Vorurteile zu begegnen. Ich versuche es mit dem anderen Extrem, was natürlich seine Gefahren hat, aber irgendwie muß man es ja schaffen, daß das „Wissen" ins Unterbewußtsein rutscht. Übrigens habe ich das auch im Praktikum beobachtet, es geht vielen so, aber viele empfinden das nicht als Mangel. Wenn ich manchmal unsere Tochter aus der Schule plaudern höre oder selbst dort irgend etwas zu tun habe, dann werde ich den Eindruck nicht los, als würde gerade das individuelle Erleben und Durchdenken radikal aus den Kindern verdrängt, ein Wust von Betriebsamkeit und Punktsystemen überlagert oft das Wesentliche eines Charakters – warum müssen wir diese Probleme, mit denen sich die „Großen" herumschlagen, immer wieder neu produzieren, frage ich mich oft. Dafür sind doch wir allein verantwortlich, kein irgendwie verkorkstes Erbe und auch kein Klassenfeind. Ich habe manchmal Angst, meine Tochter könnte sich mal vor mich hinstellen und mir eine Rechnung aufmachen, wie ich sie auf andere Weise meinen Eltern aufgemacht habe. Und da kommen mir dann so Berufe wie Bauer oder Förster sinnvoller vor als das Schreiben, denn was vermag schon Literatur? Mir scheint, daß gerade die, für die so was geschrieben wird, sich nicht angesprochen fühlen oder nur Krimis lesen, im Praktikum haben wir das oft erlebt. Es läßt sich etwa in folgender Episode zusammenfassen: Im Tagebau wird oft ein prähistorischer Baumstamm oder dergleichen gefunden. Der Tagebauleiter, mit dem wir mal einen ganzen Tag kreuz und quer durchs Gelände gestiefelt sind, erzählte uns davon. Da muß dann die Förderbrücke stoppen, ein Museum wird benachrichtigt, die Experten reisen an; wenn das Ding tatsächlich einen Wert hat, beginnt eine umständliche Bergung. Fazit: drei Tage Produktionsausfall. Wer bezahlt die? Der Betrieb, denn die Kohle wird als finanzstarkes Unternehmen betrachtet. Folglich sagt der Betriebsleiter: Hoffentlich finden wir nichts Prähistorisches! Sicher wäre diese Sache konkret irgendwie zu regeln, aber ich meine damit das überall anzutreffende Denken: Was nicht auf Heller und Pfennig nachrechenbar was einbringt, ist nicht interessant. Ist das wirklich objektive Notwendigkeit oder machen wir es dazu? Wann wollen wir denn mal mit der neuen Art Menschsein anfangen, wenn nicht heute, jeden Tag? Mir ist klar, was vom ökonomischen Potential usw. abhängt, aber mir scheint, daß die Entscheidungen der denkenden Menschen in der Welt noch von anderen Dingen beeinflußt werden als vom größeren Freßkorb und daß wir zu diesen Dingen durchaus die Potenzen haben. Und wie viele von uns sind schon durch zu dicken Bauch denk- und tatenfaul geworden! (Ich kann das alles nur sehr mangelhaft ausdrücken, was ich meine.)

Neulich habe ich einen Schuldirektor kennengelernt, der schreibt selber zu Weihnachten Theaterstücke, „weil die Kinder gerne spielen und nichts da ist ...", und einen Mann, der sein Leben lang nur Geld verdient hat, um in seiner Freizeit eine Sternwarte aufzubauen, Fernrohre zu bauen, sein ganzes am Tage verdiente Geld hat er reingesteckt, und jetzt als Rentner kann er erst den ganzen Tag (d. h. vor allem nachts) Astronom sein, Lehrbücher für den Astronomieunterricht mit ausarbeiten usw. – warum muß das und das „ökonomische Denken" ein Gegensatz sein (oder sehe ich das nur so?). Was kann ich als Gerti Tetzner, 32 Jahre alt, einige Kenntnisse und etwas Lebenserfahrung, aber „keine konkrete Verantwortung", wirklich tun, damit ich ein kleines Quentchen zur „Menschwerdung" beitragen kann? Sehen Sie, eine solche Frage kann ich nur schreiben; wenn ich sie jemandem mündlich mitteilen sollte, würde ich mir schon komisch vorkommen. Warum sind einem die einfachen Fragen peinlich, wenn man kein junges Mädchen mehr ist? Vielleicht enthält eine solche Frage schon wieder vielzuviel Anmaßung und Illusion. Ich beschäftige mich im Moment mit Leonow, und schon bei so einem Mann frage ich, was hat er zu tun vermocht, wie kurz und einsträngig ist sein Leben gegenüber dem, was alles zu tun wäre ... (und wer von uns würde schon ein Leonow, wie gering ist also unsere Chance!). Wenn man sich also eine Verantwortung für mehr als seine Familie und sich gibt, tut man es wohl, weil man nun mal nicht anders kann und auch um der Selbstachtung willen und mit einer Menge Gläubigkeit; aber manchmal könnte einen der Gedanke verrückt machen, daß fünfzig Jahre in der Geschichte eines Landes sehr wenig sein können, aber ein ganzes Menschenleben darüber vergangen ist. – Ich höre hier auf, wo wollte ich sonst hinkommen, da muß wohl jeder allein durch. Ich glaube, man muß das nur einmal vor sich eingestehen, wie wenig Zeit und Möglichkeiten man im Grunde hat, damit man soviel wie möglich mitnimmt.

Wenn ich darf, melde ich mich wieder nach Beendigung meiner Geschichte.

Herzliche Grüße
Gerti Tetzner

12. 1. 69

Liebe Gerti Tetzner,
nur ein paar Zeilen auf Ihren langen Brief. Ja – die Fragen, die Sie stellen, sind berechtigt und wichtig. Ich habe noch andere, bohrendere. Ich glaube, daß Menschen nicht von ökonomischen Erträgen leben und daß Kunst nicht dazu da ist, die Ökonomie zu unterstützen. Es ist ein weites Feld, wie der alte Fontane sagt, und ich mache mir große Sorgen. – Immerhin: Für Sie ist es schön, jetzt viel zu sehen, aufzunehmen, sortieren kann man dann immer noch. Bloß Mut haben zu seinen Erfahrungen – aber das leierte ich wohl schon im letzten Brief.

Alles Gute Ihnen in diesem Jahr.

Schicken Sie mir die Geschichte ruhig wieder, wenn Sie wollen.

Herzlich
Ihre Christa Wolf

Gedächtnis und Gedenken

Fred Wander: Der siebente Brunnen

1

Durch die Hervorbringung eines neuartigen, vorher so nicht bekannten Lebensstoffes hat das zwanzigste Jahrhundert den schon immer oder immer schon zeitweilig geltenden Beschränkungen und Selbstbeschränkungen der Schreibenden eine weitere hinzugefügt: das Tabu auf den Stoff „Auschwitz“, dessen literarische Behandlung, wie ich glaube, nur dem von Auschwitz Betroffenen zukommt – ein Recht, das wahrscheinlich zu den schwersten Bürden seines Lebens gehört.

„Auschwitz“ steht hier zunächst für sich selbst: für den umfassend angelegten, unerbittlich durchorganisierten und mit industriellen Methoden betriebenen Versuch des deutschen Faschismus, ganze Völker, unter ihnen die europäischen Juden, zu vernichten. Die Vermutung, nach Auschwitz sei Literatur unmöglich geworden, hat sich nicht bestätigt (wenn auch, was jenes Wort bedeutet, notwendig für lange Zeit einer der Bezugspunkte beim Schreiben bleibt). Nach der Befreiung haben Überlebende in zunächst reportagehaften Aussagen zu artikulieren versucht, was mit ihnen geschehen war. Dann kamen die Berichte, Protokolle, Prozeßakten, Erhebungen. Sie haben jeden, der lesen und hören kann und will, eingeweiht in die Technik der Massenvernichtung; haben die, die „draußen“ waren – uns –, mit dem Gemüts- und Geisteszustand der KZ-Mörder bekannt gemacht (eine bisher unbekannte Spielart des Menschen); haben uns Details in unser Bewußtsein eingebrannt, die man lieber nicht kennen würde; haben uns

Worte gelehrt, denen die Sprache sich hätte verweigern sollen. („Bis zur Vergasung" kann man noch heute in der deutschen Umgangssprache hören.) Die Aufgeklärtheit eines durchschnittlichen Bürgers in unserem Land über den Komplex Konzentrationslager kann sich wahrscheinlich mit seinem Kenntnisstand über irgendeinen normalen Lebensbereich messen. (Was wir empfinden, wenn wir KZ hören, ist schon schwerer zu erfahren; und über unsere Träume weiß man nichts.) Kann man uns noch etwas Neues darüber sagen?

Nach dem Krieg hatten wir zu lernen, unter den Augen von Völkern zu leben, die bei unserem Namen ein Grauen unterdrücken mußten. Das Entsetzen, das man in unserem Namen verbreitet hatte, traf, verspätet, bei uns selber ein. Diese Lektion hat tief und nachhaltig unser Leben bestimmt. Sie ist für viele unserer Grundentscheidungen verantwortlich und hat ein hochempfindliches Signalsystem in uns ausgebildet, das bei bestimmten leisesten Anzeichen oder Vor-Zeichen anschlägt.

Wir bezahlten natürlich – das ist keine Klage, sondern eine Beobachtung – mit Verlust an Unbefangenheit und Selbstgefühl, ein Verlust, dessen Folgen noch nicht untersucht und beschrieben sind. Jedenfalls zögert man, ein Buch wie jenes, über das ich hier schreibe, sofort zu lesen, versucht dann die zweite Lektüre möglichst aufzuschieben. Ertappt sich, wie man mit sich selber handelt: Wenigstens ein bestimmtes Kapitel nicht noch einmal lesen müssen („Woran erinnert dich Wald?"), wenigstens nicht die Seiten, die vom Leben und Sterben des Tadeusz Moll handeln.

Wenige Jahre nach den großen Auflagen solcher Bücher wie „Nackt unter Wölfen" oder „Tagebuch der Anne Frank" werden Neuerscheinungen wie Jurek Bekkers „Jakob der Lügner" und eben Fred Wanders „Der siebente Brunnen" nur von wenigen gelesen. So glauben wir also, alles über Lager, Ghetto und Zuchthaus zu wissen – über die drinnen und über uns draußen? Sind dieser „Thematik" ein wenig müde geworden, was vielleicht nach einem Vierteljahrhundert und angesichts anderer uns fesselnder Probleme nur natürlich ist? (Der Faschismus – das ist für mich Tertiär, sagte mir eine junge Frau.) So wäre es zuviel von uns verlangt, daß wir Entsetzen, Trauer, Reue immer neu in uns anstacheln lassen? (Noch heute, sagt mir ein Mann meiner Generation, kann ich einem Menschen, von dem ich weiß, daß er Jude ist, nicht ohne Scheu gegenübertreten.) So überwiegt doch die Furcht, endlich zur Ruhe gekommenes, eingekapseltes oder in die Abstraktion verflüchtigtes Wissen wieder neu zu aktivieren?

Aber ist ein Datum vorstellbar, von dem an man sechs Millionen Tote für „bewältigt" erklären könnte – Tote, umgebracht unter den Augen heute noch Lebender?

Erst an den nächsten Generationen sehen wir, was das Wort „unbelastet" bedeuten kann. Denn ihre Gefühle, wenn sie Buchenwald, Ravensbrück, Sachsenhausen „besichtigen", unterscheiden sich radikal von den unseren, die wir – und sei es als Kind – die Synagoge in unserer Stadt brennen sahen, gerüchtweise von unserem Nachbarn hörten, der, aus dem KZ entlassen, in ein unheimliches Schweigen verfallen sei (erste Ahnung von der Fürchterlichkeit und Macht eines widernatürlichen Schweigens), oder die wir gegen Ende des Krieges, selbst nun flüchtig, auf den Landstraßen einem „Transport" gestreifter Gestalten begegneten, die allem unähnlich waren, was wir kannten, und deren todesnahe unheimliche Gleichgültigkeit uns vorbereitete auf Enthüllungen, denen wir nicht gewachsen sein würden.

Was immer aber danach mit uns geschehen sein mag – unser Blick bleibt der Blick von „draußen". Keine Macht der Welt kann aus Mit-Gefühl Gefühl machen, aus Nach-Empfinden Empfinden, aus Vorstellung Erfahrung. Nächtliche Alpträume sind nicht Realität, und selbst die sensibelste Phantasie erreicht nicht entfernt auch nur eine einzige Minute im Leben derer, die „drinnen" waren.

Das ist die moralische ebenso wie ästhetische Schranke, die uns von der Möglichkeit trennt, uns jenem Thema zu nähern, das, wie kaum ein anderes, den oberflächlichen Literaten entlarvt. Nirgends so wie hier ist jeder Anflug von Künstlichkeit, jedes Sentiment, alles Anempfundene unerträglich. Dieser „Stoff" ist – vielleicht muß man sagen: noch nicht – zum beliebig verwendbaren, von jedem Beliebigen verwendbaren „Material" herabgesunken.

Obwohl man nach fünfundzwanzig Jahren anders über Auschwitz schreibt als gleich danach. Man schreibt auch über anderes, und aus anderem Grund.

2

Wie funktioniert das Gedächtnis? Unser Wissen darüber ist unvollständig und in sich widersprüchlich. Festzustehen scheint ein Grundmechanismus nach dem System Einlesen – Speichern – Abrufen; ferner, daß die erste, leicht löschbare Spur durch irgendwelche elektrischen Vorgänge aufgezeichnet wird, während die Speicherung, die Übernahme in das Langzeitgedächtnis (die, nach neueren Erkenntnissen, nachts vor sich gehen soll, im Traum) wohl eine Angelegenheit der Chemie ist: Gedächtnismoleküle, die im Dauerspeicher fixiert sind . . .

Nur daß das „Abrufen" keine Sache von Physik oder Chemie zu sein scheint, der Gedächtnisinhalt – oder Teile davon – nicht nach Belieben in jedem Lebensabschnitt zur Verfügung steht; und daß sich im Speicher, könnte man ihn ausräumen und seinen Inhalt vorzeigen, auch bei Menschen mit scheinbar gleichen Erlebnissen sehr Verschiedenes vorfinden würde.

Verhielte es sich anders, so wäre richtig, daß die Dokumente nicht zu übertreffen sind, und der Erzähler wäre überflüssig. Er aber, der in Jahren, als man ihn zuerst in die Anonymität verbannen, dann auslöschen wollte, darum gekämpft hat, Zeuge zu bleiben; der nicht versteinte oder verstummte – wie es denkbar wäre –, sondern die Kraft findet, zu sprechen; der eine Sprache findet für Unaussprechbares: Er übertrifft das Dokument.

Fred Wander, seit langem Autor, tritt mit dem „Siebenten Brunnen" als über Fünfzigjähriger in die Literatur ein. Zu der moralischen Legitimation des Dabeigewesenen kommt die Legitimation des Schriftstellers, der den Stoff seines Lebens aufschreibt.

Fünfundzwanzig Jahre hat er dazu gebraucht. Kein Zweifel, daß er die Zeit über an diesem Buch gearbeitet, daß es sich in ihm dauernd verändert hat. Er hat klug den Zeitpunkt gefühlt, da er es schon und noch machen konnte, da es ihn nicht mehr überwältigt hätte, aber auch noch nicht in ihm verblaßt war. Er hat lange zu der Niederschrift gebraucht und sich, wie es natürlich ist, dabei gequält. Im Buch ist nichts davon zu spüren. Auch die zufälligen Eigenschaften und Eigenheiten des wirklichen Autors, den man zu kennen, mit dem man befreundet zu sein glaubt, sind zurückgetreten (wie übrigens, bis auf wenige, allerdings wichtige und bezeichnende Episoden, er selbst als Figur). Er kann „ich" sagen, ohne nur sich selbst zu meinen. Das schwierige Unternehmen, nicht nur von den Ereignissen, sondern auch von sich Abstand zu gewinnen, diese Selbst-Verfremdung, Selbst-Ernüchterung – es ist ihm gelungen. Vielleicht war es das, wofür die lange Zeit nötig war. Jetzt ist da ein Erzähler, dessen Stimme von Haß und Überschwang frei ist; der sich nachdenklich, fast gelassen, aber tief beteiligt, besorgt, erstaunt und immer als unser Zeitgenosse erinnert.

Denn dieses Erinnerungsbuch ist von heute aus geschrieben (darin verwandt Jorge Sempruns „Die große Reise"). Wie das Gedächtnis viele Möglichkeiten hat (auch die des Vergessens), gibt es viele Stufen und Schichten der Erinnerung. Es gelingt dem Autor, sie alle durchschimmern zu lassen. In einer Frage, einem Nebensatz, in der Haltung, die er heute zu den Vorgängen von damals einnimmt, läßt er die ganze Zwischen-Zeit mit anwesend sein, in einer genauen Prosa. Denn Prosa ist die authentische Sprache der Erinnerung, eines der wichtigsten Medien, deren sich die Menschheit zur Erhaltung und Auffrischung ihres lebenswichtigen Langzeitgedächtnisses bedient.

Die Haltung also. Der Blick des Lesers – eines Betroffenen, der aber von „draußen" kommt – trifft in diesem Buch auf einen Blick von „drinnen", der den seinen sucht. Er glaubt eine Anrede zu hören, nicht nur da, wo er wirklich angeredet wird. Dies, echt und unverkrampft, wahrscheinlich unbewußt erreicht, kann niemals ein Kunstgriff sein. Es ist das Ergebnis einer Lebensanstrengung, der es darum zu tun sein mußte, nicht nur physisch überlebt zu haben, soviel das allein schon bedeuten würde („am Leben blieben die Erfüllten, die das Leben austrinken wollten bis zum letzten Tropfen – und sei es ein Becher Gift!"), sondern der schrecklichen Suggestion des Bösen, der auch seine Opfer nachträglich noch unterliegen könnten, durch einen Gegen-Entwurf von großer Beweiskraft die Macht zu entziehen. Wie es im „Siebenten Brunnen" des Rabbi Löw heißt: „. . . für künftige Geschlechter bereit, auf daß sie entsteigen der Dunkelheit, die Augen klar, die Herzen befreit."

Dieser Gegenentwurf setzt nicht etwa Liebe gegen Haß, Güte gegen Sadismus, Sanftmut gegen Gewalt. Oder gar Verzeihen gegen Verbrechen. Sondern er setzt, wie es der Erzähler immer sollte und wollte, Gerechtigkeit gegen das Prinzip des Unrechts (auch den Ungerechten noch künstlerisch gerecht werdend). Er besteht in einer genauen Untersuchung und Schilderung jener rettenden Kräfte im Menschen, die sich unter Bedingungen erhalten haben, die ausgeklügelt hoffnungslos zu sein schienen. Wie soll man Geschichten erzählen, die fast alle mit Tod, mit Mord, mit Erschießen, Erschlagen, Verhungern, Erfrieren, mit Gaskammer und Galgen enden? Geschichten, die nicht erfunden sind, an denen der Autor nichts erfinden *darf.* Anti-Geschichten also, denn die sie in Szene setzten, hatten es auf das Ende der Geschichte und aller Geschichten angelegt. Wie das erzählen, ohne davon erdrückt zu werden oder unzulässigerweise zu beschwichtigen?

Wander hat das Problem des Erzählens, des Redens unter solchen Umständen überhaupt zum Motiv seines Buches gemacht. Vom ersten Kapitel an („Wie man eine Geschichte erzählt") denkt er über die Voraussetzungen menschlicher Sprache, des einander Zu-Sprechens und Miteinanderredens nach – gerade dann, wenn sie – aus gutem Grund, vom Standpunkt der Bewacher aus – als schweres Verbrechen geahndet werden. Nicht nur die gehobene Sprache, die Literatur (Trost einiger weniger, die Stendhal, Balzac, Shakespeare, Tolstoi in sich wachrufen, Baudelaire zitieren, die Bibel, den Rabbi Löw) – jedes einzige ruhige, wahre Wort, das dem wahnwitzigen Irrationalismus sprachunmächtiger Verbrecher entgegengestellt wird, ist eine Gefahr für das System: „Einen klaren Satz sagen, unsere Lage analysieren oder gar dem tauben Hirn ein Gedicht entringen, einen Liedtext mutwillig ändern, ihm unmerklich einen neuen, aufwieglerischen Sinn unterstellen, wer vermochte das? Immer nur eine Handvoll Männer aus einem Heer."

Zu der Handvoll gehört der Autor, der seine Zeugenschaft ernst nimmt: Wenigstens einige aus diesem Heer der Anonymität entreißen, in der man sie umkommen lassen wollte. Wenigstens einige Namen aufrufen, einige Stimmen wiedererwecken, einige Gesichter aus der Erinnerung nachzeichnen. Sie zu idealisieren, hat er nicht nötig, und es kommt ihm nicht in den Sinn (wie käme er dazu, sie als konkrete, einmalige Erscheinungen zu verleugnen?). Er schildert sie, unterschiedlich, wie sie sind, Starke und Schwache, sich Auflehnende und Passive, Fromme und Ungläubige, Stolze und Demütige, Junge und Alte, Juden aus ganz Europa und Franzosen, Russen, Ukrainer. Er beschreibt, wie sie zu leben und zu überleben versuchen, kollektiv erprobte Techniken und die geheimen Methoden der einzelnen. „Wovon der

Mensch lebt." Er sieht sie sterben, fast alle. („Zurück bleibt das Gesicht der Väter und Mütter. Der Ausdruck einer großen Mühe, Mensch zu sein.") Er charakterisiert sie durch ihre Sprechweise, ihr jiddisches Idiom, durch ihre religiösen Bräuche, durch Sprichwörter, Lieder. Er gebraucht verschiedene Erzählhaltungen und Zitate aus der Literatur: das alles zur Einheit gebracht durch die immer anwesende Person des Erzählers, der den Leser an seinem einmaligen, persönlichen Versuch, sich der wichtigsten Erfahrung seines Lebens zu stellen, teilnehmen läßt.

Davon eben geht die Wirkung des Buches aus.

Das ist zeitgemäßes Erzählen, unbeirrt von Modernismus, aber auch weit entfernt von rationalistischen Fabelkonstruktionen. Die assoziative Methode gibt dem Buch eine erstaunlich „natürliche", lebendige und klare, dabei aber komplizierte Struktur, sie erlaubt einen souveränen Umgang mit Zeit und Raum und folgt zwanglos dem Strom der Erinnerung. Diese Art zu erzählen wird genau dem Vorgang gerecht, der sich hinter dem „eigentlichen Stoff" vollzieht und der ebenso eine Realität ist wie die Baracken, die Waldhöhlen, das tägliche Stück Brot und die ausgezehrten Gesichter der Kameraden: dem Vorgang der Selbstbefreiung des Autors. Er wird einem nicht aufgedrängt, man muß ihn nicht bemerken. Aber fehlte er, fehlte dem Buch das Leben.

Mag sein, daß alle Gedächtnisse aller Menschen von den gleichen elektrophysikalischen und chemischen Prozessen gesteuert werden, die man hoffentlich bald entschlüsselt hat. Noch lange nicht erklärt ist damit die besondere Art eines jeden Menschen, sich zu erinnern oder zu vergessen, mit seinen Erinnerungen zu leben, sie zu verschweigen oder sie aufzuschreiben, wie in diesem Fall.

3

„Auschwitz“ steht, so viele, so wenige Jahre danach, schon für anderes als nur für sich selbst. Es steht für die beunruhigendste Tatsache dieser Zeit, als ein Beweis dessen, daß ein Herrschaftsmechanismus entwickelt wurde, der große Teile eines Volkes fast im Handumdrehen zurückschleudern kann in die Barbarei. Steht als Zeichen dafür, daß es erdacht und versucht wurde, eine von Grund auf verkehrte Welt zu erzwingen. Eine Welt, in der das Böse, Zerstörerische zum Normalen erklärt und von vielen als normal empfunden wird. Eine Welt, in der alle Vorzeichen verändert sind, Gut und Böse, Schön und Häßlich vertauscht. Eine Welt, in der es einer irrsinnigen Clique gelungen ist, ihren „Alles-ist-erlaubt“-Standpunkt bis zur tödlichen Konsequenz durchzusetzen, jene heillose Dämonisierung un-menschlicher Zwecke, jene lähmende Vertauschung von Zweck und Mittel. Ein Alptraum. Ihm heil zu entkommen ist unmöglich.

Ich glaube, daß heute noch viele Menschen trotz richtiger ökonomischer und sozialer Analysen, die man sie gelehrt hat, im Grunde nicht wissen, wie ihnen geschah. Daher ist es gewiß nicht überflüssig geworden, das Unterscheidungsvermögen für produktive und zerstörerische Tendenzen im einzelnen und in der Gesellschaft zu schärfen und die gefährliche Täuschung, die von unwissenden, arglosen Mienen und ordentlichen, saubergewaschenen und blankgewichsten Erscheinungen ausgehen kann, aufzudecken.

„Wäre er nur böse gewesen, wie leicht wäre das zu erklären!“, von einem jungen SS-Mann gesagt, „ein Milchgesicht und obendrein recht hübsch“, der sich vor Eifer überschlägt, als erster das Schießeisen zu ziehn, um dem alten ukrainischen Bauern, der sich aus der Kolonne geschleppt hat, den Todesschuß zu geben. „Da war nicht Haß oder der Wille zu töten, nur eine Art sportlicher Eifer, Kitzel der Macht.“

Was hat die Menschen – guten Gewissens – so gemacht? Gewöhnliche Leute und so wenig zu Ungeheuern bestimmt wie wir. Fred Wander beobachtet sie erstaunt und gebannt.

„Der Wachhabende mochte im Privatleben ein Oberlehrer sein oder Oberpostrat. Heiteres Naturell, rosiger Teint, breite Kiefer, weißes Gebiß." – „Ein stutzerhafter SS-Offizier ... Wenn er Notizen macht, korrekt bis in die Knochen, ach, wie korrekt – so viele Lebende, so viele Tote –, steht er martialisch da, Beine gegrätscht, Brust heraus, Zähne gefletscht ... Ordnung muß sein." – „Nicht weit von uns, auf einem anderen Geleise, wurden Rekruten für die Front verladen. Pferde wieherten, die jungen Soldaten lärmten und lachten. Was hatte ihren Geist so getrübt, daß sie lachen konnten?" – „Dort hatte einer von den Deutschen schon ein Kind erschlagen, lachend und mit hartem Blick." – „Wie Säulen standen Menschen an der Straße und rührten sich nicht." – „Von einem Bauernhof über der Straße beobachtete ein junges Mädchen das Schauspiel. Die Haustür stand offen, und dichte Dunstschwaden drangen daraus hervor. Hinter einem Baumstamm halb versteckt, starrte das Mädchen herunter auf die lange Kolonne." – „Zu den Posten am Tor waren ihre Mädchen gekommen, scherzten, lachten, plauderten vergnügt. Wir kannten die Posten, junge Männer, bartlos, mit vor Kraft strotzenden roten Gesichtern. Deutsche Bauernsöhne, Söhne von Postadjunkten, Eisenbahnern und Klempnern. Sie hatten gemordet. Jeder von ihnen hatte gemordet. Und sie wußten es nicht, denn wir wären keine Menschen, hatte man ihnen gesagt."

Das hätte also ausgereicht, fatal primitive Behauptungen, die wie Zunder in eine schwelende Mord-Lust gefallen sein müssen. Wie fehlgeschlagen muß das eigene Leben jener Massen von Menschen sein, die nach einem solchen Satz lechzen: Die anderen sind keine Menschen.

Verkehrte Welt, hier wird sie geradegerückt: Immer sind es die Opfer, die etwas über ihre Henker wissen;

nie ist es umgekehrt. Immer durchschauen die, die unten sind, das Schein-Leben derer, die sie beherrschen, ihre Schein-Freiheit, die sie gleichwohl in panischer Angst verteidigen, um derentwillen sie sich selbst zu Unwissenheit, Dumpfheit und Stumpfheit verurteilen, zum Mitmachen und Mitansehen, ohne zu mucksen. Ihrem Ekel ein Objekt zu geben, hat man ihnen jene anderen zugeschoben, damit nur ja keine Ahnung sie streift, woher dieser Ekel „wirklich kommen mochte".

Natur, Landschaft, das Wetter sind für diese nicht die gleichen wie für jene. Für die drinnen, von denen alles sich abgekehrt hat, sind sie zusätzliche Bedrohungen. „Das Riesengebirge hallte von Schüssen, der Himmel war sanft und blau." – „Ein Traumzug, der durch finstere deutsche Wälder fährt." – „Der Himmel zeigte eine giftfarbene Morgenröte. Die Häuser auf einem Berghang waren durcheinandergeworfene Schatten." – „Der Himmel war stahlblau und tief, nur vereinzelte zartrosa Wölkchen lächelten herab, arglos wie Kinder."

Man glaubt, über den Rand der Erde gestoßen und in den beklemmenden Bann eines fremden Planeten geraten zu sein. Würden wir nicht nur allzu genau jene Kleinstadtidylle kennen, die sich da plötzlich auftut, auf einer kleinen Station vor Buchenwald, wo der Gespensterzug voller toter und noch lebender Häftlinge durch einen Fliegeralarm zum Halten gebracht ist. Hätten wir nicht die Zutaten dieser Idylle selbst hundertmal gesehen: „Frauen quollen irgendwo aus einem Luftschutzbunker, beeilten sich zum Herd, zu den Töpfen, schleppten Brot, Äpfel, Milchflaschen, Bier. Kinder mit weißen und blaugestreiften Zipfelmützen. Ein blauer Glockenblumenhimmel darüber ..." Mit unheimlicher Affektlosigkeit wird berichtet, wie das Unheimliche, das Unglaubliche geschieht: daß die Frauen, die ganz dicht vorübergehen, den Zug nicht *sehen* und nicht die „merkwürdigen Gestalten, die aus den Waggontüren kollerten". Dann aber, doch: Eine junge Frau fällt in Ohnmacht. „Sie hatte gesehen. Nur eine hatte gesehen."

Am Rande der Straße lagen, wie Eisenbahnschwellen gestapelt, in langer Reihe, zwei Meter hoch, Leichen.

Dies „nur eine hatte gesehen“ geht einem nach. Ist diese mutwillige Blindheit wirklich schon erklärt? Ist sie erklärbar?

Sehen lernen, das Gedächtnis anstrengen, seinen Verlust nicht zulassen – wenn irgend etwas, so ist dies eine Botschaft dieses Buches: „Auschwitz“ – was immer das heute bedeutet, wie immer es heute irgendwo auf der Erde aussieht – zu überwinden. Nicht abstrakt, im Geiste nur, sondern in der täglichen Anstrengung um die Banalität des Guten als gesellschaftliche Realität. Ein Ziel, das wir im Auge haben.

Das der Autor wie ein Vermächtnis von jenem Mendel Teichmann übernimmt, der ihn das Erzählen lehren wollte und der ihn gelehrt hat, zuerst genau hinzusehen: „Und Mendel sah es und schaute sie an, mit seinen traurigen, forschenden Augen, versuchte zu verstehen, für jeden Schlag, für jede Demütigung, und für das Lachen angesichts unserer Martern, und für die geilen Witze angesichts unseres Todes versuchte Mendel eine Formel zu finden, ein erlösendes Wort.“

März 1972

Fragen an Konstantin Simonow

Christa Wolf: Genosse Simonow – aus dem Umkreis dessen, worüber man sprechen könnte, versuche ich ein paar Themen herauszunehmen, bei denen es durch unterschiedliche Erfahrungen Reibungsflächen zwischen uns geben könnte; oder Fragen, die mich gerade beschäftigen und auf deren Beantwortung durch Sie ich neugierig bin. Wir sind von unterschiedlicher Nationalität, von unterschiedlichem Alter. Diese wichtigen Unterschiede müssen auf unsere Arbeit – die wir gemeinsam haben – einen großen Einfluß ausüben. Interessieren Sie als Schriftsteller eigentlich die Deutschen?
Konstantin Simonow: Es fällt mir schwer, den Schriftsteller vom Menschen, der ein ganz bestimmtes Leben durchlebt hat, zu trennen. Als Mensch meiner Generation waren meine Gefühle und der Charakter meiner Interessen für die Deutschen zu verschiedenen Zeiten recht unterschiedlich.

Die persönliche Geschichte dieser Interessen geht bis in die Kindheit zurück, als ich sieben, acht Jahre alt war. Meine ersten Kindheitserinnerungen an Deutschland, an die Deutschen, stützen sich auf Gespräche bei uns zu Hause, zwischen meinem Stiefvater und seinen Genossen, Kommandeuren der Roten Armee: Ob wir den Hamburger Aufstand unterstützen werden und wie wir ihn unterstützen werden; es handelte sich dabei um militärische Unterstützung.

Natürlich sind das Kindheitserinnerungen, ich will sie nicht modernisieren. Trotzdem besinne ich mich recht deutlich auf das, was gesagt wurde: Dort bei den Deutschen in Hamburg ist Revolution; wie ist das – können wir helfen oder können wir das nicht? Und wie wird das alles weitergehen?

Ich erinnere mich auch an den Gesangsunterricht in der Schulzeit und dabei besonders an das Komintern-Lied von Eisler:

„Verlaßt die Maschinen, heraus, ihr Proleten!
Marschieren, marschieren, zum Sturm angetreten!"

In den Übergangsjahren vom Pionier- zum Komsomolalter (wenngleich ich weder Pionier noch Komsomolze war, sondern im Jahr einundvierzig direkt in die Partei eintrat – aber ich meine ja die Altersstufe) kleideten wir uns nach Art des „Roten Jungsturms" – das war die jugendlich variierte Uniform des deutschen „Rotfrontkämpferbundes" –, das Koppel umgeschnallt, wir trugen die „Thälmannuniform". Das war Ende der zwanziger, Anfang der dreißiger Jahre, als die Erwartung, in welchem Land es noch zu einer Revolution kommen wird, für mich Fünfzehnjährigen vor allem mit Deutschland verbunden war.

Um mir meine Gefühle von damals ins Gedächtnis zurückzurufen: Wer von den ausländischen Kommunisten stand für mich an erster Stelle? Natürlich Thälmann! Um so stärker war die Erschütterung, als der Faschismus zur Macht gelangte, die Frage, wie das alles geschah; wie das plötzlich trotzdem geschehen konnte. Für mich war das eine sehr große moralische Erschütterung.
Christa Wolf: Als der Faschismus zu Ende war, hatte ich, soviel ich mich erinnere, den Namen „Thälmann" noch nicht gehört. Ich war sechzehn Jahre alt.
Konstantin Simonow: Während des Krieges schimpften wir heftig – auch ich – über einige Vorkriegsbücher, in denen der Faschismus nach einigen Tagen Krieg mühelos von uns zerschlagen und im Innern des faschistischen Staates die Macht von den revolutionären Kräften in die Hände genommen wurde – beispielsweise im Roman

„Der erste Schlag" von Schpanow oder in dem Film „Wenn morgen Krieg sein wird ...". Historisch gesehen glaube ich aber, daß die Schnelligkeit, mit der der Faschismus in diesen Werken besiegt wurde, und vor allem die Mühelosigkeit, mit der sie den Volksaufstand gegen den Faschismus in Deutschland aufflammen ließen, in gewisser Weise unsere damaligen Hoffnungen widerspiegelten. Und sogar noch im Krieg verblieb uns die Hoffnung, daß in Deutschland irgend etwas geschehen, sich irgend etwas ereignen werde. Ich erinnere mich, daß es zu Meinungsverschiedenheiten darüber kam – in einigen meiner Bücher hat das seinen Niederschlag gefunden –, ob es möglich ist, in den Zeitungen nebeneinander zu schreiben: „Tod den deutschen Okkupanten" und „Proletarier aller Länder, vereinigt euch": beide Losungen gleichzeitig zu verkünden.

Selbst heute fällt es immer noch schwer, über den Krieg zu sprechen. Wir waren ja durch den Krieg vier Jahre lang ununterbrochen mit den Deutschen verbunden, durch die schrecklichste aller denkbaren Bindungen. Und ich erinnere mich an keinen einzigen Kriegstag, an dem ich nicht an die Deutschen gedacht hätte. Wie – ist eine andere Frage. In meinem Empfinden waren die Deutschen all die Jahre des Krieges mit einer furchtbaren und stetigen Kraft gegenwärtig, in erster Linie als Feind.

Und dabei tauchte immer wieder die Frage auf: Wie konnte das geschehen? Wie kam es dazu? Wie gelangte der Faschismus an die Macht? Weshalb vermochte er, sich mit derartiger Kraft eine ganze Nation zu unterwerfen? Dieses auf die Vergangenheit gerichtete tragische Problem beschäftigte mich gleichfalls, wenn ich an die Deutschen dachte.

Nach Beendigung des Krieges interessierte mich außerordentlich, was die Deutschen zu all dem, was vorgefallen war, meinten. Meine Tagebücher aus dem Jahre fünfundvierzig bezeugen das. Im Winter fünfundvierzig kam ich nach Schlesien und sprach dort mit den verschiedensten Leuten: mit Geistlichen, ehemaligen Kommunisten, mit Kleinbürgern und anderen Einwohnern. Alles, was ich erfuhr, schrieb ich sofort auf. Diese Aufzeichnungen habe ich jetzt als Buch veröffentlicht, und vielleicht wäre es für Sie interessant, wenn man Ihnen gleich vom Blatt einiges davon übersetzen würde.

Das Buch heißt „Kurz vor der Stille". Natürlich gibt es dort nicht nur diese Gespräche mit den Deutschen, aber sie sind eben ein Beweis für mein damaliges riesiges Interesse für Deutschland, für die Deutschen, für die Frage, wie es mit ihnen weitergehen wird. Festgehalten in diesem Buch sind auch meine Schlußfolgerungen aus jener Zeit: Warum kam der Faschismus an die Macht? Wer sind sie eigentlich – die Deutschen, was wird aus ihnen? Vieles wurde von mir damals nicht richtig erkannt, vieles extrem gesehen – aber ich beließ für das Buch alles so, wie es in den Aufzeichnungen war. In den Anmerkungen zu dieser Veröffentlichung führte ich aus, warum: damit unsere deutschen Genossen heute sich veranschaulichen können, welch eine Distanz in unseren Gefühlen gegenüber den Deutschen von uns seit jener Zeit überwunden werden mußte.

Christa Wolf: Es scheint, daß Sie jetzt eine andere Methode eingeschlagen haben, mit Ihrem Tagebuchmaterial umzugehen. Sie haben doch auch früher schon Aufzeichnungen, Tagebücher Ihren Romanen zugrunde gelegt, aber als eine Art Rohstoff, der verarbeitet wurde. Diesmal nehmen Sie die Aufzeichnungen direkt, als Dokumente. Welchen Grund haben Sie dafür?

Konstantin Simonow: Nach dieser Methode arbeitete ich von Anfang an. Außer einigen Kürzungen, vorwiegend persönlicher Art, korrigierte ich meine Tagebuchaufzeichnungen lediglich in literarischer Hinsicht, da sie im Grunde genommen in aller Eile, wenn auch in Klarschrift, niedergeschriebenen Stenogrammen glichen, die nicht immer für den Leser verständlich waren.

Christa Wolf: Ja – aber soviel ich weiß, haben Sie auch für Ihre Romane Tagebücher gebraucht.

Konstantin Simonow: Natürlich. Ich habe meine Tagebücher auch für meine Kriegsromane verwertet. Für die einen mehr, für die anderen weniger. Jetzt schließe ich gerade damit ab, alle meine Kriegstagebücher in zwei große Bände zusammenzufassen; das mache ich parallel zur Arbeit an meinen Romanen – vom Beginn des Krieges bis zu seinem Ende. Aus dem Text der Tagebücher geht klar hervor, was ich damals geschrieben habe, in den Tagen des Krieges, und was ich jetzt aus der Erinnerung hinzugefügt habe.

Meine Romane stützen sich, wie gesagt, in einem bestimmten Maße auch auf meine Tagebuchaufzeichnungen – denn ich hatte ja nur ein Leben!

Christa Wolf: Das eben ist meine Frage: Das Verhältnis von autobiographischem Material – von dem, an was man sich erinnert; was man *nicht* aufgeschrieben hat, damals vielleicht nicht aufschreiben wollte – zu dem Tagebuch, das man schon wie ein fremdes, zeitgenössisches Dokument behandeln kann. Ich stelle mir vor, daß diese Methode – je weiter man sich zeitlich von den Ereignissen entfernt, über die man schreibt – immer komplizierter wird.

Konstantin Simonow: Die Tagebuchaufzeichnungen sind für mich, wenn ich Romane schreibe, nur eine Unterstützung. Ich wähle aus ihnen bestimmte notwendige Episoden, Details, Situationen, Fakten aus. Wenn alle Tagebücher veröffentlicht sein werden, wird der Leser in einer Reihe von Fällen erkennen, woher – um das so auszudrücken – den Romanen die Beine wachsen. Ein solches Buch, das Aufschluß über meine Verfahrensweise gibt, habe ich bereits herausgebracht. Es heißt „Aufzeichnungen eines jungen Mannes“. Der erste Teil enthält mein Kriegstagebuch, im zweiten Teil mit dem Titel „Drei Erzählungen über beinah dasselbe“ sind drei Erzählungen zusammengefaßt, die über die gleiche Zeit und die gleichen Ereignisse berichten wie auch meine Tagebücher.

Christa Wolf: Ich frage so genau danach, weil mich das für

meine eigene Arbeit methodisch augenblicklich besonders interessiert. Sie sagten eben, es sei Ihnen heute noch schwer, über den Krieg zu sprechen. Genauso ist es uns heute noch schwer, über den Faschismus zu sprechen – wenn auch aus ganz anderen Gründen. Ich weiß, daß meine Generation, deren Kindheit in die Zeit des Faschismus fiel, dieses Erlebnis noch nicht wirklich „verarbeitet" hat. Ich schreibe ein Buch über eine solche Kindheit in dieser Zeit. Natürlich habe ich da keinerlei Tagebuchmaterial. Ich versuche authentisch zu sein dadurch, daß ich mich auf meine Erinnerung stütze und dann diese Erinnerung an Dokumenten überprüfe, die mir zugänglich sind. Da mache ich manchmal überraschende Entdeckungen, die auch ein Beitrag zur Psychologie des Gedächtnisses sein mögen – so daß das Buch, um „realistisch" zu sein, mehrere Ebenen bekommen muß.
Konstantin Simonow: Da bin ich mit Ihnen ganz einig. Nach meiner Meinung ist das eine richtige literarische Verfahrensweise und eine richtige Methode. Mir stehen sie jedenfalls sehr nahe. Ich selbst mache mein jüngstes Buch – ich bereite jetzt einen Band Tagebücher aus dem Jahr zweiundvierzig zum Druck vor – so, daß erstens meine Tagebuchaufzeichnungen aus jener Zeit, zweitens die von mir eingefügten Dokumente – Briefe und ähnliches mehr – und drittens meine heutigen Erinnerungen an damals sowie meine Kommentare jeweils eine andere typographische Gestaltung aufweisen.

Bisweilen stelle ich gegenüber: Zum Beispiel gehe ich in meinem Buch auf eine Begegnung mit dem damaligen amerikanischen Präsidentschaftskandidaten Willkie ein, der 1942 bei uns war und mit dem ich, gerade aus Stalingrad kommend, zusammentraf. Zunächst schrieb ich alles so nieder, wie ich es in Erinnerung hatte. Dann stieß ich auf ein Buch von Willkie, in dem dieses Treffen gleichfalls erwähnt wurde, und diese Stelle führe ich jetzt in meinem Buch mit an. Ich möchte nochmals wiederholen, um meine Antwort auf Ihre vorhin gestellte Frage fortzuführen, daß meine Tagebücher aus dem

Jahre fünfundvierzig, wenn Sie sie lesen werden, Ihnen eine Vorstellung vermitteln, wie groß damals mein Interesse für die Deutschen, für Deutschland war und für das, was nach dem Krieg sein wird.

Ich gehörte der ersten sowjetischen Kulturdelegation an, die nach dem Krieg Deutschland besuchte. Und bei uns hier in Moskau, im Schriftstellerverband, befaßte ich mich mit dem Empfang der ersten deutschen Schriftstellerdelegation, die von Kellermann geleitet wurde. Damals schloß ich meine ersten Bekanntschaften und Freundschaften mit meinen deutschen Kollegen: mit Weisenborn, Claudius, Hermlin. Hier in Moskau traf ich mit Ernst Busch zusammen, und zum ersten Male nach dem Krieg hörte ich, wie er singt. Das war der Beginn neuer Verbindungen und neuer Beziehungen.

Und noch eines: Schriftsteller bleibt Schriftsteller, und wenn man bei den Lesern Interesse für die eigenen Bücher spürt, weckt das auch ähnliches Interesse für die Leser. Für mich bedeutet es sehr viel und ist psychologisch sehr wichtig, daß deutsche Leser meine Bücher über ein für sie und für mich so kompliziertes Thema wie den vergangenen Krieg lesen.

Denn es ist doch so, daß ein solches Stück Leben, wie es dieser Krieg war – mögen die Beziehungen hier auch nicht die allerbesten gewesen sein –, dennoch ein gemeinsames Stück Geschichte für uns und für die Deutschen darstellt.

Ich hatte vor, meinen neuesten Roman über die letzten Tage des Krieges, über die Kämpfe um Berlin zu schreiben. In Vorbereitung dieses Buches unterhielt ich mich mit vielen Deutschen, die Teilnehmer dieser Ereignisse gewesen waren – angefangen von Volkssturmmännern, jungen und alten, bis hin zu den deutschen Genossen, den ersten Bezirksbürgermeistern, Mitgliedern des Nationalkomitees „Freies Deutschland", die unter für sie psychologisch überaus schwierigen Bedingungen die Macht in den Städten übernommen hatten. Ich besitze viele Notizen über diese sehr interessanten Gespräche.

Viele Menschen sprachen sehr offen mit mir, und dementsprechend freimütig sind auch meine Aufzeichnungen.

Aber dann, nachdem ich lange darüber nachgedacht hatte, überlegte ich es mir doch anders. Ich fühlte, daß ich nicht vermochte, alle Aspekte jener inneren Tragik, mit der die letzten Tage Berlins dort, auf jener, der deutschen Seite verbunden waren, psychologisch zu erfassen. Aber ohne das wäre ein Roman über die letzten Kriegstage meiner Meinung nach unvollständig gewesen. Und ich beschloß, indem ich meine ursprüngliche Absicht fallenließ, das dritte und letzte Buch meines Romanzyklus dort abzuschließen, wo das erste begonnen hatte: in Belorußland.

Christa Wolf: Vielleicht müssen da die sowjetische und die deutsche Literatur einander ergänzen ... Allerdings stellt sich bei gewissen Stoffen die Frage nach dem Zeitpunkt ihrer literarischen Gestaltung. Der Autor selbst braucht ja eine gewisse Freiheit einem sehr schwierigen Stoff gegenüber. Ich war Altersgenosse von diesen „Volkssturm"-Jungen, hatte nur das Glück, ein Mädchen zu sein und daher nicht schießen zu müssen. So erlebte ich das Kriegsende zwar auch bei Berlin, aber als Mitglied eines nach Nordwesten ziehenden Flüchtlingstrecks, und der Kampf um Berlin war uns sichtbar als Feuerschein am Horizont. Was wir damals wirklich empfanden, wie wir das Zusammentreffen mit der Roten Armee erlebten, das ist nach meiner Ansicht noch nicht aufrichtig beschrieben. Ich weiß nicht, ob es noch zu früh dazu ist. Vielleicht könnte man es leisten, wenn man in das damals Erlebte sein heutiges Verhältnis dazu hineinbrächte ...

Konstantin Simonow: Es ist schwer, darauf zu antworten. Hier muß sicher jeder von uns seinen eigenen Weg gehen. Ich zum Beispiel hatte mein Tagebuch über das Jahr einundvierzig, über die ersten hundert Kriegstage, bereits vor sieben Jahren vorbereitet. Bislang habe ich es aber noch nicht veröffentlicht – offenbar war es noch zu früh. Doch vielleicht wird nach einer gewissen Frist die Zeit für sein Erscheinen gekommen sein. Als in mir das Bedürfnis entstanden war, dieses Buch fertigzustellen, habe ich es gemacht. Bedenken darüber, ob es vielleicht noch zu früh dazu ist, habe ich beiseite geschoben. Anders hätte ich das Buch sicherlich nicht zustande gebracht. Weil das innere Bewußtsein, daß es für dich Zeit ist, das zu tun, trotz allem für den Schriftsteller die Hauptsache bleibt: Ich muß das jetzt schreiben! Dann setz dich hin und schreib, wenn du so empfindest! Ob es aber schon an der Zeit ist, das in die Hände des Lesers zu geben, ist eine zweite Frage, die du nicht allein zu entscheiden hast. Aber was macht's ... Hierüber kann es Streit und Meinungsverschiedenheiten und unterschiedliche Entscheidungen geben ... Entschuldigen Sie, wenn ich das nicht weiß, aber als Sie Ihren „Geteilten Himmel" geschrieben hatten, hat es sicherlich auch unterschiedliche Meinungen darüber gegeben, ob es schon an der Zeit oder ob es noch nicht an der Zeit sei, über das zu sprechen, worüber Sie in Ihrem Buch erzählt haben.

Aber für mich zum Beispiel, für mich als Leser, war es an der Zeit, war es gerade die rechte Zeit, weil Ihr Buch mich dazu brachte, vieles zu verstehen, und vielleicht noch mehr: zu fühlen.

Christa Wolf: Gibt es bei Ihnen Probleme, Konflikte – in Ihrem Leben als politischer Mensch –, über die Sie glauben, nicht schreiben zu können oder nicht schreiben zu sollen: nicht, weil Sie als Schriftsteller den Stoff nicht bewältigen könnten, sondern weil Sie glauben, es wäre schädlich, darüber zu schreiben, oder es würde vielleicht niemals zu Ihren Lebzeiten erscheinen können – eine Art Selbstzensur also.

Konstantin Simonow: Natürlich gab es die. Mir scheint, hier sollte man unterscheiden zwischen dem Roman, dem rein belletristischen Werk überhaupt, und, sagen wir, dem Tagebuch oder der Memoirenliteratur. Bei einem Roman treffe ich sofort meine Entscheidung: ent-

weder ich schreibe ihn oder ich schreibe ihn nicht. Mit den Memoiren ist das schon etwas komplizierter. Zum Beispiel schreibe ich jetzt an meinen Erinnerungen an Alexander Twardowski. Seit seinem Tod ist noch nicht sehr viel Zeit vergangen. Die Mehrheit derer, die in meinen Erinnerungen vorkommen, lebt noch, ist noch aktiv tätig. Ich habe zu vielen Problemen und zu vielen Menschen, die in meinem Buch vorkommen, meine ganz eigene persönliche Beziehung. Obgleich ich alles hintereinander niederschreibe, nehme ich mir bereits vorher sehr bestimmt vor, für die Veröffentlichung nur das auszuwählen, was ich zum gegebenen Zeitpunkt für möglich, für moralisch gerechtfertigt halte. Das übrige lasse ich aus, mag es inzwischen liegen. Ich fürchte solche Erinnerungen, wo der Autor das eine aufs Papier bringt, das andere aber „für später" aufbewahrt, in seinem Kopf. Ich bejahe Erinnerungen, wo der Autor zunächst einmal alles aufschreibt, was er aufzuschreiben für notwendig hält, dabei aber weiß, daß er davon nicht alles veröffentlichen wird.
Christa Wolf: Was die Literatur meines Landes und meiner Generation betrifft: ich bin verfolgt von dem Gefühl, daß die wichtigsten Erlebnisse – innere und äußere –, die wichtigsten Entscheidungen und Konflikte, die unsere Entwicklung bestimmt haben und uns seit bald drei Jahrzehnten bewegen, nur schwach und gar nicht in unserer Literatur sichtbar werden. Ich möchte gerne wissen, ob Sie ein solches Gefühl auch kennen.
Konstantin Simonow: Ja. Ich habe zum Beispiel auch das Gefühl, daß wir in breiterem Maße über die für uns dramatischen Vorgänge der Jahre siebenunddreißig, achtunddreißig schreiben sollten, die die Erklärung liefern für vieles, was in der Folgezeit geschah, insbesondere auch für den für uns zu Beginn erfolglosen Verlauf des Krieges. Darüber müßte mehr und eingehender als bisher geschrieben werden. Wobei das Hauptproblem, glaube ich, darin besteht, diese Jahre nicht allein von den Positionen der Menschen aus, die in Lager geschickt

wurden und ungesetzlichen Repressalien ausgesetzt waren, zu beschreiben. Man muß ein umfassendes Bild von der Zeit und der Gesellschaft gestalten. In dieses Bild gehören natürlich auch die Tragödie, die ich erwähnte, und das Drama der Menschen, die das, was geschah, nicht begriffen. Zugleich aber gehören in dieses Bild: die Industrialisierung unseres Landes, in einer Situation, in der man jeden Augenblick mit dem Beginn des Krieges durch die Faschisten rechnen mußte, dieses Empfinden, daß ein Krieg droht, daß die Faschisten uns von Westen her über kurz oder lang angreifen werden, während an der Ostgrenze, schon drei Jahre lang, die Soldaten in den Schützengräben sitzen in Erwartung eines japanischen Überfalls; und gleichzeitig mit alledem die Flüge über den Nordpol, und gleichzeitig Spanien, die sowjetischen Freiwilligen, die Internationalen Brigaden, das Aufflammen internationalistischer Gefühle – und die Bedeutung all dessen für das Leben eines jeden einzelnen von uns.

Wenn man das alles darstellen könnte! Dann käme alles auf seinen richtigen Platz. Solche Bücher über jene Zeit reichen bei uns bislang noch nicht. Und ich persönlich werde mir immer stärker bewußt, daß solche Bücher notwendig sind. Vielleicht höre ich irgendwann einmal mit dem Krieg auf und fange ein Buch über jene Zeit an.

Christa Wolf: Das wäre sehr wichtig, glaube ich. – Empfinden Sie eigentlich für sich als kommunistischer Schriftsteller, weil Sie sich in Disziplin und Verantwortungsgefühl von Grundhaltungen eines bürgerlichen Schriftstellers unterscheiden, manchmal die Gefahr, in der Selbstzensur zu weit zu gehen? Die Gefahr, daß man nicht nur bloß das Erwartete *schreibt*, sondern vielleicht nur noch *sieht*, was von einem erwartet wird? Daß man nicht mehr frisch und ursprünglich sehen und erleben kann, was ja Voraussetzung für alles Schreiben bleibt?

Konstantin Simonow: Mir scheint, daß ich im allgemeinen die Dinge recht vernünftig betrachte, ich sehe die Realität des Lebens, und irgendein besonders einengendes Auswahlverfahren in meinen Beobachtungen gibt es bei mir nicht. Gleichzeitig muß ich dabei natürlich manchmal mit dem eigenen inneren Zensor kämpfen. Weil man ja bisweilen selbst überlegt, selbst schwankt: ist es jetzt notwendig, darüber zu schreiben, oder ist es nicht notwendig? Hilft es oder hilft es nicht? Schadet es oder schadet es nicht?

Und da fast über jede Frage verschiedene Ansichten in der Gesellschaft bestehen, stimmt man als Schriftsteller in seinen Ansichten mit dem einen überein, dem anderen widerspricht man. Ich mache mir bisweilen Vorwürfe, wenn ich das Gefühl habe, einem bestimmten Problem, das es darzustellen und zu lösen galt, ausgewichen zu sein. Und ich bin mit mir zufrieden, wenn ich fühle, daß ich den Schwierigkeiten unseres Lebens nicht ausgewichen, vor ihnen nicht zurückgeschreckt bin.

Ich möchte Ihnen einen für mich sehr wesentlichen Unterschied nennen: Wenn ein bestimmtes prinzipielles und akutes Problem entsteht, das man im Leben lösen muß und das man als Schriftsteller lösen helfen kann, dann bin ich der Auffassung, daß der Schriftsteller in diesem Fall jedes beliebige Risiko eingehen muß.

Es kommt aber auch vor, daß manchen von uns, manchen Schriftsteller, das Problem, das tatsächlich besteht, eigentlich recht wenig interessiert. Und dieser Schriftsteller sieht keinen realen Weg, der Lösung dieses Problems weiterzuhelfen.

Und er will, sich da einmischend, alles in allem nur zeigen, wie mutig er doch ist! Kühnheit dieser Art, eine vorgetäuschte, schätze ich gar nicht.

Übrigens möchte ich meiner Antwort auf Ihre Frage nach unserem Verhältnis zu den Deutschen noch hinzufügen, daß ich, ohne zu übertreiben, glaube, daß die historische Nachbarschaft zwischen uns und den Deutschen uns die ganze Zeit veranlaßt, übereinander nachzudenken. Und ich habe von meinen vielen Reisen in die DDR und die BRD den Eindruck gewonnen, daß

dieses Interesse gegenseitig und durchaus ernsthafter Natur ist. Man kann sich schwer eine Zukunft Europas vorstellen, wollte man aus seinen Überlegungen das ausschalten, was für uns mit den Deutschen und was für die Deutschen mit uns verbunden ist. Die politischen Kontakte können so oder so sein, über sie kann man mehr oder auch weniger schreiben – unser gegenseitiges Interesse aber ist eine konstante Größe, historisch bedingt und zukunftweisend.
Christa Wolf: Für uns, für meine Generation fingen ja die Beziehungen zu den Russen viel später an als für Sie die Beziehungen zu den Deutschen – nicht nur, weil Sie älter sind als ich, sondern auch aus anderen Gründen. Das Wort „Russe" ist, soviel ich mich erinnere, in meinem Kopf erst seit Beginn des Krieges gegen die Sowjetunion, und zwar als ein Signal für Angst. Der Russe war eine schreckliche Karikatur in Zeitungen und auf Plakaten, ein gefährlicher, dabei weit unter den Deutschen stehender Menschenschlag. Die ersten wirklichen Russen, die ich sah, waren Kriegsgefangene und Verschleppte, Männer und Frauen. Erst nach dem Krieg, als ich auf einem kleinen mecklenburgischen Dorf lebte und als Schreibhilfe des Bürgermeisters viel mit Offizieren und Soldaten der sowjetischen Besatzungsmacht zu tun hatte – erst da wurden Russen für mich konkrete Menschen. Doch glaubt man nicht, wie lange es dauern kann, bis eine abstrakte Vorstellung von einem anderen Volk – sei es als Gespenst, sei es, später, als Ideal – sich mit Leben füllt, mit einer Menge unterschiedlicher Gesichter, mit Beziehungen, die einem viel bedeuten. Dieser langwierige, wechselhafte Prozeß, in dem sich mir aus einer großen Zahl von Begegnungen verschiedenster Art ein neues, wie ich heute glaube, der Wirklichkeit nahekommendes Verhältnis zu Russen, zum russischen Volk, zur Sowjetunion, bildete, war eine der wichtigsten Erfahrungen in meinem Leben überhaupt, die (wenn auch nicht unbedingt als „Stoff") für meine Arbeit eine sehr große Rolle spielt.

Aber jetzt möchte ich, wenn Sie erlauben, Ihnen noch ein paar Fragen über Ihre Arbeitsmethode stellen. Ich habe Sie gerade zwei Tage lang beobachtet, während der Feiern zum 80. Geburtstag von Majakowski: Sie haben eine sehr interessante Ausstellung mit vorbereitet und eröffnet, auf Veranstaltungen gesessen und gesprochen, wenn ich Sie sah, waren Sie beschäftigt, umringt – wann arbeiten Sie eigentlich?

Konstantin Simonow: Grob ausgedrückt, zerfällt die Arbeit bei mir, wie sicherlich bei jedem von uns, in zwei einander abwechselnde Perioden: die eine Periode ist die, in der man unmittelbar schreibt, verbessert, das Buch zu Ende führt; die zweite Periode liegt zwischen den Büchern, dem vorangegangenen und dem nachfolgenden, in ihr erledigt man die während der Arbeit am Buch liegengebliebenen Dinge, bereitet sich auf das neue Buch vor, sammelt Material, macht sich Notizen. In dieser Periode arbeite ich nicht sehr regelmäßig, und besonders viel Zeit nimmt dabei die Erfüllung verschiedener gesellschaftlicher Verpflichtungen in Anspruch. Aber in der für einen jeden von uns wichtigen Zeit, in der man sein Buch niederschreibt, arbeite ich im allgemeinen regelmäßig, fast jeden Tag. Ich beginne am frühen Morgen und schreibe bisweilen, wenn die Arbeit gut vorangeht, bis zum späten Abend. Sicherlich, gesellschaftliche Verpflichtungen und verschiedene andere Dinge erlauben es natürlich auch in dieser Zeit nicht, sich vollständig auf das Buch zu konzentrieren. Deshalb versuche ich es so einzurichten, daß ich zwei Tage in Moskau bin, wo ich all die anderen notwendigen Dinge erledige, und fünf Tage hier außerhalb der Stadt, wo ich dann ausschließlich an meinem Buch arbeite und nichts mitnehme, was mich davon ablenken könnte.

Ungefähr zwei Monate im Jahr verbringe ich im Süden, in einem Dorf in Georgien, unweit von Suchumi.

Einen Monat im Jahr halte ich mich in einem Sanatorium auf. Hier schreibe ich auch immer, beschränke mich aber auf vier Stunden Arbeit am Tag.

Das wäre alles, was ich dazu zu sagen habe.

Christa Wolf: Man sagte uns, Sie seien ein sehr „organisierter" Mensch. Bedeutet das, daß Sie eine Methode gefunden haben, mit Naturereignissen wie Post und Telefon fertig zu werden?

Konstantin Simonow: Die Gerüchte von meiner „Organisiertheit", die meine Schriftstellerkollegen hin und wieder verbreiten, sind stark übertrieben, was übrigens auch aus meiner Antwort hervorgeht.

Die Briefe bilden gewiß ein großes und schwieriges Problem für jeden Schriftsteller, wenn er davon sehr viele erhält. Im allgemeinen teilen sie sich in zwei Kategorien auf: in Briefe, die deine Arbeit als Schriftsteller betreffen, sie auf diese oder jene Weise bewerten oder in diesem Zusammenhang bestimmte Fragen enthalten, und in solche, in denen verschiedene gesellschaftliche Probleme und Lebensfragen aufgegriffen werden, zu denen der Briefschreiber, der deine Bücher gelesen hat, deine Meinung als Schriftsteller hören möchte. Dazu gehören auch Briefe von Menschen, deren Leben ziemlich wirr verlief, die diese oder jene tatsächliche oder scheinbare Kränkung erlitten und die sich mit der Bitte an dich wenden, sich ihrer Sache anzunehmen und ihnen kraft deiner Autorität zu helfen.

Manchmal dauert es längere Zeit, bis ich dazukomme, diesen Stapel von Briefen durchzusehen, besonders dann, wenn ich gerade tief in der Arbeit an einem Buch stecke. Im Prinzip sehe ich mir aber früher oder später alle Briefe an: bei weitem nicht alle machen eine Antwort erforderlich, bei weitem nicht immer fühle ich mich moralisch verpflichtet, diesen oder jenen Brief zu beantworten. In all den Fällen, wo ich eine solche moralische Verpflichtung spüre, in allen Fällen, in denen ein Problem unseres Lebens von allgemeinem Interesse oder ein persönliches Problem aufgegriffen wurde oder bestimmte prinzipielle Fragen gestellt werden, die das Leben der Gesellschaft betreffen oder aber bereits die Widerspiegelung des Lebens der Gesellschaft in meinen

Büchern, antworte ich – allerdings, ich wiederhole, nicht immer sogleich, weil mir das die Arbeit einfach nicht erlaubt. Dann das Telefon – gleichfalls ein schwieriges Problem für uns Schriftsteller. Angerufen wird oft, zu jeder beliebigen Tageszeit. Alle Telefonanrufe abnehmen hieße das Schreiben aufgeben. Ich sehe mich in der Zeit, in der ich schreibe, als einen Menschen an, der, analog dem Arbeiter, an seiner Werkbank steht – an seiner schriftstellerischen Werkbank, und ich verhalte mich auch wie ein Arbeiter an der Werkbank. Ihn wird man nicht jede Minute zum Telefon rufen und beleidigt sein, wenn er nicht hingeht, weil er die Arbeit nicht einfach im Stich lassen kann. Ich mache das ebenso. Wenn ich sitze und schreibe, gehe ich nicht ans Telefon, oder ich schalte es ab oder bitte, dem Anrufer auszurichten, daß ich arbeite und unter keinen Umständen vor Beendigung meines Tagespensums ans Telefon gehe. Ich glaube, das ist im Prinzip richtig, wobei ich bekennen muß, daß bei mir nicht immer der feste Wille reicht, dieses Prinzip einzuhalten – der Mensch ist schwach.
Christa Wolf: Können Sie mir etwas sagen über Ihr Verhältnis zur deutschsprachigen Literatur? Haben Sie eine Beziehung zu ihren Traditionen? Gibt es besonders tiefe Eindrücke und Einflüsse – sei es von älterer oder neuerer Literatur?
Konstantin Simonow: Wie jeder Mensch, der Humanwissenschaften studiert hat, bin ich mit der deutschen klassischen Literatur vertraut: mit Lessing, Goethe, Schiller ... Weniger mit den deutschen Romantikern, von ihnen habe ich wohl nur E. T. A. Hoffmann von A bis Z gelesen. Bei Heine war die Prosa für mich bedeutungsvoller als die Lyrik, weil nach meinem Empfinden – ich fürchte mich etwas, das zu sagen, da erstrangige Nachdichter seine Gedichte bei uns übertragen haben – Heine bei uns dennoch nicht einen solchen Nachdichter gefunden hat, wie ihn zum Beispiel Burns in Samuil Marschak fand. Aus der neueren deutschen Literatur war Brecht für mich der wichtigste Schriftsteller. Ich

habe alles gelesen, was von ihm ins Russische übersetzt wurde: Stücke, Prosa, Aufsätze und Gedichte. Die Gedichte stehen mir dabei am fernsten, weil sie entweder nicht übersetzt oder überhaupt unübersetzbar sind; ich nehme sie nicht unmittelbar mit dem Gefühl auf, für mich sind sie vor allem Verstand, Scharfsinn – aus irgendwelchen Gründen in Gedichtform gefaßt. Überhaupt liebe ich von Brecht alles; von der ersten Lektüre an zwang er mich zu denken, und auch heute noch zwingt er mich zum Nachdenken über viele für mich wichtige Dinge. Übrigens saß ich im Sommer 1946 einmal ein paar Stunden mit Brecht zusammen und unterhielt mich mit ihm. Das war in den Vereinigten Staaten, in Hollywood. Brecht und Feuchtwanger frühstückten bei mir. Feuchtwangers Romane hatte ich in meiner Jugend mit riesigem Interesse gelesen, und ich verehre ihn sehr. Brecht bezauberte durch seinen sprühenden Geist, durch seinen funkelnden Scharfsinn. So verblieb er in meiner Erinnerung durch diese einzige Begegnung.

Die Romane Remarques, die bei uns in den fünfziger Jahren überaus eifrig gelesen wurden, gefielen auch mir, ich bildete da keine Ausnahme unter der Mehrheit seiner russischen Leser. Aber sie verdrängten bei mir nicht sein Buch „Im Westen nichts Neues", das ich trotzdem für sein bestes halte, sogar für eine bestimmte Markierung in der europäischen Literatur des 20. Jahrhunderts.

Ernst Busch ist in meinem Bewußtsein nicht nur der erstaunliche Sänger, sondern auch eine Erscheinung, die mit der ganzen deutschen antifaschistischen Dichtung verbunden ist, und diese antifaschistische Dichtung ihrerseits ist für mich mit der Vorstellung von den Deutschen verknüpft, die mit der Waffe in der Hand gegen den Faschismus kämpften, auf dem Boden Spaniens, und nicht nur dort. Wenn ich an Busch denke, an die Begegnungen mit ihm, denke ich an die ganze Glut der antifaschistischen Dichtung, an Becher, an Weinert, an Stephan Hermlin, ich denke an Anna Seghers, die ich aufrichtig liebe, ihrer Bücher wegen und um ihrer selbst willen, die ich verehre als hochherzige und wunderbare Menschen. Von den Büchern deutscher Schriftsteller Ihrer Generation beeindruckten mich am stärksten zwei: der erste Teil der „Abenteuer des Werner Holt" von Dieter Noll und Ihr „Geteilter Himmel". Das heißt nicht, daß ich die Bücher anderer Autoren dieser Generation nicht gelesen hätte oder nicht schätzen würde; ich will damit einfach sagen, daß meine eigene Erfahrung und mein geistiges Leben mich offenbar veranlaßten, gerade diese beiden Bücher besonders genau und aufmerksam zu lesen.

Was die Schriftsteller betrifft, die die Entstehung des Faschismus, seine Daseinsform und seine Folgen analysierten, muß ich einfach darauf verweisen – denn ich stehe noch ganz unter diesem Eindruck –, welch große Bedeutung für mich in allerjüngster Zeit das neue Buch von Heinrich Böll „Gruppenbild mit Dame" hatte.

Nach meiner tiefen Überzeugung ist das nicht nur das Beste, was Böll geschrieben hat, sondern es liefert auch einen überaus reichen Stoff zum Nachdenken, für Millionen von Lesern – und durchaus nicht nur für deutsche. Die Unversöhnlichkeit gegenüber dem Faschismus ist in diesem Roman in eine komplizierte und analytische Erzählform gebracht, die auch zum rein professionellen Nachdenken über dieses Buch zwingt; mich interessiert dabei besonders, wie das Buch aufgebaut ist, nach welchen Gesetzen eigentlich: das viele Neue, womit dieses erstaunliche literarische Bauwerk errichtet ist.

Christa Wolf: Wenn Sie wollen, beantworten Sie mir noch eine letzte, vielleicht zudringliche Frage: Gibt es für Sie so etwas wie eine Gefährdung durch den Ruhm? Gibt es Dinge, die man tut oder unterläßt, um diesen Ruhm – die Popularität, an die man sich vielleicht gewöhnt hat – nicht aufs Spiel zu setzen?

Konstantin Simonow: Es ist schwer, die Frage nach dem Ruhm eines Schriftstellers oder nach seiner Popularität zu beantworten, ohne dabei zu heucheln. Besser, man antwortet gar nicht erst. Aber – wie man bei uns in alten

Zeiten sagte – ich bekreuzige mich und springe dennoch ins Wasser. Ist der Ruhm oder sein Synonym – die Popularität – gefährlich? Nach meiner Meinung gibt es darauf nur eine Antwort: Natürlich sind sie gefährlich. Gewiß muß ein Schriftsteller, der sich bewußt ist, daß er viel gelesen wird, mehr als viele andere an sein Auftreten, seine Verhaltensweise denken, er muß mit größerem Feingefühl alles auswägen, um einen anderen Menschen nicht zu kränken oder zu verletzen, er muß sich an eine ständige Selbstkontrolle gewöhnen. Ich meine, daß man damit leichter fertig wird, wenn man weiter arbeitet, weiter schreibt, nicht aber von den Prozenten eines vor langer Zeit, irgendwann einmal geschriebenen Buches lebt. Überhaupt: arbeitet man viel, bleibt weniger Zeit zum Nachdenken, auch über den eigenen Ruhm oder die eigene Popularität. Hierin liegt noch ein Vorteil beharrlicher Arbeit. Ob es schwer ist, sich von seiner Popularität loszusagen, wenn man einmal daran gewöhnt ist? Das muß schwer sein, und wenn dieses Dilemma einen bestimmten Schritt erfordert, der vom Schriftsteller selbst abhängt, ist es gewiß nicht leicht, sich zu diesem Schritt zu entschließen.

Und schließlich: Fördern wir denn nicht selbst irgendwie unsere eigene Popularität, und sei es von Zeit zu Zeit? Hin und wieder tun wir das, manchmal bewußt, manchmal unbewußt. Und wahrscheinlich bilde auch ich in dieser Hinsicht keine Ausnahme.

Juli 1973

Sinnwandel

Zu Thomas Mann

„Wo sind wir? Was ist das? Wohin verschlug uns der Traum? Dämmerung, Regen und Schmutz, Brandröte des trüben Himmels“ ... Gemeint ist ja „das Flachland, der Krieg“, gemeint ist bekanntlich Hans Castorp, der „gutmütige Sünder“, und seine Feuertaufe. Warum erschreckte es mich, als eine Frau, die mir nahesteht, mir neulich sagte, gerade Thomas Mann habe ihr, der damals Achtzehnjährigen, geholfen, Auschwitz zu überstehen? Gerade einen Satz aus dem Schluß des „Zauberberg“ habe sie sich zu eigen gemacht: Es ist nicht so wichtig, ob er überlebt. – Von der Einsicht durchdrungen, man dürfe sich nicht so wichtig nehmen, habe sie ruhig – sie sagte: ruhig – im Waschraum auf die feinen Öffnungen der Dusche blicken können: Was kommt – Wasser oder Gas?

Diesen Satz konnte es bei Thomas Mann nicht geben, und das wußte sie natürlich inzwischen auch. Gemeinsam suchten wir die Sätze, die sie sich für ihren Zweck zurechtgemacht hatte: „Fahr wohl – du lebest nun oder bleibest! Deine Aussichten sind schlecht ... und wir möchten nicht hoch wetten, daß du davonkommst. Ehrlich gestanden, lassen wir ziemlich unbekümmert die Frage offen.“

Es ist ja wahr: Einigermaßen kühl entläßt der Erzähler diesen Castorp, nachdem er seinen Absichten vollkommen gedient hat, ins Chaos der Materialschlacht. Er selbst nämlich, „schamhaft in Schattensicherheit“, teilt diese letzte äußerste Erfahrung nicht mit seiner Figur.

Der „Geist der Erzählung“ habe ihn „dahergeführt“, entschuldigt er sich, was nichts anderes heißen kann als rigorose, rücksichtslose Berufsneugier. Unnötig zu sagen, daß es seitdem Orte gibt, die dem Geist der Erzählung von Grund auf widerstehen und dem Erzähler, der vielleicht im Traum, nicht aber in Wirklichkeit in sie verschlagen war, das Erzählen durchaus verbieten.

Erschreckt aber, tief beunruhigt hat mich der verkehrte Gebrauch, den ein an humanistischer Literatur erzogenes jüdisches Mädchen an solchem Ort von seiner Bildung machen muß: Unter der Brandröte dieses trüben Himmels muß ein über Jahrhunderte hin verfeinertes inniges Interesse am einzelnen, an seinem Leben und Handeln in sein Gegenteil umschlagen, in rigoroses Desinteresse an sich selbst als Bedingung des – auch geistigen – Überlebens. Der einzelne ist nicht so wichtig.

Falls diese Geschichte eine artikulierbare Lehre enthält, so gewiß nicht die, daß der Erzähler seine Aufmerksamkeit dem einzelnen zu entziehen habe. Eher schon eine andere: Er habe zu Verhältnissen beizutragen, die das Interesse des einzelnen an sich selbst und seinesgleichen hervorbringen und benötigen.

1974

Max Frisch, beim Wiederlesen oder: Vom Schreiben in Ich-Form

Im Grunde ist alles, was wir in diesen Tagen aufschreiben, nichts als eine verzweifelte Notwehr, die immerfort auf Kosten der Wahrhaftigkeit geht, unweigerlich; denn wer im letzten Grunde wahrhaftig bliebe, käme nicht mehr zurück, wenn er das Chaos betreten hat – oder er müßte es verwandelt haben.
Dazwischen gibt es nur das Unwahrhaftige.

Max Frisch, 1946

Vorausgesetzt

es sei richtig, was Frisch meint: *Unser Streben geht vermutlich dahin, alles auszusprechen, was sagbar ist.* Vorausgesetzt, jeder Autor erstrebe Vollkommenheit: authentisch zu werden in der ihm möglichen Weise sei das Ziel der Exercitien, denen er sich mit seinem Eintritt in die Literatur unterwirft. Vorausgesetzt, die Inbrunst dieses Verlangens ließe ihm nicht die Wahl einer weniger gefährdeten Existenz: Dann wäre zu fragen nach der Art der Verletzung, nach der besonderen Natur des Widerspruchs, der jene Reihe von Arbeiten hervortreibt, welche man allmählich „Das Werk“ nennen muß. Max Frisch hält es für eine Art von Pflicht, darüber Auskunft zu geben.

Es ist nicht die Zeit für Ich-Geschichten. Und doch vollzieht sich das menschliche Leben oder verfehlt sich am einzelnen Ich, nirgends sonst. Ein Autor, der das Glück hat, einen grundlegenden Zeit-Widerspruch an sich selbst zu erleben und ihn ausdrücken, zugleich erhöhen und faßbar machen zu können. Dies ist die Erklärung für seine Wirkung. Seine Leser glauben sich in seinen Büchern zu finden. Ich zweifle. Frischs Prosa hat eine Dimension außerhalb, jenseits der Fabeln, die sie auch erzählt. Er selbst, um sich zu finden und zu verbergen, geht von zwei Seiten her gegen sich vor, die Sprache immer rücksichtsloser als Präzisionsinstrument handhabend: In „erfundenen“ Geschichten, die immer seltener durchgeführt, immer häufiger nur angerissen werden, versteckt er Persönlichstes. In den Tagebüchern bringt er Sachlich-Politisches, „die Welt“ zur Sprache. Die Trennung war, versteht sich, niemals absolut. Doch sind fast alle Prosaarbeiten romanhaften Charakters Ich-Geschichten. Im Tagebuch wird das Ich ein seltenes Wort. Keine der Hauptfiguren seiner Romane kann sich an ideeller Spannweite und Souveränität mit dem Ich der Tagebücher messen: Ihre *Ich-Befangenheit* springt ins Auge. (Das Tagebuch-Ich kann als Er, als Du, als Sie auftreten.) Der Autor hat keine Figur erfinden können oder wollen, die ihm ebenbürtig wäre. *Ich möchte nicht das Ich sein, das meine Geschichten erlebt.*

Das würde der Autor nicht äußern. Gantenbein sagt es, der in vorgestellten Geschichten lebt. Homo Faber, ein Schweizer, wie man weiß, wird durch eine Verkettung von Zufällen zum Liebhaber seiner Tochter, die er, ohne es zu ahnen, mit einer deutschen Jüdin hat (eine Konstruktion, die mir nie recht gefiel); im Tagebuch liest man, als *Reminiszenz: 1936, als ich eine Studentin aus Berlin, Jüdin, heiraten wollte . . .* Dies als Probe für die hintergründige Verflechtung von Erfindung und Biographie, von Erzählung und Tagebuch, die mir beim Wiederlesen der – grob geschätzt – zweitausend Seiten Prosa zu denken gab. Es liegt eine eigene Logik in der Folgerichtigkeit, mit der dieser Autor die zwei Linien seiner Arbeit aufeinander zulaufen läßt. Ist nicht zu vermuten, daß *ein Mann*, der andauernd die *Geschichte seiner Erfahrung sucht*, eines Tages vor seiner unverhohlenen eigenen Geschichte stehen muß; daß noch einmal alles offen sein wird; daß er seine Legitimation, über die er verfügt wie ganz am Anfang, nun daran prüfen wird, wie er diese Aufgabe, die Geschichte der eigenen Erfahrung, bewältigt? Die Abneigung gegen das Erfinden zum

Zwecke der Selbst-Schonung kann wachsen bis auf den Punkt, da sie unüberwindlich wird und die Selbstachtung davon abhängt, daß man mit offenem Visier vor die Leser tritt. *Nicht weil der Schreiber sich als Person wichtiger nimmt, aber weil die Tarnung verbraucht ist, kann er sich später zur blanken Ich-Form genötigt sehen*, schreibt ein Er des Tagebuchs.

Die andere Versuchung: vollständige Tarnung. *Ich hätte Lust, Märchen zu schreiben*, heißt es in einem Brief.

Angenommen

ein Autor macht, von früh an, das Gelingen von Leben und Werk voneinander abhängig. Sein Bekenntnis, er übe seinen Beruf aus, weil ihm *Schreiben noch eher gelingt als Leben,* sei ganz wörtlich zu nehmen; er habe, obwohl andere Möglichkeiten ihm offenstanden, zu schreiben beginnen müssen, weil diese Tätigkeit die zwei Lebenszustände vereint, die ihm damals wesentlich sind: *büßen und arbeiten*; was er am tiefsten ersehne, sei nicht das Meisterwerk (das auch, gewiß), sondern das Lebendigbleiben; der Zwang zur Selbstpreisgabe treffe auf den Gegentrieb der Scham; zur Dauerbeichte genötigt, käme er doch nie in den Genuß befreiender Absolution, weil das Bewußtsein der Versündigung sich schnell erneuert; inbrünstig Wahrhaftigkeit anstrebend, belehre ihn eine scharfe Selbstbeobachtung über die Manöver, *wahrhaftig* zu sein *bis zum Exhibitionismus, um einen einzigen Punkt, den wunden, übergehen zu können*; wund machend sei immer *die Grundangst, nicht zu genügen*: Auf sich selbst verwiesen, sähe er sich vor die Notwendigkeit gestellt, von seiner eigenen Lage auszugehen.

„Große Stoffe" verbieten sich ihm in der Prosa, die sein intimstes Ausdrucksmittel ist, aus Aufrichtigkeit: er hat sie nicht erfahren. Seine glaubwürdige Versicherung, er habe *die gesellschaftliche* Verantwortung des Schriftstellers erst allmählich annehmen gelernt, als eine *Folge des Erfolges.* Von seiner Anlage her kein Repräsentant, Bürger eines traditionell neutralen Landes, Zeitgenosse des

Jahrgangs 1911, hat er sich einer politischen Bewegung nicht anschließen können, aus einer verzweifelten Sehnsucht nach Reinheit, die politisches Handeln beinahe unmöglich macht, und aus Furcht vor dem Organisationen innewohnenden Trend zur Institutionalisierung. Er versucht, denke ich, ohne Alternativen leben zu lernen. *Die Alternativen, die uns zur Zeit aufgezwungen werden, halte ich für überholt, also für verfehlt* (Kürmann). Doch lebt er fragend, also nicht ohne Zuversicht *(Ich frage)*. Seine Fragen wachsen sich zu dringlichen Fragebögen aus, als Zeichen von Hoffnung vielleicht, mit anderen Fragenden in Verbindung zu treten. Dies wäre seine Art von Sinngebung; er kann ja die Geschichte und die Geschichten nur als Summierung von Vorgängen und Tatsachen *(So ist es halt)*, nicht als Ausformung eines Sinnes begreifen, der ihnen zwingend innewohnt, von Gott oder von Natur aus. Doch absurd oder tragisch ist sein Lebensgefühl nicht.

Er lebt – kein Mann der extremen Zustände – im Bereich einer Skepsis, die in Resignation überzugehen droht, deren offenen Ausdruck er sich aber versagt: aus Scheu, aus Schamgefühl *(Warum sind Zeichen von Resignation immer indiskret?)*, auch aus Bescheidenheit: Wer bin ich, daß ich Resignation äußern dürfte? Sein Zweifel ist redlich: Er zweifelt auch an der eigenen Kompetenz.

Früh ist ihm bewußt, daß es *für uns heutzutage keine terra incognita mehr gibt* (ein Bewußtsein übrigens, das Autoren in sozialistischen Ländern kaum teilen werden: Hier überwiegt das Gefühl, der Fülle des Ungesehenen, Ungesagten nicht gewachsen zu sein); *ausgenommen Rußland*, fügt er in Klammern hinzu, da hat er die Sowjetunion noch nicht bereist. Er muß sich fragen: *Wozu also die Erzählerei!*

Arbeitend, schreibend also, antwortet er: Um sich ins Verhältnis zu setzen zur eigenen, nun eben auch literarischen Existenz, deren Frag-Würdigkeit ihm gegenwärtig ist. Beide Linien seiner Prosa verbindet über die Jahrzehnte hin (man könnte sagen: verräterisch) der immer erneute Versuch, einen Schmerz zu formulieren, den Schmerz über den Abstand zwischen dem Bedürfnis, wirklich zu leben (Wirklichkeit zu erleben) und der durchdringenden Erfahrung von Entsinnlichung, Entwirklichung. Dieses Entfremdungsgefühl, ihm vermutlich lange vor dem Wort bekannt, das es benennt, ist die Wurzel jenes privaten Dramas, dem er alle seine „Romane“ und „Erzählungen“ widmet: Ein Mensch – ein männlicher Mensch – leidet unter Erlebnisentzug; unter Bindungslosigkeit, unter der Unfähigkeit, zu lieben und sich lieben zu lassen: Unter der unüberbrückbaren Fremdheit zum Nächsten, zur Frau, die er durch Angst, Schuldgefühl, Anbetung, Eifersucht auf Distanz hält.

Leben als *Vorgang ohne Gegenwart. – Was wir erleben können: Erwartung oder Erinnerung.* Das Paradoxon, nicht aufzulösen: authentisch nur dann zu sein, wenn die Grunderfahrung, nicht authentisch sein zu können, zum Ausdruck kommt.

Die Obacht des Erzählers fällt auf die *Spannung zwischen den Aussagen. Belletristik* ist ihm ein Schimpfwort.

Die meisten seiner erfundenen Helden enden frühzeitig mit Tod.

Der längste fremdsprachige Abschnitt, den er in sein Tagebuch 1966 bis 1971 hineinnimmt, ist aus der New York Times und handelt vom Recht, in Würde zu sterben, von Euthanasie.

Er kann Listen aufstellen der Umstände und Menschen, die er zu verdrängen gesucht hat; derer, denen er dankbar ist; Kataloge der Schönheiten des Lebens.

Um zu verzweifeln hat er, moralisch gesprochen, zuviel Sinn für Gerechtigkeit.

Wie, wenn er eines Tages das Gefühl bekommt, das ihm Sagbare gesagt zu haben? Wenn der Zwang, zu enthüllen, und der, zu verschweigen, in einem beruhigten Gewissen zum Ausgleich kämen, wäre Sprachlosigkeit eine mögliche Folge. Die Anstrengung, die dem Autor abverlangt wird, ist auch moralischer Natur.

weil fast aller Mittel und Vermittlungen der älteren Literatur beraubt, ist dieser Autor genötigt, sich selbst einzusetzen. Das ist freilich viel, vielleicht zu viel gesagt, denn *wer im letzten Grunde wahrhaftig bliebe, käme nicht mehr zurück, wenn er das Chaos betritt – oder er müßte es verwandelt haben.* Der volle Einsatz also, der des Lebens, der nicht in der Literatur läge – es sei denn in einer, die das Leben verwandelte –, findet nicht statt, dies Schuldgefühl bleibt; mit ihm der Selbstvorwurf der Unwahrhaftigkeit, den frühere Autoren nicht kennen, da ihre Aufgabe erfüllt war, wenn sie, auch äußerer Bedrohung zum Trotz, „die Wahrheit sagten", die sie ja zu kennen meinten. An die Stelle der äußeren Bedrohung tritt bei Autoren wie Frisch der Selbst-Zweifel. *Dazwischen gibt es nur das Unwahrhaftige.*

Furcht und Hoffnung, auch Katharsis, erfahre ich, Leser von heute, indem ich diesem Selbstversuch zu folgen suche. In Gedanken wenigstens will er bis zum äußersten gehen. Er stellt sich auf Gedankenproben – in auffälliger Entsprechung zu den Gedankensünden, die die katholische Kirche den vollzogenen Sünden gleichsetzt; prüft sich auf die Fähigkeit hin, gedankenlos, phantasielos zu handeln, das heißt: diejenigen Verbrechen begehen zu können, die dieses Jahrhundert erfunden hat. *Über einem Städtchen, das wie unsere architektonischen Modelle anzusehen ist, entdecke ich unwillkürlich, daß ich durchaus imstande wäre, Bomben abzuwerfen. (Sonderbar . . ., daß unsere Vorstellung nicht stärker ist.)*

Das Anliegen, *zurückzukehren in einen menschlichen Maßstab*, aus dem zum Beispiel das Fliegen, die Technik allgemein uns entbindet, ist ja alles andere als etwa die Marotte eines Autors. Er sucht sich aber seinen Teil der Verwandlungen und Deformationen bewußt zu machen, die jeden von uns befallen haben, oft ohne daß wir sie zur Kenntnis nehmen wollen: Das ist seine Art, darauf hinzuweisen.

Kaum ein Wort, scheint mir, ließe sich bei ihm häufiger finden als: versagen. Reflektierend teils, teils auch beschreibend, diagnostizierend, versuchsweise behutsam erzählend, kreist er um diese Mitte. Eine Reifung dieser Versagensangst, die er als Reaktion des sensiblen männlichen Menschen auf die unerträglichen Zumutungen der Männergesellschaft begreifen lernt, wäre nachweisbar (das ist kein Widerspruch: auch unsere Ängste können reifen): Von der frühen, überwältigenden Erfahrung, sich selbst nicht annehmen zu können *(nur insofern ich weiß, daß es nie mein Leben gewesen ist, kann ich es annehmen: als mein Versagen* – „Stiller"*)*, zur späten, an einen jeden von uns gerichteten Frage an das Tagebuch-Ich: *Sie haben sich also damit begnügt, vergleichsweise schuldlos zu sein?* Von der direkten Minderwertigkeitsangst, die aus den ersten Büchern spricht, die durch Arbeit abgewehrt wird und unweigerlich Melancholie nach sich zieht *(nach der Arbeit der Einbruch von Schwermut)*, hin zu dem Wagnis des zweiten Tagebuchs, rücksichtslos durch Selbst-Täuschungen durchzustoßen, Befunde zu liefern. (Beziehungsreiche Korrespondenz dazu: die Anrisse von Erzählfragmenten, die alle einem selbstunsicheren oder verunsicherten Mann nachgehen.) Von der Faszination durch das Absolute, die als Radikalität mißverstanden wird, bis hin zum Verständnis der praktischen, selbst praktizistischen Vernunft; vom Schrecken vor der Ur-Versündigung, sich oder jemanden festzulegen (*sich ein Bildnis zu machen*), es sei denn durch Liebe, zu der realistischen Mühe, sich zu der Welt, wie sie ist, in ein genaues, dauernd sich änderndes Verhältnis zu setzen.

Die Widersprüche, nicht weniger aufreibend wohl als am Anfang, sind klarer; auch, wenn ich das sagen darf, erheblicher. Der Hang zum Aufbrechen, zur Unbedingtheit, der die frühen Figuren kennzeichnet, wird nicht denunziert und als erledigt erklärt durch die Einsicht, daß es nichts hilft, wenn man nicht der sein will, der man ist, oder wenn man sich blind stellt, in unerfüllbare Leidenschaften sich steigert und die Wirklichkeit flieht: Er wird aufgehoben in immer tiefer gehenden Fragestellungen nach den Bedingtheiten solcher Lebenshaltungen.

Betroffen

von der *Unmöglichkeit, sittlich zu sein und zu leben (von ihrer Zuspitzung in Zeiten des Terrors)*, sehr beunruhigt durch den Widerspruch zwischen seinem Denken und Tun *(Zum Beispiel haben Sie in einer Gesellschaft gelebt, die Sie als verrucht bezeichnen, Sie haben Veränderungen gefordert usw., das geht aus Ihren zahlreichen Worten hervor, nicht aus Ihren Handlungen)*, wehrt Max Frisch sich lebenslang gegen das stillschweigende Übereinkommen mit den gegebenen Verhältnissen, gegen das Verschlungenwerden. Paradoxerweise führt gerade seine Weigerung, an einen Sinn, also eine innere Notwendigkeit des So-und-nicht-anders zu glauben, nicht zu Überdruß, Ekel, Langeweile, sondern zu einer Nüchternheit, die Energie freisetzt, und zu Einsicht in eine Aufgabe, der er sich nun als seinem *Auftrag* unterzieht: Gegenbilder aufstellen gegen die ungeheuerlichen Deformationen von Menschen in dieser Zeit. *Wo Wahrhaftigkeit geleistet wird, sie wird uns immer einsam machen, aber sie ist das einzige, was wir entgegenstellen können . . .*

So gelingt ihm nun doch, vielleicht weiß er es nicht, die Entdeckung seiner terra incognita; sie ist kein Land, kein Stoff„gebiet“ oder eine Gegend, keine Ideologie, kein Menschenschlag oder eine Gesellschaftsschicht. Der Ausgangspunkt bleibt natürlich und zum Glück ein persönlicher. Was er aber leisten kann – und er leistet es –: Uns von produktiven Ansätzen aus gründlicher nachdenken zu lassen. Er liefert Entwürfe über sich selbst hinaus.

Den Entwurf, sinnvoll zu leben in bezug auf die anderen.

Der Gesichtspunkt scheint außerhalb der Literatur zu liegen. Nun halte ich allerdings dafür, daß die Anlässe zu Literatur nicht in ihr, sondern in uns zu suchen sind.

Doch wäre zu zeigen, wie genau die Prosaformen, die Max Frisch übernimmt oder entwickelt – besonders die Mischform des letzten Tagebuchs –, den Anlässen entsprechen, die er wahrzunehmen hat. Die geschlossene Form wäre das letzte, was ihn (oder uns) interessieren könnte.

Märchen? Das glaube ich kaum; auch nicht Märchen in Kafka-Manier. Ich stelle mir vor, er wird, getreulich seinen Leitmotiven folgend, die hochgetriebene Spannung zwischen den beiden Polen *Diskretion* und *Indiskretion* noch weiter erhöhen; der heutzutage beinah indiskretesten Frage: Was glaubst du? wird er sich immer neu stellen. Es ist dafür gesorgt, daß der Schmerz, die Verletzung, von denen er spricht, immer auch uns betreffen.

August 1975

Gespräch mit Elke Erb

> ... denn künftig, wenn du erwachsen bist, wird es nur noch richtig sein, dich, dich, dich, dich als Angehörige eines Zweckes und einer Zukunft und zugleich als angekommenen, gegenwärtigen Menschen zu sehen und zu behaupten, endlich wie ein majestätisches Ding, sterblich mit einem Wort.
>
> *Elke Erb*

Christa Wolf: Insistierend, hartnäckig, authentisch: so kamen mir deine neuen Texte vor, als ich sie jetzt, Anfang Februar 77, zum erstenmal las. Treffend in jedem Sinn einzelne Stücke oder Zeilen, Wortgruppen wie: „Alles nagt, was nagen kann". Unübertrefflicher Ausdruck für ein nur zu bekanntes Befinden. Was aber, frag ich dich und mich, hat die Gestalt des Wolfs damit zu tun, die Ungestalt der Steine? Oder: Wie, auf welchem Weg erwirbst du dir am Ende des Kleist-Textes die schneidende Schärfe dieses einen Schlußsatzes: „Fern im Nahen, im Entfernten nah." Vor allem aber betraf mich „auf Anhieb" jener Text – einer der wenigen dieses Bändchens, die die äußere Form eines Gedichts angenommen haben, den du „Widerspiegelung" nennst:

Ich seh mich wieder groß an meinen Grenzen
Aufgetaucht, ich hatte mich vergessen,
Vogel, flugs die Grenzen zu verwunden,
Frohlocke ich, die Spiegelscherben glänzen.
Ich hungerte, jetzt will ich wieder essen:
Dies Manna der Verletzungen, die munden.

Da leuchtet bei jeder Zeile das Signal auf: Bekannt! Das Glück, etwas ausgesprochen, dabei aber nicht entzaubert zu sehen ... Zugleich aber finde ich deine neuen Texte ungefällig; nicht entgegenkommend; undurchschaubar; verschlüsselt. „Hermetisch" sag ich nicht: Hermetisches kann mich nicht provozieren. Aber ich verhehle nicht: Ich glaube eine ganze Anzahl dieser Texte nicht zu „verstehn". Ich fühle mich unzuständig, nicht einmal imstande – da du ja bereit bist zu antworten –, eingreifend zu fragen.

Elke Erb: Sag mir doch eins: Würdest du die Texte dieses Bändchens auch ohne Auftrag vom Verlag gelesen haben wollen?

Christa Wolf: Das weiß ich noch nicht. – Was wir hier machen, ist unverbindliches Vorgespräch, darauf besteh ich. Ein Versuch, meine Verlegenheit wenigstens zu formulieren – das kannst du verlangen.

Elke Erb: Ein Tonband kann man ja wieder löschen, nicht?

Christa Wolf: Eben. Womit ich anfange, ist zufällig: Ich vergleiche diesen neuen Band – „Der Faden der Geduld", ein schöner Titel! – mit deinem ersten Band, „Gutachten", der 1975 erschien, und finde – das wird dir töricht vorkommen – etwas wie einen Rückgang. Rückgang wovon? mußt du fragen. Rückgang wohin? Tastend, ungenau und wahrscheinlich ungerecht sage ich: Rückgang von Kommunikationsfreudigkeit; Rückgang von erkennbaren „Anliegen". Konzentration, Formulierungsschärfe – das ja. Aber worauf beziehen sie sich? – Undenkbar, zum Beispiel, daß du, wie noch in „Gutachten", deine Bedingungen und Bedingtheiten benennen würdest: Dorf, Wohnviertel, Natur, Landschaft; daß du so weit gingest, Namen preiszugeben: den deines Mannes, den eigenen, den eines Freundes; daß Elternfiguren auftauchen, Schwestern . . . Hier wird nicht mehr erzählt. Die Schilderungen des ersten Bandes erscheinen – von der Strenge, der formelhaften Kürze dieser Texte her – wie Ausschweifungen, deren man sich fast zu schämen hätte. Verstehst du, was ich meine?

Elke Erb: Ja. Bei dem Band „Gutachten" hatte ich noch ein stärkeres Sendungsbewußtsein, ich trat noch mit offeneren Händen oder Augen vor ein Publikum. Bei diesem Band ist es anders. Ich will ihn einfach hinstellen –

den Band und jeden einzelnen Text. Vielleicht ist es, unbewußt, ein Verzicht auf das Ansprechen von Leuten; denn das ist ja kindlich, dieses unmittelbare Sich-Aussprechen und Andere-Ansprechen-Wollen in „Gutachten". Jetzt bin ich runder oder reifer geworden – ich weiß nicht ... Jedenfalls abgeschlossener.

Christa Wolf: Abgeschlossener im doppelten Sinn?

Elke Erb: Eine Blüte öffnet sich, und eine Frucht rundet sich, sie geht in sich zurück.

Christa Wolf: Und wird damit vielleicht auch unzugänglicher?

Elke Erb: Ja. Das ist das eine. Das andere, was diese Texte ausmacht: die größere Nähe zum Gegenstand, zum Material, das ich aufnehme. Ich lasse den Gegenstand manchmal ganz allein stehn.

Christa Wolf: Das nennst du Nähe?

Elke Erb: Ja. Ich mache mit den Gegenständen im Grunde dasselbe, was ich möchte, daß man es mit mir tut: direkt vor mich hintreten, mich sein lassen und mich aufnehmen.

Christa Wolf: Ein neuer Ansatz. Der Kleist-Text, der mir nahegegangen und nachgegangen ist – übrigens, zufällig oder nicht, der längste des Bandes, derjenige auch, den ich am ehesten „episch" im Sinne von „stoffdarbietend" nennen würde; der zugleich Fragen zu deiner Ästhetik liefert. Du gibst drei Episoden aus deiner Ablage, drei Stücke, die bei dir „nicht durchgekommen" sind, deren schwer faßlicher „Kleist-Gehalt" dich aber weiter beunruhigt. Du stellst sie also hin, läßt sie sich reiben an „Kleist" – den du, ganz nebenbei, auch hinstellst – und gehst diese drei Rohstoff-, Materialtexte schonungslos an: „Nach einer Kleistschen Anekdote sagt man nicht: Na, und? Ich kann diesen Text nicht so verfassen, daß keiner sagen kann: Na, und? Es ist allzu klar, daß er nichts weiter enthält, nichts von Belang." Und, etwas später: „Nicht das Gemeinwesen berührend. Nicht Kleist." Und schließlich, in einer Klammer, die ich hier weglasse: „Vielleicht taugen meine Geschichten deshalb nichts,

weil sie im Fremden spielen und nicht im Eigenen?"
Ein Selbstverdacht, der mich erstaunte, rigoros, wie er ist.

Elke Erb: Die Frage bezieht sich nur auf diese drei Geschichten, die ich nicht fertigmachen konnte.

Christa Wolf: Ich aber frage, ob du dich nicht auch in anderen Stücken bewußt und konsequent abgrenzt von den Gegenständen – im Gegensatz zu Kleist mit seiner ungeheuren, wenn auch eisern zurückgedrängten Verstrikkung in seine Stoffe: das Subjekt aus dem Text treibst. Dich scheust, selber Homburg, selber Kohlhaas zu sein.

Elke Erb: Nein, davon grenze ich mich nicht ab. Das verlange ich gerade. Ich bin in meinen Texten. Während ich die Kleistsche Form aber nicht machen kann. Es ist wahr: Wenn ich selbst eine Geschichte gehabt hätte, die ich kleistisch hätte formulieren können, hätte ich sie wahrscheinlich nicht gemacht. Ich habe tatsächlich eine Scheu vor nicht eigenständigen Formen.

Christa Wolf: Ist es die Form allein? Ist es nicht auch eine Scheu vor dem Bedeutung-Geben? Denn solche Formen wären ja die Formen von Inhalten, die „das Gemeinwesen berühren". Eine meiner Beobachtungen an deinen Texten: Du beschränkst dich häufig auf Molekularvorgänge von geringer, nicht geringfügiger Bedeutung. Dafür gibt es in diesen Texten allerdings kein beliebiges Wort.

Elke Erb: Weißt du, daß mir der Mut zum ungenauen Wort als eine fast unerreichbare Perfektion moralischer Art erscheint? Verstehst du, was ich meine?

Christa Wolf: Ich denke, ja. Aber es geht wohl nicht um die Alternative: äußerste Präzision in kurzen, geringerer Genauigkeitsgrad in längeren Texten ... Es geht um die Grenzen des Sagbaren, die bei jedem anders liegen, ein anderes „Gebiet" einschließen.

Elke Erb: Ich könnte dir, wenn du wolltest, von jedem Text angeben, welche Arbeit er tut. Welchen Teil des Gemeinwesens er berührt.

Christa Wolf: Dann nimm doch, als ein Beispiel, einen

Text, hinter dem ich eine Bedeutung ahne, ohne ihrer sicher zu sein, nimm „Hinweis auf dem Rückweg".
Elke Erb: Dieser Text ist umbenannt. Er heißt jetzt: „Das Mitgefühl des Passanten".
Christa Wolf: Ein Beispiel dafür, wie deine Überschriften an der Pointierung der Texte mitarbeiten.
Elke Erb: Ja. Früher hatte ich übrigens keine Überschriften. Günter Caspar vom Verlag hat sie beim ersten Band verlangt. Seitdem nutze ich diese Möglichkeit, dank Caspar. „Das Mitgefühl des Passanten". Natürlich „das Gemeinwesen berührend": Menschen wollen feiern. Dahinter steht die Frage – wie übrigens auch noch in einigen anderen Texten: Wie verwirklicht sich der Mensch. Da wird also, von einem „Passanten", ein Vorgang angesehen; eine Weihnachtsfeier; wie sich Menschen befinden, wie sie sich verhalten, in bestimmten Grenzen. Da ist kein Mitleid, kein Spott, es ist auch nicht einfach vernichtend: Es geht wirklich um die da. Das ist ihre Weihnachtsfeier. Ich beurteile sie nicht. Ich erlaube mir keinen Ton zu sagen, was eine Weihnachtsfeier sein könnte. Ich gehe so nahe heran, wie es mir möglich ist...
Christa Wolf: Etwas besser glaub ich jetzt zu verstehen deine Dialektik von „Nähe" und „Ferne": Ganz nah an eine Sache herangehn bedeutet, ihr nicht zu nahe treten: Sie spricht nun selber für sich. Du willst bis an die Grenze der Gerechtigkeit gehen, man könnte auch sagen: der Vorurteilslosigkeit, der Objektivität. Wo bleibt da das Subjekt? – Daß es vorhanden ist, wird nicht bestritten: Der Ton des Bandes bezeugt es, dieses einheitliche, intensive Sprechen, das Sprechen eines Subjekts, das auf etwas aus ist. Worauf bist du aus? Wovon bist du getroffen?
Elke Erb: Etwas mußt du wissen: Ich schreibe nicht am laufenden Band. Ich schreibe vielleicht jetzt, dann in drei Wochen wieder, dann in vierzehn Tagen. Und jedesmal ist es so, als ob ich danach nicht mehr schreibe, ich weiß nichts von vorher und nachher. Es sind wohl jeweils andere Anlässe, die den Text hervorbringen, wie

er aus dem weißen Nichts, wie er aus dem Papier tritt. Ich kann erst anfangen zu reden, wenn ich drei oder vier Worte, wenn ich eine Gruppe habe ... Nein, ich weiß nicht, ob es schon Worte sein müssen. Es muß eine spontane Erregung sein. Alle Texte sind spontan.
Christa Wolf: Aber die Art des Getroffenwerdens?
Elke Erb: Um mich zu kennen und zu verstehen, ist es vielleicht wichtig, daß ich dir sage, ich bin, bis ich elf war, auf dem Land aufgewachsen, in der Eifel, und zwar ohne Verwandte. Drei Kinder, die Mutter. Der Vater war im Krieg. Gegenüber drei Bauernhäuser, ganz andere Leute. Ich habe sehr viel Bildung, sehr viel Erfahrung nicht mitbekommen, die der städtische Bürger hat, der mit den Mitbürgern aufwächst und in der Verwandtenclique. Heckenrosen können das niemals ersetzen. – Mit zwölf Jahren kam ich hierher, nach Halle, in die Schule. Da war die Hauptsache die logische Ausbildung in den Naturwissenschaften. Ich war für diese Erziehung ein dankbares Objekt, frei von dem Widerstand einer sinnlichen Begabung (zur Malerei, zur Musik). – Du fragst nach Gründen für einen auf das Molekül fixierten Blick ... Nun: Das logische Denken tendiert zur Formel. Dazu dann dieser Norm-Satz: Die Wahrheit ist immer konkret, der zu Logik und Formel eine arbeitende Spannung bildet, aber wie sie streng Genauigkeit und Klarheit fordert. Historische Gründe, im engeren Sinn: Als die Hitler gekommen und gegangen waren, blieb die Frage nach dem Volk, das heißt dem einzelnen. Schließlich: Wir sind aufgewachsen und leben in einer Zeit der öffentlichen Pläne, das heißt der Verwirklichung, das heißt der Ankunft am einzelnen Punkt des Alltags.
Christa Wolf: Mir fällt auf, wie du, ein dialektischer Kopf, Widersprüchliches als Entsprechung behandelst ...
Elke Erb: Ein literarischer Grund für die Bevorzugung molekularer Vorgänge ist natürlich die Aussagekraft des Details, die ich sowohl benutze als auch demonstriere: das „Molekül“ als Indiz.

Christa Wolf: Mir erklärt, was du sagst, noch nicht zureichend, warum du bis jetzt darauf beschränkt bist, den Zusammenhang im Einzelnen zu erfassen, und nicht versuchst, das Einzelne im Zusammenhang zu erfassen.
Elke Erb: Warum der Zusammenhang mehr in Voraussetzung und Ziel als im Mittel erscheint? – Die Antriebe kann ich nennen, die Schranken nicht. Aber wer kennt seine subjektiven Bedingungen so genau? Immerhin hat mich meine bisherige Arbeit so weit gebracht, daß ich nicht umhinkann, diese Bedingungen zu klären. Ich irre vielleicht in der Annahme, daß sie, die Arbeit, darauf aus war; doch hat es einen anderen Weg für mich sicherlich nicht gegeben, nachdem einmal entschieden war, daß ich nicht Wissenschaftler werde. Ich hatte – das will ich noch einfügen – eine sehr lange, antizipierende Jugend, ein sehr langes Studium; es dauerte ewig, bis ich „ins Leben trat". Außerdem: Das alles war überfrachtet mit Konzeptionen und Theorien, mit Antworten und Strukturen eigentlich. Aber ich wollte „das Letzte" haben, das, was nicht mehr aufzulösen ist, als ich anfing, freischaffend zu werden, mit einer großen Angst zunächst, aber auch mit einem kleistisch definitorischen Mut ... Und diese zwei Dinge hast du bei mir: Einerseits eine harmlose, arglose Treuherzigkeit, die sich auch nicht wehren kann, und andererseits ein Bestreben zu genauer Definition, der man nicht mehr ausweichen kann. Ich gehe einfach die mir möglichen Wendungen, aber die geh ich treuherzig, ohne daß ich wüßte, daß ich sie tatsächlich gehe. Also: Berechnet ist es nicht. Auch nicht verklausuliert, extra schwierig gemacht: das alles nicht.
Christa Wolf: Das glaub ich aufs Wort. Sie kann nicht anders – das ist mein Hauptgefühl bei allem, was du schreibst. Eine Kompromißlosigkeit, die du dir nicht vornehmen mußt ... Deshalb würde es mir nicht einfallen, zu „kritisieren", im Sinne von: insgeheim etwas anderes wünschen.
Elke Erb: Ich meine, daß man nicht sagen kann: Das ist

schön, was ich mache. Dieses schöne befreiende Gefühl, Kunst zu erleben, stellt sich wohl nicht ein. Man wird vielleicht angerührt, getroffen, aber das ist etwas anderes . . .

Christa Wolf: Den Ursachen für die Spannungen in deinen Texten – deinen eigenen Konflikten und Stimmungen – wird nicht erlaubt hervorzutreten. Sachlichkeit soll walten. Ich wüßte gern: Wie gehst du mit dir um in Krisenzeiten.

Elke Erb: Da ist, vor Jahren, die Entscheidung gefallen. Ich hab mir gesagt: Ich kann mich in den Berufen, die es gibt, nicht bewegen. So kann ich diese Formen, die die Menschheit hat, nicht richtig mitvollziehen. Ich bin außerhalb der Form. Und das ist eine Chance und ein Risiko. Die Menschheit geht mit mir ein Risiko ein, ich diene als Risiko. So ungefähr. Und in dieser Situation ergibt sich ja das Äußerste, was man als konstruktiver Mensch machen kann.

Christa Wolf: Dein Glück, daß dir außer Sensibilität auch Eigensinn mitgegeben ist. Vielleicht sogar die nötige Unbefangenheit gegenüber der Gefahr, der du dich, „treuherzig", wie du sagst, aussetzt . . .

Elke Erb: Und jetzt sah ich, wenn ich auf der Straße ging, plötzlich einen Krug und solche Dinge ganz deutlich. Das war, als es anfing, ein großer Sieg für mich.

Christa Wolf: Ein Sieg?

Elke Erb: Daß ich zu den endlichen Dingen gekommen bin – ohne Erklärung, ohne irgendeinen Katechismus. Wahrscheinlich wollte ich – eben weil ich das Risiko bin – so gegenständlich und von mir selbst anerkannt sein, wie so ein Ding ist. Alles, was da ist, empfinde ich als Majestät: Das ist für mich ein wichtiges Wort. Die Majestät des einzelnen Seins. Und was ich tue, das ist: eine Art Würdigung durch das Hinstellen.

Christa Wolf: Du verhilfst „den Dingen" – aber was sind die Dinge? . . .

Elke Erb: Ich meine damit alles, was geschieht, auch, was geschah . . .

Christa Wolf: ... den Vorgängen, wie sie sind, zu ihrer eigenen Sprache, läßt sie zur Sprache kommen ... Ich gebe nur zu bedenken – nicht als Einwand; gegen notwendige Arbeitshypothesen habe ich keinen Einwand –, daß es dem sogenannten modernen Menschen beinah unmöglich ist, zu den Dingen vorzustoßen, wie sie sind: Unser Blick ist durch die Flut der Informationen, die man uns aufzwingt, beeinflußt. Vielleicht, weil du das weißt oder bei der Arbeit merkst, finden sich bei dir so häufig Ur-Vorgänge, archaische Bezüge, vorindustrielle Verhältnisse. – Wollen wir doch ein, zwei Proben aufs Exempel machen. Ich schlage Texte vor, die ich für Schlüsseltexte halte, und bitte, zugegeben, sehr primitiv: Erklär mir das. Zum Beispiel: „Memento".
Elke Erb: Ja, es ist schon schwierig, das gebe ich zu. Memento. „Mori" fehlt ja. „Der Held ist empfindlich" – das ist eine Art Spott, weil ein Mensch doch wissen sollte, daß er stirbt. „Lametta Engelshaar Altweibersommer" ... Eine Assoziationskette. Von einer Rührung ausgehend: Lametta.
Christa Wolf: Der Held fürchtet, daß es ihn einmal nicht geben wird.
Elke Erb: Es *gibt* ihn nicht, in dem Moment, da er diesen Gedanken denkt. Er denkt: Alles bricht zusammen, dann ist er weg. Das ist die Vorstellung „Tod". Und dann kommt er wieder rein in das „Leben", indem er fähig wird, selber Dinge in sich verschwinden zu lassen: die Nuß, den Apfel ...
Christa Wolf: Dieses Zusammenrücken der Dinge um einen, verbunden mit diesem Vernichtungsgefühl – das kennt jeder.
Elke Erb: Also gut, du kennst es. Aber nehmen wir an, du hast das Gefühl jetzt, in diesem Augenblick, und dann liest du diesen Text!
Christa Wolf: Das wäre dann einer jener „günstigen Augenblicke", auf die du für deine Texte hoffst.
Elke Erb: Und glaubst du nicht, daß du in einem solchen Augenblick den Text von allein verstehst?

Christa Wolf: Die Möglichkeit räume ich ein. Der Spott wird mir, in Zukunft, vielleicht heilsam sein, Selbstmitleid vertreiben ... Vielleicht kann man, von einer solchen Deutung ausgehend, auch manchen anderen dieser Texte – ich will nicht sagen: verstehen; ich will sagen: aufnehmen.
Elke Erb: Und doch müssen wir uns zurückentsinnen auf den Leser, dem nichts erklärt wird. Übrigens: Ich muß bei diesem Band nicht gleich Publikum bekommen, ich kann warten auf das Publikum der Antiquariate.
Christa Wolf: Bist also deiner Sache sehr sicher ... Und du kannst auch die Kommunikation mit dem Publikum entbehren?
Elke Erb: Ich brauche sie jetzt, das ist ganz entschieden. Aber das hier mußte ich erst mal machen. Nun muß ich sehn, wo ich stehe, wie sich das reflektiert. Ich bin mit diesen Texten an meine Grenzen gegangen.
Christa Wolf: Davon müssen wir noch reden. Zuerst mal, zweites Schlüsselbeispiel: „Die Gestalt des Wolfs".
Elke Erb: Das ist ja die Gestalt des Wolfs in „Rotkäppchen". Ein inhaltlich elendiglich verkürzter Text. Im Grunde ein philosophischer Text. Ein Text über die Überwindung der vorgegebenen Denkformen im Bewußtsein. Äußerlich folgt er ja ganz der Reihenfolge des Märchenvorgangs. Das Märchen als gewohnte Dachstruktur ...
Christa Wolf: ... aber es führt nicht zur Befreiung, nicht zum „happy-end". – Warum sagst du: „Die Gestalt des Wolfs", nicht: der Wolf. Eine Vermittlung, Verfremdung, offenbar entscheidend wichtig – auch bei anderen Texten, wo sie nicht ausgesprochen wird.
Elke Erb: Ich weise darauf hin, daß Wirklichkeit nicht unvermittelt uns entgegentritt, sondern interpretiert, zu Märchengestalten, Kunstgestalten, Denkgestalten umgeformt ist, bis das Eigentliche hinter ihnen verschwindet.
Christa Wolf: Denkgestalten, die wir „gefressen" haben, wie Effeff (du, ich) die Gestalten von Rotkäppchen und

der Großmutter. Ich habe dich zum Fressen lieb, das kennt man ja. Wenn ich dich recht verstehe, bewegst du dich weg von vorgegebenen Seh-Rastern, so lieb sie dir gewesen sein mögen, so abhängig du von ihnen gewesen sein magst. Die Gestalt des Jägers operiert dem Helden, Effeff – eine positive Umdeutung des „bösen“ Wolfs –, die Gestalten von Rotkäppchen und der Großmutter heraus, die er doch so schön in sich reingefressen hatte. Ein schmerzhafter Vorgang, das kann man sagen. – Und nun, schreibst du, füllen die Gestalten Effeff mit „Steinen“ – in Anführungszeichen.

Elke Erb: Hier identifiziere ich mich und kann nicht mehr „die Gestalt“ der Steine sagen: die Steine sind ungestalt. Effeff, „befreit“ von den Gestalten, die er „gefressen“ hatte, ist an den Rand geführt. Da wird es ganz schwierig. Die Gestalten hinterlassen Ungestaltes in Effeff. Alles nagt, was nagen kann in Effeff. Der ist, obwohl er Gestalten frißt, ein Held. In ihm ist produktive Kraft. Er muß den Mut finden, mit Ungestaltem umzugehen. Effeff muß selbst gestalten, sich selbst gestalten, sonst verwittern die Steine, machen ihn unproduktiv. Er muß das schaffen.

Christa Wolf: Ja. Das ist *das* Thema, heute. Dieser Text wird in einem weiterarbeiten. Aber: Wer soll hinter ihn kommen, von allein?

Elke Erb: Du, ich hab es erlebt, daß Leute drauf gekommen sind. Nicht, daß sie es so hätten sagen können, aber sie waren befriedigt davon. Du mußt bedenken, wie viele Leute es gibt, die, wenn sie fertig sind mit den Illusionen, dann nichts mehr machen, sich einfach fallenlassen. Dagegen ist die Geschichte angeschrieben. Ich behaupte: Wenn man mit den vorgegebenen Formen nicht mehr arbeiten kann, dann ist man nicht aus der Arbeit heraus, dann geht sie weiter. Das ist meine Meinung von den Menschen, daß sie, auch wenn sie sich geschlagen erklären und so verhalten, trotzdem arbeiten.

Christa Wolf: Nicht alle. Manche überlassen sich dem Genuß ihrer Enttäuschungen, Verbitterungen und Beleidigungen ... Im großen ganzen hast du recht: Wenn eine neue Runde eingeläutet wird, stehn neue Kämpfer im Ring, oder die alten, die sich wieder aufgerichtet haben. Sie unterziehen sich der Notwendigkeit, aus dem Ungestalten neue Gestalten zu schaffen, die zur Arbeit taugen, bis auch die wieder hinderlich werden, Wirklichkeit verstellen, anstatt sie zu verarbeiten und zu verändern; und Effeff, der Held, steht wiederum vor der Aufgabe, seine eigenen Gestalten zu vernichten, Ungestaltes produktiv zu machen: Das ist so und ist auch ganz in der Ordnung. – Dies alles nun nicht nur zu begreifen, sondern es am eigenen Leib zu erleben: War das eine der Grenzen, von denen du vorhin sprachst, an die dich diese Texte geführt haben?

Elke Erb: Das sind die Grenzen hinter mir. Irgendwann, in einem langen Zeitraum, habe ich gewisse Voraussetzungen abgebaut und in mir zerstört: diese bestimmte Art, gefangen zu sein, Folgenwollen, Verführtwerden, Glaubenwollen und -müssen. Das war sehr schlimm. Aus jener Zeit habe ich ein Herzweh, das stärker ist als alle Hammerschläge ... Es hing mit der Geburt meines Kindes zusammen; ich sah mit dem Kind einen neuen Ansatz zum Leben, und mit der Kraft, die da in mir frei wurde, konnte ich verschiedenes Wichtige zertrümmern. Ich bin im Auftrag dieser Sache aber immer noch: mit Illusionen zu arbeiten, gegen sie zu arbeiten und mir darüber klarzuwerden. Das ist mein Gewissen.

Christa Wolf: Mir fällt auf: Du artikulierst nirgends Klage, Trauer, Verzweiflung. Ich finde auch kein Lachen, kaum ein Lächeln. Spott, das ja, auch Verschmitztheit, Zuversicht, Ermunterung ... Was ist mit Hoffnung?

Elke Erb: Ich brauche keine. Ich bin ja kein intellektueller Einzelfall. Millionenfach erleben es die Menschen, daß sie nicht mehr festhalten können an ihren Voraussetzungen.

Christa Wolf: Ja. Es ist das Gewöhnliche. Nur kontrollieren es die meisten nicht an sich.

Elke Erb: Was aber danach übrigbleibt, ist eine große

Offenheit für das Leben, für das Kind, eine große Möglichkeit, Mitleid zu haben, anders zu sehen, Feindschaften aufzulösen . . .

Christa Wolf: Ich spiele ja, du merkst es, hier die Rolle des Vermittlers, habe sie wider Willen angenommen, kann nun nicht mehr heraus. Der Grund: Deine Hartnäckigkeit hat mich in deine Welt hineingezogen. Also ich würde die Texte dieses Bändchens auch ohne Auftrag vom Verlag gelesen haben wollen. Es beginnt mir aufzugehen, was du anstrebst, und ich muß wohl später versuchen, es zu formulieren; denn meine Arbeit soll ja die Mit-Arbeit anderer Leser, die deine Texte benötigen, herausfordern und auch erleichtern. Zuerst aber möchte ich mich noch im Gespräch mit dir um mögliche Ergebnisse herumbewegen. Du bist Jahrgang 1938. Du sagst, wir sind theoretisch erzogen, in Dogmenverheißungen.

Elke Erb: Nicht zufällig pocht die Lyrik meiner Generation auf das Konkrete: wie, das ist allerdings sehr verschieden. Das macht jeder anders.

Christa Wolf: Interessant, daß ich kaum eine ähnlich verallgemeinernde Feststellung über die Prosa meiner Generation, der um zehn Jahre Älteren, machen könnte . . . Aber, worauf ich hinauswollte: voraussetzungslos leben kann ja keiner. Unsere Voraussetzungen sind uns sogar besonders stark eingebrannt.

Elke Erb: Das ist es ja. Das ist ja wahrscheinlich das, was weh tut. Wie bei Effeff: das nagt an ihm, wenn er das nicht mehr haben kann, das Versprochene; wenn er angewiesen ist auf nicht vorgeformte Wirklichkeit, unerklärte, nicht offerierte . . .

Christa Wolf: Gibt es die überhaupt? Ich frage. Mußt du sie dir nicht, um sie als Arbeitsmaterial zu haben, erst herstellen? Herauspräparieren? Und gibst dann von diesem doppelten Bewußtseinsprozeß: Vernichtung der Denkvoraussetzungen und Herstellung einer neuen „Wirklichkeit", in deinen Texten nur die Ergebnisse, was sie natürlich notwendig „schwierig" macht.

Elke Erb: Aber sonst müßte ich ja eine richtige große Beschreibung machen!
Christa Wolf: Ich unterdrücke meine Genugtuung über diese Bemerkung. Ja: Das ist der Punkt.
Elke Erb: Wie das gekommen ist, daß ich nicht so ein Romanschreiber wie du bin, sondern fast nur mit Wörtern arbeite, alles in Wörter lege und nicht große Inhalte verarbeite, das weiß ich nicht. Das ist zu komplex . . . Aber es ist so, inzwischen. Sieh mal: Ich will doch nicht, daß die Voraussetzungen abgeschafft werden. Sie müssen nur verstanden werden, und man muß das Subjekt dazu werden, das ist das Wichtige. Die Texte helfen mir, das zu machen, sie sind das Lebendige. Wenn ich so einen Text schreibe, bin ich irgendwo dort, wo die Normen sich befinden, und ich habe das Gefühl, eine Wortmeldung zu machen; die Sache, die ich vertreten will, in den Vordergrund zu bringen, ins helle Licht. Dahinter steht, glaube ich, ein ziemlich scharfes politisches Bewußtsein oder, genauer gesagt, eine grundsätzliche Orientierung auf die gesellschaftlichen Dinge, und zwar von Kindheit an. Ich handle eine öffentliche Sache ab. Ich gebe Antwort auf etwas, was mir entgegengekommen ist. Und ich finde, die Beziehungen bei uns sind doch der Art, daß sie sich zunehmend auf Wesentliches richten: auf Arbeit.
Christa Wolf: Und du stellst dich ganz selbstbewußt in diesen Kontext, nimmst teil an der Kommunikation der produktiv Arbeitenden: in der Gewißheit, daß dein Beitrag seinen Platz in dem größeren gesellschaftlichen Zusammenhang schon finden wird.
Elke Erb: Ja. Ich biete meinen Beitrag der Gesellschaft an.
Christa Wolf: Und gehst du so weit, zu denken, daß etwas fehlen würde, wenn dein Beitrag nicht da wäre?
Elke Erb: Ich lebe, also denke ich. Ich brauche nicht das Bewußtsein, daß etwas fehlen würde, wenn ich fehlte. Ich nehme eine Stelle ein, wo verantwortlich gearbeitet wird, wo eine Aussage gemacht wird, wo Zeugnis abgelegt wird. Andererseits: Wenn da ein anderer wäre, an

meiner Stelle, und man würde versuchen, ihn auszustreichen: dann würde ich ja aufstehn und mich dagegen wehren. Dann wäre ich das, verstehst du? – Mir ist jetzt aber wichtiger das, was ich vor mir habe.

Christa Wolf: Mir fehlt es wohl an der Phantasie, mir vorzustellen, wie du jetzt weitergehen wirst. Wie – und vor allem: womit, mit welcher Art von Gegenständen – du diese Formelhaftigkeit wieder neu aufbrechen wirst.

Elke Erb: Zuerst muß ich das reflektieren, was ich hier gemacht habe. Der Prozeß, der das zutage fördert, verläuft so, daß es sich um politische Reflexionen wird handeln müssen. Um die Stellung dieser Sachen hier in der Gesellschaft letzten Endes doch.

Christa Wolf: Darf ich mal eine Vermutung äußern, nicht leicht auszudrücken. Dein Anspruch an den gesellschaftlichen Gehalt dieser Texte ist hoch; die reale Reibungsfläche, die du anbietest, ist verhältnismäßig klein.

Elke Erb: Das stimmt. Meine Texte passen kaum in die Abteilung „kritische Lyrik". Zum Beispiel habe ich einmal bewußt entschieden, keine „negativen" Kritiken mehr zu schreiben. Aber was du meinst, ist noch etwas anderes ... Sieh mal: Mir kommen eigentlich Texte nicht vor, die „nicht zu machen" sind.

Christa Wolf: Das ist mir etwas Undenkbares ... Trotzdem: Ich sehe deine Intensität, deinen Rigorismus des Denkens. Ich habe nicht den Eindruck, daß du, wie so viele Schreiber, bewußt oder unbewußt Selbstschonung betreibst. Vielleicht mit einer Einschränkung: Verrät die Wahl der Gegenstände, meist auf den ersten Blick wenig brisanter Alltagsvorgänge, etwas wie Selbstschonung? Und wenn einem, jedenfalls zeitweilig, nur Stoffe zutreiben, die „nicht zu machen" sind; bei deren Prüfung dich jegliche Gelassenheit, die du dir vielleicht schwer errungen hast, wieder verläßt?

Elke Erb: Stell dir mal die Beanspruchung des Nervensystems vor, wenn das so ist! Aber hör mal: Ich drücke mich ja nicht. Ich weiche ja nicht zurück. Es trifft ja alles, was passiert, bei mir ins Schwarze. Ich bin nicht auf der Flucht, auch nicht auf der „Flucht in die Innerlichkeit". Ich bin ja im Angriff.

Christa Wolf: Merkwürdig ist: Ich sehe die Richtung deines Angriffs deutlicher in deinen theoretischen Arbeiten als in diesen, sagen wir mal: poetischen Texten. Das kann an mir liegen, an meinen Lesegewohnheiten, an der von mir bevorzugten Literatur. Jedenfalls: Daraus, was du an jemandem – zum Beispiel an Zbigniew Herbert – vermißt, bei anderen – Mickel, Sarah Kirsch – dagegen findest, kann ich auf die Forderungen schließen, die du an dich selbst richtest: die „Glieder des Grundverhältnisses" – zwischen Subjekt und Ding – „in einen arbeitenden Widerspruch immer neu zu versetzen". Du willst nicht mehr und nicht weniger, als dein dialektisches Weltverhältnis zur Struktur – nicht bloß: zum Gegenstand! – deiner dichterischen Produktion machen. Eine von Grund auf „unbürgerliche" Haltung, in der Wurzel verschieden von nicht eingreifenden, undialektischen, illustrierenden Schreibhaltungen – übrigens auch von jenen pseudokritischen Haltungen aus eigenem Unvermögen, sich an die wirklichen Widersprüche heranzuarbeiten. Vor dir liegt ein Blatt, auf dem hast du die Texte dieses Bandes in Kategorien eingeteilt, je nach ihrem „moralischen Wert", wie du sagst. Eine dieser Kategorien, die wir hier leider nicht alle aufzählen, geschweige denn Text für Text durchgehen können, heißt: Sichtung des Positiven. Das Positive wird bei dir, scheint mir, in sehr vielen Texten gesichtet. Was nennst du „das Positive"?

Elke Erb: Das Erhaltende; das, was da ist, beständig bleibt, was man nicht kritisieren muß. Es ist schon wahr, daß ich das Bedürfnis in mir habe, positiv zu sehn. Vielleicht, weil ich eigentlich arglos bin: Dieses Kind, das da in der Eifel aufgewachsen ist – woher sollte das diese Unterhöhlungen haben, daß es fähig wäre zu Verdächtigung und zu Mißtrauen und zu scharfen Wachsamkeiten . . .

Christa Wolf: Du nimmst in diese Kategorie Texte mit

„ländlichen Gegenständen“: „Im Juni“, „Dieses und jenes“, „Sommerzeit“ ...

Elke Erb: ... ein sehr friedlicher Text, der einen Menschen arbeiten sieht, ihn arbeiten läßt ...

Christa Wolf: ... und, wonach ich dich fragen möchte: „Scheuer und Faß“.

Elke Erb: In diesem Text stelle ich mir die Frage – ausgelöst wird sie von den zwei schlimmen Dürrejahren, die wir hatten – : Wenn wir jetzt eine große Not bekämen – würden wir wieder Urtiere werden? Und ich sage: Das würden wir nicht. Wir haben, als die Dürre war, die Preise nicht erhöht, die Läden nicht ausgekauft. Was woanders zu Not und Rückschlag führen würde, das führt bei uns nicht mehr dazu. Wir haben eine positive Grenze der menschlichen Norm erreicht, die dürfen wir nicht mehr unterbieten.

Christa Wolf: Du meinst, wir haben einen Stand der gesellschaftlichen Moral erreicht, daß wir auch unter ökonomischem Druck nicht mehr hinter diese Grenze zurückgehn.

Elke Erb: Ich hab mich nicht so festgelegt. Aber: ja.

Christa Wolf: Zwei Jahre Dürre: Die halten wir aus. Man könnte sich schärfere Belastungsproben denken.

Elke Erb: Sicher. Aber ich halte die Menschheit noch nicht für unmoralisch, wenn sie, bei echter Not, tierhaft sich um ihre Existenz bekümmert: Das ist ja wohl notwendig, nicht? Sonst wäre ich mit einem solchen Text etwas wie ein warnender Prophet: Wollt ihr wieder Urmenschen werden! – Und diese Geste fände ich ein bißchen komisch.

Christa Wolf: Du merkst, ich sage weder ja noch nein. Ich frage mich – da ich dich doch als eine Person kenne, die zornig sein kann, empört, aufsässig –, warum alles das deine Texte meiden. Ich denke noch nach über die Gründe für deinen Hang zum Positiven. Fürchtest du vielleicht, daß der Zorn über das Unrecht dir die Züge verzerrt?

Elke Erb: Nein. Hauptsächlich aus Angst, wieder ein

Konsument zu werden, könnte ich keine negative Bilanz machen, glaube ich.
Christa Wolf: Konsumentenhaltung – eines deiner wichtigsten Stichworte. Wie definierst du es?
Elke Erb: Ich setze mich in einigen Stücken des Bandes damit auseinander, die hier auf meiner Privatliste unter der Kategorie: Moralisches Verhalten beim Schreiben, das heißt beim Aufnehmen stehn: in „Ungenießbar", natürlich in „Kleist", in „Bild", aber auch in „Kaltes Büfett", ein Text, der sich gegen die Konsumentenhaltung bei Werfel richtet. Mir schien nämlich, als ich zum Beispiel „Abituriententag" las, daß ihm ein produktives Verhalten zur Wirklichkeit überhaupt fehlt. Ein schreibender Konsument bedient sich der vorhandenen Dinge – daher das verächtliche Bild: „Kaltes Büfett" –, er rechtet mit der Wirklichkeit: als Empfänger, als Verbraucher; er wiederholt sich auch, entwickelt keine Dynamik, arbeitet mit dualistischen Gegenüberstellungen, mit falschen, unfruchtbaren Alternativen.
Christa Wolf: Der Schritt aus dieser Konsumentenhaltung heraus muß für dich ein einschneidender Vorgang gewesen sein. Du gibst ihm Namen wie: zweite Geburt; Erwachsenwerden.
Elke Erb: Der Schritt aus der Konsumentenhaltung ist schmerzhafter als Geborenwerden, und er hat ungeheure, immer andauernde Konsequenzen. Du hast keinen Papa, keine Mama mehr, keine Ideogramme, keine Instanz, bei der du dich über nicht eingelöste Glücksverheißungen beschweren kannst.
Christa Wolf: Du kannst dir, vermute ich, nicht mal mehr den Luxus leisten, dir selber leid zu tun, weil du alles selbst verantwortest ... Dieser Hochmut, das ist dein einziger Luxus.
Elke Erb: Du bist ganz allein. Du mußt immer weiter arbeiten und Voraussetzungen abstreifen und Genüßlichkeiten loswerden und kleinbürgerliche Züge erkennen und dich von ihnen befrein. Es kann sein, du gibst dein mögliches Glück preis, nicht wahr. Andererseits: Wenn

du das nicht machst, wenn du nicht arbeitest, sondern einfach nur nimmst und dich bedienst mit dem, was da ist; wenn du der Erbe nur bist und nicht auch der Großpapa: dann wirst du kein selbständiger Mensch sein, und wenn du das nicht bist, kannst du gewiß nicht glücklich werden.

Christa Wolf: Ein Einschub. Einer der von dir nachgereichten Texte, die ursprünglich nicht im Band waren, „Meine Letteratur", fällt aus dem Rahmen. Seh ich das richtig?

Elke Erb: Ja. Das ist ein Stück, das eigentlich schon in den nächsten Band gehört, das – noch ausgeprägter als „Wortkrieg – Wortfrieden" und „Memorandum für Empfänger" – einen für mich neuen Weg eröffnet. Die Frage ist: Was kann ich, angewiesen nur auf das Sprachmaterial, ausrichten? In „Meine Letteratur" ist nur das Alphabet da, das mit eigentlich leicht herbeigeführten Assoziationen bedient wird.

Christa Wolf: Aber mit aufschlußreichen Assoziationen. Ich hab mir den Spaß gemacht, das Alphabet meinerseits mit Assoziationen zu bedienen: Das waren von Grund auf andere.

Elke Erb: Sicher. Aber es geht doch nur darum: Was kann ich machen – wie setze ich Verantwortung ein, gebe eine Widerspiegelung, nehme ein Protokoll auf: alles das, was Texte immer tun –, wenn ich sehr, sehr nah am Sprachmaterial bleibe.

Christa Wolf: Pochst du nicht zu sehr auf dieses Wortmaterial?

Elke Erb: Ich gehe aber dahin.

Christa Wolf: Mag sein. Aber du mobilisierst in diesem Spiel doch das Unbewußte, machst Spontaneität frei ...

Elke Erb: ... was aber bei mir sehr bewußt geschieht. Solche Texte wie „Meine Letteratur" stellen das Ding, das Sprachding, einfach hin.

Christa Wolf: Das seh ich anders. „Sprachdinge" als absolute Größen seh ich bei dir bis jetzt nicht. Was ich sehe, ist – etwa in „Wortkrieg – Wortfrieden“: Du setzt Sprache als Zeichen an die Stelle von Strukturen der wirklichen Welt – zum Beispiel für hierarchische Strukturen –, die du nun spielerisch angreifen kannst und die dir weniger Widerstand leisten, als das „wirkliche“ Material es täte: wie du das ja in dem ausgerechnet „Widerstand“ benannten Text exemplarisch vorführst. „Das Wortspiel befreit das unterdrückte System.“ Eine Freisetzung demokratischer Tugenden.

Elke Erb: Aber in einer heiteren, undemonstrativen Weise, nicht wahr? – Daneben stehn ja, in der gleichen Gruppe, ganz anders geartete Texte, wie „In der Ecke“, das letzte Stück des Bandes.

Christa Wolf: Was tun wir hier eigentlich! Auseinandernehmen, entzaubern? Den Text möchte ich am liebsten unangetastet lassen. Ein Gedicht in Prosa. Es verträgt und trägt unterschiedliche Deutungen, glaube ich.

Elke Erb: Es geht aber in dem Text um die Unabdingbarkeit des Engagements. Guck mal – das ist ein bißchen ein Wahnsinnstext, hat so eine Ophelia-Haltung, nicht wahr, eine Figur wie die Else Lasker-Schüler wird da nahestehn ... „Vöglein“ – das fällt mir jetzt ein, beim Schreiben wußte ich's nicht –, Vöglein ist ein Begriff für Seele, ja? „Truhe“ ist ein Begriff für Sarg, nicht?

Christa Wolf: „Truhe“ ist mir ein Begriff für beruhigend, altertümlich, anheimelnd, bewahrend. – Was ist mit den Marionetten?

Elke Erb: Ich möchte eigentlich vielleicht Ruhe haben, weil ja auch die Truhe zu ist. Aber es geht nicht, ja? Die sind da, diese „Marionetten“, Hero und Leander und Odysseus – ein Bekenntnis, wenn du willst, zur tradierten Bildwelt, aber sie sind auch das, wovon ich lebe. Da spielt sich anscheinend ziemlich viel aus in diesem Text ... Die Figur des Dichters mit seinem Engagement wird vorgestellt mit dem versöhnenden Angebot: Das ist närrisch. Das ist ja in unserer Situation eine Art Trotz, nicht? Zugleich ein unterschwellig verführerisches Angebot: ein sanfter Wahnsinn ...

Christa Wolf: In der Ecke steht die Truhe . . .
Elke Erb: Man scheint in die Intimität gejagt worden zu sein. Dann wiederum: Dort, in der Ecke, kommen trotzdem die Geister; vielleicht gerade, weil man in der Ecke ist . . . Wahrscheinlich gerade, weil man den Sarg sieht, wird der Tote lebendig . . .
Christa Wolf: Odysseus.
Elke Erb: Odysseus ist ja schließlich auch kein Wort für „Intimität", kein Wort für „In der Ecke" . . . Und zuletzt noch diese Aufforderung: Jetzt schreib du. Und es scheint auch gar nicht unmöglich zu sein, daß jetzt „du" schreibst – nicht? Schließ dich mir an . . .

Diese Niederschrift entstand aus der Aufzeichnung eines fast vierstündigen Tonbandgesprächs, das Elke Erb und ich an zwei Abenden im Februar und im Mai 1977 miteinander führten. Zwischen diesen beiden Abenden veränderte sich der Band vor meinen Augen. Die Autorin tat, was sie angekündigt hatte: Sie begann über ihre Texte zu reflektieren, angestoßen durch meine Fragen und Vorhaltungen. Um zu dokumentieren, in welchem Maß diese Reflexion dem Band genützt hat, nenne ich die Texte, die sie lieferte: „Zufälle und Geduld"; „Beschleunigung"; „Meine Letteratur"; „Widerstand"; „Kürze als Forderung des ‚Tages'" (ein älterer Text, neu aufgenommen); „Ja, mach dir nur 'nen Plan"; „Die Physiker"; „Sucht, so werdet ihr finden"; „Mit Gunst". Nicht nur, daß das Verständnis der Texte gefördert, manche Frage und Erörterung überflüssig wurde: Aus der Spannung zwischen den poetischen und den reflektierenden Texten treten deutlicher die Widersprüche hervor, die die Autorin zur Produktion treiben. Dem Lauf unseres Gesprächs folgend, unternahm ich den Versuch, den Weg nachzuzeichnen, der mir den Zugang zu diesen Texten eröffnete.

Mai 1977

Berührung

Maxie Wander

Dies ist ein Buch, dem jeder sich selbst hinzufügt. Beim Lesen schon beginnt die Selbstbefragung. In den Nächten danach entwerfen viele Leserinnen, da bin ich sicher (nicht so sicher bin ich mir bei Lesern), insgeheim ihr Selbstprotokoll – inständige Monologe, die niemand je aufzeichnen wird. Ermutigt durch die Unerschrockenheit der andern, mögen viele Frauen wünschen, es wäre jemand bei ihnen, der zuhören wollte: wie Maxie Wander ihren Gesprächspartnerinnen.

Ich liebe das Wort „Partner" nicht, neutral und farblos, wie es ist; in „Partnerwahl" und „Partnerbeziehung" liefert es wertfreie Termini für Verhaltensforscher und Psychologen, als „Partnerlook" bedient es die Konsumentensprache, und als „Geschäftspartner" tritt es unverblümt auf den Markt, wo Partner ihr Verhältnis auf Geben und Nehmen gründen, auf gegenseitigen Vorteil und gegenseitige Übervorteilung, auf die handelsübliche Gewinnspanne und den unpersönlichen Kontakt. Der Geist, der in diesem Buche herrscht – nein: am Werke ist –, hat mit Markt- und Herrschaftsverhältnissen nichts zu tun. Es ist der Geist der real existierenden Utopie, ohne den jede Wirklichkeit für Menschen unlebbar wird. Zweifach anwesend, bewirkt er, daß diese Sammlung als Ganzes mehr ist als die Summe ihrer Teile: Fast jedes der Gespräche weist durch Sehnsucht, Forderung, Lebensanspruch über sich hinaus, und gemeinsam – wenn man das Buch als Zusammenkunft verschiedenster, im Wichtigsten einiger Menschen sieht – geben sie ein Vorgefühl von einer Gemeinschaft, deren Gesetze Anteilnahme, Selbstachtung, Vertrauen und Freundlichkeit wären. Merkmale von Schwesterlichkeit, die, so scheint mir, häufiger vorkommt als Brüderlichkeit.

Nur scheinbar fehlt diesen neunzehn Protokollen das zwanzigste, die Selbstauskunft der Autorin; aber sie ist ja anwesend, und keineswegs bloß passiv, aufnehmend, vermittelnd. Sie hat sich nicht herausgehalten, nicht nur intime Mitteilungen hervorgelockt („intim" im unanstößigen Sinn von „vertraut, eng befreundet, innig"), indem sie persönlich, direkt, kühn zu fragen verstand: Wenn wir das, was sie im Gespräch von sich selbst preisgab, zu einem Band zusammenfügen könnten, hätten wir jenes vermißte zwanzigste Protokoll.

Maxie Wander hat lange, in großer Unruhe, nach ihrer Sprache, ihrem Ausdrucksmittel gesucht. Sie hat vieles ausprobiert, wieder fallenlassen, scheinbar ziellos, wie manche der Frauen in ihrem Band auch. Sie paßte an keine der Stellen, wo mit möglichst geringem Kraftaufwand eine möglichst große Wirkung erzielt werden muß. Wer aber dahin nicht paßt, wird leicht an sich irre. Nun ist klar – und ich wehre mich, nur weil sie tot ist, zu sagen: zu spät –, daß es ihr Talent war, rückhaltlos freundschaftliche Beziehungen zwischen Menschen herzustellen; ihre Begabung, andere erleben zu lassen, daß sie nicht dazu verurteilt sind, lebenslänglich stumm zu bleiben.

Wenn Menschlichkeit heißt, niemals, unter keinen Umständen einen anderen zum Mittel für eigene Zwecke zu machen, so war Maxie Wander menschlich. Die Frauen, zu denen sie ging – einige kannte sie, andere nicht –, waren ihr nicht Vorwand für eigene Absichten: Hier wurde niemand „ausgefragt", kein wohlkalkuliertes Unternehmen unter Dach und Fach gebracht; es sprechen Frauen miteinander, die einander brauchen, die sich selbst und die andere entdecken. Es gibt eine Konsumentenhaltung bei Autoren – oft qualvolle Versuche, ihr verzerrtes Verhältnis zu sich selbst, ihren Mangel an Empfindung, ihren Verlust von Unmittelbarkeit und ihr Erkalten durch Injektionen mit der Droge „Wirklichkeit“ zu beheben. Einem solchen Interviewer hätten die Befragten anderes gesagt, und auf andere Weise. Hier gerät das Tonbandgerät in Vergessenheit. Das technische Instrument, mißbrauchbar wie jede Maschine – zum Verhör, zur Spionage, als Konserve, ungelebtes Leben auszufüllen, als Beweisstück gegen den Verdächtigten, Beschuldigten, Angeklagten –, wird in den Dienst genommen, den wohlverstandenen Zwecken seiner Benutzer untergeordnet. Ding bleibt Ding und entartet nicht zum Fetisch.

Diese Texte entstanden nicht als Belege für eine vorgefaßte Meinung; sie stützen keine These, auch nicht die, wie emanzipiert wir doch sind. Kein soziologischer, politischer, psychotherapeutischer Ansatz liegt ihnen zugrunde. Maxie Wander, in keiner Weise umfrageberechtigt, war durch nichts legitimiert als durch Wißbegierde und echtes Interesse. Sie kam nicht, um zu urteilen, sondern um zu sehen und zu hören. – Jede produktive Bewegung erzeugt ein Spannungsfeld, aus dem neue Widersprüche, belangvoller als die alten, sich aufladen; ein solches Kraftfeld trägt die Beiträge dieses Buches und macht sie spannend, auch dann, wenn Alltägliches erzählt wird, was jeder zu kennen meint.

Nicht jenes „Wolle mich nicht berühren“, die Formel der Einsamkeit und des Selbstentzuges, der Offenbarungsscheu und der Zurücknahme ist das Motto dieses Buches; hier ist Berührung, Vertrautheit, Offenheit, manchmal bestürzende Schonungslosigkeit, ein erregender Mut, sich selbst gegenüberzutreten. Ein schmaler Grat ist zwischen Selbstoffenbarung und Selbstentblößung, zwischen Intimität und Peinlichkeit, Vertrauen und Selbstaufgabe. Sich unbekümmert auf diesem Grat zu bewegen, das ist kein technischer Balanceakt, kein Zugeständnis an den Geschmack der guten Stube. Es zeugt von Selbstvertrauen, und es zeugt von einer historischen Situation, die Frauen verschiedener Schichten eine solche Souveränität gegenüber persönlichsten Erfahrungen gibt, welche sie vor kurzem noch sich selbst und anderen verschwiegen. Privates wird öffentlich gemacht: mit Exhibitionismus hat das nichts zu tun. Aber so selbstverständlich ist es auch wieder nicht, daß niemand Anstoß nähme. Da zeigen sich, erheiternde Umkehrung, Männer auf einmal prüder als Frauen; könnte es sein, daß sie die „Frechheit", die Dreistigkeit der Frauen tadeln und in Wirklichkeit ihre Überlegenheit fürchten? Daß sie die Töne, die manche der Frauen hier anschlagen, nur ertragen, wenn sie selbst sie gebrauchen – im Männergespräch über Frauen? Mit Unbehagen scheinen diese Männer wahrzunehmen, wie Frauen ihre traditionell „weibliche" Prägung – sie alle haben ja Mütter, die das Ihre getan haben! – loswerden, den Mann mustern, ihn entbehren können, erwägen, ihn „zu verabschieden", „auf Empfang schalten", die „seelische Berührung" eher erwarten als die körperliche und sich darüber lustig machen, wenn „Mann" ihr zur Scheidung Marxens gesammelte Werke schenkt ... Wäre es denkbar, daß manche Männer (es geht hier nicht um Zahlen ...) die Lustigkeit, die Ironie und Selbstironie der Frauen als schockierende Zumutung erleben? Ja aber, haben sie denn ihre Frauen so wenig gekannt? Mögen sie sie lieber, wenn sie, unvermutet mit dem Seitensprung des Mannes konfrontiert, in guter alter Manier in Ohnmacht fallen? Sie tun es, übrigens, hin und wieder, stehen dann aber auf und machen sich klar: Der Mann „braucht einen neuen Spiegel".

Privilegien zu verlieren, ist nie bequem. Nicht das geringste Verdienst dieses Buches ist es, authentisch zu belegen, wie weitgehend die Ermutigung, an öffentlichen Angelegenheiten teilzunehmen, das private Leben und Fühlen vieler Frauen verändert hat. Zu spät ist es jetzt, zu sagen: Das haben wir nicht gemeint. Es zeigt sich: Rückhaltlose Subjektivität kann zum Maß werden für das, was wir (ungenau, glaube ich) „objektive Wirklichkeit" nennen – allerdings nur dann, wenn das Subjekt nicht auf leere Selbstbespiegelung angewiesen ist, sondern aktiven Umgang mit gesellschaftlichen Prozessen hat. Das Subjekt treibt sich selbst heraus, wenn es dazu beitragen kann, aus den gegebenen Verhältnissen das Äußerste herauszuholen. Es wird in sich zurückgetrieben, wenn es auf entfremdete, destruktive Strukturen, auf unüberwindliche Tabus in entscheidenden Bereichen stößt.

Das Buch, von dem hier die Rede ist, ist ein Glücksfall, aber ein Zufallstreffer war es nicht. Nicht selten werden lustvolle Tätigkeiten – wie Lernen, Forschen, Arbeiten, auch Schreiben – der Lust beraubt, wenn sie um jeden Preis zu einem Ergebnis führen müssen. Dieses Buch war seiner Autorin wichtig, aber die Arbeit an ihm war ihr wesentlicher. Und an diesen Texten *ist* gearbeitet worden. Niemand soll meinen, hier werde ihm eine mechanische Abschrift vorgesetzt, Material, Rohstoff. Wie Sarah Kirsch, die als erste bei uns in ihrem Band „Die Pantherfrau" Tonbandprotokolle herausgab, hat Maxie Wander ausgewählt, gekürzt, zusammengefaßt, umgestellt, hinzugeschrieben, Akzente gesetzt, komponiert, geordnet – niemals aber verfälscht. (Ein Vergleich der beiden in ihrem Charakter so unterschiedlichen Bücher belegt: Der Autor solch scheinbar autorloser Bücher ist in ihnen die unentbehrlichste Person.) Das Buch kam zur rechten Zeit; es traf auf eine noch unartikulierte Erwartung. Es kam früh genug, daß es uns überraschen konnte; nicht so früh, daß man es abwehrte. Erst als wir es gelesen hatten, wußten wir, daß wir es brauchten. Bücher sollen ja Bedürfnisse nicht „befriedigen", sondern anstacheln. Maxie Wander hat den Beginn der intensiven Auseinandersetzung mit ihrer Arbeit, die Dankbarkeit vieler Leserinnen noch erlebt.

Sie war, kurz ehe sie starb, lebendiger denn je. Jetzt hätte sie Hände, Kopf und alle Sinne frei gehabt für diese Aufgabe, die sie sich erfunden hatte. Unmöglich, unglaubhaft scheint es mir, von ihr in der Vergangenheitsform schreiben zu müssen. Unsere Verluste sind schrecklich.

Dieses Buch kann man nicht „besprechen". Es lebt vom Einzelfall, der für sich selber spricht, nicht bewertet oder kommentiert sein will: Man müßte ja Urteile über lebende Menschen fällen. Auch literaturkritische Maßstäbe versagen: Diese Texte – Vorformen von Literatur, deren Gesetzen nicht unterworfen, der Versuchung zur Selbstzensur nicht ausgesetzt – sind besonders geeignet, neue Tatbestände zu dokumentieren. Dabei nähern einzelne Beiträge sich literarischen Formen. Herausragend jener Monolog einer Sechzehnjährigen („Gabi"). Hier wird auf neun Seiten ein sehr junger Mensch zwischen das Verlangen nach Selbstverwirklichung und die Gefahr der Entfremdung gestellt. Dieses Mädchen soll die Trauer um den Großvater vergessen, der, ein Ärgernis für die Mutter, sich umbrachte; es soll sich auf die Seite des ordentlichen „Onkel Hans" schlagen, mit dem Übereinstimmungsglück, die neue Schrankwand und der neue Fernseher in die tadellose Wohnung Einzug halten. Die Mutter, erpicht, daß „sich alles schickt", sieht zu, daß die Tochter „vernünftig" wird. Die hat zwar noch ihre „schwachen Momente", aber „man paßt sich unwillkürlich an". Nein, keine Probleme. Was Glück ist? „Als ich von meiner Mutti das Tonbandgerät bekommen hab." Fast ein Kind noch, doch schon beinah gezähmt. Der unwiederholbare Einzelfall mit hohem Verallgemeinerungswert.

Das dem herrschenden Selbstverständnis Unbewußte, das Unausgesprochene, Unaussprechliche findet sich immer bei den Unterprivilegierten, den Randfiguren, den für unmündig Erklärten und Ausgestoßenen; da, wo Elend und Entwürdigung ein Subjekt, das sprechen könnte, gar nicht aufkommen lassen: bei jenen, die die niedersten und stumpfsinnigsten Arbeiten machen: in den Gefängnissen, Kasernen, in Kinder-, Jugend- und Altersheimen, in Irren- und Krankenhäusern. Und eben, lange Zeit: bei den Frauen, die beinahe sprachlos blieben. Ich halte es für falsch, alle Frauen zu einer „Klasse" zu erklären, wie manche Feministinnen es tun; aber wenn die Frauen der Arbeiter doppelt unterdrückt waren, so waren die der Herrschenden jedenfalls entmündigt – ob sie das wußten und wissen oder nicht. Auffallend, daß jene Frauen, die sich kurz vor und im Jahrhundert nach der Französischen Revolution ihren Eintritt in die Literatur erkämpften – oft unter Überanspannung ihrer Kräfte –, sich häufig in Tagebüchern und Briefen, im Gedicht, in der Reisebeschreibung ausdrücken, den persönlichsten und subjektivsten Literaturformen, auf Selbstaussage, Anrede und Dialog gegründet; Formen, in denen die Schreibende sich ungezwungener, auch geselliger bewegen kann als in den Strukturen von Roman und Drama. Davon zu schweigen, daß die überwältigende – richtiger: überwältigte – Mehrzahl begabter Frauen weder jene äußeren Bedingungen vorfand, noch das Minimum an Selbstbewußtsein aufbringen konnte, das allerdings Voraussetzung ist, um sich Zutritt zu jenem „Literatur" genannten Gebilde zu verschaffen (was etwas anderes als schreiben ist). Dafür – stellvertretend – gibt es im 19. Jahrhundert diese innigen Bündnisse zwischen Künstlern und gebildeten Frauen – Außenseiterbündnisse, zusammengehalten durch den Druck der Isolation, in die eine unerbittlich auf Effizienz eingeschworene Gesellschaft diejenigen ihrer Glieder treiben muß, die in zweckfreier Tätigkeit, zum Vergnügen und zur Ausbildung eigener Anlagen produzieren wollen. Einsamkeit, Esotherik, Selbstzweifel, Wahnsinn, Selbstmord: Lebens- und Todesverläufe schreibender Männer und Frauen, die als Muster, wenn auch vielfältig modifiziert, bis in unsere Tage wirken.

Auch wir können nicht – töricht, es zu leugnen – der Marxschen Voraussetzung für nichtentfremdete Existenz genügen: „Setze den *Menschen* als *Menschen* und sein Verhältnis zur Welt als ein menschliches voraus, so kannst du Liebe nur gegen Liebe austauschen, Vertrauen nur gegen Vertrauen etc." Ja: Ökonomisch und juristisch sind wir den Männern gleichgestellt, durch gleiche Ausbildungschancen und die Freiheit, über Schwangerschaft und Geburt selbst zu entscheiden, weitgehend unabhängig, nicht mehr durch Standes- und Klassenschranken von dem Mann unserer Wahl getrennt; und nun erfahren wir (wenn es wirklich Liebe ist, was wir meinen, nicht Besitz und Dienstleistung auf Gegenseitigkeit), bis zu welchem Grad die Geschichte der Klassengesellschaft, das Patriarchat, ihre Objekte deformiert hat und welche Zeiträume das Subjektwerden des Menschen – von Mann und Frau – erfordern wird. Immer noch müssen viele Frauen sich verstellen, damit ihre Liebe zum Tauschwert für das unreife Liebesverlangen vieler Männer werden kann („Man muß den Männern etwas vorspielen, sonst verschreckt man sie").

Das Buch von Maxie Wander belegt, ohne darauf aus zu sein, eine bedeutsame Erscheinung: Erst wenn Mann und Frau sich nicht mehr um den Wochenlohn streiten, um die zweihundert Mark für eine Schwangerschaftsunterbrechung, darum, ob die Frau „arbeiten gehn" darf und wer dann die Kinder versorgt; erst wenn sie für ihre Arbeit genauso bezahlt wird wie der Mann; wenn die Frau sich vor Gericht selbst vertritt; wenn sie, wenigstens in der öffentlichen Erziehung, als Mädchen nicht mehr auf „Weiblichkeit" dressiert wird, als ledige Mutter nicht von der öffentlichen Meinung geächtet ist: erst dann beginnt sie, belangvolle Erfahrungen zu machen, die sie nicht allgemein, als menschliches Wesen weiblichen Geschlechts, sondern persönlich, als Individuum betreffen. Die gesellschaftlichen Widersprüche, die bisher die Tendenz hatten, sie aufzureiben, zu überrollen, treten jetzt in der subtileren Form des persönlichen Konflikts an sie heran, für dessen Lösung ein Rollenverhalten ihr nicht vorgegeben ist. Jetzt steht sie vor einer Vielfalt von Möglichkeiten, auch von möglichen Irrtümern und Risiken. Dieses Buch bietet Beispiele dafür, wie unterschiedlich ältere und junge Frauen auf diese Situation reagieren. Die siebenundvierzigjährige Jugendfürsorgerin („Karoline"): „Unsere Selbstverständlichkeiten heute, die waren für uns Luxus, täglich Brot haben, uns Schuhe kaufen können, eben als Mensch behandelt werden. Aus diesem Grund kann es nur *meine* Gesellschaftsordnung sein." „Erika", die einundvierzigjährige Dramaturgieassistentin, fragt sich: „Vielleicht ist das Emanzipation, daß Dinge, die früher zu Katastrophen geführt haben, heute kein Problem mehr sind. Daß eine Frau sagen kann: Wenn du nicht mitmachst, dann mach ich das alleine. Obwohl das nicht einfach ist."

Obwohl es nicht einfach ist, fangen diese Frauen an, klassische Tragödienstoffe andersherum zu erzählen: „Er ist mir gleichberechtigt, weil ich ohne ihn ja auch leben könnte." Der einfache Rollentausch macht sie nicht glücklich. „Ich habe mich männlich verhalten, habe die Vorrechte der Männer genützt": weiblicher Don-Juanismus, der zum gleichen Ergebnis führt – oder die gleiche Ursache hat – wie der männliche: Unfähigkeit zu lieben. Obwohl es nicht einfach ist, unterdrücken Frauen das angelernte Schutzbedürfnis und „stehen ihren Mann"; entdecken, daß es nicht immer ihre Schuld ist, wenn sie sexuell unbefriedigt bleiben; finden heraus, daß Frauen „mit ihrem ganzen Körper begreifen" müssen. (Diese Entdeckung, noch sehr verletzlich, sehr wenig gefestigt, sollten wir hüten; sie könnte, vielleicht, dazu beitragen, den erbarmungslosen, menschenfremden Rationalismus solcher Institutionen wie Wissenschaft und Medizin wenigstens in Frage zu stellen.) Obwohl es sehr schwierig ist, finden sie heraus, daß auch Frauen einander lieben, miteinander zärtlich sein können. Daß sie den Rückzug des im Außendienst starken Mannes auf infantiles Verhalten in ihren Armen nicht mehr decken wollen. Also fliehen sie das „enge Schlafzimmer", in das sie mit ihrem Mann „verbannt" sind. Finden sich mit der Gefühlsverkümmerung nicht mehr ab, an der viele Männer durch generationenlangen Anpassungszwang an „zweckmäßige" Verhaltensweisen leiden, verweigern die Mutterrolle und lassen sich scheiden.

Sie zahlen für ihre Unabhängigkeit mit einem schwer erträglichen Schmerz, oft mit Alleinsein, immer mit zusätzlicher Arbeitslast, meist mit schlechtem Gewissen gegenüber Mann, Kindern, Haushalt, Beruf, dem Staat als Über-Mann. Erst wenn wir – unsere Töchter, Enkel – nicht mehr schlechten Gewissens sind, werden wir wirklich gewissenhaft handeln, erst dann werden wir den Männern helfen können, jenen Unterordnungs- und Leistungszwang wahrzunehmen, der vielen von ihnen, historisch bedingt, zur zweiten, verbissen verteidigten Natur geworden ist. Erst dann werden die Männer ihre Frauen wirklich erkennen wollen. „Ich habe noch keinen gekannt, der dahinterkommen wollte, wie ich wirklich bin und warum ich so bin."

Diese Frauen sehen sich nicht als Gegnerinnen der Männer – anders als bestimmte Frauengruppen in kapitalistischen Ländern, denen man ihren oft fanatischen Männerhaß vorwirft. Wie aber sollen sie gelassen, überlegen, möglichst noch humorvoll sein, wenn sie der primitivsten Grundlagen für eine unabhängige Existenz entbehren? Besonders, wenn eine starke Arbeiterbewegung fehlt, werden Frauen in sektiererische, gegen die Männer gerichtete Zusammenschlüsse getrieben; meinen sie, die Männer mit den gleichen Mitteln bekämpfen zu müssen, mit denen die Männer jahrhundertelang sie bekämpft haben; aber sie sind ja – glücklicherweise – nicht im Besitz dieser Mittel; sie sind im Besitz eines durchdringenden Ohnmachtsgefühls; entrechtet, versuchen sie ihr Selbstgefühl den Männern zu entziehen; ihr Weg zur Selbstfindung führt oft über den Rückzug auf das eigene Geschlecht; es muß ihnen schwerfallen, in ihren Entwürfen die ganze Gesellschaft zu umgreifen. Und doch: Wieviel Solidarität untereinander, wieviel Anstrengung, die eigene Lage zu erkennen, wieviel Spontaneität und Erfinderlust in ihren Selbsthilfeunternehmen, wieviel Phantasie, welche Vielfalt. Ich kann nicht finden, daß wir gar nichts davon zu lernen hätten.

Durch viele Anzeichen, nicht zuletzt in diesem Buch,

kündigt sich nämlich bei uns ein Ungenügen vieler Frauen an: Was sie erreicht haben und selbstverständlich nutzen, reicht ihnen nicht mehr aus. Nicht mehr, was sie haben, fragen sie zuerst, sondern: wer sie sind. Sie fühlen, wie ihre neue Rolle sich schon zu verfestigen beginnt, wie sie sich in den Institutionen plötzlich nicht mehr bewegen können; ihre Lebenslust ist groß, ihr Wirklichkeitshunger unersättlich. Also berühren sie, tastend noch, die neuen Tabus, denn die Veränderungen werden immer da am heftigsten weitergetrieben, wo sie am tiefstgreifenden waren. Die Möglichkeit, die unsere Gesellschaft ihnen gab: zu tun, was die Männer tun, haben sie, das war vorauszusehn, zu der Frage gebracht: Was *tun* die Männer überhaupt? Und will ich das eigentlich? – Nicht nur, daß sie kritische Fragen an Institutionen stellen – die Jüngeren unter ihnen besonders an die Schule –; nicht nur, daß sie sich auflehnen gegen Verantwortungsentzug am Arbeitsplatz, der zu Resignation führt: „Wenn einer die Zusammenhänge nicht sehen darf, kann er auch nicht verantwortlich gemacht werden, dann kann er auch keine anständige Arbeit leisten." Sie beginnen darüber nachzudenken, was ihr Leben aus ihnen gemacht hat, was sie aus ihrem Leben gemacht haben. „Wenn man sich lange auf Leistung trimmt, zerstört man etwas Wichtiges in seiner Persönlichkeit." – „Wenn ich nicht arbeite, bin ich mir selber fremd." – „Man ist nicht glücklich, wenn man so gespalten ist wie ich." – „Ich bin vollkommen verkrustet." Dagegen, als Abwehr der neuen Losungen jüngerer Frauen: „Spontaneität ist eine Angelegenheit von verrückten Männern und Frauen." Und – ein Kleistscher Satz, gesprochen von einer Kellnerin – : „Aber auf einmal fühle ich mich so fremd unter den Menschen."

So spricht die Minderzahl. Mit anderen Sätzen, die man finden kann, dagegen ins Feld zu ziehen, hätte keinen Sinn. So äußert sich ein neues Zeit- und Lebensgefühl (übrigens auch bei jungen Männern). Frauen, durch ihre Auseinandersetzung mit realen und belangvollen

Erfahrungen gereift, signalisieren einen radikalen Anspruch: als ganzer Mensch zu leben, von allen Sinnen und Fähigkeiten Gebrauch machen zu können. Dieser Anspruch ist eine große Herausforderung für eine Sozietät, die, wie alle Gemeinwesen des Zeitalters, ihren Gliedern mannigfache Zwänge auferlegt, zum Teil auferlegen muß; immerhin hat sie selbst, wissentlich oder nicht, diesen Anspruch geweckt; mit Frauenförderungsplänen, mit Krippenplätzen und Kindergeld *allein* kann sie ihm nicht mehr begegnen; auch damit nicht, glaube ich, daß sie mehr Frauen in jene Gremien delegiert, in denen überall in dieser Männerwelt, auch in unserem Land, die „wichtigen Fragen“ von Männern entschieden werden. Sollen Frauen es sich überhaupt wünschen, in größerer Zahl in jene hierarchisch funktionierenden Apparate eingegliedert zu werden? Rollen anzunehmen, welche Männer über die Jahrhunderte hin so beschädigt haben? Obwohl es ja Frauen gibt wie jene Dozentin und Abgeordnete („Lena“, 43), die die „Fassade“ solcher Rollen niederreißt, die Berührungsangst durchbricht: „Ich verringere den Abstand automatisch, bis ich den Menschen ein Vertrauter bin. Diesen ganzen Autoritätszauber halte ich doch für eine Farce, für die kein vernünftiger Mensch Bedarf hat. Diesen Widerspruch gibt es bei allen, die öffentlich wirksam sind. Man wird ständig in Zwiespalt kommen zwischen Autoritätsdenken und dem Sich-selbst-Geben.“

Hoffentlich erkennen wir, wie wichtig die Sensibilität von Frauen für solche Widersprüche uns allen sein muß. Unsere Verhältnisse haben es Frauen ermöglicht, ein Selbstbewußtsein zu entwickeln, das nicht zugleich Wille zum Herrschen, zum Dominieren, zum Unterwerfen bedeutet, sondern Fähigkeit zur Kooperation. Zum erstenmal in ihrer Geschichte definieren sie – ein enormer Fortschritt – ihr Anderssein; zum erstenmal entfalten sie nicht nur schöpferische Phantasie: Sie haben auch jenen nüchternen Blick entwickelt, den Männer für eine typisch männliche Eigenschaft hielten.

Ich behaupte nicht, Frauen seien von Natur aus mehr als Männer vor politischem Wahndenken, vor Wirklichkeitsflucht gefeit. Nur: Eine bestimmte geschichtliche Phase hat ihnen Voraussetzungen gegeben, einen Lebensanspruch für Männer mit auszudrücken. Natürlich wird Aggression und Angst frei, wenn man alte Bilder – besonders die von sich selbst – zertrümmern muß. Aber wir werden uns daran gewöhnen müssen, daß Frauen nicht mehr nur nach Gleichberechtigung, sondern nach neuen Lebensformen suchen. Vernunft, Sinnlichkeit, Glückssehnsucht setzen sie dem bloßen Nützlichkeitsdenken und Pragmatismus entgegen – jener „Ratio“, die sich selbst betrügt: Als könne eine Menschheit zugleich wachsende Anteile ihres Reichtums für Massenvernichtungsmittel ausgeben und „glücklich“ sein; als könne es „normale“ Beziehungen unter Menschen irgendwo auf der Welt geben, solange eine Hälfte der Menschheit unterernährt ist oder Hungers stirbt. Das sind Wahnideen. Es kommt mir vor, daß Frauen, denen ihr neu und mühsam erworbener Realitätsbezug kostbar ist, gegen solchen Wahn eher immun sind als Männer. Und daß die produktive Energie dieser Frauen eine Hoffnung ist. „Die großen Sachen“, sagt eine von ihnen, „die stehen ja doch nicht in meiner Kraft, ich mach mir da keine Sorgen!“

Zwei ihrer Gefährtinnen treten mit ihr in einen Dialog. Die eine, „Ruth“, eine zweiundzwanzigjährige Kellnerin: „Ich frage mich manchmal: Welche Gesellschaft bauen wir eigentlich auf? Man hat doch einen Traum. Ich träume: Die Menschen werden wie Menschen miteinander umgehn, es wird keinen Egoismus mehr geben, keinen Neid und kein Mißtrauen. Eine Gemeinschaft von Freunden. No ja. Jemand wird doch dann dasein, der ja zu mir sagt.“ Und die Physikerin („Margot“, 36), die jetzt malen muß: „Ich würde meine Vision malen: die Angst, wie das menschliche Leben entarten kann, wie die Dinge den Menschen aushöhlen. Wie Menschen massenweise in ihren Betonzellen hausen, und keiner hat Zugang zum anderen ... Wieder Isolation."

Zwischen solchen Alternativen leben wir, Männer, Frauen, besonders die Kinder. Wie können wir Frauen „befreit" sein, solange nicht alle Menschen es sind?

1977

Zum Tod von Maxie Wander

Dieser Verlust ist schrecklich. Ich weiß keinen Trost dafür, daß Maxie Wander nicht mehr lebt, außer dem, daß sie gelebt hat. Trauer, Unglauben, Auflehnung werden wir lange spüren. Eines, glaube ich, sollten wir uns verbieten: von ihr in der Möglichkeitsform zu sprechen: Sie wäre, sie hätte ... Das würde uns zu leicht von der Pflicht entbinden, genau hinzusehn, wer sie war, was sie getan hat – in der Wirklichkeitsform, gebunden an die Bedingungen von Ort und Zeit, die sie ausgeschöpft hat. Gleichzeitig hat sie sich mit den Gegebenheiten nicht abgefunden, hat sich der Spannung ausgesetzt zwischen dem, was wir heute sein können, und dem, was wir morgen sein wollen, um zu überleben. Sie war unzufrieden. Durch tiefen Schmerz, schweren persönlichen Kummer hindurch hat sie mit manchmal erschreckender Intensität und Schonungslosigkeit zu verstehen gesucht, was ihr und den Menschen geschah, die ihr am nächsten standen. Wir haben gesehen, wie sie es mit den Widerständen aufnahm, die ihrer Sehnsucht, sich zu verwirklichen, entgegenstanden. Wie sie suchte, jahrelang. Manches in die Hand nahm, wieder fallen ließ, anderes nur kurze Zeit tat. Wo man glauben mochte, sie sei unbeständig, war sie treu, treu einer Vorstellung, die sie von sich und uns hatte. Wir sahen ihre Ansprüche wachsen, ihre Einsichten sich vertiefen, die Konflikte, mit denen sie es zu tun bekam, bedeutsamer, wesentlicher werden. Leicht war es nicht. Wir sahen sie manchmal entmutigt, öfter zornig, rebellisch gegen Angebote, die, wie sie deutlich empfand, unter ihren Möglichkeiten lagen.

Aber was waren ihre Möglichkeiten?

Wir haben uns angewöhnt, nur nach Ergebnissen zu fragen, die wir messen, sehen, anfassen können. Nun haben wir, zu unserm Glück, ihr Buch. Wir sehen es, manchmal ganz zerlesen, in den Händen ihrer Leser, besonders ihrer Leserinnen. Nun wußte sie, nun wissen wir, welches ihre Möglichkeiten waren – seltene, kostbare Möglichkeiten, die ihr nicht zugefallen sind: Menschen zusammenzubringen, indem sie ihnen half, sich auszudrücken. Dieses Ergebnis kam für viele überraschend, und wirklich, es ist erstaunlich in seiner Unmittelbarkeit und Fülle. Ein Zufallstreffer aber ist es nicht. Es ist Zeichen und Teil ihrer eigentlichen Produktion, einer Lebensform, zu der sie sich vorgearbeitet hatte und die rückhaltlos darauf ausging, menschliche Verhältnisse hervorzubringen. Diese Dokumente von Begegnungen, die in ihrem Buch versammelt sind, sind nicht durch ein technisches Gerät zustande gekommen, das mißbrauchbar ist, sondern dadurch, daß zwei Frauen sich einander öffneten, auch wenn es scheinbar nur die eine ist, die da zu Worte kommt. Wenn Menschlichkeit darin besteht, einen andern niemals und unter keinen Umständen zum Objekt eigener Zwecke zu machen, so war sie menschlich, darauf konnte jeder bauen. Die Frauen, mit denen sie sprach, waren nicht Mittel für ein Buch. Das Buch entstand, weil sie, erfahren in der Schwierigkeit, zur Sprache zu kommen, andere erleben ließ, daß sie nicht von Natur aus dazu verurteilt sind, stumm zu sein.

Was sie am meisten brauchte, trifft sich mit dem, was uns allen am nötigsten ist: Wahrhaftigkeit uns selbst gegenüber, Aufrichtigkeit zu andern; Freude am Zusammensein, die Lust, miteinander zu sprechen, zu feiern, zu essen, spazieren zu gehn, Gedichte zu lesen, Musik zu hören, Bäume, Blumen, eine Landschaft zu erleben, zu streiten, Unglück, Schmerz miteinander zu teilen.

Vielen war sie eine Schwester, eine Freundin, sicher einem jeden auf eine andere Weise. Ich danke ihr, daß es ihr gelang, eine Nähe zwischen uns herzustellen, in der man einander, aber auch sich selbst nicht ausweichen konnte, und Fragen aufkamen, die trafen, ohne zu verletzen. Sie hat über einen jeden von uns nachgedacht. Was sie am meisten anstrebte und an ihren Freunden schätzte, war Echtheit. Rücksichtslos forderte sie uns dazu heraus. Sie hatte einen bestimmten Ausdruck, der anzeigte, daß sie einen Menschen, eine Äußerung, eine Handlung nicht für echt hielt.

Wie gut es ist, daß man über sie nicht lügen muß. Sie war manchmal schwach, hatte Schwächen, machte Fehler. Sie konnte ungeduldig sein, reizbar, niedergeschlagen, auch um Kleinigkeiten. Irgendwann, nachdem man selbst mit ihr ungeduldig gewesen war, verstand man die Ausbrüche, zu denen sie fähig war. Sie mußte sich wehren. In einer langen, schwierigen Anstrengung hatte sie sich von vielen Ängsten befreit. Es blieb die Angst, doch noch verschlungen zu werden von jenem Unding, das der Alltag einer Frau oft ist, üblen Gewohnheiten, falschen Erwartungen, eigener Unsicherheit und schlechtem Gewissen. Sie hat sich, über die Jahre hin, da herausgearbeitet, Stück für Stück. Sie lebte wesentlich. Der Kampf war zu ihren Gunsten entschieden. Jetzt hätte sie Hände, Kopf und alle Sinne frei gehabt für diese Arbeit, die sie für sich entdeckt hatte. Ich bin in die Möglichkeitsform verfallen, die auch die Wunschform ist. Der Satz soll stehenbleiben.

Sie hat sich ihr Gesicht geschaffen. Nichts und niemand, das glaube ich sagen zu dürfen, konnte dieses Gesicht zur Maske machen, es durch Kleinlichkeit, Niedrigkeit entstellen. Sie war schön. Sie hat Glück erfahren, da bin ich sicher. Ihre Briefe, auch die aus der letzten Zeit, zeugen davon. Sie liebte und wurde geliebt. Sie wurde gebraucht. Dieser Zeit, in der die zerstörerischen und selbstzerstörerischen Gefahren so nahe liegen, hat sie Leben abgerungen, hat ein Gebiet abgesteckt und es ständig vergrößert, in dem es mit rechten Dingen zuging, das heißt: freundlich. Ich weiß nicht, was man anderes, Besseres tun kann.

November 1977

Begegnungen

Max Frisch zum 70. Geburtstag

Lieber Max Frisch, die Orte, an denen wir uns begegnet sind, haben sich in meiner Erinnerung in Inseln verwandelt, gegen die die Flut ansteigt. Sich-Erinnern wird in unseren Breiten mehr und mehr zu einer Art Rettungsaktion für Fossilien und Antiquitäten. Darüber sprachen wir eigentlich, ohne es zu wissen, indem wir über Ihr nächstes Buch sprachen, im Mai 1978 in Stockholm. Ihr nächstes Buch ist inzwischen erschienen, es heißt „Der Mensch erscheint im Holozän", und in der Widmung erinnern Sie sich an dieses Gespräch, in dem wir, G. und ich, den Part des künftigen Lesers mit gewissem Anspruch glaubten übernehmen zu müssen. Seitdem haben wir uns nicht mehr gesehen, die Inseln sinken, sinken, man fragt sich, wo das Festland ist, *ein Weg ist ein Weg auch im Nebel*, der Sog des Unwirklichen, Nichtvorhandenen hat schon viele erfaßt, aus Lebenden werden solche, die überleben wollen, Trauer wird durch Unlust verdrängt. Erst greift es ans Herz, dann wird Ans-Herz-Greifen unzeitgemäß, der ergriffene Autor findet sich gestrandet, *die Natur braucht keine Namen. Die Gesteine brauchen sein Gedächtnis nicht.*

Diese Art Sätze waren in unserem ersten Gespräch, zehn Jahre vor dem bisher letzten, nicht in Sicht, die Natur hatte Namen – Wolgafluß, Wolgaufer –, wir schrieben Mai 68, und das Schiff, das zu Ehren Maxim Gorkis eine Schriftstelleransammlung zu befördern hatte, war die „Gogol". Wir redeten. Wir saßen uns im Schiffsrestaurant gegenüber, langsam glitten die Ufer vorbei, die Hitze ließ nach, es wurde Abend, dann Nacht, der helle Streifen am westlichen Ufer erlosch, während – nun schon gegen Morgen – am östlichen Ufer ein rötlicher Streifen aufglomm, die Einzelheiten waren zurückgetreten, zuletzt die Umrisse der Zwiebelturmkirchen an der Uferböschung. Ich habe nun genug Kirchen gesehn, hatten Sie gesagt. – Ein Schiff, leise stampfend, auf einem dunklen Strom, zwischen dunklen Landmassen, unter dem Sternenhimmel der nördlichen Halbkugel: eine abstrakte Situation, die hätte uns vergessen machen können, wer wir waren, wo wir waren. Wir vergaßen es keinen Augenblick. Wir waren uns bewußt, Stellvertreter wenn nicht zu sein, so doch zu scheinen.

„Mißtrauen", schrieben Sie später, hätten Sie mir bei der Begrüßung angemerkt. Wie unsere Erwartungen unsere Wahrnehmungen lenken. Mißtrauen wäre mir als letztes eingefallen, aber woher sollten Sie das wissen. Wir hatten, bis zu einem gewissen Grad, Schablonen zu bedienen, ehe wir sie, bis zu einem gewissen Grad, abbauen konnten. Ich mußte Ihnen mißtrauen, wenn es nach der Richtschnur ging, Sie mußten mir Ihre bürgerlichen Freiheiten entgegenhalten, deren Brüchigkeit ich Ihnen nachzuweisen hatte, während nun wieder Sie mir Staatsgläubigkeit unterstellen mußten. Ganz regelrecht funktionierte die Automatik nicht. Was Wein und Wodka können, haben sie dazu beigetragen, aber ein anderer Geist muß noch am Werk gewesen sein, denke ich mir. Denn während die „Gogol" in jener Nacht viele Male hielt, der Fahrtwind aufhörte, Wärme in die offenen Fenster schlug; während sie wieder und wieder in das Becken eines Schiffshebewerkes einfuhr und – wir sahen es an den beiderseits sinkenden Lichterketten – den Höhenunterschied zwischen Moskau und der Stadt Gorki beharrlich überwand, überfuhr sie anscheinend, ohne daß wir hätten sagen können: Jetzt!, Grenzen, die uns sonst gesetzt sind; Gogols Geist ging um, nach Mitternacht fanden wir uns, selbst beredt genug, unter dem Schutzmantel stummer Gefährten aus einer anderen Dimension und begegneten uns regelwidrig und voraussetzungslos auf dem Boden der Utopie. Es sei der Morgenhauch, glaubten wir, aber wer weiß, was uns anblies, daß wir vergaßen, was wir gesprochen hatten, und Sie, als wir uns spät beim Frühstück trafen, vorsichtshalber anfragen mußten: Also wie war das jetzt – reden wir noch miteinander? – Als gewöhnlicher Wolgadampfer lief die „Gogol" in Gorki ein. Der Boden, auf dem wir fest zu stehen glaubten, hat seitdem ein starkes Gefälle bekommen. Manchmal fanden wir uns von allen guten Geistern verlassen, aber geredet haben wir seitdem miteinander.

Ich könnte Ihnen – falls wir noch einmal auf die „Gogol" gerieten, aber das wird uns kaum passieren – jene Stelle auf dem ersten Deck bezeichnen, wo Sie, an die Bordwand gelehnt, den Namen von Ingeborg Bachmann nannten, bedauernd, daß sie noch abgesagt hatte, und in einem persönlichen Sinn. Daß Sie möglichen Gedanken anderer über Sie zuvorzukommen suchen, habe ich dann öfter beobachtet. Damit riskieren Sie, daß andere überhaupt erst anfangen, sich Gedanken zu machen. Die wachsende Offenheit im Privaten – zeigt sie nicht auch an, daß die Grenzen, die die bürgerliche Gesellschaft zwischen privat und öffentlich gesetzt hat, nicht mehr intakt sind? Daß die Person, die schreibend zwischen privat und öffentlich zu vermitteln hat, wenn die Verantwortung für Öffentliches ihr entzogen wird, eine starke Irritation auch in der Sphäre des Privaten erfährt?

Dies hätte unser Thema sein sollen, 1975, in der Kunsthalle in Zürich. Soweit kamen wir nicht, wir sprachen über „Montauk". Zuvor aber, sieben Jahre zuvor, haben wir in vollem Ernst definieren wollen, was ein „anständiger Mensch" sei – ja, das war bei diesem abendlichen Bankett in der Stadt Gorki –, und was Sie vorschlugen, ist nachzulesen: Ein anständiger Mensch sei heutzutage ein tapferer Mensch; einer, der sich selbst und seinen Freunden treu bleibe. – Wir tranken darauf, fürchte ich, und kamen auf diesen Punkt nicht mehr zurück. Er ist aus den möglichen Gesprächsstoffen ausgeschieden. Die Einsicht, daß die Aufgabe falsch gestellt, also nicht zu bewältigen ist, führt über Konflikte hinweg zum Verstummen. Wir gingen, 1975, nach sparsamem Kommentar zu „Montauk“, durch die Spiegelgasse in Zürich. Die fälligen Namen – Büchner, Lenin – wurden genannt, kommentarlos. Die fälligen Häusergiebel betrachtet. Zum Stadtschreiberhaus. Gottfried Keller. Abermals die Bachmann.

Nichts mehr über Moralisches, soviel ich weiß. Es kommt nicht darauf an, daß wir uns als anständige Menschen fühlen können – was immer das heißen mag. Darauf ist es nicht angelegt. Daß wir nicht aufhören können und dürfen, uns daran abzuarbeiten, ist unser einziges wirkliches Privileg, eine Dauerspannung, die unsere Schreibbemühungen hervortreibt, immer öfter aber blokkiert. Wir, die osteuropäischen Intellektuellen, kamen, so scheint es mir heute, etwas früher zu der Erkenntnis, daß wir unsere Moral ungedeckt, auf eigene Gefahr betreiben als Sie, die westeuropäischen Intellektuellen. Plötzlich kamen wir uns, wenn wir Sie trafen, wissender und erfahrener vor. So daß jenes nächtliche Telefongespräch zwischen New York und Oberlin, Ohio, zwischen einem Hotelzimmer in der Fifth Avenue und dem Arbeitszimmer eines abwesenden Professors, zwischen Ihnen und mir in der Zeit, als es stattfand, eigentlich schon der Vergangenheit angehörte. Eben deshalb fiel es Ihnen womöglich so schwer, es zu beenden. Es war ein Rückfall in die Zeiten, da wir, jeder von uns, für seinen ganzen Staat zu stehen hatten, während Sie, jeder von Ihnen, von der Teilhabe an den Kapitalproblemen Ihrer Gesellschaft dispensiert waren und nur sich selbst vertraten.

Ich habe Ihnen nie erzählt, wie ich am Tag vorher vom Rücktritt des Kanzlers der Bundesrepublik Deutschland erfahren hatte (wir schreiben das Jahr 74): durch einen jungen amerikanischen Lehrer, der mir an seiner Schule Experimente mit Gruppenunterricht zeigte; dem der Name des Bundeskanzlers nicht einfiel, während ich lange mit dem englischen Wort für „Spion" zu tun hatte. Ich fror übrigens im nächtlichen Arbeitszimmer von Professor C. Fünfzehn, zwanzig Minuten lang sagten Sie immer die gleichen Sätze, ich antwortete mit immer dem gleichen Satz: Aber was hatten Sie sich denn gedacht. Ich beneidete Sie um Ihre Entrüstung, aber in den Neid mischte sich ein anderes Gefühl, Kälte. Im Lichtkreis der Schreibtischlampe lag der „Zauberberg", ich hatte ihn in des Professors Bibliothek gefunden und gierig, aber als ein exotisches Buch gelesen, und ich fürchtete, die Frage, ob man ohne Alternative leben müsse, werde mir zur Formel gerinnen, und ich dachte an den jungen Lehrer, der, bloß um überhaupt irgendeinen Austausch zwischen den unerbittlich getrennt sitzenden schwarzen und weißen Kindern seiner Klasse in Gang zu bringen, eine alte Eskimosage über die Entstehung von Sonne und Mond mit verteilten Rollen hatte lesen lassen: ein weißes Mädchen die Sonne, einen schwarzen Jungen den Mond. Ich dachte an die Fünfzehnjährige, die, auf dringliches Befragen nach irgendeinem Einfall zu dem Stichwort Ost-Berlin, lange aus dem Fenster gesehen und schließlich zögernd herausgebracht hatte: The wall ...

Zeitsprung. Formeln mögen nützlich sein, leben kann man nach ihnen nicht. Sie sahen es wohl, als Sie uns im Dezember 76 in der Friedrichstraße besuchen kamen – aus Freundschaft, und aus Anstand, nichts davon war überholt, und wir dankten es Ihnen. In meiner Erinnerung war es sehr kalt, überaus finster, als wir selbviert zum Check Point Charlie gingen. Die Frage war ja, was blieb, wenn die Hilfskonstruktionen zusammenbrechen, eine nach der andern, und welche Haltung dem Stande der Ohnmacht entsprechen mochte, in dem wir uns fanden. Sich zurücknehmen muß nicht Kapitulation bedeuten, doch wie vermeidet man es, daß unterderhand aus der Nicht-Botschaft eine neue Botschaft wird, also eine Täuschung; wie, sich selbstmitleidig in der Enttäuschung einzurichten (sprachen wir von Moral?); wie, mit allem, was wir zu uns nehmen, leiblich und geistig, immer noch, immer wieder jenen funktionssüchtigen Handlanger mitzufüttern, den man uns eingepflanzt hat? Und wie geht man mit der Angst um, die ausbricht, wenn man sich auf den Kampf mit ihm einläßt?

„Literatur in Verkleidung" hieß im Mai 78 das Thema in Stockholm, die Teilnehmer waren gehalten, es ernst zu nehmen. Ein bodenloses Thema. Literatur als Verstellung; der verstellende, sich verstellende Autor, der seine Maske nicht mehr von seinem Gesicht unterscheiden kann und sich nach Griffen sehnt, die keine Kunstgriffe wären. Der also, während er als Typ sich schwinden fühlt, gezwungen ist, als Person („persönlich") hervorzutreten, merkwürdige gegenläufige Bewegung. Ihre Nervosität, ehe wir unsere beiden Beiträge in der Aula der Stockholmer Universität ablieferten. – Können Sie auch vor Lesungen nichts essen? – Ich aß, Salat und Fisch.

Wann kommt das „Wie" in unser Leben? Die Stockholmer Häuser mit ihren scharfen Umrissen wirken wie aus einem Märklin-Baukasten aufgebaut, wenn man auf einem Schärendampfer an ihnen vorbeigleitet. (Schon wieder ein Schiff.) Die Altstadt von Stockholm wirke, sagten Sie, bei sommerlicher Hitze gegen Abend wie eine italienische Stadt. Wir kennen Italien nicht. Dafür, sagten Sie, sollten wir keine Stockfische sein und miteinander für ein paar Tage nach Lappland fahren, um die Rentiere zu streicheln. Das war ernst gemeint, wir konnten nur lachen. Warum sind wir bloß nicht mit Ihnen gefahren. Hatte der Vorbescheid „unmöglich" uns schon ganz besetzt? Man fuhr nicht einfach irgendwohin, nur weil man Lust dazu hatte. Man gab seinen Launen nicht nach. Man brauchte, auch vor sich selber, für alles einen plausiblen Grund. Die Bar, in der wir saßen, war von Geschäftsleuten und Kongreßteilnehmern besetzt. Kein Geist ging um, keine Unirdischen trieben ihr Wesen. Auch wenn wir mehr hätten trinken können, wir wären stocknüchtern geblieben: auf dem Boden der Tatsachen, hinter denen nichts steckt als sie selbst. Eine Bombe ist eine Bombe ist eine Bombe.

Dieser Satz, den Sie nicht aussprachen, ist Voraussetzung für Ihren Satz: *Die Ameisen ... legen keinen Wert darauf, daß man Bescheid weiß über sie.* – Sie würden ins Tessin fahren, arbeiten. Dazu brauchten Sie Lexika, sagten Sie. Ein alter Mann, sagten Sie, abgeschnitten in seinem Haus durch eine Naturkatastrophe, solle sich mit Hilfe von Zetteln, Auszügen aus Lexika, der Naturgeschichte der Lebewesen versichern, während um ihn die Flut steige. Eine Art zweite Schöpfung im Kopf dieses alten Mannes, der nicht lange mehr leben würde, so glaubten wir zu verstehen. Ein konkreter Vorgang, sagten Sie, detailgetreu beschrieben. Aber doch über sich hinausweisend? fragten wir. Doch nicht das natürlich Vorhandene denunzierend durch Zurücknahme. Eine seltsame Art von Tapferkeit unter der Maske des Starrsinns, mitten im Weltuntergang ... *Ein Weg ist ein Weg auch in der Nacht.* Sagen wir uns doch Du, sagten Sie. Du notiertest ein paar Wörter auf die Innenseite einer Zigarettenschachtel.

Dezember 1980

Preisverleihung

Günter de Bruyn

„Gestatten Sie mir, meine Damen und Herren, und gestatte vor allem du mir, lieber" Günter, „meine Ausführungen mit einem Zitat zu beginnen. Es lautet: Wem geben wir Einsen: den Nachbetern oder den Selbstdenkern, den Gleichgültigen oder den Aufrichtigen, den Braven oder den Schöpferischen?

Und wer kriegt die Preise?"

Wer es, wie der Autor, den ich vom ersten Wort an zitiert habe – mit Ausnahme des Vornamens, versteht sich, der lautet bei ihm „Paul" –, riskiert, einen seiner Romane „Preisverleihung" zu nennen, hat Boshaftes, mindestens Maliziöses zu gewärtigen, nun, da er sich selbst einer Preisverleihungsprozedur unterwerfen muß. Doch muß ich nicht boshafter werden, als er selbst es, war. „Es gibt so viele Literaturpreise, daß im Laufe der Zeit jeder bedacht werden kann", las ich schadenfroh und nahm mir vor, hier anzumerken, daß es nicht den Autor, sondern die Institution beschämen muß, wenn ein Preis, wie nach meiner Ansicht dieser hier, reichlich spät an den gerät, dem er lange schon gebührt. „Und überall werden Lobreden gehalten", las ich weiter, „und kein Redner macht sich soviel Sorgen" – hier stock ich doch – „wie er." Dr. Teo Overbeck nämlich, der die Preisrede für seinen Freund Paul Schuster zu halten hat und in dessen Haut ich nicht schlüpfen kann: Nicht nur, weil ich mich einem Geschlechtertausch mit allen Mitteln widersetzen würde, und nicht etwa, weil Günter de Bruyn nicht mein Freund wäre: er ist es, aber eben nicht über den Zeitabgrund von siebzehn Jahren hinweg, und nicht nur, hoffe ich, in dem von ihm scharfzüngig beschriebenen Sinn, daß man Freunde suche, „deren Wesen und Wissen einem nicht ständiger Vorwurf ist, sondern Bestätigung“ – denn gerade das Wissen dieses Freundes ist mir ständiger Vorwurf und Anlaß zu neidvollem Vergleich, und ein Teil seines Wesens auch: Fleiß, Disziplin, Beharrlichkeit, Gründlichkeit, Genauigkeit, Zurückhaltung. Doch bei Preußen sind wir noch nicht, sondern immer noch bei dem Germanisten Teo Overbeck, in dessen Haut ich doch nicht so weit hineinschlüpfen kann, wie ich es, einiger Pointen wegen, gewünscht hätte. Schon daß ich es nicht fertigbrächte, mit zwei verschiedenen Schuhen und einer unausgearbeiteten Rede hier zu erscheinen, trennt uns, und doch sind diese Äußerlichkeiten nur Symptome dafür, daß dieser Laudator sich in die Klemme manövriert hat: Er mußte entdecken, daß er das preisgekrönte Buch nicht ehrlichen Herzens loben kann. Da bin ich in entgegengesetzter Lage; paradoxerweise muß ich, zumindest für diesen konkreten Fall, befestigen, was Günter de Bruyns gesellschaftskritisch angelegter Roman gerade in Frage stellt: die Institution einer solchen Preisverleihung. Darüber ließe sich reden, finde ich, doch nicht heute.

Heute nehme ich diesen Teo Overbeck als das, was er doch hoffentlich ist: eine literarische Figur. Eine von denen – wie übrigens auch sein Mit- und Gegenspieler, der Schriftsteller Paul Schuster – in denen der Autor sich selber prüft, ohne je in die heroische, auch nicht in die tapfer-tüchtig-unerschrockene, die moralisch wünschbare Variante zu verfallen. Teo Overbeck hat ja diesen Autor, den er nun nicht mehr rühmen will, einst selber mit „gemacht“, aber eben auch verdorben, indem er seinem Erstlingsbuch ganz nach dem damals gültigen Maßstab die Individualität austrieb („Ich wußte, was in der Literatur richtig und falsch, aber nicht, was sie selbst ist“). Er ist klüger geworden, der Autor aber ist auf der Strecke geblieben – so verschlungen laufen, wenn kein

Eiferer, sondern ein maßvoller Beobachter ihnen nachgeht, die Wege gesellschaftlicher, auch die persönlicher Moral, wer wollte da richten?

Über den „autobiographischen Kern künstlerischer Literatur". Ohne erwarten zu können, daß Sie mir glauben werden, versichere ich, daß sich, nach der neuerlichen Lektüre einiger Bücher dieses Autors, auch meine Notizen auf eben dieses Thema konzentriert haben, welches der verwirrte Overbeck ins Zentrum seiner verunglückenden Laudatio stellt: „Jeder Autor beutet sein Ich literarisch aus – sein Rang aber bestimmt sich unter anderem dadurch, wieviel auszubeuten da ist."

Und dadurch, *was* da ist, erlaube ich mir hinzuzufügen. Welche Qualitäten freigesetzt werden, wenn ein Autor sich selber heran- und unter die Lupe nimmt. Nüchternheit, zum Beispiel, auch bei dieser schärfsten Probe, Skepsis manchmal, Selbstkenntnis und Selbstironie, die, das bekenne ich gerne, den Umgang mit diesem Autor nicht nur, auch den mit seinen keineswegs harmlosen Büchern ersprießlich, provozierend und produktiv machen. Dem psychologischen Detail entspricht das topographisch-historische, die suggestive Wirkung der Fakten, eine Freude, die de Bruyn sich selber macht, und seine Art von Höflichkeit gegenüber dem Leser. Wenn er etwas verabscheut, ist es Geschwafel, sind es allgemein formulierte Bekenntnisse, doch sind alle seine Bücher ein Bekenntnis zum Konkreten, zu der greifbaren, sinnlich wahrnehmbaren Wirklichkeit. Liebe zum genau beobachteten, durch Studium genau gekannten Detail also, zu bestimmten Städten, Stadtvierteln, Straßen; zu einer bestimmten Landschaft und ihrer Geschichte, zu einem bestimmten Menschenschlag, einer bestimmten Flora und Fauna. Und, alles in allem, zu einer bestimmten, nämlich unaufwendigen, aber auch unbeirrbar humanen Weise, auf dieser Welt zu sein.

Nicht also durch starke, blendende Scheinwerfer, die ein aufgesteiltes Ich als übergroßen Schatten an eine sonst leere Wand werfen, wird diese Prosa beleuchtet.

Sie empfängt ihr Licht aus einer Vielzahl von Quellen, die, jede für sich, nicht viel von sich hermachen, alle zusammen aber jenen Schein hinter den Arbeiten dieses Autors erzeugen, an dem man sie erkennt. Ein Licht, wie es – falls solche Übertragung erlaubt ist – auf märkischen Kiefernwäldern und auf märkischem Sandboden liegen kann; denn die Mark ist es ja, von der Günter de Bruyn in immer neuen Varianten sprechen, auch schwärmen kann, es ist, noch genauer gesagt, die Gegend um die Oberspree und um die Landstädte Beeskow und Storkow, es ist die Stadt Berlin, genauer gesagt, Berlin-Mitte. Dort ist er geboren und aufgewachsen, da lebt er heute, zu Hause in mehr als einem Sinn, und er kann nicht anders, als dieses Gebunden- und Verhaftetsein, diese immer noch wachsende Faszination und Bezauberung auch literarisch auszudrücken und so seiner literarischen Provinz reichlich heimzuzahlen, was er ihr entnimmt: nicht achtend, nicht allzusehr achtend, glaub ich, ob diese Treue und Bindung – eine Art „Freiheitsberaubung" ja auch (einer seiner Titel), auf Verständnis, gar auf den gehörigen Respekt stoßen. Nicht daß er unempfindlich wäre. Doch nimmt er seine Würde aus der Sache, die ihn besetzt hält. Denn die Besessenheit, mit welcher der Amateur-Forscher Ernst Pötsch, die bisher letzte Verwandlungsfigur de Bruyns, seine märkischen Forschungen betreibt, die besitzt der Autor selbst in hohem Maße, und die Versuchung, sich in dieser Entdekkerlust, in Akten- und Quellenstudium, in penibelster, durch Lokaltermine erworbener Detailkenntnis zu verlieren, mag auch an ihn herangetreten sein, doch bannt er sie (und da benötigt er die Fiktion, die Erfindung eben doch), indem er sich durch einen Kunstgriff Distanz verschafft: Ganz wenig nur, um einige Grade, verrückt und verschiebt er die Figur des dörflichen Schwedenow-Forschers ins Provinzielle, Skurrile, Abseitige, zuletzt Abwegige – und hat ein Neben-, kein Ebenbild geschaffen, immer noch gut als positive Kontrastfigur zu dem karrierelüsternen, seine Forschungsergebnisse manipulierenden Berliner Professor, aber doch auch selbst ein kleines bißchen belächelnswert – bis ganz am Ende sein Schicksal noch einen tragischen Zug bekommt. Die Frage nach den Verhältnissen, die den autoritären, berechnenden Professor Menzel nach oben tragen und den an den Rand gedrückten braven Pötsch verrückt machen – die muß der Leser sich selber stellen.

Das Zeitgenössische – de Bruyn hat es immer mit dem Persönlichen zusammen genannt, er hat (nach seinem ersten Buch, dem er später die Legitimierung entzieht) nie versucht, eine Zeitgenossenschaft nach Vorbild oder gar Vorschrift herzustellen, rückhaltlos hat er – und das mag manchmal irritiert haben – „nur" das gegeben, was er verantworten konnte, nämlich sich selbst. Denn – mag es Nebensonnen geben, die sein Werk erleuchten – die zentrale Sonne ist doch das Ich-Interesse, das ich mit dem Beiwort „scheu" charakterisieren möchte, damit auf die Spannungen in Leben und Werk, *zwischen* Leben und Werk eines derart angelegten Autors hinweisend. Daß „von sich aus", „über sich" schreiben immer etwas mit Selbstentblößung, also Überwindung der Schamschwelle, selbst Schamlosigkeit zu tun hat – auch dazu hat er sich geäußert. Aber ein Schreib-Prozeß wird eben nicht authentisch durch die Anlässe und Materialien, derer er sich bedient, die er aufgreift und mit sich führt – die können zufällig sein, angenommen, anempfunden: authentisch ist das Werk, das eine Fixierung, eine Leidenschaft hervorgetrieben hat, eine persönlichste Erschütterung.

Dies bringt mich darauf, von dem Geflecht zu sprechen, das – entstehend aus einer Reihe wiederkehrender Motive und deren Verknüpfung untereinander und mit den Figuren – alles, was de Bruyn geschrieben hat, durchdringt. Manchmal wird das zentrale Motiv ganz rein und unverschlüsselt angeschlagen: „Wenn einer Provinz sagte oder Mark Brandenburg oder Preußen, fühlte er sich gemeint, nach seiner Herkunft befragt, sagte er immer: aus der Berliner Gegend." So über Karl

Erp in „Buridans Esel", der Bibliothekar ist wie de Bruyn es war (nebenbei: ein Einblick in diesen Schriftstellerhaushalt, der nichts umkommen läßt, schon gar nicht einen Fundus, wie die genaue Kenntnis eines Berufes es ist); der zwar nicht, wie sein Autor, in der Auguststraße wohnt, sondern in einer gehobenen Siedlung an der Oberspree, doch das Fräulein Broder in der Auguststraße findet, dem Autor also Gelegenheit gibt, diese Straße zu verewigen, sogar eines ihrer Häuser, und dazu noch eine kleine Berlin-Chronik anzubringen. Selbstverständlich, dieses Buch handelt von einer Liebe, an der dieser Karl Erp – auch wieder alles andere als eine Idealgestalt – doch ein bißchen enttäuschend versagt. Mindestens beim zweiten Lesen aber „handelt" es noch von einer anderen, weiter zurückliegenden Verletzung dieses nicht ganz glücklichen Liebhabers. „Die Kindheit: das Muttermal, das mit den Jahren größer wird" – nach einer Fahrt Karl Erps in sein Kindheitsdorf zu Fräulein Broder gesagt, die, „ganz neue Zeit", nichts „von den Gefühls- und Erkenntnisschichten" begreift, „die sich manchmal nur überlagern, aber nicht überall durchdringen". Ein zeitgemäßer Mangel, das kann man wohl sagen, eine generationsbedingte Not, die einer, der es genau nimmt, nicht wegdrücken kann wie die meisten; an der so einer, ohne auch davon viel Aufhebens zu machen, schon leiden kann; eine Versehrung, die er nicht zu verleugnen, sondern der er durch eine fast fieberhafte Suche nach seiner, unserer Herkunft im engen, weiteren, weitesten Sinn beizukommen sucht; dabei abstößt, was dieser persönlichsten, aber geschichtlich bedingten Not nicht angemessen ist, und, immer sicherer, selbstbewußter werdend, an sich zieht, was er brauchen kann, mit ihr zu leben, mit ihr fertig zu werden. Auch Bücher natürlich, literarische Ahnherren, die in diesen Sog der Selbstfindung geraten, oft nennt de Bruyn Thomas Mann, Theodor Fontane („Immer wieder Fontane") und, endlich fällt der wichtigste Name: Jean Paul.

Zwar habe ich versucht zu zeigen, daß Günter de

Bruyn sich in allen seinen Büchern Geschichte vergegenwärtigt, Gegenwart als Geschichte erlebt, doch ist das Zentralwerk, um dessentwillen ein Preis in Feuchtwangers Namen so besonders genau zu ihm paßt, zweifellos sein Buch über Jean Paul Friedrich Richter, und ich müßte dieses Buch hier vorlesen, wollte ich erschöpfend über das Verhältnis de Bruyns zu eben diesem großen Romanschreiber Auskunft geben, der ihm keine Ruhe ließ, bis er über ihn geschrieben hatte. Lange schon hat ihn dieser Mensch gereizt, in seinen früheren Büchern finden sich Verweise auf Buchtitel Jean Pauls, resignierte Bemerkungen: Aber wer kennt ihn schon? (Das Geflecht!) Blieb de Bruyn bis dahin – wäre ich er, würde ich den geheimen Motiven auch dieses Kunstgriffs noch nachspüren – als Autor und als Person – doch wie das trennen! – *über* seinen Figuren, nahm ihn jetzt einer in die Pflicht, dem er sich als gleichrangig erweisen mußte. Der Glücksfall also einer Idealfigur, alles andre natürlich als ideal, aber so komplex, widersprüchlich, ausschweifend, daß der Autor, sich ihr nähernd, bewundern, verehren, sich identifizieren kann (das exzessive Lesevergnügen, das dieser unbändige Verfasser ungebändigter Prosa seinem Biographen bereitet hat!); daß er andere Züge, Skurrilitäten, Marotten, verstehen, analysieren, erklären, den ganzen Mann und seine Zeitumstände jedenfalls von Grund auf darstellen muß: das Schreibvergnügen nun also auch, das de Bruyn am meisten liebt, nämlich: schreiben aufgrund genauer Recherchen, dabei die Freiheit genießen, Charaktere zu erschaffen. Da wäre es denn ein Wunder, wenn er, de Bruyn, sich in diesem Buch irgend etwas entgehen ließe, was sein Thema oder den Mann, der sein Thema ist, berührt. Seien es die Aufklärung oder die Werther-Mode, die Schulmeistermisere und das Hofmeisterelend der Intellektuellen, sei es, natürlich, das ständige Gerangel mit der Zensur in den deutschen Ländern und der Nachweis ihrer ständigen Wirkungslosigkeit. Menschenhandel. Kleiderordnung.

Die Lage der deutschen Autoren gegen Ende des 18. Jahrhunderts. Verlagsgepflogenheiten. Verlegerlaunen. Wechselnde Schicksale ganzer Länder während der Napoleonischen Kriege. Freiheitsdichtung (oder was damals so hieß). Freundschaftskult und Liebessitten: Wir werden informiert, sachlich, knapp oder ausführlich, genüßlich, ironisch, satirisch, auch aufgebracht. Hier wird Geschichte aufgearbeitet, Herkunft, unter Stichwörtern und in einem Geist, die denen etwas sagen, die heute leben und lesen. Das ist ja kein zahmes Buch, es arbeitet mit Anzüglichkeiten, Spitzen, allen möglichen Arten von Verweisen auf unsere Zeit und unsere Zustände. Sein doppelter Zeitbezug macht es lebendig, sein Autor hat seinen ganzen Apparat in Bewegung gesetzt. Berührt aber wird der Leser, wurde ich, am stärksten durch den Ton der Seelenverwandtschaft, durch jene Verbindung von Sachlichkeit und Einfühlung, bis in den Stil hinein (nein: *durch* ihn), die dem Autor de Bruyn, glaube ich, vorschwebt, wenn er „Prosa“ sagt. Denn nach allem soll man nicht erwarten, hier ginge ein Autor im anderen auf, es bliebe etwa kein Bruch, es gebe keine Abstoßung, selbst Abgrenzung. „Was dieses Leben“, schreibt de Bruyn, „so faszinierend und, bei aller Rationalität, auch unheimlich macht, ist, daß er immer genau weiß, was er will.“ „Unheimlich“ – ein Wort, das man hier nicht erwartet hätte, es signalisiert Gefahren und Gefährdungen, die Doppelbödigkeit des scheinbar Eindeutigen, ein Erschrecken auch vor der nicht ganz geheuren Problematik von Leben und Kunst, vor der Kälte, die den bedroht, „dem alles Erleben sich in Stoff für seine Arbeit umformt“, vor der „Zerstörung des Gefühls durch seine Vorwegnahme im Intellekt“.

Wenn die Jean-Paul-Biographie de Bruyns die allgemeine Problematik einer progressiven kleinbürgerlichen Existenz im Deutschland nach der Französischen Revolution behandelt, so ist sie, mindestens im gleichen Maß, auch ein Essay über diffizilste, letzten Endes moralische Fragen der Kunst und dessen, der ihr verfallen ist. („Er kann nicht anders; nur schreibend realisiert sich sein Leben.“)

Denn ihre Moral ist es, die alle Figuren de Bruyns mit ihrer Zeit verbindet, nicht grundlos hat man ihn einen Moralisten genannt – wenn dieses Wort nur nicht im Kopf des deutschen Lesers sogleich die Vision eines erhobenen Zeigefingers erstehen ließe. Doch ein Moralprediger, ein Besserwisser, Spaß- und Spielverderber ist dieser Autor eben gerade nicht, sondern von alledem das genaue Gegenteil. Er kennt die Menschen und kann sie nicht in „kleine“ und „große“ Leute aufteilen; er weiß, auch von sich selbst, daß ihre Stärken die Kehrseiten ihrer Schwächen sind, und umgekehrt. Er ist, als Autor, gerecht zu ihnen, ohne jemals selbstgerecht zu sein, er nimmt sie und sich, wo immer es angeht, mit Humor. So zögere ich nicht, ihn freundlich zu nennen; ja – diesmal paßt das so selten zutreffende Wort: menschenfreundlich.

September 1981

Lieber Heinrich Böll

Zum 65. Geburtstag

Einmal, vor Jahren, zeigte mir ein gemeinsamer Freund in einem Ihrer Briefe einen Halbsatz, der sich auf einen Dritten bezog; er lautete: „... vom Ruhm bedroht wie wir alle ...“ Meine Reaktion auf Ihre wie beiläufige Aussage machte mir klar, daß ich Sie nicht als „vom Ruhm bedroht“ sah, und daran hat sich seitdem nichts geändert. Ich hätte nie gedacht, daß ich Ihnen das einmal sagen würde, denn zu Ihrem nicht vom Ruhm-Gefährdetsein gehört es gerade, daß Ihr Gesicht solche Bekenntnisse einfach nicht entgegennimmt; darum höre ich damit auf und frage lieber mich, nicht Sie, wie Sie es fertigbringen, als Instanz, die Sie glücklicherweise sind (übrigens auch für mich), nicht Schaden zu nehmen. Ich erinnere mich an Seiten in Ihren Büchern, an Auftritte im Fernsehen, an polemische Artikel und sanfte Artikel, in denen Sie sich ungeschützt zeigten, wütend, verletzt, traurig, entsetzt, angstvoll, dankbar und liebevoll: dies ist nicht der Weg der Instanzen. Ist eine Instanz lustig, ironisch, selbstironisch, listig? Mutig? Und noch dazu scheint Ihnen gar nichts anderes übrig zu bleiben, als dem Bedürfnis so vieler nach einem Menschen, der „zuständig“ ist, zu genügen und es gleichzeitig, „mit der andern Hand“, zu ignorieren.

Wenn man die Wörter zurückverfolgt – was Sie tun; die Wörter beim Wort zu nehmen ist ein Teil Ihrer Arbeit –, dann kommt man ja an den Punkt, an dem sie lebendig waren. Und so finden wir ja denn „instare“, „auf etwas bestehen“, als Quelle für das eingetrocknete „Instanz“, und das ist ja ein höchst lebendiger Vorgang – gewiß kein einfacher, konflikt- und schmerzloser – : auf sich zu bestehen und dieses „Sich“ in aller Bescheidenheit groß zu nehmen. Sie haben es sich selbst zugeschrieben, und Sie schreiben es sich immer weiter zu, daß wir auf Sie hören.

Von vielen Ihrer Bücher weiß ich den Ort, an dem ich sie las: ein Garten, ein Krankenhauszimmer, Hotelzimmer, ein Zugabteil. Nichts, was Sie geschrieben haben, hat mich kalt gelassen, ungeachtet, welchen literarischen Rang es in Ihrem Werk einnimmt. Die Rheinländer kannte ich, ehe ich sie „in Wirklichkeit“ kennenlernte, durch Sie. Durch Sie die Lehre, daß man Abstrakta wie Güte, Gewissen, Hoffnung genauso konkret nehmen und beschreiben kann und soll wie ein Haus, eine Landschaft, eine Familie. Und daß Güte, Gewissen, Hoffnung politische Tugenden sein können. Daß es doch menschenmöglich ist, in einer Person private, literarische, politische Tugenden zu vereinen, zu einer widersprüchlichen Einheit, die ich „Lauterkeit“ nenne.

Lieber, verehrter Heinrich Böll, ich nutze den Anlaß Ihres Geburtstages schamlos aus, um Ihnen einmal zu sagen: Ich bin froh, daß es Sie gibt.

Mai 1982

Franz Fühmann

Trauerrede

Die Stimme von Franz Fühmann hörte ich zum letzten Mal genau eine Woche vor seinem Tod. Es war ein Sonntag abend, es war eine fast unveränderte Telefonstimme, es war – wie nenne ich es – ein normales Gespräch unter Freunden, von denen aber der eine gesund, der andere krank war. Es war von seiner Seite auch ein leidenschaftslos, ohne Selbstmitleid gegebener Bericht von seinem Ergehen in den Wochen davor, und in diesen Bericht war ein Satz eingeworfen, der eine Ahnung, vielleicht ein Wissen andeutete, das in dem ganzen letzten Jahr niemals laut geworden war. Falls es ein solches Wissen gab, hat es ihn nicht gehindert, Streit mit mir anzufangen über einen Autor, den ich ihm empfahl und den er rundweg ablehnte: wegen mangelnder Konsequenz. Seine Kritik bleibe in Symptomen stecken, stoße zum Kern der Sache nicht vor, treffe, vor allem, die Falschen, obwohl er, der Autor, ganz gut wisse, wer die Richtigen seien. Halbheiten also. – Entschieden widersprach ich ihm und erbot mich, ihm bei dem Besuch, den wir verabredeten, zu beweisen, daß er sich irrte. Tu das! sagte er.

Als ich den Hörer auflegte, hatte mein ungutes Gefühl sich verstärkt. Aber die Verabredung dachte ich doch einhalten zu können. Dann wurde die Operation vorverlegt. Dann konnte ich ihn nicht mehr besuchen. Dann traf mich die Nachricht von seinem Tod doch unerwartet. Warum hatte ich den Aufschub für ihn so erhofft. Seinetwegen? Meinetwegen? Und wenn auch meinetwegen: Warum?

Jetzt würde er, da die Frage einmal gestellt ist, gründlich vorgehen. Und was das bei ihm heißt, „gründlich", das muß man nachlesen, zum Beispiel in seinem Trakl-Essay. Zum Beispiel anhand seiner Verfolgung – das Wort trifft den Vorgang! – eines einzigen Motivs aus einer Zeile eines Gedichts: Der Wahnsinnige ist gestorben. Aus Trakls „Psalm". Da erlebt man, erlebe ich in diesen Tagen erneut mit herzklopfender Spannung, was das sein kann, „eine Dichtung empfangen". Wie du aufgerufen und herausgefordert bist mit allem, was du weißt; mit all deiner Erfahrung, und besonders mit jener Erfahrung aus den Krisen und Brüchen deines Lebens; wie du alle Quellen in dir erschließen mußt, aus denen dein Mut sich speist, denn den wirst du brauchen: Je tiefer du dich auf das Gedicht einläßt, um so näher rückt der Augenblick, da eine Kraft dich zwingt, „die Augen zu schließen, als ob das Haupt der Wahrheit sich erhebe"; und wen blicken die Augen dieses Medusenhauptes an, wenn nicht dich, und nun hast du ein weiteres Mal auszuhalten, was das Gedicht, auf rechte Weise empfangen, dir zufügt: „Der Wahrheit nachsinnen – / Viel Schmerz."

Die Poesie, sagt Fühmann, wieder und wieder, die Poesie wirkt wie das Verhängnis. Und er zitiert Baudelaire: „Das Wort verrät, wovon" ein Dichter „besessen ist".

In diesen wenigen Tagen, seit er starb, und seit ich ihn unaufhörlich lese, habe ich ihm nicht die Ehre der Genauigkeit antun können, die er Trakl erweist, indem er dessen häufigste Worte anführt und zählt. Doch will ich es wagen, diejenigen Worte zu nennen, die ich für seine zentralen halte; es sind dies: Wandlung. Wahrheit. Wahrhaftigkeit. Ernst. Würde. Sie alle stehen, wie selbstverständlich in einem Werk, das von einem zentralen Widerspruch her geschaffen ist, zueinander in Beziehung; ihre Antriebskraft, ihre Richtung und ihren Inhalt aber bekommen sie von dem Wort Wandlung, das Thema, in das Fühmann sich „eingeschmolzen" weiß: seinem unausgesetzten, inständigen Versuch, sich wandelnd und den Prozeß dieser Wandlung beschreibend, sich dem Verhängnis zu stellen, ein Generationsgenosse und, bis zu einem gewissen Grad (so schränke ich ein, nicht er!), Teilhaber jenes mörderischen Wahndenkens gewesen zu sein, das Auschwitz hervorbrachte. „Vor Feuerschlünden": Dahin hat er immer wieder zurückkehren müssen. „Von Auschwitz komme ich nicht mehr los." „Meine Generation ist über Auschwitz zum Sozialismus gekommen." Und, unerbittlich weiterfragend, damit die Wahrheit ihr Haupt erhebe, mochte der Blick der Medusa ihn auch vernichten: Wie hätte ich mich verhalten, wäre ich nach Auschwitz kommandiert worden.

Wieder und wieder. Und da Fühmann sich – und uns – keine Scheinfragen stellt, kann man, lesend, konnte ich, bekannt mit der Tatsache seines Todes, das heißt: vom Ende her, aus den Landschaften seiner Bücher jene Struktur sich abzeichnen sehen, die gesetzmäßig und nicht beliebig ist; jene Richtung, zu der er – einmal die Wahl angenommen: Wandlung! – nun gezwungen war. Ein strenges Leben. „Künstler ist, wer nicht anders kann – und dem dann nicht zu helfen ist." Er hat sich abgearbeitet. „Ich übe einen harten Beruf aus, Momente des Glücks sind darin selten, sie stehen sehr nahe dem Unerlaubten." Einmal, in den letzten Zeilen des Trakl-Essays, gesteht er, „am Ende" seiner „Kraft" zu sein. „Wir werden weiter der Wahrheit nachsinnen. – Mehr Schmerz? – Wir werden es erfahren. – Aber es kann wohl nicht anders sein."

Wenn ich mich frage, wie er es sich wohl gewünscht hätte, daß hier und heute über ihn gesprochen werde, so glaube ich eines zu wissen: Er hätte es sich verbeten, jenen Widerspruch zu verharmlosen, zwischen dessen Pole er „bis zur Grenze des Zerbrechens gespannt" war. „Der Konflikt zwischen Dichtung und Doktrin war unvermeidlich", formuliert er als Einsicht in eben dem gleichen Essay, in dem er fragt, warum, unter welchen Umständen er bereit gewesen ist, das Geheimnis der Dichtung einer Doktrin zu opfern. „Beide waren in mir verwurzelt, und beide nahm ich existentiell. Es war mir ernst mit der Doktrin, hinter der ich noch durch die verzerrtesten Züge das Gesicht der Befreier von Auschwitz sah, und es war mir ernst mit der Dichtung, in der ich jenes Andere ahnte, das den Menschen auch nach Auschwitz nicht aufgab, weil es immer das Andere zu Auschwitz ist. ... Mein Konflikt brach von innen aus, nicht von außen, also war er nicht vermeidbar. Sein Ende ist noch nicht abzusehen."

Was bleibt einem Schreibenden in einer derart exemplarischen Situation? Er muß sich selbst als Exempel setzen; das Exempel an sich statuieren. Der Weg – alle die verschiedenen Wege, die Fühmann in den letzten zehn, zwölf Jahren einschlug – führte ihn zu beispielhaften Vergleichen. Über E. T. A. Hoffmann, dem brüderlich Verwandten: „Was leistet er also? Er liefert Modelle. Wovon? Von Menschheits- und Menschenerfahrung." – Über die Plastik, die Wieland Förster, der Freund, von ihm schuf: „Es war kein Abbild, es war ein Gleichnis, das Bild von bestimmten Möglichkeiten und den Hindernissen ihrer Verwirklichung; das Ich des Modells in der Sphäre des Wesentlichen." Es ist sein eigenes ästhetisches Programm, und das Gleichnis, an dem er seit fast einem Jahrzehnt in Gedanken arbeitete, für das er Material zusammentrug, das er wohl als sein Hauptwerk sah, hieß: Das Bergwerk. Er sprach darüber, erzählte Episoden, den Grundgedanken, bezog alles, was er inzwischen tat, auf dieses eigentliche Buch – oft als Störung, oder Abhaltung –, und erklärte mir und anderen vor zehn, elf Monaten: Er habe es aufgegeben. Ich bin damals sehr erschrocken und hatte Mühe, diesen Schreck wenigstens in den Ausdruck des Bedauerns zu mildern. Nun fand ich beim Wiederlesen seiner letzten Bücher, daß sie ja alle schon Teile, nicht nur Vorarbeiten, jenes geträumten Lebensbuches sind: Bestandteile einer Gesamtarbeit, deren Richtung in die Tiefe ging, in immer weniger bekannte, immer dunklere Bereiche, zu den Ursprüngen hin, den Mythen und Märchen, und in das eigene Innere, die Höhlen des Unbewußten, des Schauerlichen, der Schuld und der Scham. „Bergwerk der Träume" finde ich, doch überrascht, schon in „Zweiundzwanzig Tage oder Die Hälfte des Lebens" – ein Buch, in dem er ganz zu sich kommt, ganz bei sich ist. Und das mich getröstet hat: Er hat es gehabt, Lebensgenuß und Lebensfülle, Daseinsfreude und Freundesnähe. Er hat die Verzweiflung durchgestanden, die Versuchungen der Sucht und der Selbstvernichtung überwunden und ist erneut an die Arbeit gegangen. Er macht sich an die Untersuchung der Gründe.

Unser Dialog, der in den fünfziger Jahren begonnen hatte – ich erinnere mich an ein Gespräch an einem der kleinen runden Tische des „Café Praha", er zeigte uns ein Manuskript, das hieß: „Fahrt nach Stalingrad" –, muß in den sechziger Jahren aus Gründen, die ich auch bei mir suchen und untersuchen müßte, spärlicher gewesen sein. Eine gemeinsame Ungarnreise; die Stätten, an denen Attila József, dessen Gedichte Fühmann nachdichtete, gelebt hatte. Der Bahnübergang, an dem er gestorben war. Gespräche auf einer Schiffsfahrt auf der Donau, immer und immer wieder über unser Thema, von dem wir besessen waren: Politik, Kulturpolitik in diesem Land. – Eines der Erinnerungsbilder, das ich von ihm habe: Wie er, noch als dicker Mann, schnaubend und prustend, mit Schlingpflanzen behängt, aus dem flachen Ostseewasser vor Ahrenshoop auftaucht. Dann plötzlich – habe ich da einige Jahre verpaßt? – steht er als ganz Veränderter, Abgemagerter vor mir, und er lehnt alles Eßbare ab. Ja, rigoros ist er gewesen, und er war mir ein wenig unheimlich in seiner Unbedingtheit, doch nun kann ich ein Wort wie „unheimlich" gar nicht mehr denken und niederschreiben, ohne mir die Deutung zu vergegenwärtigen, die er, Fühmann, ihm in seinem Aufsatz „Fräulein Veronika Paulmann aus der Pirnaer Vorstadt oder Etwas über das Schauerliche bei E. T. A. Hoffmann" gegeben hat. Ich weiß noch, daß mich schon sein Essay – „Das mythische Element in der

Literatur" – erregt hatte und daß ich ihm aus der germanistischen Bibliothek in Edinburgh eine entsprechende Karte schrieb. Seine Antwort liegt vor mir: „... Der liebe Gott der Schriftsteller machts schon, daß wir einander finden, wenn wir einander brauchen ..." So war es. Von nun an kann ich fast für jedes seiner neuen Stücke den Ort angeben, an dem ich es las – oft noch als Manuskript, und das Fräulein Veronika Paulmann brachte Fragen wie diese: „Werden müssen, was man flieht – ist es unabwendbar?" Und über das „Degradieren seiner Mitmenschen zur bloßen Sache, zum Mittel", Sätze wie den: „Und daß es so gewöhnlich ist, daß man's nur bemerkt, wenn es einen selbst trifft, doch dann mitten ins Herz."

Auch meine Sache wurde da verhandelt. Phasen gab es, da hatte ich das Gefühl – er auch? Das weiß ich nicht –, daß wir einander zuarbeiteten. Und andererseits: die Reibeflächen, gerade an Gegenständen der größten Annäherung.

War er verletzbar? Ja. Allein – er vertrug Kritik. Jemand wie er, der sich immer neu von Grund auf in Frage stellte. Nur ernst mußte er genommen werden. Ich entsinne mich der Geste und der Miene, mit der er sich nach einer Versammlung, in der Würdelosigkeit und Feigheit dominiert hatten, erhob: So, Freunde. Das ist's gewesen. Hier seht ihr mich nicht wieder. – Und man *hat* ihn in jenem Gremium nicht wiedergesehen. „Ernst und Würde, das sind Worte, die mir gefallen", hatte er geschrieben. Kritik als Farce – das ertrug er nicht. Er konnte verachten, anhaltend und unversöhnlich. Aber er konnte auch – fast möchte ich sagen: vor allem – rückhaltlos bewundern und bejahen.

Ernst, ganz ernst nahm er die Jungen. Nicht nur die Kinder: Alle seine Freunde mit Kindern wissen davon zu erzählen, wie er für Stunden aus dem Kreis der Erwachsenen ins Kinderzimmer entschwinden und sich mit einem achtjährigen Mädchen oder einem fünfjährigen Jungen in profunde Gespräche verstricken konnte, zum Beispiel – das war das letzte Gespräch, dem ich beiwohnte – über Wesen und Natur der Hexen. Und seine Bücher für Kinder! Aber ich wollte von den Jungen reden, die nicht mehr Kinder sind und die Gedichte schreiben. Dadurch fielen sie zwangsläufig unter eine Menschengruppe, für die er sich verantwortlich wußte. Er war ihr Freund, Bewunderer, Kritiker, Berater, Helfer, wenn es denn sein mußte, auch Geldgeber, und ihr Anwalt. Die Briefe, die er um ihretwillen an die Behörden schrieb! Nichts, dachte ich in den letzten Jahren manchmal, quälte ihn so wie die Zwangsvorstellung, er könne ein unterstützungsbedürftiges Talent, ein Genie gar, übersehen, so daß es verlorengehn, verderben könnte. Ob in diesem Land Dichter nachwuchsen; ob es eine Literatur geben wird, die diesen Namen verdient – das war seine ureigene Sorge und Bekümmernis. Ja, es ist vorgekommen, daß er auf einen traf, der sich selbst nicht ernst, nur wichtig nehmen konnte. Nie vergesse ich, wie er, ein Gezeichneter nach der ersten Operation, noch auf der Intensivstation, an all diese Schläuche angeschlossen, da hockte und manisch reden mußte über die letzte Enttäuschung, die ihm einer zugefügt hatte, und ich vergesse nicht, wie jeder Ansatz zur Besserwisserei in mir wegschmolz. Ich blicke mich um, auf der Suche nach dem, der in seine Fußstapfen treten könnte, und mir wird bange.

Ein anderes Bild: Sein Krankenzimmer, umhängt mit den Grieshaberschen Darstellungen des Todes. Das war nach einer späteren Operation. Er habe sich gedacht, das werde vielleicht nichts mehr. Da habe er sich den Alten hingehängt, mal so zum Drangewöhnen. – Und wer dabei war, wird ihn im Gedächtnis behalten, wie er, wenig später, in diesem Saal unter Schmerzen, die man ihm nicht anmerken sollte, sein Plädoyer für Franz Kafka hielt.

Aus seinen Briefen zu zitieren ist es noch zu früh. Nur einen Absatz möchte ich anführen, aus einem Brief, den er mir vor zwei Jahren schrieb, und ich möchte mir erlauben, zu zitieren, was ich ihm antwortete.

„Wenn Du in die Mythologie sinkst“, schrieb er, „dann begegnest Du sicher dem Prinzen Hippolytos, der hat sein Leben der Artemis geweiht, dieser schrecklichen Jungfrau, der Jägerin, und hat darüber Aphrodite zu dienen versäumt, und die rächt sich nun. ... Hippolytos liegt am Schluß im Sterben, und nun hat er nur einen Wunsch: Die, der er sein Leben geweiht, seine Göttin, Artemis, die leichtfüßige Schweiferin, möge ihm in der Sterbestunde sich zeigen, und das tut sie auch, aber um zu sagen: I gitt, du stirbst ja, das ist nichts für mich, schon der Anblick von so einem verunreinigt mich; und sie haut ab. Irgendwie gehts einem mit dieser Scheiß-Literatur so. Man kriegt Briefe, was man da geleistet habe (so wie sich um den Hippolyt das erlegte Wild häuft), aber das ist alles Papier für Papier, und die Göttin erscheint nicht, und täte sie's, sagte sie sicherlich auch: I gitt.“

„Lieber Franz“, erwiderte ich ihm. „Vorausgesetzt, daß Europa nicht in den nächsten Jahren in die Luft fliegt: Das wichtigste ist doch, was wir schreiben. Mach doch bloß Dein Bergwerk. Die Artemis, die Jägerin, ist doch nur in der männlichen Ausdeutung eine ‚schreckliche Jungfrau‘, ursprünglich war sie nur ein anderer Aspekt der Aphrodite, und die beiden lagen nicht miteinander in unstillbarem Streit. ... Und wenn die Göttin nicht herbeigezwungen, sondern auf die rechte Weise herbeigesehnt und -gewünscht wird, und sei es in der Sterbe- oder Schreibestunde, dann kommt sie ganz selbstverständlich, leichtfüßig und wohlgesonnen, und was sie sagt, ist keineswegs: I gitt. Sondern: Na, Alter, immer noch nicht klüger geworden? Und dann lächelt sie auf ihre unnachahmliche Weise, und ... dann hörst Du sie atmen, und alles läßt sich machen. So wird es sein.“

Ob es so war? Wie ich es ihm wünsche. Ob es so sein wird? Was wissen denn wir. Wie sagte doch Franz Fühmann, eine Gedichtzeile Georg Trakls umkehrend: „Die Sonne ist das, was keiner begräbt.“

Juli 1984

Struktur von Erinnerung

Elisabeth Reichart: Februarschatten

Wer spricht denn hier. Eine Frau, Hilde. Gleich nach den ersten Sätzen der Erzählerin setzt ihre Stimme ein. Wen redet sie an. Wessen Augen beobachten sie denn, wer erzählt überhaupt. Welches sind die Ereignisse, die sich so mühsam, gegen ihren zähen Widerstand, aus ihrer Erinnerung herausarbeiten. Und warum diese abgehackten, atemlosen Sätze. Aus ihnen und aus den nachstoßenden Fragen und Beobachtungen der Tochter, vor der diese Sätze auf der Flucht sind, entfaltet sich das ganze Beziehungsgeflecht, in dem diese Frau, Hilde, die immer übersehen wurde, gelebt hat.

Ich las dieses Buch gespannt. Die Anstrengung, die mir auferlegt wurde, erschien mir nötig, nicht willkürlich. Die Struktur des Textes, die einer Enthüllung zutreibt, entspricht dem Gang der Erkundung, den die Autorin unternommen hat, und sie entspricht auch dem Vorgang des Sich-Erinnerns. Ich hatte das Gefühl, an einer Ausgrabung mitzuarbeiten, vor deren Ergebnis mir graute. Wir nehmen teil an den Zuckungen einer Frau, die etwas Entsetzliches herauswürgen soll. Ein Wissen, ein Geheimnis, das sie selbst beinahe nicht mehr kennt, so fest hat sie es in sich eingeschlossen. Vergiß! war ihr Überlebenswort, das sie ihren Nächsten unkenntlich machte und sie in eine unselige Selbstvergessenheit trieb. Diesen Zwangsmechanismus deckt das Buch auf, unbestechlich, aber nicht erbarmungslos, denn die Tochter, die schreibt, die der Mutter ihr Geheimnis abverlangt, steht nicht als die Schuldlose, Rechthabende da, sondern als die Jüngere, die es, unverdient und auch mit Hilfe der Mutter, besser, leichter hatte. So daß sie das Wissen und die Kraft sammeln konnte, um zu fragen.

Gegen Ende des Krieges, Anfang Februar 1945, wurden fast 500 sowjetische Offiziere, die aus dem Konzentrationslager Mauthausen entflohen waren, von der Bevölkerung des Mühlviertels in Oberösterreich niedergemacht.

Elisabeth Reichart ist im Mühlviertel aufgewachsen. Nie, niemals hat sie von den Erwachsenen auch nur eine Andeutung über jenen Massenmord gehört, bis sie selbst fast erwachsen war. Da sprach ihre Großmutter. Wir saßen uns in einem Wiener Restaurant gegenüber, als sie mir davon erzählte, ähnlich stockend, wie sie hier schreibt. Daß diese Mitteilung ihrem Schreibzwang für ihr erstes Buch die Richtung geben mußte, war selbstverständlich. Und daß der Schock, den die Mitteilung auslöste, in dieses Buch eingehen mußte, auch.

Aber sie mußte ja trotzdem zu verstehen suchen. Sie mußte einen Menschen zu verstehen suchen, der dabei war, fast noch ein Kind. Der nicht mordete, aber niemals sprechen konnte. Die reine Schuldzuweisung wäre einfacher gewesen, sich selbst aus dem Spiel zu lassen wäre einfacher gewesen. Schwieriger war es, die Verheerungen aufzuspüren, welche die Verhältnisse in einem Menschen anrichten können und dabei gerecht zu bleiben. Schwieriger, die ambivalenten Gefühle auszuhalten, welche die Erzählerin überfallen, während sie nicht nur in ihrer Figur, auch in sich selbst eine Tiefenschicht nach der anderen abhebt. Haß und Mitleid, Abscheu und Verständnis, Verzweiflung und Schuld – die auch wieder nur an den Reaktionen der Mutter abzulesen sind.

Diese Autorin will ihrer Figur nicht antun, was ihr das ganze Leben lang angetan wurde: Sie will sie nicht zu ihrem Objekt machen. Mir scheint, darin bestand ihre lange und gegen sich selbst rücksichtslose Arbeit an diesem Stoff, daß sie frei wurde von einem blinden Zorn und zu einem sehenden Verständnis kam, das für die Zukunft aussichtsreicher ist. Gewissenhaft, vielleicht übergewissenhaft findet diese Autorin in dem Mittel der doppelten Brechung eine Möglichkeit, ihre Figur von sich selbst zu befreien; indem die Form, die seltsam scheint, oft streng und gebunden, sich auf einmal selbst aufgeben kann: Wenn Hilde, die Mutter, von der doch angeblich die ganze Zeit die Rede war, über die geschrieben wurde, plötzlich aus ihrem Figur-Sein ausbricht und, nachdem sie das Manuskript der Tochter gelesen hat, korrigierend eingreift: Diese Frau bin nicht ich. Die ist ein Hirngespinst der Tochter. Ich habe nie eine schwarze Katze gehabt. Auch sie hat nie eine Katze gehabt. Nichts als Lügen ... Dieses Haus hat es nie gegeben. So wenig, wie meinen trinkenden Vater.

Aber da steht nun das Haus, schwer zu vergessen. Da ist dieser trinkende Vater, da ist das Dorf. Dies alles so hingestellt zu haben, wie aus Stein, wie aus Fleisch und Blut, und es zugleich als Erfindung zu kennzeichnen und in der Schwebe zu halten, erscheint mir als die eigentliche künstlerische Leistung von Elisabeth Reichart. Und die Tatsache, daß ein anderer Umgang mit Menschen als der mörderische, über den sie schreibt, nicht deklariert wird, sondern als aufmerksames Verhalten der Autorin zu ihren Figuren in die innerste Struktur dieses Buches eingegangen ist.

August 1984

Erinnerung an Friedrich Schlotterbeck

„Die Besten müssen springen
in den Riß der Zeit“

Liebe Gabriele Walter, auf Ihren Plan, dieses Buch herauszugeben, reagierte ich freudig zustimmend. Friedrich Schlotterbeck ist Ihr Landsmann; daß Sie Ihren Verlag mit seinem Lebensbericht eröffnen wollten, leuchtete mir ein; mehr: Es erscheint mir als ein später, symbolischer Akt der Heimholung eines viel zu lange wenig Beachteten, und so meinen Sie es wohl auch. Was hinderte mich also, diese wenigen Seiten, ein „Nachwort“, das Sie sich ausgebeten hatten, schnell zu schreiben? Ich muß versuchen, das mir und Ihnen zu erklären.

Ich fange mit Ihren jungen und älteren Lesern an. Ich versuche mir vorzustellen, welche Gefühle und Phantasien der simple Satz in ihnen auslöst: Frieder Schlotterbeck war Kommunist. Ein Reizwort, das womöglich ein ganzes Alarmsystem in Gang setzt, Bilder heraufbeschwört, Empfindungen, die nur scheinbar Urteile sind. Ich frage mich, ob es gelingen kann, einen solchen in vielen Köpfen fest steckenden Brocken Vorurteil aufzulösen in die Geschichte eines Mannes, der so beschaffen war, daß er mit Haut und Haaren in die deutsche Geschichte dieses Jahrhunderts verwickelt werden mußte. Seine höchste Lust war die Lust am Widerspruch, und eines der Wunder dieser Existenz war es für mich, daß ihm diese Lust nicht verging – auch dann nicht, wenn er selbst immer wieder zwischen die Mahlsteine gefährlichster Widersprüche geriet. Es machte ihm einen unbändigen Spaß („unbändig“ war eines seiner Worte), den feinsten Verästelungen nachzuspüren, die letzten Würzelchen auszugraben, aus denen dann am Ende die großen „Schweinereien" erwachsen waren. In seinem schwäbischen Bauernschädel, der auch der Kopf eines Landpfarrers hätte sein können, gab es keine festgefrorenen Klischees; da wurden historische Bewegungen beobachtet, leidenschaftlich wurde ihren Ursprüngen nachgetüftelt, und die Methoden und Ergebnisse solcher Forschungsarbeit wurden uns dann genüßlich unterbreitet. Also nun paßt emal uff, die Sache ist doch so ... Das konnte dann lange dauern. Das konnte in einer der zahllosen Versammlungen jener Jahre sein, oder bei ihm zu Hause, in der Sitzecke mit den riesigen Sesseln, die ihm und Aenne, seiner Frau, in ihrer „Dresdener Zeit" aus dem Besitz des ehemaligen Nazi-Gauleiters Mutschmann übereignet worden waren, oder, im Sommer, draußen, auf der sogenannten „Terrasse" neben ihrem Haus in Groß Glienicke bei Potsdam. Der Kreis konnte groß oder klein sein, er konnte zusammengesetzt sein, wie er wollte – Frieder hätte weder seinen Tonfall geändert noch sein Thema, noch die Brisanz und Schärfe seiner Aussagen. Er glaubte – ich muß es wohl so sagen: Er glaubte an die Überzeugungskraft vernünftiger Argumente – ein weiteres Wunder dieses Charakters, wenn man sein Leben kennt, oder wenigstens dieses Buch gelesen hat. Und, da Wunder anscheinend Wunder erzeugen: Tatsächlich wurden Leute „besser" in seiner Nähe, nachdenklicher, offener, weniger mißtrauisch, toleranter. Bürokratisches und dogmatisches Gebaren schienen sich nicht nur an ihm selber, sie schienen sich auch in seinem Dunstkreis schwer halten zu können, außerdem bezog er sie – gerade sie! – als bevorzugte Objekte in seine Untersuchungen ein.

Und das war wohl ein anderer innerer Widerstand, den ich gegen diese Aufzeichnungen hatte: Würde es mir jetzt schon möglich sein, einen Schimmer von dem Geist jener Jahre festzuhalten, die für mich – so sehr schwierig sie mir damals oft vorkamen – doch in ein etwas milderes, „menschlicheres" Licht getaucht sind, verglichen mit der grellen, nüchternen und drohenden Beleuchtung dieses Jahrzehnts.

Erst heute gebe ich mir darüber Rechenschaft, daß das Vorhandensein dieser beiden – Frieder und Aenne Schlotterbeck – eine Oase von Freundlichkeit, Zuneigung, Erfahrung, von Unerschrockenheit, Heiterkeit und Witz für uns schuf. Man konnte hingehen und verzwickte politische Entscheidungen mit ihnen erörtern. Man konnte aber auch ausführlich wegen eines Rezepts für eine opulente schwäbische Kartoffelsuppe mit Frieder telefonieren. Man konnte damit rechnen, daß er im frühen Frühjahr bloß mal schnell vorbeischaute, um ein Bündel Salat aus seiner Frühbeetzucht abzuwerfen. Man konnte, wo es nötig war, komplizierte Intrigen mit ihm spinnen; allerdings bekam sein Gesicht dann einen Grad von eulenspiegelhafter Verschmitztheit, daß die Geheimhaltung gefährdet wurde. Bei Schlotterbecks wurde gelebt, mit beiden Füßen auf der Erde, Kopf und Herz frei für Gedanken und Gefühle. Mangel und Armut, jede Art von Einschränkung hatten sie in ihrer Jugend, und später, überreichlich erfahren. Für ihre Sehnsucht nach einem vollen, reichen – nicht saturierten – Leben für sich und ihre Klasse hatten sie gekämpft wie wenige. Jetzt vertagten sie das Leben nicht auf den Sankt-Nimmerleins-Tag, an dem alle Menschen gut, alle Widersprüche beseitigt und die Erde ein Paradies wären. Frieder Schlotterbecks Fähigkeit, zu genießen, war umfassend und produktiv, auch ansteckend. Er genoß das Zusammensein mit Menschen aller Art, er genoß es, zu lesen, mit Kindern umzugehen, im Garten zu arbeiten; er genoß es, sich zu bewegen. Er rannte immer, wie ein Jüngling. Oft stellte ich mir diesen bewegungshungrigen Mann in die Enge einer Zelle, eines Zuchthausflurs gezwungen vor. Er hatte nachzuholen. Und wie er es genoß, zu lachen! Seine Besessenheit, Menschen und Zeit zu durchschauen, machte vor sich selbst nicht halt: Er lachte auch über sich, über seine „Pannen“, „Betriebsunfälle“, über seine schwachen Seiten. Das zog uns Jüngere so an: Hier war ein Mann, der sich nicht ein einziges Mal, um sich Autorität zu verschaffen, hinter seinem Leben verschanzte, das uns ungeheuer erschien, sondern der dieses Leben und seine Lehren mit uns durchging, als stelle er sie noch einmal zur Disposition. Nie ist es ihm darum gegangen, sich ins rechte, was heißt: ins beste Licht zu rücken. „Daß wir noch lebten, war Glückssache. Daß wir moralisch bestanden hatten, unsere eigene Leistung. Doch darüber sprach man nicht."

Frieder hat sich nie zum Lehrer aufgeworfen. Aber bei ihm lernten wir, was wir auf keine andere Weise hätten lernen können: zuhörend, grinsend, zähneknirschend, kopfschüttelnd, nachfragend, diskutierend, protestierend, widersprechend, lachend. Sehen Sie, auch diese persönlichen Erinnerungen stehen mir eigentlich im Wege, ich kann Frieder Schlotterbeck nicht zum Objekt meiner Betrachtung machen, er kommt mir mit seinen widerspenstigen Kommentaren andauernd in die Quere. Ich sehe ihn im Krankenhausflur stehen, in seinem etwas abgewetzten braunen Bademantel, leicht geneigten Kopfes und höflichen Gesichts die Vorhaltungen und Ermahnungen entgegennehmend, die wir uns nach seinem ersten Herzinfarkt herausnahmen. Also schonen. Eine langsamere Gangart einschalten. Nicht mehr rauchen. Jaa, sagte er. Isch schon recht. Wird gemacht. Aber ob ich nicht auch den Typ in seinem Zimmer ganz kollossal fände in seinem spontanen Klassenbewußtsein. – Er konnte keine Ruhe geben. Wenn der Arzt ihm absolute Bewegungslosigkeit verordnet hat, liegt er im Bett und fuchtelt auf beängstigende Weise mit den Armen. Das ist nämlich so, sagt er, wenn du nicht andauernd gegen den Schafpferch anrammelst, dann wächst er auf dich zu.

Erkennen, durchschauen „wie der Laden läuft", war ihm ein Bedürfnis wie Luftholen. Er war Arbeiter und Revolutionär, das machte sein Denken konkret, gesättigt mit sozialer und historischer Erfahrung, verbindlich, zukunftsgerichtet. Von seinem Vater, dem Stuttgarter Metallarbeiter, der ihm den Traum von der sozialistischen Revolution in Deutschland weitergegeben hat, erzählte er, er habe ihm als Jungen einmal im Schaufenster einer Buchhandlung „Das Kapital“ gezeigt, ehrfürchtig: das Buch, das er niemals kaufen konnte, das er selbst auch nicht hätte lesen können. Der Sohn brachte es, mit Strichen und Randnotizen versehen, 1930 von der Schule in Moskau mit. Da war der Grund für seine marxistische Bildung gelegt. Frieder Schlotterbeck, ein kritischer philosophischer Kopf, hatte ein vertraulich-familiäres Verhältnis zu den marxistischen Klassikern, sprach von ihnen auf unnachahmlich respektlose Weise, luchste ihnen ihre Methoden ab, wälzte sie um und um, notierte seine Lesefrüchte in klitzekleiner Steno-Schrift in zahlreiche Notizbücher und beehrte uns manchmal mit Lesungen aus seinem Zitatenschatz, oder er verschickte „mit schmatzendem Behagen“ – dies einer seiner Lieblingsausdrücke – Aussprüche von Marx, Engels, Rosa Luxemburg und Lenin, die ihm auf die gegenwärtige Lage, meist als sarkastischer Kommentar, zu „passen“ schienen. Undogmatischer als er war keiner. Leuten, die den Marxschen Geist am liebsten auf Apothekerflaschen ziehen, ging er gewaltig auf die Nerven. Es müssen Hunderte von Stunden gewesen sein, in denen wir mit den Schlotterbecks Gründe, Erscheinungsformen und Folgen sektiererischen, erstarrten Denkens durchgegangen sind. Gegen sechs Uhr abends gab es dann oft ein Glas Sekt, und inzwischen war auf dem Herd in der Küche ein Gericht von Frieder angesetzt worden und fertig geköchelt, das man später, während man ununterbrochen weiterredete, verspeiste. An dir ist ein Koch verlorengegangen, sagten wir, aber er *war* ja gar nicht verloren, der Koch, sowenig wie der Historiker, der Schriftsteller, der Forscher „verloren“ waren. Er hockte sich über Prozeßakten, in Archive; ich kenne keinen besseren Führer durch Potsdam, als er es war: Er sah Preußens Gloria mit dem scharfen, unbestechlichen Blick von unten, von den ins Militär gepreßten langen Kerls, von den zur Arbeit gepreßten Waisenhauskindern her. „Im Rosengarten von Sanssouci" ist noch heute ein lesenswertes Buch.

Einmal hat er uns mitgenommen in die mecklenburgische Kleinstadt Bützow und ist mit uns am Zaun des Gefängnisses langgegangen, in dem er noch einmal, in den fünfziger Jahren, einige Jahre verbringen mußte – „unter falschen Anschuldigungen", wie es später hieß. An jenem Tag hat er wenig gesprochen, nur sachliche Anmerkungen gemacht: Das dort oben war das Fenster, da und da habe er gearbeitet. Als Tischler. Später auch in der Bibliothek. – Dieser böse Prozeß, diese Anschuldigungen – sie waren nicht nur falsch, sie waren absurd –, diese Haft haben ihn bis an sein Lebensende nicht losgelassen. Er und Aenne Schlotterbeck, die ihm aus der Schweizer Emigration gefolgt war und der es erging wie ihm, haben zu würgen und zu schlucken gehabt an diesem Unrecht, das ihnen Leute antaten, die sie für die eigenen hielten. Als wir sie kennenlernten, Anfang der sechziger Jahre, konnten sie schon darüber sprechen: sarkastisch, zornig, später manchmal ingrimmig-humorvoll; merkwürdigerweise nie bitter. Erklären kann ich das nicht; es zu bewerten, maße ich mir nicht an. Es war so. Anstatt zu verzweifeln oder zu verbittern, machte Frieder Schlotterbeck sich daran, sich nun auch noch mit der Geschichte seiner eigenen Partei auseinanderzusetzen. Wer, wenn nicht er hatte das Recht, den Dingen auf den Grund zu gehen, Phrasen, Halbantworten zurückzuweisen, an Vorgänge und Konflikte zu rühren, die ihm selbst schwer zu schaffen gemacht hatten. Er wollte Bescheid wissen, ehe er starb. Es kratzt nicht mehr so sehr, sagte er einmal, als er einen besonders wunden Punkt berührte. Man wird etwas milder mit den Jahren.

Viel schwieriger fand ich es, ihn über das Ende seiner Familie zu befragen. Hier setzte die Scheu ein Tabu. Nie habe ich ihn gefragt, wie seine Nächte waren. Nie, wie er mit dem Los des einzigen Überlebenden fertiggeworden ist. Wenn ich mich in seine Lage zu versetzen suche, stoßen meine Gedanken an eine Grenze; diese Heimkehr, die er am Ende seines Buches beschreibt, kann ich mir nicht in allen Einzelheiten ausmalen. Vor wenigen Jahren stand ich vor diesem halben Reihenhaus in der Annastraße 6 in Stuttgart-Untertürkheim, das die Familie Schlotterbeck sich in den zwanziger Jahren baute, als der Vater Gotthilf auf Dauer bei Daimler Arbeit gefunden zu haben glaubte. Eine Tafel, die Sie kennen werden, erinnert daran, daß alle Angehörigen dieser Familie: der Vater Gotthilf; die Mutter Marie; der Bruder Hermann; die Schwester Gertrud; Frieders Braut Else Himmelheber – daß sie alle, bis eben auf Frieder Schlotterbeck, der in die Schweiz hatte entkommen können, im November 1944 von den Nationalsozialisten umgebracht wurden.

„Die Besten müssen springen in den Riß der Zeit" – diesen Spruch gab man ihm bei seiner Jugendweihe. Das hört sich gut an, wie Sprüche immer. Aber wenn solch ein Spruch Wirklichkeit wird? Und wenn der „Riß der Zeit" eher wie ein Reißwolf aussieht, der einen zu zerfetzen, zu zermalmen droht, ehe er einen verschlingt? „Doch darüber sprach man nicht." Einmal hat er, sachlich und unsentimental, einen merkwürdigen Satz gesagt: Er sehe, daß die unerwünschten Leben wie das seine ganz und gar verlorengehen würden. Natürlich widersprach ich ihm. Heute aber frage ich mich doch, wer eigentlich noch das inständige Bedürfnis hat, einem Leben wie dem seinen wirklich nachzugehen; wer noch wirklich wissen will, was er empfand, der Illegale, in jener Nacht in Chemnitz, im Dezember 1933, vor dem alle Türen, die in irgendein Haus, in irgendein Zimmer geführt hätten, sich geschlossen hatten. Als eine „Turmuhr zu schlagen" begann, und „jeder Schlag sagte: Aus! Aus!" Er wußte, was ihn erwartete. Das schlimmste, hat er gesagt, sind nicht die Folterungen und die Schläge gewesen, da hast du zurückgeschlagen. Das schlimmste war, wenn sie dir einen reinbrachten, physisch und psychisch fertig; kein Gesicht mehr; du kennst ihn, er kennt dich.

Sagt aber, am Rande des Umkippens, er kenne dich nicht. Du kennst ihn auch nicht. Aber sie haben dir gezeigt, was sie mit dir machen können.

Ganz selten, an zwei, drei Stellen seines Berichts, deutet Frieder Schlotterbeck einen Grad von Verzweiflung an, der ihm das Leben gleichgültig macht. Einmal kann er, als Stubenältester im KZ, einen schwer erkrankten Mithäftling, einen alten Mann, nicht retten; er stirbt an der Roheit und dem Zynismus der SS-Mannschaft. Doch nicht denen, sich selbst legt er diesen Tod zur Last. Er meldet sich zum Minenräumen: „Bei mir ist es egal." – Ich glaube, diese Art bedingungsloser Menschlichkeit ist das Fundament, auf dem wir weiterleben. Wenn es sie nicht *auch* gegeben hätte – wie selten, vielleicht vereinzelt auch immer –, wäre in Deutschland nach der Niederschlagung des Faschismus nur noch ein Vegetieren, keine Geschichte mehr möglich gewesen. Denn es ist nicht wahr, daß aus Unmoral Geschichte wird.

„Der Mensch ist nicht zu allen Zeiten schön" – das hat Frieder Schlotterbeck sehr wohl gewußt. Aber er hat auch das andere erfahren. Vor mir liegt ein Manuskript der Rede, die er 1969, am 25. Todestag seiner Angehörigen, auf der Gedenkfeier der IG-Metall in Stuttgart-Untertürkheim für seinen Vater gehalten hat. Indem er über diesen Mann spricht, den er „schwierig" nennt – stolz, respektlos, ja drohend sei er gewesen, „wie sich vor hundert Jahren Friedrich Engels den Arbeiter wünschte" –, indem er sein Leben nachzeichnet, in welchem die Klassenkämpfe die herausragenden Ereignisse gewesen sind, enthüllt er zugleich die Wurzel für die Unanfechtbarkeit der ganzen Familie durch den Bazillus des Nazi-Denkens. Vielleicht kennen Sie jenes „Waldheim", ein Stück der „eigenen Welt", die Arbeiter sich vor dem ersten Weltkrieg geschaffen haben. „Es war Heimat, gewährte Schutz, Geborgenheit und Kraft"; er, der Redner, hat diese Geborgenheit und diese Verbundenheit als kleines Kind erfahren, und ich glaube, daß er aus dieser Erfahrung sein Leben lang Kraft schöpfen konnte. Es läßt sich ausdenken, was ein Sohn aus gutbürgerlichem Hause, der ähnlich begabt gewesen wäre wie dieser Arbeiterjunge, aus seinen Talenten, dem Geld und der Protektion des Elternhauses sich für einen Lebenslauf hätte zurechtzimmern – nein, eben nicht „zimmern“: auf welcher Lebensbahn er hätte dahingleiten können. Ich bin sicher, diesen gedachten Doppelgänger hätte Frieder Schlotterbeck in keinem Augenblick seines Lebens beneidet. Ganz andere Werte hatten sich ihm unausrottbar eingeprägt, die brachten ihm keinen materiellen Gewinn, keine Titel und Stellungen, aber sie hielten ihn lebendig und waren zukunftsträchtig. Er war ein nobler Mensch. Am Grabe seines Bruders Hermann, in dem außer dem Leichnam dieses Bruders Urnen mit der Asche unbekannter Ermordeter aus Dachau beigesetzt sind, sagte Frieder Schlotterbeck vor sechzehn Jahren: „Diese Toten hier starben für die Würde des Menschen, für sein Recht auf Persönlichkeit, um ein bißchen Freiheit.“

Frieder Schlotterbeck starb im April 1979. An seinem Grab sagte ich: Mit ihm geht ein Mensch aus unserem Leben, wie wir ihm nicht mehr begegnen werden, wir fühlen es wohl alle, so allgemein und banal dieser Satz auch scheinen mag.

April 1985

Zeitgenossen
II

Fragen an Anna Seghers

Christa Wolf: Frau Seghers, Ihr neues Buch, „Die Entscheidung“, handelt in unserer unmittelbaren Gegenwart. Wie kann man nach Ihrer Erfahrung einen Teil des Lebens, der noch nahe liegt, richtig darstellen, so daß er beinahe wirkt wie etwas Historisches, über das man schon einen genauen, abgeschlossenen Überblick hat?
Anna Seghers: Man überlegt, wie sich bestimmte Menschen, die man sich genau vorstellen kann, in bestimmten Situationen verhalten haben; man fragt sich: Wie hat dieser Robert oder Richard damals reagiert, bei welchem Ereignis kommt sein Charakter, sein Wesen voll und ganz heraus? Sicher, ich werde mein möglichstes tun, um sie in entscheidende Situationen zu bringen. – Aber ich gehöre zu den Schriftstellern, die nicht gut über das reden können, was sie schreiben, und wenn ich diese Antwort lese, wird sie mir vielleicht ganz falsch vorkommen ...

Noch einmal: Wenn man die Situationen, von denen ich sprach, genau und klar schildert, wie sie wirklich waren, auf Grund alles dessen, was man weiß, dann wirken sie wie Dokumente. Das ist vielleicht, was Sie als historisch empfinden: daß ich versuche, möglichst einfache, klare Dokumente aus Vorfällen zu machen.
Christa Wolf: Und wieso wissen Sie, daß der Vorfall, den Sie möglichst genau aufschreiben, so gewesen ist, wie Sie ihn sehen?
Anna Seghers: Ich habe den Sozialismus nicht erfunden. Er ist vorhanden, in der Wirklichkeit. Da ich selbst den

Sozialismus wünsche, drücke ich aus, indem ich die Wirklichkeit richtig schildere, was zum Sozialismus drängt. Ich drücke aus, was die Menschen dazu bringt, dem Sozialismus zu helfen, und was andere dazu bringt, ihn zu hemmen.

Man findet in unserem Leben viele Erscheinungen, Gutes und Schlimmes. Im Zusammenleben der Menschen beobachtet man manches, was nur heute und nur hier möglich wäre, und anderes wieder, was schon lange existiert. Beides zusammengenommen gehört in ein Buch, damit es Saft und Kraft bekommt, damit der Leser sich in dem Buch erkennt und versteht.

Christa Wolf: Was würden Sie als die Grundidee Ihres Buches bezeichnen?

Anna Seghers: Das Buch heißt „Die Entscheidung". Mir war die Hauptsache, zu zeigen, wie in unserer Zeit der Bruch, der die Welt in zwei Lager spaltet, auf alle, selbst die privatesten, selbst die intimsten Teile unseres Lebens einwirkt: Liebe, Ehe, Beruf sind sowenig von der großen Entscheidung ausgenommen wie Politik oder Wirtschaft. Keiner kann sich entziehen, jeder wird vor die Frage gestellt: Für wen, gegen wen bist du? – Das wollte ich an verschiedenen Menschenschicksalen zeigen.

Christa Wolf: Haben Sie Prototypen für Ihre Figuren oder für einige von ihnen?

Anna Seghers: Ich stelle nie mir bekannte Menschen genau dar. Eine literarische Gestalt setzt sich aus Wirklichem und Erfundenem zusammen.

Christa Wolf: Ihr Buch bringt eine Fülle von Gestalten. Wahrscheinlich werden verschiedene Leser zu verschiedenen Romanfiguren ein besonders enges Verhältnis finden. Ich habe zum Beispiel am meisten an Robert Lohse gehangen.

Anna Seghers: Andere Menschen sagten mir, daß ihnen die Riedls oder Thomas besonders nahe seien ... Ich habe Lohse gern, weil er es nicht leicht hat. Menschen, die es immer leicht haben und besonders strahlend sind, mißtraut man etwas, ehe man sie nicht auf die Probe gestellt sieht. – Bei Lohse übrigens hat mich ein Thema besonders interessiert, das ich in diesem Buch vielleicht noch gar nicht genug herausgearbeitet habe. Ich möchte es später noch einmal aufgreifen, vielleicht in einer Erzählung. Ich meine das Verhältnis zwischen den Fähigkeiten eines Menschen und seinen Leistungen. Das erscheint mir ein wichtiges Thema in unserer Zeit.

Die große Entscheidung für oder gegen uns fiel für Robert Lohse schon in der Nazizeit, gehört also zur Vorgeschichte des Romans. Im Buch geht es darum, daß Robert, der sich inzwischen oft bewährt hat, nun, da seine Klasse gesiegt hat, immer noch darum kämpfen muß, oben zu bleiben, nicht abzusinken. Es geht darum, ob er imstande ist, sein Talent zu entwickeln. Wird er noch Lehrer werden? Ist er nicht schon zu alt? Hat nicht seine schwere Vergangenheit seine Fähigkeiten taub werden lassen, obwohl er sich sehnt, etwas zu leisten, und sein Zurückbleiben ihn unglücklich macht? – Ob sich ein Mensch entwickeln kann nach seinem Talent und seinen Fähigkeiten oder ob er daran gehindert wird und dauernd zurückgestoßen, das ist ein wichtiger Maßstab für die Gesellschaftsordnung, in der der Mensch lebt. Damals war es noch häufig Zufall, ob ein Mensch auf die Umstände traf, die ihn wirklich weiterbrachten. Heute haben es begabte Menschen bei uns viel leichter ... Mir scheint, auf dieses Problem lassen sich viele Widersprüche, viele persönliche Konflikte von Menschen zurückführen.

Christa Wolf: Auch an diesem Problem wird einem deutlich bewußt, wie schnell unsere Entwicklung in den letzten Jahren gewesen ist. Oft fragte ich mich beim Lesen des Buches: War das damals wirklich so schwer bei uns, so mühsam? Wahrscheinlich werden sich viele Leser die eigenen Erinnerungen zwischen die Seiten schieben. Auch wenn die Handlung abbricht, weiß man, wie es weitergehen wird: man schreibt unbewußt, aus eigenen

Erfahrungen schöpfend, mit. Daher möchte ich Sie noch etwas fragen: In Ihrem Buch müssen drei Menschen sterben: Rentmair, Katharina Riedl und Herbert Melzer.
Anna Seghers: Auch andere, zum Beispiel der Schwiegersohn von Castricius, der erschossen wird!
Christa Wolf: Ich vergaß ihn, weil ich ihn nicht bedauert habe; ich fand richtig, daß er erschossen wird. – Überhaupt haben mich in diesem Buch „unsere" Leute durchweg mehr interessiert als „die anderen". Um die drei Toten auf unserer Seite tat es mir leid. Zum Beispiel Katharina: *Mußte* sie sterben, als sie sich gerade entschieden hatte, zu uns zu kommen?
Anna Seghers: Ich sah von Anfang an das Schicksal dieser zwei Liebenden – Katharinas und ihres Mannes – als ein schweres und tragisches an. Es begibt sich im kalten Krieg. Riedl hat gedacht, als er ohne Katharina aus dem Westen wieder zurückfuhr: Wäre sie mit mir gegangen, hätte sie lange Zeit bei mir bleiben können, dann wäre sie wahrscheinlich in unser Leben hineingewachsen; aber sie konnte nicht probeweise mitgehen: es gibt nur hüben und drüben. Sie hat sich Furcht einjagen lassen. Sie ist zu spät gekommen.

Vielleicht fragt mancher: Was geht mich ihr Schicksal an? Ich glaube, der Autor darf die Menschen nie allein lassen. Jeder muß beim Lesen fühlen: Sieh an, der versteht mich, selbst da, wo der eigene Mann, der beste Freund, die Mutter mich nicht mehr verstehen. Der kennt meine Sorgen und gibt mir die Hand, der weiß was von mir. – Wenn Katharina gedankenlos, vergnügt über die Grenze hüpfte – wer weiß, ob sie dadurch Menschen so helfen könnte, wie sie es jetzt vielleicht tut? Ich meine, die Gestalt in einem Buch muß selbst nicht unbedingt optimistisch sein, um Optimismus, um richtige Handlungen beim Leser zu erzeugen. – Katharina und Riedl drücken etwas für unsere Zeit sehr Typisches aus, es gibt viele Menschen ihrer Art. Es gibt auch viele, die ein ähnliches Schicksal haben, ohne daß einer von beiden sterben muß.

Christa Wolf: Und der Herbert Melzer? Mußte der auch sterben?
Anna Seghers: Muß? Was meinen Sie damit? Sie werden schon gemerkt haben, daß ich ungern über Menschen spreche, die mir beim Schreiben wichtig sind. – Ich denke, mit Melzer ist das so: Er ist ein Mensch zwischen den Klassen. Vielleicht hätte er nicht unbedingt zugrunde gehen müssen. Er hat geschwankt, er war schon weit abgetrieben. Nun, da er zurückfindet, geht er aufs Ganze: auf Tod und Leben. Nachdem er sich entschlossen hat, zum nichtreproduzierten, zum wirklichen Leben zu gehen, trifft es ihn sofort mit voller Wucht.

An der Melzer-Handlung war mir auch folgendes wichtig: Die drei Spanienkämpfer Richard Hagen, Robert Lohse und Herbert Melzer sind zuerst zusammen. Sie werden getrennt, ihr Leben spielt in verschiedenen Ländern und Situationen. Herbert, der in die ungünstigste Umgebung kommt, kann doch nicht aufhören, an die beiden anderen zu denken. Er glaubt, sie seien tot. In Wirklichkeit sind die zwei am Leben und arbeiten, er aber wird zugrunde gehen.
Christa Wolf: Die Handlung Ihres Buches breitet sich, wie Sie eben selbst sagten, über verschiedene Länder aus.
Anna Seghers: Ja, das ist gut. Manche Ereignisse, die in der DDR geschehen, werden auf Ereignisse in verschiedenen Ländern zurückgeführt. Da ich selbst in vielen Ländern war, sehe ich manches, was vielleicht hier entlegen erscheint, in seinem Zusammenhang. Ich glaube, es ist wichtig, das Gefühl zu entwickeln, mit wieviel Ländern man zusammenhängt, auch wenn man sich gar nicht von der Stelle bewegt.
Christa Wolf: Der Mittelpunkt Ihrer Romanhandlung, Treffpunkt der wichtigsten Fäden, das Entwicklungszentrum für die bedeutendsten Gestalten ist – so weit sich die Handlung auch über andere Länder und Kontinente ausbreitet – die sowjetische Besatzungszone und später unsere Republik. Und in der Republik ein Stahlwerk.

Anna Seghers: Kein bestimmtes Stahlwerk. Ein ausgedachtes.

Christa Wolf: Aber Sie kennen Stahlwerke?

Anna Seghers: Ja. In anderen Ländern und auch hier. Aber nicht genug.

Christa Wolf: Wahrscheinlich haben Sie ein Stahlwerk gewählt, weil zu dieser Zeit die Stahlindustrie der wichtigste Zweig unserer Wirtschaft war?

Anna Seghers: Nein. Nicht bewußt. Ein Stahlwerk macht einen Eindruck wie das Meer und das Hochgebirge, nur daß es der Mensch ist, der hier die Macht hat. Man sieht dort eine große Kraftentfaltung; der Mensch, der das Feuer bändigt, wirkt mächtig. Der ganze Vorgang ist so real, daß er schon wieder märchenhaft wirkt, er zeigt Wildes und Gezähmtes zugleich. Ein Martinofen ist mit nichts zu vergleichen.

Christa Wolf: Haben Sie sich mit den technischen Problemen der Stahlproduktion bekannt gemacht?

Anna Seghers: Bekannte halfen mir. Ich habe in den Werken manches gefragt. Ich las Bücher. Ich habe mir viel erklären lassen. Trotzdem weiß ich noch nicht viel. Sicher, Technik kann und muß man poetisch darstellen, aber richtig. Das tat man schon längst. Zum Beispiel Tolstoi in „Anna Karenina". Er gebraucht das Motiv der Eisenbahn, die damals doch noch ganz neu war, immer wieder bis zum Tod der Anna. Wronski und Anna träumen von Eisen! Wir müssen aus unserem eigenen Gefühl das Verhältnis des Menschen zur Technik, zur Maschine darstellen!

Christa Wolf: Welche Materialien haben Sie zur Vorarbeit für Ihren Roman verwendet?

Anna Seghers: Broschüren aus der Zeit, in der das Buch spielt, viele mit Bildern. Auch technische Bücher. Wichtig waren mir Zeitungen, von denen ich mehrere alte Jahrgänge hier habe. Zum Beispiel „Der Volksbetrieb" im Tribüne Verlag. Wenn ich sie durchlese, weiß ich, worüber damals die Arbeiter diskutierten, und ich weiß auch, was zum Beispiel Robert damals selbst gelesen hat.

– Außerdem gucke ich mir an, was Kollegen vor mir über ähnliche Themen geschrieben haben. – Wenn ich ungefähr die Idee, die Handlung, die Hauptgestalten im Kopf habe, schreibe ich probeweise ein paar Szenen. Da spüre ich, was dabei herauskommt, und mache mir selbst Lust auf das Ganze. Diesmal waren es zuerst, schon vor Jahren, ein paar Liebesszenen zwischen Robert und Lisa. Wenn ich dann merke, es wird etwas, gehe ich systematisch vor, nicht in chronologischer Folge.

Christa Wolf: Wann kommen die Tabellen, die ich bei Ihnen sah?

Anna Seghers: Ja. Ich lege mir gern für jedes Jahr eine Zeittafel an mit wichtigen und mit kleinen Ereignissen des betreffenden Jahres – hier bei uns und in anderen Ländern. Dazu kommen dann die Handlungen der wichtigen Personen. Wenn sich zum Beispiel in meinem Buch zwei Leute über das Essen beklagen, muß ich wissen, wie es damals mit den Rationen stand.

Christa Wolf: Darum steht auch hier: „16. September: Aufbesserung der Brot- und Nahrungsmittelrationen in der britischen Besatzungszone."

Anna Seghers: Das kann wichtig sein. Darum benutze ich so was für viele Erzählungen, manchmal sogar für märchenhafte. Darum brauche ich so was, beinahe für alle Geschichten.

Christa Wolf: Die Handlung Ihres Buches endet 1951. Wann begannen Sie es zu schreiben?

Anna Seghers: Ich hatte 1954 schon angefangen, ich schrieb einen Teil, dann wurde ich durch Krankheit gehindert, gleich fortzufahren, und mußte Anfang 1957 fast neu wieder anfangen.

Christa Wolf: Ihr Buch schließt mit der Bemerkung: „Ende des ersten Teils". Neulich hörten wir auf einem Forum in den Leuna-Werken, daß viele Leser solche Romane in Raten nicht sehr lieben. Sie möchten schnell erfahren, was mit den Helden weiter geschieht. Wann und wie denken Sie das Buch fortzusetzen?

Anna Seghers: Es gibt einige Personen, nach denen man

mich jetzt schon oft fragt. Deren Schicksal will ich weiter verfolgen. Ich will erklären, was mit ihnen weiter geschehen ist. Solche Personen sind zum Beispiel: Lohse, Lene Nohl, Lisa. Sehr gern habe ich die Ella Busch. Ihre Geschichte wird weitergehen. Weitergehen wird auch die Geschichte der Helen Wilcox. Auch die Familie Hagen mit dem angenommenen Kind kann im Mittelpunkt stehen. Ob es sich wieder bündelt, ob ein Roman in anderer Form daraus wird, das weiß ich noch nicht. Einzelne Teile werden wohl in einiger Zeit herauskommen, wenn mich daran nicht äußere Umstände hindern.

Jetzt überlasse ich die Leute aus meinem Buch eine Zeitlang sich selbst. Denn ich schreibe eine Novelle, die auf den Antillen spielt, im Atlantischen Ozean, eine dritte Geschichte zu den beiden Geschichten, die schon da sind: „Guadeloupe“ und „Die Hochzeit von Haiti“.

1959

Das siebte Kreuz

„Jetzt sind wir hier. Was jetzt geschieht, geschieht uns", heißt es im ersten Kapitel des Romans „Das siebte Kreuz". Dieses Eingangskapitel, mächtiger Anschlag eines großen Themas, ist unerreicht in der zeitgenössischen deutschen Literatur: der Blick über die Rhein-Main-Ebene; der Schäfer Ernst in seiner spöttisch-stolzen Haltung, dessen roter Halstuchzipfel steif wegsteht, „als wehe beständig ein Wind"; der aufsteigende Frühnebel, der Rauch aus den entfernten Fabriken, die sanfte vernebelte Sonne, unter der die Äpfel reifen. Die schönen Einzelheiten dieser Landschaft sammeln sich zu ganzer, unteilbarer Schönheit in der starken Lebensfreude des Menschen: „... zu diesem Stück Land gehören, zu seinen Menschen und zu der Frühschicht, die nach Höchst fuhr, und vor allem, überhaupt zu den Lebenden."

Die sieben Häftlinge sind um diese Zeit schon ausgebrochen. Ihre Flucht ist im Konzentrationslager Westhofen schon bemerkt. Die Sirenen haben schon geheult, die Wachmannschaften sind unterwegs, die Suchhunde losgemacht. Georg Heisler liegt an seine Weidendammböschung gepreßt, die Finger ins Gesträuch gekrallt, durch nichts mehr geschützt als durch den dicken Nebel. Ehe wir ihn sehen, sehen wir seine Heimat, wo seine Freunde leben, die Frauen, die er geliebt, die Genossen, mit denen er gearbeitet hat. Städte und Dörfer, durch die er fliehen wird; die ihm schön erscheinen werden, weil sie ihn verbergen, beschützen, retten: sein Land.

Inniger ist kaum eine Landschaft beschrieben worden. Vor unseren Augen verdichten sich Tätigkeiten, Handlungen, Gedanken zum festen Gewebe des Volksalltags. Ohne Aufhebens werden die Fäden sichtbar gemacht, die von alters her das ganze Gewebe tragen und halten, die dauerhafter sind als so manches, was sich zu seinen Lebzeiten für unsterblich erklärte. Gelassen werden die Schicksale von Herrschern und Reichen genannt, die sich für unvergänglich hielten, aber durch Gewalt oder durch das unwiderstehliche Wirken der Zeit längst untergegangen sind. Die Hügelkette, einst „der lange Rand der Welt", da ihr Limes den Römern für immer die Grenze zwischen Kultur und Wildnis zu bezeichnen schien – heute nicht einmal für Kinder ein Hindernis, ihre Verwandten nachmittags zu Kaffee und Streuselkuchen zu besuchen; der zarte Mönch, der von hier aus hineinritt in die vollkommene Wildnis, „die Brust geschützt mit dem Panzer des Glaubens" – „aber nicht den Adler und nicht das Kreuz hat die Stadt dort unten im Wappen behalten, sondern das keltische Sonnenrad". Dieses Stück Erde war Sammelplatz des Frankenheeres, Schauplatz der Kaiserwahlen. Hier stellten die Jakobiner ihre Freiheitsbäume auf. Das Zweite und nun das „Dritte" Reich gingen darüber hin („Tausende Hakenkreuzelchen, die sich im Wasser kringelten!"). Sie alle, Potentaten und Usurpatoren, richteten nichts aus gegen den stolzen Gleichmut des Schäfers Ernst, der, wie das Land, von alledem nichts weiß und doch so dasteht, „als wüßte er all das und stünde nur darum so da".

So hat das vorher noch keiner gesehen. Wer es kannte, wird es jetzt so sehen. Wer ihm neu begegnet, wird es wiedererkennen. „Macht und Glanz des gewöhnlichen Lebens", in dem alles beschlossen ist: Banalität und Poesie. Der Geschmack des täglichen Brotes und der alltägliche Kampf des Volkes um das Brot. Die Härte seines Kampfes und seine Größe. Davon lebt das Buch, auch wenn die Erinnerung an einen Heisler, an die sieben Kreuze und ihre furchtbaren Schatten über

Deutschland künftige Leser nicht mehr schmerzen wird wie uns. Dieses Buch wird nicht aufhören, in seinen Lesern ein brennendes Gefühl des Am-Leben-Seins zu wecken, Glück und Qual zugleich. Und man wird dafür keinen besseren Ausdruck finden als die Worte: „Jetzt sind wir hier. Was jetzt geschieht, geschieht uns."

Anna Seghers ist, während sie dieses große Bild vom Leben ihres schwer unterdrückten, schwer leidenden, teils widerstehenden, teils zögernden und teils kapitulierenden Volkes entwirft, ganz auf ihr inneres Auge, auf die Zuverlässigkeit ihres Gedächtnisses, auf die Untrüglichkeit ihrer Phantasie angewiesen. Deutschland ist für sie unerreichbar. Das sechste, das siebente Emigrationsjahr vergehen über der Arbeit an diesem Roman. Als sie ihn zu schreiben beginnt, ist sie schon eine erfahrene Erzählerin.

Ihr Grundstoff, die sozialen Zustände und Kämpfe dieses Jahrhunderts, wird in den ersten Erzählungen aufgenommen („Grubetsch"; „Die Ziegler") und beherrscht ihr erstes Buch: „Aufstand der Fischer von St. Barbara". Der neue Ton, die Eigenart dieser gleichnishaften, fast legendären Beschreibung einer Fischerrebellion vor der angenommenen Landschaft einer Nordseeinsel, überraschte auch die bürgerliche Literaturkritik. Anna Seghers bekam für dieses Buch den Kleist-Preis. Im selben Jahr, 1928, sie ist achtundzwanzig Jahre alt, wird sie Mitglied der Kommunistischen Partei.

Sie war in Mainz aufgewachsen, in der Landschaft des „Siebten Kreuz", als Tochter eines Kunsthändlers. In ihrer Kindheit und Jugend wurden ihr die Kulturtraditionen ihres Volkes und anderer Völker vertraut. Sie studierte Kunstgeschichte, reiste in verschiedene Länder Europas. Mit wachem Bewußtsein hat sie die hoffnungs- und qualvollen Jahre nach dem ersten Weltkrieg erlebt. Als Studentin begegnete sie Revolutionären, die nach gescheiterten Revolutionen aus ihren Ländern in Ost- und Südosteuropa emigriert waren. Aus ihren Erzählungen, aus der Erfahrung internationaler Solidarität, entsteht ihr zweites Buch: „Die Gefährten". Als die Herrschaft Hitlers beginnt, muß sie mit ihrer Familie das Land verlassen.

In der Emigration gibt es nur ein Thema: Deutschland. Damit steht Anna Seghers nicht allein. Die sozialistische deutsche Literatur, nach 1933 über viele Länder verstreut, leistet ihren Beitrag, dem Volk die tieferen Gründe für die Katastrophe zu offenbaren.

1933 beginnt Anna Seghers mit dem Roman „Der Kopflohn" ihren großen Deutschlandzyklus – den bisher einzig dastehenden Versuch, das Schicksal der Deutschen seit dem Ende des ersten Weltkrieges in einem umfassenden epischen Werk darzustellen. Nach dem „Kopflohn", einer schonungslosen Untersuchung, warum ein deutsches Dorf sich dem Faschismus ergibt, erscheint 1937 in Amsterdam „Die Rettung", ein Bergarbeiterroman aus der Zeit der großen Krise zu Beginn der dreißiger Jahre.

Dann beginnt die Schriftstellerin die Arbeit am „Siebten Kreuz". Das Material für ihr Buch, die Tatsachen, erfragt sie sich von Menschen, die aus Nazi-Deutschland flüchten konnten. Auch von den Kreuzen erzählt man ihr, die in einem Konzentrationslager für geflohene Häftlinge aufgestellt wurden. Sie ist gewöhnt, Menschen zum Reden zu bringen, ihre Geschichten aufzunehmen und zu verarbeiten. Als Historikerin weiß sie mit Zeitungsmeldungen, Dokumenten, Archivmaterial umzugehen; als Marxistin hat sie die Sicherheit in der produktiven Auswahl.

Sie schreibt in Cafés oder in ihrer Wohnung im Pariser Vorort Bellevue. Was niemand ihr geben kann, muß sie aus sich selbst nehmen – das Wichtigste: diese fast unheimliche Sicherheit in der Charakterisierung der Menschen, ihrer Veränderung unter der faschistischen Diktatur, ihrer Deformierung oder Bewährung. Von der Echtheit in diesem Punkt, von der dokumentarischen Treue ihrer Vorstellungskraft für tausend wichtige Einzelheiten hing alles ab. Der Abstand, der durch die Trennung entstanden war, mußte eingeschmolzen werden. So selten und bewundernswert diese Leistung ist – sie hat nichts Mystisches. Sie kann nur einem Dichter gelingen, der seit langem in jedem Augenblick des Lebens alle vergangenen Augenblicke mitsieht – die genutzten und die versäumten – und alle künftigen Möglichkeiten, gute und schlimme.

Die Schriftstellerin schreibt für Leser, die es damals nicht gibt und die es erst wer weiß wann geben würde. Sie wendet sich mit Beschwörungen, Mahnungen, ja mit Ratschlägen an ihre Landsleute, an die Deutschen in Hitlers Drittem Reich. Die aber würden vor dem Ende dieses Reiches kaum von diesem Buch erfahren. Zu wissen: Sie müßten schneller zu sich selbst finden, würden sie es kennen ... Nicht nur Talent und Kenntnisse, auch Mut gehörte unter diesen Umständen zu einem solchen Roman, mehr Mut, Beharrlichkeit und Selbstüberwindung, als sowieso zum Schreiben gehört.

Das Manuskript entsteht unter unsicheren äußeren Verhältnissen: Wenige Monate, nachdem es abgeschlossen ist, marschieren deutsche Wehrmachtsstiefel durch Paris, zwingen seine Autorin, sich zu verbergen, überantworten eines der wichtigsten Bücher, das damals in deutscher Sprache geschrieben ist, einem ungewissen, zufälligen Schicksal. Anna Seghers schreibt am 19. Dezember 1939 an F. C. Weiskopf nach New York: „Ich habe meinen Roman beendet und ihn an meinen Verleger geschickt (einen früheren Mitarbeiter des Kiepenheuer Verlages, C. W.), der augenblicklich in New York ist." In diesem und einem folgenden Brief vom März 1940 bittet sie, alles zu tun, damit „Das siebte Kreuz" schnell in englischer Sprache erscheinen kann: „... weil mir dieses Buch besonders am Herzen liegt. ... Ich hoffe, daß Ihr bald Erfolg habt. Ich würde unendlich glücklich sein, und ich werde Euch stürmisch umarmen, denn, wie ich gesagt habe, dieses Buch hat für mich eine besondere Bedeutung ..."

Inzwischen wird Anna Seghers von der Gestapo in Paris gesucht. Es gelingt ihr nach Monaten, mit ihren beiden Kindern in den unbesetzten Süden Frankreichs zu entkommen, in ein kleines südfranzösisches Städtchen in der Nähe des Lagers Le Vernet, wo ihr Mann mit anderen deutschen Antifaschisten von den Vichy-Behörden interniert ist. In Marseille, auf der zermürbenden Jagd nach Ausreisepapieren für Mexiko, beginnt sie „Transit" zu schreiben – ein Buch, das die deutschen Leser noch für sich entdecken müssen –, sie setzt es fort auf dem Schiff, das sie nach Mexiko bringt.

Erst 1942 erscheint „Das siebte Kreuz" in englischer Sprache in einem amerikanischen Verlag, später als Riesenauflage in einer der größten Buchgemeinschaften der Vereinigten Staaten. Dies war die Zeit nach dem Kriegseintritt der USA, die Regierungszeit Roosevelts; damals gab es in Amerika ein großes Interesse an einem Buch wie dem „Siebten Kreuz", damals konnte ein solcher Stoff in Hollywood verfilmt werden. Viele mit den deutschen Verhältnissen nicht vertraute Leser erfuhren hier zum erstenmal, daß der Faschismus sich zuerst gegen das eigene Volk richtet, zuerst im eigenen Volk Widerstand findet.

Fast gleichzeitig erscheint der Roman im Emigrationsverlag „Das freie Buch" in Mexiko zum erstenmal als Ganzes in deutscher Sprache (die ersten beiden Hauptkapitel waren vor dem Krieg in der Zeitschrift „Internationale Literatur" in Moskau gedruckt worden). Ist auch die Auflagenhöhe dieser ersten deutschsprachigen Buchausgabe nicht hoch, war sie doch eine Leistung unter den in jeder Hinsicht schwierigen Bedingungen des fremden Landes.

Die Zeichen eines großen Talents sind in jedem der früheren Bücher der Seghers sichtbar. Sie selbst kennt sich zu genau in unwägbaren Veränderungen aus, als daß sie nicht verstünde, wie schwer man die Besonderheit des „Siebten Kreuz" schildern kann. Mit den üblichen Begriffen der Literaturkritik ist sie kaum zu erfassen. Die vollständig gelungene Synthese von sozialer und nationaler Problematik in diesem Buch kann, so bedeutsam sie ist, nicht alles erklären. Woher diese überraschende Steigerung zu bestürzender Vollkommenheit? Alles Literarische ist abgefallen. Die Wahrheit selbst spricht nüchtern, unwiderlegbar. Was eingesetzt wurde, sie zu erzeugen – Schmerz und Liebe, Trauer und Heimweh, Hoffnung und Zorn –, tritt nun hinter sie zurück. Die strenge Grenze der genauen Beschreibung von Vorgängen wird nicht durchbrochen. Was gebändigt, doch immer gegenwärtig hinter dieser Grenze bleibt, gibt erst dem Buch Wärme und Fülle.

Unmittelbar, nachdem sie ihren Roman beendet hatte, im Dezember 1939, plante Anna Seghers einen „großen Essai über das gewöhnliche und gefährliche Leben, eine Arbeit von großer Aktualität". Er wurde nicht geschrieben. Doch die Spannung zwischen diesen Polen „gewöhnlich" und „gefährlich" ist eines der Grundelemente im „Siebten Kreuz", ein Prinzip seiner Komposition, widersprüchliches, handlungstreibendes Motiv. Ganz gewiß gehörte sie in jenen Jahren zu den Grunderfahrungen verfolgter, illegal kämpfender Antifaschisten, wie sie eine Grunderfahrung des Heisler ist: Staunen über den Fortgang des normalen Lebens, Sehnsucht, in ihm untertauchen zu dürfen; Enttäuschung des Franz Marnet, daß die Nachricht von der Flucht der sieben Häftlinge „fast nicht einsickern wollte auf dem dürren Boden des gewöhnlichen Lebens". Und auch wieder der Schutz, den es dem Gehetzten bietet: „So gelassen strömt das gewöhnliche Leben, daß es den mitnimmt, der seinen Fuß hineinsetzt." Das schwerste ist, die Abgesondertheit zu ertragen; einen Menschen, der Georg heißt wie man selbst, bei einer Liebesnacht belauschen zu müssen, ihn heiß um das allergewöhnlichste Mädchen zu beneiden. An Dutzenden von Menschen vorbeizukommen, die ihrer tagtäglichen Beschäftigung nachgehen, in die scheinbar sich selbst genügende Harmonie fremder

Schicksale einzudringen. Wie versteht man den Franz Marnet, wenn er sich einen Augenblick lang fragt – da er doch längst bereit ist, jede Gefahr auf sich zu nehmen –, „ob dieses einfache Glück nicht alles aufwiege. Ein bißchen gewöhnliches Glück, sofort, statt dieses furchtbaren unbarmherzigen Kampfes für das endgültige Glück irgendeiner Menschheit, zu der er, Franz, dann vielleicht nicht mehr gehört."

Ihm ist schon geantwortet, an einer anderen Stelle des Buches, von einer Frau, die er nie kennen wird, der Frau Bachmann. Ihr ist durch die Schwäche, durch den Verrat des Mannes gerade dies zerstört: ihr „gewöhnliches Leben mit den gewöhnlichen Kämpfen um Brot und Kinderstrümpfe. Aber ein starkes, kühnes Leben zugleich, heißer Anteil an allem Erlebenswerten."

Die Einsicht, wie sehr sie einander bedrohen, das gewöhnliche und das gefährliche Leben, hängt eng mit der Erkenntnis zusammen, wie unlösbar sie miteinander verquickt sind. Jeder, vor dem der Flüchtling oder einer seiner Helfer erscheint, steht vor der Frage: Bist du bereit, alles, was dir lieb ist, aufzugeben, um es dir zu erhalten? Es zeigt sich: Wer am stärksten an diesem Leben hängt, wer am meisten unter Abseitsstehen leidet, der besteht am ehesten. Es liegt etwas Unheimliches in der Unerbittlichkeit dieser Prüfung, von der nicht einmal jeder der Geprüften etwas ahnt: Schon durch eine Überlegung des Arbeitskollegen, ob er für die jetzt benötigte Hilfeleistung in Frage käme, wird er erhoben oder fallengelassen.

Kein Gedanke, daß die, welche einer Tat, eines Opfers für wert gehalten werden, untadlig und ohne Fehler seien. Vom Koloman Wallisch, dem österreichischen Arbeiterführer, der 1934 gehängt wurde, hat die Seghers in einem Gespräch sagen lassen: Er war „Fleisch vom Fleisch der Arbeiterklasse, das man gequält hat. . . . Deshalb ist der Mann nicht tot und heilig, sondern mit Fehlern und lebendig." Ähnlich bildet sich „in den Dörfern und Städten seiner Heimat das Urteil über Georg, das unzerstörbare Grabmal" – über jenen Heisler, der früher alle möglichen Geschichten am Hals gehabt, alle möglichen Streiche ausgeführt hat, die sich als Nebensache erwiesen, als die Nazis in Westhofen versuchten, ihn und gerade ihn zu brechen, als er zeigen konnte, wer er wirklich war.

Wie ungeheuer gefährdet, wie bedroht dieses normale Leben ist, an das Tausende Menschen sich klammern wie an ihr Seelenheil, ohne zu merken, daß es zur Falle wird – das kann nur der glaubhaft machen, der um die Faszination des Volksalltags weiß, der auch die kleinste seiner Regungen nicht verachtet: nicht die Verwendung landschaftlich gefärbter Ausdrücke aus der Umgangssprache, nicht die Neigung des Volkes, einander mit Spitznamen zu rufen. Aus jedem Augenblick dieses Buches holt die Dichterin das Äußerste heraus, weil jeder für Georg der äußerste Augenblick sein kann. Das gibt den Alltagsszenen ihren Doppelsinn. Sie könnten nicht intensiver, alltäglicher, auch verlockender wirken als unter dieser Bedrohung. Prall, farbig, duftend, wohlschmeckend und wirklichkeitsvoll sind die unscheinbaren Dinge, aus denen so ein Alltag besteht: die Jacke des kleinen Helbig, das blütenweiße Kopftuch seiner Freundin, die roten Korallen in Elli Mettenheimers Ohren, die Dampfnudeln der Liesel Röder, der tischgroße Apfelkuchen in Marnets Küche, in der sich an so einem Apfelkuchensonntag sogar die vier Reiter der Apokalypse, nachdem sie ihre Pferde an den Gartenzaun gebunden, „wie vernünftige Gäste benehmen" würden. In ganz bestimmten hintergründigen Augenblicken durchleuchten uralte Märchenmotive die Vielsichtigkeit und Einsamkeit der Situation. „Gab es nicht irgendein Märchen, in dem ein Vater dem Teufel verspricht, was ihm zuerst aus dem Haus entgegenkommt?" fragt sich der alte Mettenheimer, gequält in der Liebe zu seinem liebsten Kind. Paul Röder, auf die Hilfe eines vertrauenswürdigen Menschen angewiesen, versteht sich plötzlich auf das Geflüster der Menschen, wie jener Mann im Märchen sich auf die Stimmen der Vögel verstand, nachdem er von einer bestimmten Speise gekostet. Und die stumme beklommene Mahlzeit des Flüchtlings bei dem Ehepaar Kreß: „Ach, essen von sieben Tellerchen, trinken aus sieben Gläschen, keinem ist's ganz geheuer dabei ..."

„Seit zweitausend Jahren hat die Kunst sehr wenig Grundstoffe hervorgebracht. Die Abwandlung ist vielfältig", schreibt Anna Seghers einmal. Vielfältige Abwandlung von „Grundstoffen" gibt es auch in diesem Buch: erste Fragen des Kindes, erste Liebe, Kummer über erste Enttäuschung, unverbrüchliche Lebensfreundschaft, Treulosigkeit, Verrat – das widerfährt jedem, immer. Man erkennt es, man fühlt sich erkannt. Ein kleiner, manchmal winziger Zusatz macht aus dem Gestern das Heute, aus den vorbeifließenden Leben das eigene, im Innersten berührende Schicksal. Aus der Zeit, die da zum Zerreißen zwischen Beharrungsvermögen und Gefahr gespannt ist, macht dieser winzige Zusatz für jeden Leser: Gegenwart. Das Gegenwartsbewußtsein der Autorin, das „Jetztgefühl der Epoche" machen aus dem Material das Kunstwerk, das dauern wird, weil es seiner Zeit nichts schuldig blieb. Die Quelle für ihre Arbeit und für jede Kunst hat Anna Seghers selbst genannt: „Wir haben im eigenen Volk empfangen, was Goethe den Originaleindruck nennt, den ersten und darum unnachahmlich tiefen Eindruck von allen Gebieten des Lebens, von allen gesellschaftlichen Zuständen, den Eindruck, an dem wir bewußt und für immer vergleichen und messen."

Ein großes Talent zeichnet sich nicht dadurch aus, daß ihm zufällt, was anderen Mühe macht. Viel eher kennzeichnet es die Fähigkeit, sich aller Mittel zu seiner Verwirklichung, die seine Zeit ihm in die Hand gibt, auf ertragreichste Weise zu bedienen. Anna Seghers hat sich in den dreißiger Jahren, ehe und während sie an ihrem Buch schrieb, auf verschiedene Weise mit seiner Problematik auseinandergesetzt.

1935, auf dem Internationalen Schriftstellerkongreß

zur Verteidigung der Kultur in Paris, der mit auf ihre Anregung einberufen worden war, spricht gerade sie über jenes vieldeutige, viel mißdeutete, mächtige Wort: Vaterlandsliebe. Ernst, ohne nationalistische, aber auch ohne antideutsche Ressentiments, untersucht sie, was Vaterlandsliebe bedeuten könne, in dieser Zeit und für Deutsche.

„Es ist noch nicht allzulange her, seit Menschen für die Idee ‚Vaterland' ein schweres Leben erleiden oder einen schweren Tod. Am Anfang der bürgerlichen Epoche, da wurde der Nationalstaat die neue und weite und gemäße Form für neue gesellschaftliche Inhalte, ein Tiegel, in dem die Reste des Feudalismus vertilgt wurden. Damals war es ein und dasselbe, Patriot und Revolutionär zu sein ... Fragt erst bei dem gewichtigen Wort ‚Vaterlandsliebe', was an eurem Land geliebt wird. Trösten die heiligen Güter der Nation die Besitzlosen? ... Tröstet die ‚Heilige Heimaterde' die Landlosen? Doch wer in unseren Fabriken gearbeitet, auf unseren Straßen demonstriert, in unserer Sprache gekämpft hat, der wäre kein Mensch, wenn er sein Land nicht liebte ... Entziehen wir die wirklichen nationalen Kulturgüter ihren vorgeblichen Sachwaltern. Helfen wir Schriftsteller am Aufbau neuer Vaterländer, dann wird erstaunlicherweise wieder das alte Pathos wirklicher nationaler Freiheitsdichter aufs neue gültig werden."

Anna Seghers war sich früh bewußt, daß ein Epiker in der deutschen Literatur damals kaum eine Tradition vorfand, an die er anknüpfen konnte. Es gab nicht den großen deutschen Gesellschaftsroman. Anna Seghers sagt auf diesem Pariser Kongreß, was sie später oft wiederholen wird:

„Selten entstand in unserer Sprache ein dichterisches Gesamtbild der Gesellschaft. Große, oft erschreckende, oft für den Fremden unverständliche Einzelleistungen, immer war es, als zerschlüge sich die Sprache selbst an der gesellschaftlichen Mauer ... Bedenkt die erstaunliche Reihe der jungen, nach wenigen übermäßigen Anstrengungen ausgeschiedenen deutschen Schriftsteller. Keine Außenseiter und keine schwächlichen Klügler gehören in diese Reihe, sondern die Besten: Hölderlin, gestorben im Wahnsinn, Georg Büchner, gestorben durch Gehirnkrankheit im Exil, Karoline Günderrode, gestorben durch Selbstmord, Kleist durch Selbstmord, Lenz und Bürger im Wahnsinn. Das war hier in Frankreich die Zeit Stendhals und später Balzacs. Diese deutschen Dichter schrieben Hymnen auf ihr Land, an dessen gesellschaftlicher Mauer sie ihre Stirnen wund rieben. Sie liebten gleichwohl ihr Land. Sie wußten nicht, daß das, was an ihrem Land geliebt wird, ihre unaufhörlichen, einsamen, von den Zeitgenossen kaum gehörten Schläge gegen die Mauer waren. Durch diese Schläge sind sie für immer die Repräsentanten ihres Vaterlandes geworden."

1938 schreibt sie, in ähnlichem Zusammenhang, schon während der Arbeit am „Siebten Kreuz": „Wir hatten keinen deutschen Barbusse, keinen deutschen Romain Rolland." Schon damals studiert sie, was moderner Gesellschaftsroman heißt, bei den Franzosen (sie liest, nachdem sie von Paris fliehen mußte, aus der Bibliothek eines kleinen südfranzösischen Städtchens den ganzen Balzac) und bei den Russen (Tolstoi, Dostojewski). Einem Moskauer Freund schreibt sie auf eine Frage nach der Wirkung russischer Literatur: „... Da kamen in den russischen Büchern die Gedanken und Handlungen, auch die größten, aus dem Leben heraus. Das Leben war dichter als meins, die Menschen waren mehr Menschen, ihr Leid war mehr Leid, ihre Freiheit war mehr Freiheit, der Schnee war auch mehr Schnee, das Korn mehr Korn. Weil aber alles unmittelbar aus dem Leben kam, gewann ich sozusagen den Mut zum Schreiben. Ich verstand, daß es nichts gibt, was man nicht schreiben kann ... Ich lernte (unbewußt), wie wichtig es beim Schreiben ist, daß das Bewußtsein aus dem Sein kommt. Daß Revolution und Konterrevolution mit jedem Alltag verbunden ist."

Heute klingen diese Sätze wie eine Selbstinterpretation. Nun, da es das organisch gewachsene Werk der Seghers gibt, „ein Gesamtbild der Gesellschaft in unserer Sprache", nun kommt es uns nicht mehr so schwierig vor, wie es ihr selbst an seinem Beginn erschienen sein muß: aus diesem Hexenkessel von Wirklichkeit ihren Stoff heraus- und heraufzureißen (denn: „Was erzählbar ist, ist überwunden"); Deutschland zu zeigen in seinem grellen, zuckenden Übergang von der alten zur neuen Gesellschaft; das brodelnde Durcheinander als Kämpfe der Klassen zu schildern. Gestalten heißt: etwas begreifen, noch nicht Begriffenes in das Licht des Bewußtseins rücken. In allen ihren Büchern ist der Grundvorgang „die Entschleierung des Menschen, das Durchblitzen ihres wahren Gesichts".

Anna Seghers beendete ihre Rede auf jenem Pariser Kongreß im Jahre 1935 mit einer Strophe des Italieners Manzoni, die sie siebzehn Jahre später, wieder in der Heimat, Berliner Studenten noch einmal zitiert – mit der zurückhaltend-eindringlichen Geste des Lehrers, der weiß, daß der Kampf um die Seelen der Menschen mit der Zerschlagung des Faschismus eigentlich erst beginnt:

Wehe dem, der die Fahne verkannte,
der, wenn Leiden und Opfer vorbei
und die Fackel des Sieges entbrannte,
sich verhüllt: Ich war nicht dabei.

Dies könnte man, müßte man sich auf vier Zeilen beschränken, für den Kern, für das ideelle Zentrum ihres Buches erklären. – Anna Seghers hat damals, durch den zufälligen Hinweis eines Freundes angeregt, Manzonis Roman „Die Verlobten" gelesen. Sie suchte nach einer Möglichkeit, mit einer einfachen Geschichte einen Querschnitt durch die ganze deutsche Gesellschaft legen zu können. Der Manzoni-Roman beschreibt den Irrweg zweier Verlobter aus niedrigem Stand durch das Italien des 17. Jahrhunderts. An Inhalt und Stoff der Absicht der Dichterin sehr fern, entzündete er doch die Idee für die Struktur des eigenen Buches: Die Flucht wird den Georg Heisler mit allen Klassen des Volkes in Berührung bringen, wird es ermöglichen, den Zustand dieses Volkes und sein moralisches Verhalten zu zeigen. Das Gelingen der Flucht dieses *einen* wird die Legende von der Allmacht der Nazis zerstören. Der wichtige Punkt, an dem Idee und Fabel eines Buches in eins zusammenfließen, war erreicht. – 1942, schon in Mexiko, „Das siebte Kreuz" soll gerade dort erscheinen, schreibt Anna Seghers über ihren Eindruck von Manzonis Buch: „Auch das Werk eines Manzoni, klassisch im hergebrachten Sinn, maßvoll im Aufbau, in jedem Satzgefüge, gibt das italienische Volk innen und außen als Ganzes. Keine politische Leidenschaft, eine kleine, beinah banale, zivile Begebenheit, die Liebe irgendeines Edelmannes für ein Bauernmädchen auf seinem Territorium, genügt dem Dichter, an dieser Begebenheit alle Konflikte seines Volkes in allen Schichten, in allen Individuen zu zeigen."

Als „Das siebte Kreuz" endlich zu uns kam, war es in fremden Sprachen schon ein Welterfolg. Gegen Ende des Krieges war es in einer Riesenauflage als Taschenbuch für die bewaffneten Streitkräfte der Vereinigten Staaten gedruckt worden. Ein Deutscher, Soldat in der amerikanischen Armee, hatte Anna Seghers geschrieben: „Als wir bei Mainz über den Rhein fuhren, habe ich den Helm abgenommen, Dir und den Freunden vom ‚Siebten Kreuz' zu Ehren." Zu dieser Zeit hat in Deutschland noch niemand das Buch gekannt. 1946 erschien im Aufbau-Verlag die erste Buchausgabe in Deutschland.

Ich sehe noch, in der altmodischen Handschrift meiner alten Lehrerin, den merkwürdigen Namen und den merkwürdigen Titel an unserer Schultafel stehen: Anna Seghers, Das siebte Kreuz. Wir wurden – das muß 1948 gewesen sein – gebeten, nach Goethe und Rilke nun auch dies durchzunehmen, da es heutzutage nun einmal sein müsse. Ohne Vorbehalte, wenn man bitten dürfte. Ich sehe noch den schnell zerfledernden Rowohlt-Rotationsdruck, den wir dann wirklich lasen. – Was aber lasen wir? Die atemberaubende Geschichte der Flucht eines Menschen, eines Kommunisten. Wir wünschten diesem Flüchtling das Gelingen seiner Flucht – man konnte nicht anders. Gleichzeitig wunderten wir uns: Glaubten wir doch, das zu kennen, was in jenen Jahren Deutschland gewesen war; wir hielten unsere kindliche Erinnerung damals noch für zuverlässig. Sollte also unter der glatten, uns oft glücklich erscheinenden Oberfläche ein solcher Heisler, sollten viele seinesgleichen um ihr Leben gelaufen sein, vielleicht an uns vorbei? Und hatten die anderen, die Erwachsenen, ihn aufgenommen – ihn ausgeliefert?

Die Fragen, die uns das Buch eingab, hingen eng mit unseren anderen Fragen aus jener Zeit zusammen. Sie drückten uns so, sie drängten sich so vor, daß wir weit davon entfernt waren, dieses Buch wirklich zu erkennen und zu verstehen. Außerdem: Um *ein* Buch richtig schätzen zu können, muß man viele gute Bücher gelesen haben. Auch davon waren wir weit entfernt. Doch die Frage, was in unserem Volk lebendig, gesund, wandlungsfähig geblieben sei, war direkt an uns gerichtet.

Heute erscheint dieser Roman uns „klassisch". Wir sehen, welches Maß an Voraussage in ihm steckt, unter welchen Schwierigkeiten errungen. Nicht zuletzt hat er uns das Bild jener Jahre mitgeformt. Erst allmählich nahmen wir die Welt der Dichterin in uns auf. Als letztes vielleicht spürt man das besondere, klare Licht, das aus diesem Kunstwerk kommt, so tragisch einzelne seiner Szenen, so bitter der Ausgang mancher Handlung: Das Licht eines nicht leicht erworbenen, nicht oberflächlichen und billigen Glaubens an dieses Volk, das mancher in jenen Jahren glaubte aufgeben zu müssen, das die Schriftstellerin niemals aufgab, weil sie es besser kannte. Das hat sie befähigt, sieben Kreuze zu diesem Symbol zu erheben. Das Licht, von dem ich sprach, kommt aus der Idee, die die Handlung trägt und durchleuchtet. Sie tritt manchmal direkt hervor – wie in der großen Szene des Verhörs des Wallau; meist zieht sie sich hinter die Handlung zurück. Sie lebt auf in den Häftlingen von Westhofen, als ihnen klar wird: Heisler ist entkommen: „Ein kleiner Triumph, gewiß, gemessen an unserer Ohnmacht, an unseren Sträflingskleidern. Und doch ein Triumph, der einen die eigene Kraft plötzlich fühlen ließ nach wer weiß wie langer Zeit, jene Kraft, die lange genug taxiert worden war, sogar von uns selbst, als sei sie bloß eine der vielen gewöhnlichen Kräfte der Erde, die man nach Maßen und Zahlen abtaxiert, wo sie doch die einzige Kraft ist, die plötzlich ins Maßlose wachsen kann, ins Unberechenbare."

In diesem Buch wird dem Volk reich zurückgegeben, was einst von ihm empfangen wurde. Dies wurde geschrieben mit dem festen, gut gegründeten Vertrauen, daß es nicht vergeblich sein würde. Denn der Stoff, aus dem dieses Buch gemacht ist, ist dauerhaft und unzerstörbar wie weniges, was es auf der Welt gibt. Er heißt: Gerechtigkeit.

1963

Ein Gespräch mit Anna Seghers

Christa Wolf: Frau Seghers, ich bin Ihnen dankbar, daß Sie bereit sind, mir einige Fragen zu beantworten, vor allem zu Ihrer Arbeitsweise, zu Ihrer Methode. Mir ist aufgefallen, daß in einem Lexikon über sozialistische Literatur, welches kürzlich bei uns erschienen ist, Ihre Erzählung „Ausflug der toten Mädchen", die Sie 1944 in Mexiko beendet haben (für mich übrigens eine Ihrer schönsten Erzählungen), überhaupt nicht im Text erwähnt wird. Ich weiß nicht, ob es daran liegt, daß sich dieses Stück Literatur, solange man Literatur nur nach dem Stoff beurteilt, so schwer kategorisieren läßt. Jedenfalls ist es immerhin auffallend, daß diese Geschichte als einzige Ihrer Arbeiten direkt biographische Züge trägt. Spielt das Biographische in Ihrem Werk sonst keine Rolle oder nur eine indirekte Rolle?
Anna Seghers: Sie fragen mich gleich einen Haufen Sachen auf einmal. Meine Freunde und auch ich selbst, wir haben diese Erzählung „Ausflug der toten Mädchen" gern. Ich muß sogar offen sagen, obwohl ich sonst kein sehr direktes Verhältnis habe zu dem, was ich schreibe, ich kann diese Geschichte gut leiden. Und wenn ich sage, meine Freunde haben diese Geschichte auch gern, dann meine ich Menschen aus beiden Deutschland und auch aus anderen Ländern. Menschen also aus dem Rheinland, meiner Heimat, die diese Geschichte sofort begriffen haben, und auch Menschen aus der Sowjetunion, die weit weg sind und was ganz anderes mitgemacht haben. Was dieses Lexikon, von dem Sie spre-

chen, anbelangt: ich wußte gar nicht, daß diese Erzählung in dem Lexikon für sozialistische Literatur nicht erwähnt worden ist. Ich habe nämlich nie nachgesehen, ich habe es jetzt erst durch Sie erfahren, aber jetzt interessiert mich die Sache, und ich will nachsehen, was darin über meine Arbeiten steht.

Was die biographischen Fragen anbelangt: die Erlebnisse und die Anschauungen eines Schriftstellers, glaube ich, werden am allerklarsten aus seinem Werk, auch ohne spezielle Biographie. Ich fürchte, ich mache damit etwas Schlimmes, weil Sie sich für das Biographische interessieren, und ich muß auch gleich sagen, daß ich selbst schon viele biographische Arbeiten geschrieben habe, aber keine autobiographischen.

Christa Wolf: Es stimmt: mich interessiert das Biographische. Aber nicht für sich allein, sondern insofern es umgesetzt wird in der künstlerischen Arbeit; dieser sehr verwickelte Prozeß, wie sich biographisches eigenes Erlebnis niederschlägt in Büchern, zum Beispiel in Ihren Büchern ... In diesem Zusammenhang gleich meine nächste Frage: Wann begannen Sie zu schreiben? Gab es da einen bestimmten Impuls, an den Sie sich erinnern können?

Anna Seghers: Als kleines Kind, als ganz kleines Kind, bevor ich in die Schule kam und im ersten Jahr, in dem ich in die Schule ging, war ich oft krank, und dabei lernte ich verhältnismäßig früh lesen und dadurch auch schreiben. Und dann erfand ich, hauptsächlich, weil ich allein war und mir eine Umwelt machen wollte, alle möglichen kleinen Geschichten, die ich mir vorerzählte, und manchmal schrieb ich auch drei Sätze, sozusagen zu Abziehbildern.

Christa Wolf: Und wie war das mit den frühesten Sachen, die dann veröffentlicht wurden?

Anna Seghers: Veröffentlicht wurden natürlich meine schriftlichen Arbeiten viel, viel später, da gingen manche Fehlschläge sicherlich voraus, nicht furchtbare Fehlschläge, ich kann mich nicht mehr genau erinnern. Aber schließlich und endlich, nachdem ich schon sicher manche Geschichte Freunden vorgelesen hatte und darüber mit ihnen gesprochen, mich gefreut, mich verkracht, wurden die ersten Arbeiten von mir veröffentlicht. Ich glaube, in der damaligen „Frankfurter Zeitung".

Christa Wolf: Das war wohl gegen Mitte der zwanziger Jahre. Sie schreiben in Ihrem Dostojewski-Essay sehr eindringlich über Ihre frühen Eindrücke von anderer Literatur, zum Beispiel gerade von der Erregung, die Sie und Ihre Freunde während Ihrer Studienzeit für Dostojewski erfaßt hatte. Woher kam diese Erregung?

Anna Seghers: Ich habe das, meine ich, in dem Essay sehr genau beschrieben. Eine Wirklichkeit ist uns aus den Büchern gekommen, die wir im Leben noch nicht gekannt haben. Für uns war es eine erregende, eine revolutionäre Wirklichkeit. Ich spreche jetzt nicht von der politischen Revolution, die ja nah war, zeitlich nah war damals, sondern ich spreche von einem revolutionären Herauswühlen, In-Bewegung-Gehen des menschlichen Schicksals, etwas durch und durch Unkleinbürgerliches.

Christa Wolf: Da wir gerade über andere Bücher sprechen: Wie ist es überhaupt mit dem Eindruck anderer Schriftsteller dieses Jahrhunderts auf Sie selbst? Wir erleben in letzter Zeit so oft Diskussionen und Streitereien über Tradition oder über Vorbilder, denen man sich verpflichtet fühlt ...

Anna Seghers: Zunächst mal über den Begriff „Tradition". Ich glaube, da kann es gar keinen echten Streitpunkt geben, denn es ist klar, daß alles, was heute geschaffen wird, mit beruht auf etwas, was vormals vorgeschaffen wurde. Wenn ein Bauer seinen Acker pflügt, dann kann er es doch nur mit jahrhundertealten Erfahrungen, und auch ein Traktor macht diese Erfahrungen nicht überflüssig, im Gegenteil. Die Erfahrungen sind unbedingt nötig. Und haben Sie nicht das Wort eben gebraucht: „verpflichtet fühlen"? – Viele Werke der Weltliteratur, also nicht nur der deutschen Literatur, sondern der

Weltliteratur, und innerhalb der Weltliteratur deutsche Schriftsteller, haben Eindruck auf mich gemacht. Ich habe von manchem einzelnen gelernt, manches habe ich vielleicht direkt oder indirekt in mich aufgenommen, stark oder schwach. Ich kann mir kaum denken, wie ich damals soll gelebt oder geschrieben haben ohne einzelne solcher Eindrücke.

Sehen Sie, es ist mir schwer, ganz genau auf diese Frage einzugehen, und doch will ich mich bemühen, das richtig zu tun. Wichtig waren mir ganz verschiedene Leute und, ich muß es nochmals sagen, in ganz verschiedenem Maß und aus ganz verschiedenen Gründen: auch Proust, auch Kafka, nicht besonders und nicht allein selbstverständlich, aber auch Balzac und auch Stendhal, auch nicht allein. Sie haben mit zu der Welt gehört, aus der ich gelernt habe. Und allein bestimmt nicht nur Dos Passos, sondern erst recht Dreiser, erst recht Jack London, und selbstverständlich nicht ausgerechnet allein Kafka, aber in hohem Maß auch Theodor Fontane. Das alles habe ich lesen wollen, das alles war dazu da, damit ich möglichst viel verstehen konnte von der Welt, die mich umgeben hat. Und ich habe dann ausgesucht, was ich für richtig gehalten habe und was mir nicht richtig erschien, was ich für wichtig und was für unwichtig gehalten habe. So war das damals mit mir.

Christa Wolf: Ich möchte noch einmal diese Frage abwandeln in bezug auf die deutsche Literatur, aus folgendem Grund: Ich habe den Eindruck, daß Sie eine bestimmte Reihe von Namen aus der deutschen Literatur entweder besonders lieben oder aus anderen Gründen öfter erwähnen; zum Beispiel nennen Sie sie ganz ausdrücklich auf dem Pariser Kongreß zur Verteidigung der Kultur 1935. Da sprechen Sie in Ihrer Rede über „Vaterlandsliebe", und später in Aufsätzen im mexikanischen Exil, über folgende deutsche Schriftsteller: über Hölderlin, Büchner, die Günderrode, über Kleist, Lenz, Bürger; Sie schreiben Essays über Lessing und über Schiller.

Anna Seghers: Diese Schriftsteller habe ich auf dem Pariser Kongreß hauptsächlich zitiert, weil es mir als kein Zufall erschienen ist und auch heute noch nicht als ein Zufall erscheint, daß so viele begabte deutsche Schriftsteller in der Vergangenheit jung und verzweifelt umgekommen sind.

Christa Wolf: Ich möchte anknüpfen an etwas, was Sie in Ihrem Essay über Tolstoi sagen, den ich vor ganz kurzem erst wieder gelesen habe, ohne zu verstehen, warum er in unseren Realismusdiskussionen bis jetzt kaum eine Rolle spielt (ebensowenig wie Ihre Betrachtungen über Dostojewski und Schiller). Sie sagen: die Vorgänge der äußeren Welt setzen sich in einem langen und komplizierten Prozeß in Tolstois Werk um. Das gilt ja wohl für jeden Schriftsteller und für jedes Werk. Mich interessiert also, wie das Milieu Ihrer frühen Erzählungen: „Grubetsch", „Die Ziegler", der „Aufstand der Fischer von St. Barbara", also der Erzählungen der zwanziger Jahre, Ihnen nahegekommen ist. Woher kannten Sie diese proletarischen Hinterhöfe oder das Handwerkermilieu oder diese Fischer und solch eine Nordseeinsel?

Anna Seghers: Sie wissen doch aus vielen Gesprächen, die wir schon miteinander hatten, daß ich in einer kleinen Stadt oder kleineren Stadt aufgewachsen bin, ich bin durchaus keine Großstädterin. Nun, und dadurch bin ich mit vielen Orten von klein auf vertraut gewesen. Ich war nie milieugebunden im eigentlichen Sinn. Ich habe mir alles ganz genau angesehen, was mich schon als junges Ding interessiert hat.

Christa Wolf: Und Sie haben einmal von Ihrer frühen Nordseebegeisterung erzählt. Ist das eine Voraussetzung geworden für die „Fischer von St. Barbara" – Ihre Kenntnis der Nordsee schon in sehr frühen Jahren?

Anna Seghers: Ich habe das Meer immer sehr gern gehabt und habe es auch heute noch gern. Ob gerade diese Liebe eine große Rolle gespielt hat, das kann ich Ihnen gar nicht genau sagen. Sehr oft habe ich nicht über das Meer geschrieben, weil ich nicht gerne über Teile der

Wirklichkeit viel schreibe, die ich gern habe und liebhabe und doch nicht sehr gründlich kenne; ich bin ja kein Seemann. Ein Fluß spielt fast in allen meinen Geschichten und all meinen Romanen eine gewisse Rolle.

Christa Wolf: Ich bleibe bei Tolstoi oder bei Ihrer Interpretation von Tolstoi: Sie zitieren oft, wenn Sie vom künstlerischen Schaffensprozeß sprechen, seine „drei Stufen": daß man die Wirklichkeit zuerst frisch und unmittelbar erlebt, später versucht, sie sich in Zusammenhängen bewußt zu machen, und schließlich, wenn das Talent und die Umstände günstig sind, die dritte Stufe erreicht, auf der die Ergebnisse des Denkens wie eine zweite Natur geworden sind. Und Sie sagen, es gäbe bei uns und überall Künstler, die auf der zweiten Stufe beginnen und enden. Wie meinen Sie das, und woher kommt das Ihrer Meinung nach?

Anna Seghers: Im Grunde genommen haben Sie es eben schon gesagt: wir können es ja nicht besser erklären als Tolstoi, wir können es höchstens anwenden. Ich meine so: Viele unserer Schriftsteller – ich meine, hier bei uns in der DDR viele junge Schriftsteller, auch alte, gewiß – aus falsch aufgefaßter Parteilichkeit machen sie sich jedes Teilchen der Wirklichkeit zunächst einmal bewußt. Man hat nie den Eindruck, daß noch irgend etwas frisch und unmittelbar auf sie wirken darf. Man hat auch nicht den Eindruck, und das ist ja nötig, daß richtige Erkenntnisse zu ihrer zweiten Natur geworden sind, wie Tolstoi das nennt. Ihre schriftstellerischen Arbeiten muten einen an, als ob sie sich mühevoll andauernd beim Schreiben selbst jedes Detail mit all seinen sozialen Beziehungen bewußt machen müssen. Das sollte aber, wenn sie wirklich Künstler sein wollen und wenn sie erwachsene Leute sind, bereits hinter ihnen liegen. Es muß ihnen bereits selbstverständlich sein.

Christa Wolf: Ich möchte auf eines Ihrer Bücher kommen, das, glaube ich, bei uns den größten Erfolg hatte und den dauerhaftesten Erfolg hat, nämlich „Das siebte

Kreuz", das Sie in Paris schrieben, als Sie schon nicht mehr in Deutschland sein konnten, das aber gerade von der genauen Beschreibung des Volksalltags lebt und der Spannung, die zwischen eben diesem alltäglichen lebenden Volk und dem Revolutionär besteht, der sich verbergen und retten muß. Sie waren damals nicht in Deutschland. Wie war das Schicksal dieses Ihres Buches? Wie entstand es? Wie kamen Sie zu dem Material, das Sie brauchten? Wie war das Schicksal der Manuskripte?

Anna Seghers: Vielerlei Umstände, Begebenheiten sind mir immer wieder von Emigranten, und darunter waren auch Flüchtlinge aus Lagern, genau erzählt worden, genau beschrieben worden auf meine Bitte. Als ich das Manuskript schließlich korrigierte, hatte bereits der zweite Weltkrieg begonnen. Als es fertig war, gingen mir, zu meinem schrecklichen Kummer, mehrere Kopien verloren. Ich fürchtete sogar eine Zeitlang, die ganze Abschrift wäre verlorengegangen. Zum Glück aber, ich sage das gleich vorher, also wenigstens zu meinem Glück, ist ein Exemplar bei Franz Weiskopf, der damals in den Staaten war, angekommen. Ein französischer Freund, der es übersetzen wollte, lag als Soldat in der Maginot-Linie mit dem Manuskript. Und ein anderes, das ich einer Freundin geliehen hatte, ging bei einem Luftangriff mit dem Haus zugrunde. Und schließlich mußte ich ein Manuskript, ganz kurz bevor die Deutschen in Paris einzogen, selbst verbrennen. So war das damals.

Christa Wolf: Das Buch erschien doch zuerst in den USA?

Anna Seghers: Ja, aus den Gründen, die ich eben erklärt habe.

Christa Wolf: Und hatte dort einen großen Erfolg?

Anna Seghers: Man hat mir gesagt, zum Teil hat dieser Erfolg in den USA auch darauf beruht, weil viele Menschen zum erstenmal stutzig wurden; sie haben zum erstenmal verstanden, daß Hitler, bevor er sich auf fremde Völker gestürzt hat, den besten Teil seines eigenen Volkes kaputt gemacht hat. Und wenig später ist dieses Buch in Mexiko herausgegeben worden in deutscher Sprache.

Christa Wolf: In dem Verlag „Freies Deutschland".

Anna Seghers: Ja. Damals war es so: Damit die spanischen Setzer, die kein deutsches Wort kannten, es richtig druckten, mußten unsere Kinder jedes Wort in Silben teilen.

Christa Wolf: Mir ist immer aufgefallen, daß Sie eigentlich zu allen Zeiten, auch in Zeiten größter Gefahr, wie in Paris, zu Märchen- und Sagenstoffen und -geschichten zurückgekehrt sind. Wie kamen Sie auf diese Stoffe und Motive?

Anna Seghers: Ich weiß selbst nicht, wie ich zu manchen Themen gekommen bin; ich habe sie erfunden, nicht wahr; andere habe ich durch existierende Märchen und Sagen schon gekannt. Dieses und jenes Motiv habe ich aufgenommen, zum Beispiel die Sage von Jason, vom Argonautenschiff.

Christa Wolf: Wie ist es mit dem Räuber Woynok – gibt es dafür irgendein Motiv?

Anna Seghers: Nein. Wenn Sie den Professor Freud aus dem Grab locken wollen, vielleicht wüßte er irgendwelche – ich weiß nicht – Assoziationen ... Aber soweit ich mir ehrlich bewußt bin, habe ich diese Geschichte erfunden, und zwar habe ich sie schon lange erfunden. Ich habe das Gefühl, daß ich sie immer gewußt und gekannt habe, diese Geschichte. Ich habe ja niemand gehabt als kleines Kind, der mir Märchen erzählte, diese Art Märchen erzählte, bestimmt nicht. Ich mußte sie mir selbst erzählen.

Christa Wolf: Mich würde noch interessieren, ob es Bücher gibt und welche, zu denen Sie direkt Materialstudien gemacht haben. Ich denke zum Beispiel an „Weg durch den Februar".

Anna Seghers: Selbstverständlich, und wie! Das ist aber keine Novelle, sondern fast eine Reportage, wie „Der letzte Weg des Koloman Wallisch"; dem Thema nach ge-

hört das ja zum „Februar". Damals bin ich nach Österreich gefahren, gleich nach dem Putsch, nach dem Dollfuß-Putsch, und bin auf die Gerichte gegangen und habe mir die Prozesse angehört.
Christa Wolf: Das war 1934. Und vorher erschien noch als letztes Buch, ehe Sie Deutschland verlassen mußten, „Die Gefährten". Wie sind diese Stoffe an Sie herangekommen, die Geschichten, die Sie dort erzählen?
Anna Seghers: Viele Studenten, mit denen ich befreundet war, stammten aus den Ländern, die in dem Buch eine Rolle spielen; heute sind die meisten dieser Länder Volksrepubliken geworden. Und alles, was sie erzählten, hat natürlich als junges Ding einen gewaltigen Eindruck auf mich gemacht.
Christa Wolf: Sie erzählten einmal, daß Sie in dem Borinage gewesen sind und daß von daher auf das Milieu, das in der „Rettung", also in einem Bergarbeiterroman, eine Rolle spielt, Anregungen ausgegangen sind. War das ein bewußtes Studium dieser Verhältnisse?
Anna Seghers: Ja. Ich glaube, ich muß dazu noch etwas Genaueres sagen, damit ich mich richtig ausdrücke und richtig verstanden werde. Diese sogenannten Studien, wie Sie das etwas übertrieben nennen, zum Beispiel im Borinage, die kamen zustande, weil ich das Buch schon vorher geplant hatte, den Stoff kannte ich schon, den ungefähren Stoff, es war ja ein Roman der Arbeitslosigkeit. Nachdem diese Menschen das Letzte an Heldenhaftigkeit hergegeben hatten, unter Tag, wurde das Bergwerk geschlossen, und sie hatten keine Arbeit mehr. Ich fragte mich, wie sie dann lebten mit ihren großen inneren Fähigkeiten. Aber da ich in der Emigration war, konnte ich nicht in ein deutsches Bergwerk, übrigens nicht an der Ruhr, sondern wahrscheinlich wäre es an der Ostgrenze gewesen, sondern ich bin, weil ich damals dort Zugang hatte, ins Borinage, nach Charleroi und solchen Orten.

Und dann noch etwas: Ich glaube, so nötig die Phantasie ist, so nötig ist ganz genaue, ganz harte Arbeit. In vielen Fällen, wenn es sich um geschichtliche Themen handelt, ist eine scharfe chronologische Vorarbeit nötig. Ich meine zum Beispiel: Ein Gespräch findet im Oktober statt; was im Oktober geschah, wissen wir, aber es dürfen nicht gleichzeitig während dieses Gespräches die Gärten blühen. Also muß ich ganz scharf chronologisch arbeiten.

Christa Wolf: Machen Sie sich eigentlich für Ihre großen Romane, wie zum Beispiel „Die Toten bleiben jung", vorher ein Schema, um diese weit verzweigten, komplizierten Handlungen im Auge zu behalten? Schreiben Sie dann chronologisch, oder arbeiten Sie ganz anders als bei den kleineren Novellen? Das Schicksal der Helden, steht Ihnen das von Anfang an vor Augen, oder verändert es sich während des Schreibens, ebenso wie der Ausgang der Handlung?

Anna Seghers: In Ihrer Frage scheinen mir zwei Fragen verquickt zu sein. Als erstes einmal: Ob das Schicksal von Personen feststeht oder sich während des Schreibens ändert? Ich glaube, beides. Ich glaube, etwas, was für mich wichtig ist, bleibt von vorn bis hinten fest. Aber gerade deshalb, während ich nun diese Menschen dem Leser oder mir selbst zunächst klarmachen will, muß ich doch manches ändern, gerade im Dienst dieses Festbleibens eines Schicksals, eines Charakters.

Und dann fragen Sie mich, ob ich das chronologisch festgehalten habe, zum Beispiel in einem großen Roman wie „Die Toten bleiben jung". Während ich schreibe, sehe ich mir an, was zum Beispiel in Deutschland passiert ist von einem Krieg zum anderen; dann stelle ich mir vor, was diesen meinen Menschen während dieser Zeit passiert ist, wie sie sich dazu gestellt haben, was sie selbst getan haben.

Christa Wolf: Wie ist Ihre Methode: Schreiben Sie vom ersten Kapitel bis zum letzten, der Reihe nach, oder schreiben Sie einzelne Kapitel vorher und kehren dann zum Anfang zurück?

Anna Seghers: Nein, ich glaube, ich schreibe viel eher, wie man baut. Was meine ich damit? Ich mache zuerst das Fundament dieses Hauses. Also sagen wir, ich habe einige Personen, die ich rauskriegen will, die ich klarmachen will, und da schreibe ich meistens zuerst mal versuchsweise einige Szenen, aus denen der Charakter und die Handlungsart dieser Menschen hervorgeht, ihr Verhalten in wichtigen Momenten. Und wenn ich mehrere solcher Szenen geschrieben habe und ich habe das Gefühl, ich packe diese Sache, ich kann das richtig darstellen, dann freilich muß ich von Anfang bis zu Ende alles in Ordnung schreiben.

Christa Wolf: Ist es Ihnen schon vorgekommen, daß Vorgänge, die Sie während des Schreibens ausgedacht haben, sich später wie als „wahr" erwiesen haben?

Anna Seghers: Sehen Sie, als ich diesen Roman geschrieben hatte, „Die Toten bleiben jung", bekam ich einige Zeit nachher einen Brief. Da lief es mir kalt über den Rücken. Eine Frau, die ich selbst gekannt, aber mittlerweile aus den Augen verloren hatte, schrieb mir, ich hätte sicher an das Schicksal ihres Mannes und ihres Sohnes gedacht. Der Mann war ein bekannter Funktionär der KPD, und er war gleich in der ersten Zeit des Hitlerregimes umgebracht worden im Grunewald. Und ihr Sohn, der in die Schule ging, in die auch meine Kinder gingen, den ich erst recht aus den Augen verloren hatte, der ist dann auf eine ähnliche Weise wie sein Vater ermordet worden. Und die Frau schrieb mir, ich hätte wahrscheinlich damit ihren Mann und ihren Sohn gemeint. Ich habe das aber nicht einmal gewußt, ich habe erst durch diesen Brief von ihrem Schicksal erfahren.

Christa Wolf: Sie führen immer wieder bestimmte Romanschicksale aus den größeren Romanen in kleineren Novellen zu Ende oder weiter, zum Beispiel in den Novellen „Das Ende" oder „Die Saboteure" oder auch „Vierzig Jahre der Margarete Wolf". Haben Sie eigentlich mit den Figuren aus der „Entscheidung" etwas Ähnliches vor?

Anna Seghers: Ja, die Personen sind mir, wenn ich über sie schreibe, allmählich so bekannt wie Mitmenschen, so daß ich das Bedürfnis habe, mit ihnen zusammen zu bleiben. Ich mache mir klar, wie ihr Leben weitergeht, auch wenn ich das Buch beendet habe. Und so ist es auch mit dem Roman „Die Entscheidung". Er wird aber nicht in einigen Novellen, einigen Einzelschicksalen auslaufen, sondern, wie ich es ja schon gesagt habe, ein zweiter Teil wird entstehen, in dem freilich nicht alle Menschen vorkommen, die im ersten eine Rolle spielten, in dem aber einige wichtige Personen, nach denen ich manchmal gefragt werde und nach denen ich mich auch selbst frage, vorgestellt werden im nächsten Teil ihres Lebens.
Christa Wolf: Unter welchen Umständen arbeiten Sie am liebsten? Wo und wann schreiben Sie? Regelmäßig jeden Tag und nach einem bestimmten Pensum?
Anna Seghers: Am allerliebsten schreibe ich auf einem Schiff oder in einem ganz vollen Café, und das sind zwei Möglichkeiten, die es bekanntlich in Berlin nun mal nicht gibt. Warum ich das nun so gern habe? Weil dann viele Menschen um mich herum sind, ich bin nicht allein, aber diese vielen Menschen lassen mich in Ruhe, sie kümmern sich nicht um mich. Wenn ich genug Ruhe hätte hier in Berlin – leider habe ich das nicht, weil jede Woche, jeder Tag mit neuen überflüssigen Sachen kommt –, dann würde ich unbedingt jeden Tag, wie es sich gehört, einige Stunden arbeiten. Meiner Meinung nach brauche ich das, braucht das jeder schreibende Mensch, weil man mit seinem Stoff und mit seinen Fähigkeiten vertraut bleiben muß in jedem Beruf. Ich frage mich manchmal, was würden denn die Ärzte sagen, wenn man sie mitten aus einer Operation herausrufen würde, Metallarbeiter oder ein Mensch am Hochofen! Gerade mitten in dieser Arbeit müßte er Gott weiß wo hingehen, ans Telefon, ich weiß nicht, weshalb.
Christa Wolf: Sicher würde Ihnen jeder recht geben, und

doch wird das Telefon weiter klingeln ... Sie sagten einmal: „Was erzählbar geworden ist, ist überwunden." In welchem Sinn „überwunden"? Das hat ja offenbar gar nichts mit zeitlichem Abstand zu tun, sondern mit einer „Überwindung" vom Problem her, von der inneren Einstellung dazu.

Anna Seghers: Wenn man richtig schreibt, dann denkt man weder an Dauer noch an Vergänglichkeit, das ist einem dann alles völlig gleichgültig, man denkt nur an eine richtige, klare, schöne Darstellung. Es gibt heute keine Ritter mehr, aber Don Quijote ist doch nie in Nebensächlichkeiten abgeglitten, die Windmühle im Gegenteil ist ein gigantisches Symbol geworden, war zuerst nichts als eine bloße Windmühle. Ich weiß nicht, ob Cervantes an die Ewigkeit gedacht hat. Und jetzt in den Ferien – in den Ferien hat man ja Zeit zu lesen –, da las ich Erinnerungen des Schriftstellers Babel an den alten Tolstoi. Und da schreibt er: Wenn Tolstoi in einem Roman von einem Herrn schreibt, der sich eine Kutsche bestellt, um irgendwo hinzufahren, dann liegt in dem bloßen Satz: „Kutscher, Twerskaja, zwanzig Kopeken!" so viel drin, daß man schaudert; man fühlt, daß etwas Gewaltiges passieren wird. Warum eigentlich hat man dieses Gefühl? Ich glaube, weil dieser große Schriftsteller einen nie getäuscht hat; wirklich, immer führen seine Romane zu etwas ganz Gewaltigem, privat und gesellschaftlich Gewaltigem hin, so ist das.

Christa Wolf: Sie arbeiten augenblicklich an Erzählungen unter dem Titel „Die Kraft der Schwachen". Haben diese Erzählungen einen thematischen Mittelpunkt?

Anna Seghers: Sie haben keinen Mittelpunkt, aber einen Zusammenhang, einen thematischen Zusammenhang. Es handelt sich um lauter unbekannte, einfache Menschen, sagen wir, ohne die geringste Spur von dem, was man Personenkult nennt, Menschen, die völlig lautlos etwas Wichtiges tun. Wenn ich nicht über sie schreiben würde, dann würde man nie das Geringste über sie erfahren.

Christa Wolf: Sie sagten einmal, daß seit zweitausend Jahren die Kunst sehr wenig Grundstoffe hervorgebracht habe, die Abwandlungen aber seien vielfältig. Sehen Sie eigentlich neue, für unsere Gesellschaft bezeichnende Abwandlungen eben dieser Grundstoffe, die Sie für beschreibenswert halten?
Anna Seghers: Ja, bei uns als Stoff schon. Das Verhältnis des Menschen zum Menschen, die menschliche Arbeit. Wir sind, glaube ich, erst am Anfang.

1965

Glauben an Irdisches

1

Der Entschluß zu einem Werk, dem Künstler nicht immer so bewußt und der Nachwelt verbürgt wie bei Stendhal oder Balzac, fehlt doch fast nie. Soviel die Kunst mit Traum und Unbewußtheit zu tun hat – traumhaft, unbewußt fügt sich nicht Buch um Buch zu dem einmaligen, scheinbar in sich ruhenden, aber äußerst spannungsreichen Phänomen, das die Nachwelt oder, wie im Falle der Anna Seghers, schon die Mitwelt als „das Werk" erkennt.

Sparsam in persönlichen Äußerungen, gewährt Anna Seghers in ihren Essays indirekte, manchmal auch direkte Einblicke in einen Vorgang, der vielen zu Unrecht mystisch, anderen zu Unrecht simpel und mechanisch erscheint: den Vorgang der Kunstausübung. Wer danach sucht, wird auch finden, wie der Werk-Entschluß aufkam, sich festigte und angenommen wurde, in diesem besonderen Fall. Aufschlüsse also über eine Erzählerin dieses Jahrhunderts, die sich früh bewußt war, daß es ihr zukam, die Kämpfe und Leiden ihres Volkes aufzuheben in ihren Geschichten; deren Leben wir als gleichnishaft, deren literarische Leistung wir als klassisch empfinden, ohne sie doch ganz zu kennen, geschweige denn wirklich zu verstehen. Die späte Herausgabe wichtiger Aufsätze, Reden und Essays ist dafür nur ein äußeres Zeichen.

Die Grundgedanken dieser Aufsätze verschlingen sich mit den wiederkehrenden Motiven ihrer Romane. Da ist ein Bestand von Erlebnissen, Problemkreisen und Überzeugungen, „Originaleindrücken", denen sie treu bleibt – ein Ausdruck, der heute altmodisch anmutet, er trifft es aber. Sie bleibt ja auch ihren Leuten treu, dem seltsamen Volk, mit dem sie von Anfang an ihre Bücher bevölkert hat, das seine Verwandtschaft untereinander nicht verleugnen kann, vom frühen Rebellen Hull bis hin zu dem mexikanischen Töpfer, der sich aufmacht, das wirkliche Blau zu suchen. Alle diese Männer und Frauen aus verschiedenen Völkern, sogar aus verschiedenen Zeiten und aus der Zeit, ehe die Zeit begann, nehmen wichtige Züge – die sie auszeichnen gegenüber den wirklich lebenden Menschen und gegenüber dem Personal anderer Autoren – eben aus der Tatsache, daß sie im Kopf eines besonderen Menschen entstanden sind und nur dort entstehen konnten. Diese merkwürdige Erscheinung, wie aus dem Zusammentreffen von äußerer Wirklichkeit und innerer Anlage etwas Drittes wird, das Kunstwerk: diese Merkwürdigkeit hat nie aufgehört, Anna Seghers zu beschäftigen.

Mit zwanzig, sagt Anna Seghers von sich, als Studentin der Kunstgeschichte und Sinologie, die ihre ersten kurzen Arbeiten in Zeitungen veröffentlicht, mit zwanzig sei sie sicher geworden, daß sie nur schreiben sollte. „Es gab dabei zwei Linien: erzählen, was mich heute erregt, und die Farbigkeit von Märchen. Das hätte ich am liebsten vereint und wußte nicht, wie." Die zwei Linien, ablesbar an ihrem ganzen Werk, öfter vereint: legendäre Züge in realistischen Geschichten, höchste reale in Sagen und Märchen – mögen auch in jener frühen, wilden Seefahrergeschichte zusammengewirkt haben, deren Held ein niederländischer Kapitän mit Namen Seghers war und deren Autorin sich als dessen Enkelin ausgab. Dabei blieb sie dann „in Wirklichkeit", als es hieß die Geschichte zeichnen: Anna Seghers. Undramatischer, doch nicht bedeutungsloser Akt einer Selbsttaufe, in dem die alte Kinderliebe zum Meer, Faszination durch die niederländische Kunst (Seghers hieß ein holländischer Grafiker der Rembrandt-Zeit) und, mehr oder weniger bewußt, der so bezeichnende Wunsch nach Anonymität zusammengewirkt haben mögen. Aus Netty Reiling, der einzigen Tochter des Mainzer Kunsthändlers, wird die Erzählerin Anna Seghers. Sie soll in Zukunft, mit einer Ausnahme, nicht mehr auf ihre Person zurückkommen. Die Ausnahme ist die Erzählung „Ausflug der toten Mädchen", die unverhüllt persönliche, biographische und seelische Erfahrungen preisgibt. Erfahrungen, die nicht anders als schreibend zu bewältigen waren.

Erfahrung wird auch in diesen Essays bewältigt. Die Stimme, die hier spricht, ist die gleiche. Es wird nicht behauptet, sondern nachgedacht. Ehe sie andere zu überzeugen sucht, verständigt sie sich mit sich selbst.

2

„Wir haben in dieser Zeitwende, die wir, wie kaum eine Nation die ihre, mit qualvoller Bewußtheit erleben, Menschen um Ideen wie um Fahnen bis zum Zerfetzen kämpfen sehen."

Im Jahr 1935 steht vor dem Kongreß zur Verteidigung der Kultur in Paris eine junge Frau, deutsche Schriftstellerin, im Exil seit zwei Jahren, bekannt durch drei Bücher: „Aufstand der Fischer von St. Barbara", „Die Gefährten", „Der Kopflohn". Unter denen, die ihr zuhören, sind berühmte Namen. Damals wie heute hat es an Kongressen nicht gefehlt, nicht an Rednern und Losungen. Auch Anna Seghers spricht nicht zum erstenmal zu einem Saal voller Menschen. Doch spricht sie jedesmal wie zum erstenmal.

„Vaterlandsliebe", sagt sie. Man wird ihr zugehört haben. Ein Freund hat beschrieben, wie man ihr zuhörte, in einer der heißen Berliner Versammlungen der zwanziger Jahre. Wie man den Atem anhielt, weil man fürchtete, sie könnte steckenbleiben, mitten in ihren frei gesprochenen, gut durchdachten und vollendet formulierten Sätzen. Wie sie ruhig, ohne große Geste zu Ende sprach, und wie man später erfuhr, sie habe die ganze Rede in der Nacht zuvor auswendig gelernt.

Vaterlandsliebe. „Vielleicht ist um keine Idee raffinierter und trivialer geschriftstellert worden als um die: Vaterland. Um keine wurde mehr Schultinte von Knaben verkleckst, mehr Blut von Männern vergossen." Siebzehn Jahre seit dem Ende des ersten Weltkrieges, die Hälfte ihres bisherigen Lebens. Kindheit in dem harmonischen, kultivierten Elternhaus. Frühe Leseerlebnisse, frühe Erfahrungen vom menschlichen Zusammenleben in der geschichtsreichen, lebendigen, in übersichtliche soziale Gruppen und Beziehungen geordneten Stadt Mainz, frühe Landschaftseindrücke in der Rhein-Main-Gegend. Der Schock von Krieg und Nachkrieg. Der natürlich scheinende Entschluß, Kunstgeschichte zu studieren und, etwas ungewöhnlich, Sinologie: um die Unterschriften unter den ostasiatischen Kunstwerken lesen zu können, die ihr früh nahegebracht wurden als Zeugnisse einer eigenen, von der griechischen sehr verschiedenen Kultur. Die Dissertation, die sie 1924 an der Universität Heidelberg einreicht: „Jude und Judentum im Werke Rembrandts" – eine Beweisführung, daß Rembrandt in seinen Judendarstellungen von exotisch aufgefaßten typisierten Köpfen zur Wiedergabe streng beobachteter Realität gelangt ist ...

„Fragt erst bei dem gewichtigen Wort ‚Vaterlandsliebe', was an eurem Land geliebt wird. Trösten die heiligen Güter der Nation die Besitzlosen? ... Tröstet die ‚heilige Heimaterde' die Landlosen?" Auf der Universität die ersten Begegnungen mit Kommunisten, Flüchtlinge meist aus Ost- und Südosteuropa, aus Ländern, in denen die Revolution blutig niedergeschlagen war. Sie entdeckt durch den lebendigen Kontakt mit ihnen die Schönheit der Revolution, die verhärtete Grausamkeit der Reaktion – eine Entdeckung, die ihr Leben und ihre Arbeit bestimmen wird.

Berlin. Erste Erzählungen in Zeitungen, darunter „Grubetsch", „Die Ziegler". Der Bund proletarisch-revolutionärer Schriftsteller. Meetings, Diskussionen, Demonstrationen.

„Doch wer in unseren Fabriken gearbeitet, auf unseren Straßen demonstriert, in unserer Sprache gekämpft hat, der wäre kein Mensch, wenn er sein Land nicht liebte." 1928 tritt Anna Seghers in die Kommunistische Partei ein. Im gleichen Jahr erhält sie den Kleist-Preis für „Aufstand der Fischer von St. Barbara". Ihr Name erscheint in den Kritikspalten der Zeitungen. Eines der schockhaften Grunderlebnisse, die sie später immer wieder erwähnen wird, ist die große Krise: Der Mensch, „mit all seiner Begabung unverwertbar, ungebraucht, lästig, in jedem Vaterland Millionen seiner Art zuviel."

Dieser Gedanke folgt ihr, in ihre Reportagen („Was wissen wir von Jugendcliquen?"), ins Exil, in ihre Grübeleien über die Ursachen des Faschismus in Deutschland; er wirkt schließlich mit bei der Erfindung einer Figur wie der des Geschke in ihrem Roman „Die Toten bleiben jung". Ähnlich kann man öfter den Gang ihrer „Erfindungen" verfolgen.

1930 gehört Anna Seghers zu den deutschen Delegierten beim I. Internationalen Schriftstellerkongreß in Charkow; noch nach fast vierzig Jahren spricht sie von dem „besonderen Licht", das seit damals für sie von der Sowjetunion ausgegangen ist. „Die Gefährten" entstehen, „ein paar Seiten erzählten Lebens nach vielen heißen Jahren gelebten Lebens". Dieses Buch wird, kurz nach seinem Erscheinen, im Januar 1933 verboten. Seine Autorin, festgenommen, verhört, noch einmal entlassen, kann mit ihrer Familie entkommen. Der Gedenkstein für den im Exil gestorbenen Georg Büchner ist ihr auf Schweizer Boden eine „schneidende Begrüßung". – Anna Seghers geht mit ihrer Familie nach Paris.

Anna Seghers ist nicht mehr unbekannt, als sie vor den Teilnehmern des Kongresses zur Verteidigung der Kultur steht. Ihre letzten Arbeiten sind dem Aufstand und der Niederlage der österreichischen Schutzbündler gewidmet: „Der Weg durch den Februar". Sie ist den

Weg eines ihrer Anführer nachgegangen: „Der letzte Weg des Koloman Wallisch". Sie sagt keinen Satz, den sie nicht erfahren hat. Sie ist fünfunddreißig Jahre alt, ihr Haar noch dunkel. Man wird ihr zugehört haben. So sagt sie, aus Erfahrung und mit der Nüchternheit, in die sie persönliche Bekenntnisse immer kleidet, zum erstenmal einen für sie wichtigen und bezeichnenden Gedanken: „Selten entstand in unserer Sprache ein dichterisches Gesamtbild der Gesellschaft. Große, oft erschrekkende, oft für den Fremden unverständliche Einzelleistungen, immer war es, als zerschlüge sich die Sprache selbst an der gesellschaftlichen Mauer ... Bedenkt die erstaunliche Reihe der jungen, nach wenigen übermäßigen Anstrengungen ausgeschiedenen deutschen Schriftsteller. Keine Außenseiter und keine schwächlichen Klügler gehören in diese Reihe, sondern die Besten: Hölderlin, gestorben im Wahnsinn, Georg Büchner, gestorben durch Gehirnkrankheit im Exil, Karoline Günderrode, gestorben durch Selbstmord, Kleist durch Selbstmord, Lenz und Bürger im Wahnsinn. Das war hier in Frankreich die Zeit Stendhals und später Balzacs. Diese deutschen Dichter schrieben Hymnen auf ihr Land, an dessen gesellschaftlicher Mauer sie ihre Stirnen wundrieben. Sie liebten gleichwohl ihr Land."

3

Leiden an Deutschland.

Wenn dieser Kongreß geschlossen ist, wenn auch die deutschen Delegierten wieder auseinandergegangen sein werden – unter ihnen Heinrich Mann, Bertolt Brecht, Johannes R. Becher, Leonhard Frank, Hans Marchwitza, Willi Bredel –, dann wird Anna Seghers in ihre Pariser Emigrantenwohnung zurückkehren. Jeden Tag wird sie wieder in den Cafés sitzen, in denen sie am liebsten schreibt, weil sich niemand um einen kümmert und man doch nicht allein ist. Das Thema ist im Roman

„Die Rettung“ angeschlagen und wird sie nicht mehr verlassen, ihr nächstes Buch, „Das siebte Kreuz“, wird ihm ganz gewidmet sein: „Ein dichterisches Gesamtbild der Gesellschaft in unserer Sprache ...“ Nicht ohne Beziehung zu den eigenen Zweifeln steht die Frage, ob es denn zu verwirklichen sei, nicht ohne Beziehung zu dem eigenen, vielleicht vor ihr selbst noch geheimen Vorhaben.

Wann der ganze Plan, der jetzt, verwirklicht, in einer Reihe großer Gesellschaftsromane Gestalt angenommen hat, in ihr selbst aufgetaucht ist, wird man nicht erfahren, auch nicht, ob die Bezeichnung „Plan“ zu streng ist für einen Traum, dessen Umrisse sich erst in der Arbeit verfestigen. Über ihre Schulhefte gebeugt, in die sie schreibt, im Café de la Paix in Paris, kann sie nicht ahnen, in welchen merkwürdigen Cafés sie noch so sitzen wird, in Städten, deren Namen sie noch nie gehört hat, in fremden, exotischen Landschaften; vor ihrem inneren Auge werden die Landschaften ihrer Heimat stehen: das Rhein-Main-Dreieck, das in allen ihren Beschreibungen eine besondere Leuchtkraft hat; Berlin; Potsdam; ein karges märkisches Dorf. Etwas wie ein Zauber muß in dieser hartnäckig fortgeführten Tätigkeit des Schreibens liegen, auch für den, der schreibt.

Die Aufgabe, die ein deutscher Erzähler des 20. Jahrhunderts vor sich sieht, kann erdrückend genannt werden. Das Bewußtsein davon kommt schubweise, dann ist es zu spät, zurückzutreten. „Das Thema“, wird Anna Seghers später sagen, „ist etwas mit dem Autor unlösbar Verbundenes, nichts Zufälliges, sondern ein Bindeglied zwischen dem Autor und der Gesellschaft.“ Das gilt auch, wenn das Thema von der Wirklichkeit selbst diktiert scheint: Einer der Flüchtlinge aus Deutschland hat ihr von den sieben Kreuzen erzählt, die für sieben entflohene Häftlinge aufgerichtet wurden. Sie nennt das Lager Westhofen. Den Flüchtling, der nicht gefangen wird, dessen Kreuz leer bleibt, Georg Heisler. Hier ist sie, die Möglichkeit, nach der sie gesucht hat: mit einem einzigen Schnitt in das Innere dieser faschistischen Gesellschaft eindringen, es bloßlegen, wie es der Italiener Manzoni in seinem Roman „Die Verlobten" mit der italienischen Gesellschaft seines Jahrhunderts macht. Das Einfachste bietet sich an: Ein Kommunist, entflohen aus dem Konzentrationslager, läuft um sein Leben und zwingt jedermann, mit dem er in Berührung kommt, zu offenbaren, was er wert ist. Das ist so einfach, wie alle großen Erfindungen einfach sind. Es muß aber einer intensiv danach gesucht haben.

Wenn dieses Buch erscheinen wird, 1942, in den USA, wird der Krieg ausgebrochen sein, dem sich die Schriftsteller auf ihren Kongressen entgegenstellen wollten. Anna Seghers wird erneut, das Schicksal ihrer Romanfigur teilend, über mehrere Grenzen geflohen sein. Ihr Buch, schnell berühmt geworden, wird Leser in aller Welt begreifen lehren, daß der deutsche Faschismus zuerst verheerend über das eigene Volk herfiel, ehe er sich über die Grenzen warf.

Das alles ist noch nicht gewesen, als sie im Juni 1938 die Arbeit an dem noch frischen Manuskript unterbricht, um einem alten Freund aus der Berliner Zeit zu schreiben. Der große Krieg, der auf den Seiten der beiden Briefe an Georg Lukács als Drohung deutlich genug erscheint, kann doch vielleicht noch verhindert werden, trotz der Warnung, die Spanien bedeutet. Jede literarische Diskussion steht unter einer Spannung, die seitdem nie wieder gewichen ist und die Anna Seghers immer stark empfunden hat: daß es „rein künstlerische" Fragen nicht gibt in einer Zeit, in der das geschriebene Wort eine scharfe, unmittelbare Wirkung hat.

Der Streit geht um etwas so Entlegenes wie die literarische Methode. Zwischen Paris und Moskau werden Briefe gewechselt über ein Problem, das erstaunlich dauerhaft ist, sowenig es scheinbar zu den großen Entscheidungen beisteuert, von denen das Schicksal der Völker abhängt: Voraussetzungen und Aufgaben der Kunst. In einer Verteidigung der Kunst durch einen Künstler liegt immer auch etwas von Selbstverteidigung. Doch die Essaywerke Thomas und Heinrich Manns, Bechers und Brechts sind, ebenso wie die bis in die jüngste Zeit hinein fortgesetzten ästhetischen Überlegungen der Anna Seghers, Zeugnis dafür, daß die Zeit selbst immer neu die Auseinandersetzung des ehrlichen Künstlers mit seinem Beruf herausfordert. Nie wieder wird der Ton persönlicher Betroffenheit so deutlich werden wie in diesen ursprünglich nicht zur Veröffentlichung bestimmten Briefen der Achtunddreißigjährigen.

Sie spricht – als Antwort auf abstrakte und autoritative Anforderungen ihres Briefpartners an Kunstwerke, besonders an den Roman – von persönlichen Erfahrungen bei der Kunstausübung. Von den manchmal verzweifelten Anstrengungen der Künstlergeneration, der sie angehört, den neuen Stoff – jede Generation findet einen „neuen Stoff" vor – zu bewältigen. Sie erwähnt die Erkenntnis, die ihr seit ihren Studienjahren tief eingegangen ist: daß nicht jede Periode, nach Belieben, klassische Kunstwerke hervorbringen kann; ein Giotto sei nicht auf einmal da, sondern habe viele Vorläufer, weit weniger „klassisch" als er, ehrlich experimentierende Künstler, die den Stoff aufbereiten, dessen sie doch nicht völlig Herr werden können. Gegen den großen, „klassischen" Namen Goethes, respektvoll, kaum mit Wärme genannt, setzt sie wieder die Namen jener unglücklichen Generation, die ihm folgte und der die Synthese, die auch ein Georg Lukács von den zeitgenössischen Künstlern fordert, nicht möglich war: Kleist (dessen Prosa Anna Seghers sich verpflichtet fühlt), Lenz, Hölderlin, Bürger, die Günderrode. Denen allen mißlang die Anlehnung an die bestehende Gesellschaft, die Goethe, um sein Werk zu retten, vollzog: „Eine Auflehnung hätte vermutlich dieses Werk gefährdet."

Anna Seghers fragt hier nach dem Preis für ein klassisches Werk unter kunstfeindlichen gesellschaftlichen Verhältnissen. Womit wird Abrundung, Vollendung erkauft? Womit die unbeirrte Durchführung einer großen

Konzeption unter historisch widrigen Umständen? Direkter wird ihre eigene Problematik zu jener Zeit nicht ausgesprochen werden. Sie deutet, in unheimlich sicherer Einfühlung in die furchtbaren, scheiternden Bemühungen jener längst vergangenen Schriftsteller, Tatsachen der Literaturgeschichte psychologisch, und natürlich hält ihr Briefpartner ihr vor, daß ihre Beweisführung anfechtbar sei. Allerdings spürt man bei ihr eine mehr als historische Beziehung zu Zweifeln und Verzweiflungen, die über hundert Jahre zurückliegen. Eine Ahnung davon, daß man scheitern kann, daß eine Entscheidung verlangt werden könnte zwischen Auflehnung, rückhaltloser Teilnahme an den Kämpfen der Zeit und dem abgerundeten, vollendeten Werk, dem die Zerrissenheit der Zeit und ihr Reflex im Künstler nicht mehr anzumerken sein darf. Die Dringlichkeit dieser Frage ist nach dreißig Jahren noch zu spüren: Man kann versuchen, der Wirklichkeit Stücke zu entreißen, so direkt und aufrichtig wie möglich, ohne hoffen zu dürfen, das Gültige, das Endgültige zu sagen. Anna Seghers geht so weit, zu formulieren, was sie als gegenwärtige Gefahr empfunden haben muß: Der Schock der Zeitereignisse könnte auf ihre eigene Generation so stark gewirkt haben, daß es ihr mißlingen könnte, ihr Grunderlebnis künstlerisch zu verallgemeinern, daß sie „steckenbleiben" könnte auf „der ersten Stufe" – so merkwürdig uns diese Befürchtung heute erscheinen mag; denn gerade die größten Schriftsteller der Generation, der Anna Seghers angehört, sind zu gültigen, bleibenden Formulierungen ihrer Grunderlebnisse vorgestoßen, die den nach ihnen Kommenden bisher versagt blieben.

Der rein ideologischen Kritik Georg Lukács', die das Kunstwerk einseitig an den politischen und philosophischen Überzeugungen mißt, die es ausdrückt, und an einer bestimmten Schreibweise, die er für allein realistisch hält – dieser lange nachwirkenden Betrachtungsweise von Kunstwerken durch viele Kritiker setzt Anna Seghers eine dialektische, nicht aus einem idealen, abstrakten, sondern aus dem wirklichen, schwierigen Schaffensprozeß abgeleitete Denk- und Sehweise entgegen. „Auch wenn Shakespeare, Homer, Cervantes auferständen – sie könnten den neuen Schriftstellern die Unmittelbarkeit ihrer Grunderlebnisse nicht schenken." In einer Zeit, da der „Besitz" einer bestimmten literarischen Methode fast schon als Garantie für künstlerisches Gelingen gilt, betont Anna Seghers den unersetzlichen Wert der Unmittelbarkeit, verteidigt sie die Ursprünglichkeit der Kunst, ihre Originalität und Neuheit, das Wagnis des „Sehens", das jeder Künstler allein und auf seine einmalige Weise auf sich nehmen muß. Gegenüber einer Theorie, die den Schriftsteller in die Rolle eines passiven Spiegels der objektiven Realität zu drängen suchte, hebt Anna Seghers die aktive Arbeit des Autors hervor, der ein Produkt seiner Zeit, aber auch ein schöpferisches Subjekt ist, das den Mut und die Verantwortung finden muß, rücksichtslos „auf die Realität loszusteuern", keine „Furcht vor Abweichung" vom unmittelbaren Erlebnis zu haben, da diese Furcht „entrealisierend" wirkt, aber auch nicht auszuruhen auf dem „Vollbesitz der Methode". Zum erstenmal erscheint hier das Bild vom „Zauberbesen" neben dem von der „Wunderlampe": Weit entfernt, dem Künstler magische Kräfte zuzuschreiben, sieht Anna Seghers als einen Teil des Talents die Fähigkeit, der Entzauberung der Welt entgegenzuwirken – nicht, um einen der Wirklichkeit entrückten abgeschlossenen Kunstbezirk zu schaffen, sondern um das Gefühl für den Zauber der Wirklichkeit, für die Wunder der Realität immer neu zu wecken – ein Gefühl, das der Mensch zum Leben braucht.

Die Tolstoischen drei Stufen, ein Grundschema des künstlerischen Prozesses, werden in Zukunft immer wieder zitiert werden: das unmittelbare Grunderlebnis, seine bewußte Verarbeitung durch den Künstler und, auf der dritten Stufe, die Wiedergewinnung einer reicheren, vielfältigeren Unmittelbarkeit. Sie selbst nennt den Künstler in einem bezeichnenden Vergleich „einzigartige, eigentümliche gesellschaftliche Verknüpfung von subjektivem und objektivem Faktor, Umschlagestelle vom Objekt zum Subjekt und wieder zum Objekt". Dieses Bild ist dialektischer als die linear aufsteigenden „drei Stufen"; Umschlagestelle: Austausch, wohl auch Verwandlung geistiger Güter, Zusammenprall von Eigenem und Fremdem, Spannungsfeld, Gefahrenstelle. Manchmal wieder begreift sie den Schriftsteller als Forscher, Finder, Entdecker: „Der Schriftsteller wird die Menschen nach und nach in tiefere, unbekanntere Schichten der Wirklichkeit ziehen." Etwas von der Vorstellung eines Tauchers oder Bergmanns ... So sieht ihn die neue Klasse, der daran gelegen ist, frische, unverfälschte Berichte von der Wirklichkeit zu bekommen, und die in der Lage ist, sie zu ertragen, ja, sie in ihrem Kampf zu nutzen. Der unerschütterliche Grundsatz, daß die „Wirklichkeit danach verlange, reflektiert zu werden, und die Kunst danach, zu reflektieren". Der Vernunftoptimismus der neuen Klasse, nicht eingeengt durch trockene Vernünftelei und vulgären Materialismus. Ein Renaissancegefühl. Kein Zweifel am Sinn und an der Notwendigkeit, die sich erweiternde Welt zu erfassen mit allen Instrumenten, die die Menschheit bisher entwickelt hat. Unter ihnen das Instrument der Kunst. Die Unmöglichkeit für den Künstler, sich dieser Aufgabe zu entziehen, wenn sie ihm bewußt geworden ist. Das Risiko des Mißlingens, das zunimmt, je kompromißloser man vorgeht, je höher man zielt. Und schließlich, bei aller Verhaltenheit, etwas wie eine Losung. Die Gestaltung der neuen Grunderlebnisse müsse beginnen: *die Kunst unserer Epoche.*

4

Die Haltung: am ehesten Gelassenheit. Nichts auf der Welt passiert zum erstenmal: „Die Grundstoffe haben sich seit zweitausend Jahren nicht geändert." Aber sein eigenes Schicksal passiert jedem einzelnen zum erstenmal: „Die Abwandlungen sind vielfältig." Der gleiche maßhaltende, vergleichende, nachdenkliche Blick, der auf ihren Sagenhelden wie auf den Helden ihrer Zeit ruht, ein Blick, den manche Leser bis heute für kühl halten, was sie, die an Überschwang gewöhnt sind, befremdet. Die Räume, in denen man wirklich lebt, werden durchscheinend für andere Räume; auch die Zeit ist nicht fest; indem sie die Tiefe der Vergangenheit erhält, gewinnt sie Perspektive für die Zukunft. Der Mann, der da durch die Städte und Dörfer läuft, die die Erzählerin so gut kennt, daß sie sie aus der Erinnerung aufstehn läßt, Stein um Stein: dieser Mann, wieder einer von denen, die vor ihren Verfolgern fliehen, bewegt sich vor einem Zeithintergrund von unendlicher Tiefe, vor dem Hintergrund der Geschichte dieses Landes. Stämme und Völker, Kaiser und Fürsten, bis hin zu dem Schäfer Ernst, der ruhig sein Reich überblickt: „Jetzt sind wir hier. Was jetzt geschieht, geschieht uns."

Genauso sitzt ein Mann, dem die Flucht vorerst geglückt ist, der aber nun, erneut bedroht, auf seinen Transit wartet, in der fremden Stadt Marseille und sieht die fremde Straße hinunter, die seit Jahrhunderten die „Abflußrinne Europas in den Ozean" ist. Genauso, in dieser selben uralten Haltung, wartet ein Mädchen namens Marie in ihrer Dienstmädchenkammer auf den Mann, der nie kommen wird. Sie haben ihn umgebracht. Aber die Toten bleiben jung. Eine Zuversicht, die sich über die Niederlagen des Tages, aber auch über die Siege des Tages erhebt.

Legendäre Züge von Verfolgung, Flucht, äußerster Gefährdung und kaum noch gehoffter Rettung bestimmen jetzt das eigene Leben, davon wird kein Aufhebens gemacht, es ist das Normale. Als die deutschen Truppen sich Paris nähern, ist das „Siebte Kreuz" beendet, das Manuskript, das ihr „am Herzen liegt", wenn es auch nur geschrieben scheint, um sofort auf alle nur mögliche Weise vernichtet zu werden und verlorenzugehen. Das letzte Exemplar verbrennt sie selbst, die Autorin; die Wirtin, die ihr Unterschlupf bietet, verlangt, daß nichts an ihre Arbeit erinnert. Der erste Fluchtversuch aus der Stadt mißlingt. Nun geht sie also mit ihren uniformierten Landsleuten, unter denen es Kommandos gibt, die auch nach ihr suchen, durch dieselben Straßen. Sie kann nicht anders, sie hört auf das, was da in ihrer Sprache geredet und gesungen wird; sie kann nicht anders, sie spricht die jungen, gutgenährten und selbstbewußten Sieger an und vermerkt bei sich sorgfältig die Differenzen in den Antworten, die sie bekommt oder nicht bekommt. Sie kann nicht anders, als eine winzige Hoffnung aus dem Fluch des Soldaten zu ziehen, der eben erfahren hat, daß seine Frau zu Hause von Bomben getötet wurde: „Vielleicht ist dieser Fluch der erste in der ganzen Hitlerarmee ..."

„... wohin wir auch in dieser unwirklichen Welt miteinander verschlagen waren ...", schreibt sie, viele Jahre später, zum Tod von Egon Erwin Kisch. In der dichtesten Gefahr glaubt man zu träumen, die härteste Realität kommt einem am unwirklichsten vor: So geht es auch in ihren Büchern zu. Sie kommt mit Hilfe von Freunden in den unbesetzten Süden des Landes, in das unwirkliche Städtchen Pamiers, zu einer wahrsagenden Wirtin, in ein Haus mit einem schönen spanischen Innenhof. An dem alten Marktplatz gibt es ein geheiztes Café, wo man ihr zu trinken bringt und sie ruhig stundenlang sitzen läßt. Sie kann hinaussehen auf den Platz oder der Reihe nach alle Balzacs aus der Stadtbibliothek durchlesen. Dabei kommt sie dahinter, wie Balzac gearbeitet hat: „Er hat ein sonderbares Phänomen seiner Zeit genommen, irgendeine soziale Verschiebung, und hat sich eine menschliche Geschichte ausgedacht, in der dieses Phänomen sich zeigte." Nach diesem Rezept fängt sie in demselben Café eine Geschichte an zu schreiben – wer wird sie je drucken, wer in deutscher Sprache lesen können und wollen –, die sie „Weiße Hochzeit" nennt: eine jener vorgetäuschten Hochzeiten, die, nicht so selten, zum Schein geschlossen wurden; zum Beispiel kann die Braut bestimmte Papiere brauchen, um zu ihrem richtigen Bräutigam zu gelangen, Papiere, die sie allerdings nur als verheiratete Frau bekommt. Die wirklich geplante Hochzeit aber wird niemals begangen, dagegen erweist sich die falsche als ernst und dauerhaft.

Das Manuskript der „Weißen Hochzeit“ ist verlorengegangen. Wäre es erhalten, hätten wir zweifellos ein Zeugnis mehr für die Eigenart der Seghersschen Fabeln: merkwürdige Zufälle brechen in die Lebensläufe ihrer Personen ein und geben ihnen eine andere Richtung; was die Menschen erstreben, zieht sich wie unter einem Zauber von ihnen zurück, aber was sie dafür erhalten, ist nicht schlechter, auf jeden Fall ist es ihr wirkliches Leben.

Die Magie ist nicht erfunden. „Transit“ war ja ein magisches Wort für die Tausende von Flüchtlingen, die in Marseille zusammengeströmt waren und um jeden Preis Durchreise- und Einreisepapiere für noch nicht bedrohte Länder erkämpfen mußten. Mit ihnen allen teilt Anna Seghers die ins Absurde gesteigerten Erfahrungen mit der hirn- und fühllosen Bürokratie. Nur ihr fließt diese Erfahrung in jenem Schlüsselwort zusammen: Transit. Nur sie sieht, durch Angst und Zweifel und Hoffnung hindurch, die sie ja selbst genauso betreffen wie den Mann in ihrem Buch, wie seltsam ihre Lage ist. Das Muster für ihre Geschichte – zwei Männer lieben eine Frau, die aber selbst hoffnungslos einen dritten liebt –, dieses Muster habe sie von Racines „Andromache“, sagt Anna Seghers. „Die Abwandlungen sind vielfältig.“ Und wenn gilt: „Was erzählbar geworden ist, ist überwunden“, so gilt doch auch: Was überwunden werden muß, soll erzählt werden.

Wunderbarerweise gibt es ein Visum für ein Land, das unvorstellbar weit weg liegt und von dem man nichts weiß: Mexiko. Eine Hilfsorganisation schickt das Geld für die Überfahrt. Sogar ein Schiff ist da, nach Martinique. Unerwartet macht man den Umweg über San Domingo. Da starren die Bilder des Diktators Trujillo von allen Wänden, auch von der Wand des Cafés, in dem die Transitärin sitzt und an „Transit" schreibt. Diesen Mann da auf den Bildern kennt sie nicht, aber ihre Neugier ist geweckt. Ein neuer Umweg ist nötig, man muß über die Vereinigten Staaten nach Mexiko einreisen. In Ellis Island, erneut interniert, erfährt man vom Überfall Hitler-Deutschlands auf die Sowjetunion. Schließlich wird man doch nach Mexiko kommen und fünf Jahre dort leben.

Viel später, als sie diese Gegend der Welt schon längst wieder verlassen hat, schreibt Anna Seghers die drei Novellen aus der Geschichte der Antilleninseln.

5

„Ich fragte mich, wie ich die Zeit verbringen sollte, heute und morgen, hier und dort, denn ich spürte jetzt einen unermeßlichen Strom von Zeit, unbezwingbar wie die Luft. Man hat uns nun einmal von klein auf angewöhnt, statt uns der Zeit demütig zu ergeben, sie auf irgendeine Weise zu bewältigen. Plötzlich fiel mir der Auftrag meiner Lehrerin wieder ein, den Schulausflug sorgfältig zu beschreiben. Ich wollte gleich morgen oder noch heute abend, wenn meine Müdigkeit vergangen war, die befohlene Aufgabe machen."

Diese Sätze beenden eine der schönsten Erzählungen der modernen deutschen Literatur. Sie sind unverschlüsselt. Sie bezeichnen die Haltung genau, in der 1943 in Mexiko „Der Ausflug der toten Mädchen" geschrieben wird: die befohlene Aufgabe machen. Dieses eine Mal tritt die Erzählerin selbst in ihre Erzählung. Ihr eigener Name ist es, der gerufen wird. Die Müdigkeit, von der die Rede ist, war wirklich zu überwinden. Einer Lähmung, die von Trauer ausgehen kann, war Tätigkeit entgegenzusetzen. Die Tätigkeit heißt: schreiben.

„Ein Volk, das sich auf die anderen Völker wirft, um sie auszurotten – ist das noch unser Volk?" Die Frage steht in einem der Aufsätze aus jenen Jahren. Unter den Nachrichten aus Deutschland war auch die Nachricht von der Deportation und Ermordung der Mutter durch die Faschisten gewesen, die Meldung von der Zerstörung der Heimatstadt durch Bomben. Kurze Zeit später meldet „Freies Deutschland", die Zeitschrift der deutschen kommunistischen Emigranten in Mexiko, daß Anna Seghers schwer verunglückt ist. Ein Auto, das sie angefahren hat, hat ihr eine Kopfverletzung zugefügt. Sie schwebt in Lebensgefahr, ihr Erinnerungsvermögen kehrt nur langsam zurück. „Der Ausflug der toten Mädchen" beschreibt nicht die Entscheidung, zu leben, er *ist* diese Entscheidung, er schildert nicht, sondern *ist* Genesung, ein Damm gegen eine gegenwärtige Bedrohung. Traumwandlerisch fast bewegt man sich, geführt von der auch hier verhaltenen Stimme, auf jener haarschmalen Grenze zwischen Realität und Vision, in einem Bereich, der wirklicher ist als die Wirklichkeit. Der Erzähler überwindet kaum Überwindbares, erzählend. Er nimmt sich, schreibend, zusammen. Das Leiden an Deutschland voll auskostend, übernimmt er Verantwortung für Deutschland.

Das Spiel mit der Möglichkeit künstlerischen Scheiterns scheint aufzuhören, die Verpflichtung zur künstlerischen Synthese wird angenommen. Alle Arbeiten aus jener Zeit geben Auskunft über diesen Prozeß, der uns heute allzu selbstverständlich vorkommt. Aber wir sehen nur die, denen dieser Entschluß möglich war und die die Kraft hatten, ihn auszuführen.

Und auch sie – sehen wir sie wirklich? In den letzten Emigrationsjahren bereitet sich Anna Seghers auf die Aufgabe vor, der sie sich nach ihrer Rückkehr wird stellen müssen: Lehrer zu sein für ein ganzes Volk. Sie verliert nie ein Wort des Bedauerns darüber, es wäre müßig. Sie versucht, sich die Fragen vorwegzudenken, die man ihr einst vorlegen wird, sie probiert schon jetzt die Antworten auf diese noch nicht ausgesprochenen, in Deutschland noch nicht einmal gedachten Fragen. Aber die Antworten stehen schon in ihren Artikeln aus jener Zeit, wie auch in ihrem großen Gesellschaftsroman „Die Toten bleiben jung", den man im Nachkriegsdeutschland, das weiß sie wohl und akzeptiert es, eher wie ein Lehrbuch denn wie ein Kunstwerk lesen wird. Ein aufklärerischer Impuls ist schon in der Struktur des Werkes zu erkennen.

Jene Jahre, in denen sie, alle Kräfte auf ein Ziel, auf eine Hoffnung konzentriert, nach Deutschland hinüberlauscht, ob nicht wenigstens jetzt, in der Niederlage, ein Widerstand sich erheben, ob nicht ein Wort eines im Lande gebliebenen und nicht korrumpierten Schriftstellers kühn genug wäre, „die letzten Hüllen von der Wirklichkeit herunterzureißen". Aber das Land, dessen wahre Sprecher außerhalb seiner Grenzen leben, bleibt stumm. „Das Schweigen der Schriftsteller ist am furchtbarsten. Denn sie sind durch Natur und Gesellschaft ausdrücklich bestimmt, nicht zu schweigen."

Und doch glaubt sie, daß Menschen zu belehren und zu überzeugen sind. Ein fast unglaublicher Glaube, der aber, zur Grundlage von Handlungen gemacht, Unglaubliches erreicht hat. Die Macht des ehrlichen, genauen, inständigen Wortes: Wenn der Faschismus militärisch besiegt ist, muß er noch einmal besiegt werden, in den Köpfen der Leute. Begriffe, die durch Hitler entwertet wurden, handhabt sie so, daß sie wieder Kraft und Glanz bekommen. Sie sagt „Volk": Das Volk ist „kein Naturphänomen, sondern ein gesellschaftliches". Sie setzt ihr marxistisches Geschichtsbewußtsein gegen den monströsen Biologismus der Rassenfanatiker.

Es ist, als versichere sie sich ihrer Verbündeten, aus dem eigenen Volk und aus anderen Völkern: „Ein jedes Volk im Sturmschritt seiner Geschichte reißt mit sich von Generation zu Generation, was wir Erbe nennen. Auf Freiheit hungrig, zieht es aus seiner überlieferten Kunst an Nahrung heraus, was es an Wegzehrung gebrauchen kann." Was in finsteren Zeiten die großen Entwürfe vom Menschen aufrichtete und, den Spott nicht achtend, daran festhielt. Nicht zufällig entstehen in jener Zeit ihre ersten Aufsätze über Tolstoi und Dostojewski, die im Keim viele Gedanken enthalten, die später, nach ihren Studien in sowjetischen Archiven, erweitert und vertieft werden. Nicht zufällig wird zum erstenmal ein Name aufgegriffen aus der deutschen Aufklärung: Lessing, der makellose Intellektuelle, Praeceptor Germaniae. „Wer sich nicht zufriedengibt mit einem Ziel, das Nichts heißt, der greift das Erbe auf, die Lessingsche, die produktive Kritik."

Das Erbe also des Aufklärers, der, „einsam und arm, charakterfest, unbestechlich von großen Feinden und kleinen Freunden, bis zuletzt für seine Idee gekämpft hat". Als sei er ihr Zeitgenosse. Da wird er es. Als kennte sie ihn, fragt nicht, woher: wie man Kenntnis von Verwandtem hat. Lessing, der unerbittliche, unerschrockene Lehrer, der keinen Dank für seine Arbeit bekommt und ihren Erfolg nicht sieht.

Seltsam: noch einmal, im Lessing-Aufsatz, die Aufzählung der Namen all der gescheiterten deutschen Schriftsteller, die Zitierung Gorkis, der über die „gesellschaftliche Rolle des Wahnsinns" gesprochen hat, den sie als „Zusammenprall der isolierten und darum schwachen Kraft gegen die mächtige der feindlichen Umwelt" sieht. Eine Erklärung, in der eine neue geschichtliche Erfahrung mitschwingt: Nicht mehr isoliert zu sein als Schriftsteller durch die Verbundenheit mit der großen progressiven Bewegung der Zeit, der sozialistischen Bewegung. Und doch den Zwiespalt tief erleben zwischen „gelebtem und gestaltetem Leben", die Spiegelung des Konflikts, der seit Jahrhunderten ihr Volk zerreißt und ein „zwiespältiges Lebensgefühl" in ihm hochgezüchtet hat, da in seiner Geschichte „soziale und nationale Forderungen nie gemeinsam gestellt wurden".

Und dann, an unerwarteter Stelle, wird Brecht zitiert, ein berühmtes Gedicht, „dessen Zeilen vorerst auf Lessing zu passen schienen": „Wir glauben, daß wir Vorläufige sind, und nach uns wird kommen nichts Nennenswertes.“ (Sie scheint Brecht aus dem Gedächtnis zu zitieren: Bei ihm steht „wissen“ statt „glauben“.)

Auch das in Betracht gezogen. Was bleibt also zu tun? Racine, sagt sie nachdenklich, als sie ihn gegen Lessing abwägt, habe das Schicksal seiner Helden von dem „abgeleitet, was in ihnen selbst vorgeht. Sie sind selbst ihr Schicksal. Ihre Tragödien entstehen in ihren Köpfen. Im Menschen werden die Fragen entschieden.“

Das ist ein entscheidender Satz.

6

„Es ist kein Zufall, wenn ein Schriftsteller in seiner Jugend oder in späteren Perioden seines Lebens sich berührt fühlt durch das Werk eines anderen Schriftstellers, der Situationen gekannt und schriftstellerisch gestaltet hat, die den von ihm selbst durchlebten Situationen gleichen.“ Befragt, welche Werke der russischen Literatur ihr in ihrer Jugend Eindruck gemacht haben, nennt Anna Seghers die Namen Tolstoi und Dostojewski: „Da kamen in den russischen Büchern die Gedanken und Handlungen, auch die größten, aus dem Leben heraus. Das Leben war dichter als meins, die Menschen waren mehr Menschen, ihre Freiheit war mehr Freiheit, der Schnee war auch mehr Schnee, das Korn mehr Korn. Weil aber alles unmittelbar aus dem Leben kam, gewann ich sozusagen den Mut zum Schreiben. Ich verstand, daß es nichts gibt, was man nicht schreiben kann.“

Hier liegt etwas anderes vor als das unerläßliche Sich-Messen eines Autors an den Leistungen früherer Zeiten, etwas anderes als die Affinität etwa Thomas Manns zum 19. Jahrhundert und zur russischen Literatur. Immer in Zeiten, da historisch-moralische und ästhetische Fragestellungen sie bedrängen, kehrt Anna Seghers zu den großen Russen zurück. Nie erwartet sie Lösungen für Konflikte, die, nur ihrer eigenen Zeit zugehörig, sie selbst nachhaltig durchlebt. Aber was sie sich vorgenommen hat: eine Gesamtdarstellung der Gesellschaft (was sie sich vielleicht nur in Kenntnis dieser Literatur hat vornehmen können) – hier war es geglückt, hier waren Modelle, die die Zeit überdauert hatten. Ein geheimes Recht auf Vertrautheit überdies, davon wird Gebrauch gemacht.

Daß beide – Dostojewski und Tolstoi – in ihren größten Romanen im Grunde das gleiche Thema behandeln: die Napoleonische Macht und ihre Überwindung, entdeckt Anna Seghers frühzeitig, das bezeugt ihr noch in Mexiko gedruckter Aufsatz „Fürst Andrej und Raskolnikow". Die aktuellen Bezüge liegen für sie auf der Hand: „Wie die deutsche Jugend zum Bewußtsein von Schuld und Sühne gebracht wird, das ist vielleicht die schwerste Frage unserer Generation."

Mehr als fünfzehn Jahre später steht sie vor dem Leiter des Tolstoi-Archivs in Moskau, etwas verlegen, als er wissen will, was sie denn zu sehen wünsche von den Materialien, die er verwaltet. Schließlich läßt sie sich die Vorarbeiten Tolstois zu „Krieg und Frieden" geben, frühe Romanfragmente, Tagebuchaufzeichnungen, Briefe. Ihr wird bestätigt, was sie vorausgefühlt hat: daß hier, wie bei jedem großen Werk, ein Mann von einem Stoff „überwältigt wird", der „seinem Genie die genügende Nahrung bot". Und daß er diesen Stoff, der ganz und gar sein Stoff ist, zugleich „wie einen Auftrag des russischen Volkes" angenommen hat. Sie folgt Tolstoi in seine Grübeleien über die Frage, „was gesellschaftlich am wahrscheinlichsten ist und außerdem ihm, nur ihm erfaßbar und darstellbar".

Ihr altes Thema: der Schriftsteller, komplizierte „Umschlagstelle vom Objekt zum Subjekt und wieder zum Objekt". Sollte das noch einmal überprüft werden, an unbestrittenen Leistungen der europäischen Kunst? Fährt die deutsche Prosaistin deshalb Anfang der sechziger Jahre nach Jasnaja Poljana und auf das schwer zugängliche Gut der Dostojewskis, folgt sie deshalb in Leningrad den Spuren eines Dichters, der das alte Petersburg mit seinen leidenschaftlich-düsteren oder kindlichgläubigen Erfindungen bevölkerte? Versinkt sie deshalb, „Geisterbeschwörer unter Geisterbeschwörern", tief in einer Welt, die es nie gegeben hat und die doch dichter ist als die Wirklichkeit selbst?

Sie fragt sich auch, warum ihr auf einmal nichts wichtiger ist als dieser Gang „zu den Quellen", zu Tolstoi und Dostojewski. Sie schreibt ihrem Freund Jorge Amado: „Ich bin aber überzeugt, daß etwas, was wichtig ist, mit allem verbunden ist, was Menschen wichtig ist." Da sitzt sie auf dem Schiff von Südamerika nach Europa, und die Frucht dieser Schiffsreise, eben der Dostojewski-Aufsatz, ist fertig. Sie schreibt gerne auf Schiffen, weil man da Ruhe hat und nur das wirklich Wichtige wichtig bleibt, während das unwichtige Gezänk hinunterfällt in die See. Eine Reise liegt hinter ihr, „die voller Wunder war". Sie hat Brasilien gesehen. Man muß sich vorstellen, wie das polnische Schiff durch verschiedene Meere fährt, an vielen Küsten vorbei, vorbei auch an den Ländern der ehemals spanischen Conquista, über denen heute noch ungebrochen die katholischen Kirchen stehn – so gut hat sich die Methode des Großinquisitors bewährt, über den auf dem Schiff eine deutsche Schriftstellerin nachdenkt, da sie Schillers „Don Carlos" mit den „Brüdern Karamasow" von Dostojewski vergleicht. Sie hat die Fähigkeit erworben, das alles mit einem Blick zu umfassen: das Schiff, das einem sozialistischen Land gehört, die fremden Küsten, an denen die Vergangenheit noch Gegenwart ist, und jenen vor achtzig Jahren gestorbenen russischen Schriftsteller. „Wo fängt das beschriebene Leben an, wo hört das gelebte Leben auf?" Es geht wohl ineinander über, wenn man sechzig Jahre schreibend gelebt hat. Jeder Faden, den sie behutsam aus dem Gewebe zieht, nimmt andere Fäden mit – geschriebenes Leben, gelebtes Leben? –: Wirklichkeit.

Noch einmal die Frage nach dem Grund für ihre Arbeit – gerade für diese, gerade jetzt: „Ich denke, ein Teil der Unruhe, die in uns steckt, steckt auch in meinem

Thema." Eine Unruhe, die über die Jahrzehnte, Jahrhunderte hin Wahlverwandtschaft erzeugt. Grund genug für diese Pilgerreise in die Vergangenheit der russischen Literatur, hin zu zwei Männern, die, so verschieden an Charakter und Schicksal, um jeden Preis ihre Vision vom Menschen hinausschleudern müssen. Dostojewski, der in seiner Jugend Rebell war, der unter furchtbaren Erfahrungen in einer Art von Selbstschutz orthodox wird („seine Seele ist in der Verbannung gesprungen"), hat den schrecklichen Konflikt, den Träumen seiner Jugend treu zu bleiben oder die nackte Existenz als Dichter zu sichern, bis auf seinen Grund durchlebt. In entsetzlichem Zwiespalt mit sich selbst, zwischen lebenrettender Unterordnung und todesgefährlicher Empörung, muß er in andauernder heftiger Unruhe leben, sieht sich gezwungen, den rebellischen Teil an sich herauszureißen und ihn im wahren Sinn des Wortes zu „verteufeln". Zu sehr, zu verräterisch haßt er ihn, diesen Teufel aus den „Brüdern Karamasow", diesen Phrasendrescher und Empörer, der auf eine zynische und verantwortungslose Weise ausspricht, was er selbst, sein Schöpfer, einmal für wahr gehalten und seit jenem Todesurteil, das im letzten Moment widerrufen wird, seit jenen finsteren Jahren in der Armee des Zaren mit selbstzerstörerischer Gewalt in sich unterdrückt.

Die Nachgeborene, die den großen, unglücklichen Dichter des vorigen Jahrhunderts ganz zu durchschauen scheint, nimmt sich das Recht, ihn, der Staub ist, zu fragen, was es denn wohl geworden wäre mit der Fortsetzung seines großen Romans. Wohin er denn wohl Aljoscha hätte führen wollen, den reinsten und kompromißlosesten der Brüder Karamasow – wenn nicht zu den Revolutionären, bei denen er selbst einmal begonnen hat? Anna Seghers sieht: Die Logik dieses Charakters hätte Dostojewski in einen unlösbaren Konflikt gestürzt zwischen seinem künstlerischen Gewissen und der Furcht, seine materielle Existenz zu gefährden (die bloße Gegenwart des obersten Zensors des Zaren, des

Oberprokur Pobenoszew, der ihm als Berater zugeteilt ist und dem er seinen Großinquisitor nachbildet, mag die Möglichkeit dieses Konflikts immer wachgehalten haben). Der Tod hat ihm die Entscheidung abgenommen. Je tiefer Anna Seghers eindringt in den Arbeitsprozeß des großen Russen, der in „Angst und Begeisterung" schrieb, um so unumstößlicher wird ihr: „Alles hat sich im Innern der Menschen vollzogen." Literatur, die aufhörte, den Wandlungen und Gefahren im Innern der Menschen nachzuspüren, würde ihrer Bestimmung untreu und verzichtete auf die Wirkungsmöglichkeit, die ihr und nur ihr vorbehalten ist.

Sie fragt, über die Literatur hinaus auf die Zukunft der Menschheit blickend: Der Teufel, den Dostojewski aus den rebellischen Kräften seiner eigenen Seele geformt hat, den Thomas Mann als das Prinzip der Kälte und des Zynismus Macht gewinnen läßt über das menschliche, schöpferische Prinzip – wird er sich noch einmal „im Vollbesitz seiner Macht, als echtes Symbol der Verneinung", „in einer Dichtung unserer Epoche verselbständigen können"? Oder wird die Menschheit die Kraft finden, den gefährlichen Zwiespalt zu überwinden, in den die Möglichkeit des Mißbrauchs ihrer größten Entdeckungen und Erfindungen sie geführt hat? Wird sie sich zum Herren ihrer eigenen Fähigkeiten machen und jene „teuflischen Mächte", die nichts anderes sind als höchst irdische Usurpatoren der Macht, zum Teufel zu jagen? Oder wäre es denkbar, daß noch einmal einer zeitgemäßen Variante der „Alles-ist-erlaubt"-Ideologie der „Vorstoß ins Innere der Menschen" gelingt? Daß der Trick noch einmal glückt, große Teile der Menschheit sich selbst aufs äußerste zu entfremden, sie zu „berauschen, zu zersetzen und zu lähmen"? Was könnte einen neuen Faust bestimmen, sich noch einmal – zum letzten Mal – dem Teufel zu verschreiben? Gesellschaftliche Isolierung? Technische Neugier? Feigheit? „Grauenhaft verlockender Zweifel?" Oder die zynische Hybris, die aus dem Bewußtsein erwächst, daß Mephistos kalte Ironie, alles Bestehende sei wert, daß es zugrunde gehe, endlich technisch durchführbar ist?

In jedem Fall: Unglaube. Äußerster Unglaube an den Wert menschlicher Arbeit, menschlichen irdischen Daseins. Wo aber, fragt Anna Seghers, ohne diese Frage so auszusprechen: wo hätte in diesem alles entscheidenden Kampf die Literatur ihren Platz? Was hätte sie denn mit allen Mitteln in den Menschen, in unseren so sehr bedrohten Zeitgenossen zu festigen?

Mit ihrem ganzen Werk antwortet sie: Den Glauben an Irdisches.

7

Das heißt: Die irdische Vernunft, denkende, mitfühlende, verstehende und handelnde Vernunft. Wie Neruda sie besingt, in Zeilen, die er den Internationalen Brigaden in Spanien widmete und die Anna Seghers immer wieder anführt, zuletzt 1965, auf dem Internationalen Schriftstellerkongreß in Weimar: „Mögen die Ähren Kastiliens, mögen die Sterne selbst Euren Namen bewahren, weil Ihr in den flüchtigen Seelen wiedererweckt habt den Glauben an Irdisches." Wiedererweckt den Mut zur revolutionären Tat, die Kühnheit scheinbar aussichtsloser Unternehmungen, die, mögen viele von ihnen scheitern, in ihrer Summe doch allein den Fortbestand des Irdischen sichern können.

Diese Weimar-Rede der Fünfundsechzigjährigen faßt vieles von dem zusammen, wofür sie immer gelebt und geschrieben hat. Nicht zufällig tagt der Kongreß, an den sie sich wendet, auf dem Boden der Deutschen Demokratischen Republik: ein Kongreß, der die Tradition und den Geist des Internationalen Schriftstellerkongresses von 1935 in Paris wiederaufnimmt und weiterführt. In diesem Land lebt Anna Seghers, als sie an das Rednerpult tritt, seit siebzehn Jahren. Sie hat außer ihren Erzählungen zehn Romane veröffentlicht, die drei letzten schon nach ihrer Rückkehr in ihre neue Heimat. Den einen von ihnen, „Die Toten bleiben jung“, brachte sie in ihrem Reisegepäck aus Amerika mit, so wie sie sechs Jahre früher, als sie Europa verließ, einen anderen, „Das siebte Kreuz“, wie ein Pfand in den neuen Erdteil vorausgeschickt hatte. Zu ihrer unaussprechlichen Freude hat sie das befreite Paris wiedergesehen. Niemals äußerte sie sich über jenen Tag, an dem sie allein durch das zerstörte Mainz gegangen ist. Es gibt ein unveröffentlichtes Fragment, in dem sie die Eindrücke ihrer ersten drei Berliner Wochen festzuhalten sucht, die ihr zuerst allzu erwartet, dann wieder ganz überraschend und verwirrend erscheinen. Die furchtbare Frage: Ist das noch unser Volk? wird nicht mehr ausgesprochen, aber in jener ersten Zeit wird sie in ihrem Innern nicht verstummt sein. Einmal liest man, sie sei „traurig“, daß ihre „Sprache deutsch ist“. Doch zögert sie nicht, in dieser ihrer Sprache zu sprechen und zu schreiben, wo immer Hoffnung auf Gehör ist: auf Baustellen, in Hörsälen, auf Versammlungen und Kongressen, in den Spalten der Zeitungen. – Einmal, nach drei Jahren, stößt sie auf ein mecklenburgisches Dorf, ein richtiges „Märchendorf“, in dessen unmittelbarer Nähe bei Kriegsende zwei Tage lang ein Zug mit verhungernden gefangenen Frauen, Ausländerinnen, gestanden hat, ohne daß eine Hand in diesem Dorf sich zur Hilfe gerührt hätte. Auch darüber berichtet sie, verdächtig gefaßt.

Zur gleichen Zeit etwa hört sie in einer der zahllosen erregten Diskussionen jener Jahre einen Studenten die Schriftsteller fragen: „Warum laßt ihr nicht jede Person aussprechen, was sie selbst denkt, damit die Zuhörer sich entscheiden? So hat es auch Schiller gemacht. Warum geht ihr zurück hinter Schiller? Warum dichtet ihr nachträglich den Personen eure Gedanken an?“ Das hält Anna Seghers für „eine wichtige Aussage in einem Land, in dem die Jugend derartig betrogen war, daß sie an nichts mehr glaubte“.

Ihr Leben in dieser ganzen Zeit ist „dicht besetzt“ –

ein Ausdruck, den sie liebt. Viel später bekennt sie: „Ich fuhr in diesen Teil Deutschlands, weil ich hier die Resonanz haben kann, die ein Schriftsteller sich wünscht. Weil hier ein enger Zusammenhang besteht zwischen dem geschriebenen Wort und dem Leben. Weil ich hier ausdrücken kann, wozu ich gelebt habe." Die neue Gesellschaft, an deren schwierigem Aufstieg sie tief engagiert teilnimmt, gibt ihr noch einmal das Erlebnis der Neuheit, der Ausdehnung, der Vielfalt von Möglichkeiten, wie es sonst nur die Jugend kennt. Diese revolutionäre Verjüngung des Lebens, etwas „ganz und gar Unkleinbürgerliches", das, wonach sie sich sehnt, seit sie bewußt lebt, wird ihr zu einer großen, nachhaltigen Erfahrung. Mit all ihrer Intensität und Leidenschaft, als politischer Mensch und als sozialistische Schriftstellerin nimmt Anna Seghers an dem dramatischen Kampf teil, der um die Seelen und Gehirne von Millionen Menschen angefangen hat. Der Vorgang erregt sie, wie Menschen, die verstört sind, ja, zerstört scheinen, an eine vernünftige, menschenwürdige Aufgabe herangeführt, die Kraft finden, die Vergangenheit in sich selbst zu überwinden. „Die Entscheidung" ist das Thema dieser Jahre.

Oft hat sie in jener Zeit, in der sie ein unerhörtes Arbeitsmaß bewältigte, vor ihren Kollegen gestanden, auch ihnen, selbst lernend, ein Lehrer. Sie ist fasziniert von den neuen Problemen, die einem Autor entstehen, wenn ihm seine Bücher nicht von einer kleinen literarischen Kennerschaft, sondern gierig von Zehntausenden von Menschen aus den Händen gerissen werden, weil sie ihnen Lebenshilfe sind. „Weil wir die Macht der Kunst kennen, ist unsere Verantwortung so groß." Sie stellt sich dieser Verantwortung mit ihrer ganzen Person. Die Erfahrung, gebraucht zu werden, ist nach den trotz allem einsamen Jahren der Emigration ein Einbruch von Lebensfülle: Glück. 1965 in Weimar sagt sie: „Es gibt nur wenige Menschen, die unverletzt aus den Ereignissen der vergangenen Jahre hervorgegangen sind, die ihre

Leidenschaftlichkeit rein erhielten, so daß sie sich der veränderten Wirklichkeit immer wieder mit neuem Elan gestellt haben." Anna Seghers gehört zu diesen Menschen.

Wieder ein Rednerpodium – das wievielte in ihrem Leben? –, wieder ein dunkler Saal voller Menschen, die zu ihr aufsehen. Es war still in jenem Saal in Weimar im Mai des Jahres fünfundsechzig, als sie die Bühne betrat, und es blieb still, solange sie sprach. Sie gebraucht in ihrer Rede einen Begriff, den sie der Biologie entlehnt: Mentorisieren. Wir alle, jung oder alt, hatten wohl das Gefühl, daß der beste Mentor vor uns stand, den es geben kann. Und doch scheint es immer, daß sie sich in der Schuld ihrer Zuhörer wähnt, denen sie Rechenschaft gibt über den Gebrauch, den sie von ihrem Leben gemacht hat; sie denkt nicht, daß sie nach ihrer Laune damit umgehen kann, ihr Begriff von Pflicht ist streng: „Lassen wir uns von unserer Berufspflicht überwältigen, bevor uns die Schuld überwältigt." Man spürt: Die Jahre in der Deutschen Demokratischen Republik haben den im besten Sinn aufklärerischen Impuls in ihrem Denken und Arbeiten verstärkt.

Scheinbar locker springt sie von einer Assoziation zur nächsten, und am Ende sieht man, was ihr Anliegen war: die unlösbare Verflechtung zeigen zwischen der Kunst und der Wirklichkeit, zwischen dem persönlichen Leben des Schriftstellers und dem wilden, oft grausamen, erschütternden, manchmal mitreißenden Leben dieser seiner Zeit.

Die Leidenschaften dieses Jahrhunderts, an dessen Beginn Anna Seghers geboren wurde – unseres, des 20. Jahrhunderts –, sind nicht zarter und lyrischer Natur. Sie sind nicht privat, sondern öffentlich. Ihre Schauplätze sind nicht Wohnstuben und Hotelzimmer, sondern Schlachtfelder, Straßen, Barrikaden, Konferenzsäle, Schulen, Laboratorien, Versuchsstände und Betriebe. Dieses Jahrhundert hat mehr als andere Zeitalter dazu getan, den Glauben an die Fortdauer des Irdischen zu untergraben. Es hat unerhörte Kräfte aufgeboten, diesen Glauben immer neu aufzurichten. Durch nie vorher verübte Untaten, durch nie vorher gehörte Beweise an Mut und Menschlichkeit ist es geworden, was es ist. Die Romane, die ihm gewidmet sind, handeln von Liebessehnsucht und Erfüllung nur nebenbei. Leidenschaftlich wird nicht eine Frau begehrt, sondern Freiheit, verzweifelt vermißt wird nicht die Zuneigung der Geliebten, sondern soziale Gerechtigkeit, geglaubt wird nicht an das persönliche Glück, sondern an das alltägliche Glück der Menschheit, das endlich erreichbar scheint.

Der Unglaube allerdings ist ebenso heftig wie der Glaube und wird mit der gleichen Inbrunst verkündet, besonders wenn er nicht kalte Berechnung, sondern, in den besseren Fällen, enttäuschter und verkappter Glaube ist; besonders weil seit August 1945 Glaube und Unglaube nicht mehr nur die moralische, sondern die physische Existenz der Menschheit betreffen. Genauer: die moralische Existenz der Menschheit ist unter den Bedingungen des Atomzeitalters zur Voraussetzung für ihre physische Existenz geworden.

Die Tatsachen, die eine solche Zeit hervorbringt, sind keine Heilsarmeemärchen. Die Gefühle der Zeitgenossen – soweit sie Zeitgenossen sind – lassen sich nicht in Traktate pressen. Ihnen berufsmäßig auf den Grund zu gehen ist eine schwere und aufreibende Arbeit, der sich Anna Seghers ein Leben lang, selbst tief engagiert in den Kämpfen der Zeit, unerschrocken gestellt hat. Eine Arbeit, die nicht möglich ist ohne Hoffnung auf den Bestand des Irdischen, die aber gerade darin besteht, Irdisches, Stoffliches, Materielles andauernd aufzuheben in der Kunst, die nicht materiell, aber doch ganz und gar auch von dieser Welt ist. Das ist sehr merkwürdig, wir sollten wieder lernen, es zu sehen. Dem wirklichen Künstler ist das Allergewöhnlichste merkwürdig. Die Kunst lehrt seit Jahrhunderten die Menschen, sich selbst zu sehen.

Die Welt, in der Anna Seghers lebt, ist keine Jedermann-Welt und doch eine Welt für jedermann. Man kann sie eigenartig finden. Man kann in sie eintreten und ihre Gesetze anerkennen, man kann draußen bleiben. Man kann mit ihr in Berührung kommen, ohne berührt zu werden: ihre Welt wird bleiben.

Das Werk eines Dichters ist eine kostbare und dauerhafte Erscheinung, in der die Zeit sich selbst erkennt und spätere Zeiten uns. Gerade das, was viele Mitlebende nicht wissen wollen oder nicht ertragen können, wird am Leben bleiben, weil die Zukunft es aufnimmt. So werden viele Gestalten aus den Werken der Anna Seghers immer wieder den Staub der Jahre von sich abschütteln. Sie hält sich immer an uns, an die Mitlebenden, zu denen sie sich gehörig fühlt. Sie liebt das bunte, schöne Durcheinander, als das ihr das Leben der Menschen erscheinen mag und das sie durchschaut, ohne sich abzuwenden. Auch hat sie sich nicht von der lähmenden Furcht anstecken lassen, daß eine schwarze, endgültige Grenze vielleicht dicht vor uns steht. Sie wird zornig, wenn sie der Lässigkeit und Verantwortungslosigkeit begegnet, die im Gefolge dieser Furcht gehen. Unbeirrt arbeitet sie so, wie man es nur kann, wenn immer eine nächste Generation dasein wird, das Werk zu nutzen und es an die folgende weiterzureichen.

Der Entschluß zu diesem Werk und der Entschluß zum Kampf um die Verbesserung und den Bestand des Irdischen kommen aus der gleichen Wurzel.

Februar 1968

Anmerkungen zu Geschichten

Einmal, vor Jahren, bin ich den Weg nachgegangen, den Anna Seghers in einer ihrer schönsten Erzählungen, „Ausflug der toten Mädchen“, beschrieben hat. So selten sie sonst über sich spricht – hier ist sie es selbst, unverschlüsselt, die sich als Frau an das Kind erinnert, das sie einmal gewesen ist, an das Schicksal der Freundinnen, die jenen Dampferausflug mainaufwärts mitgemacht haben. Nach Mexiko verschlagen, an den äußersten Rand der ihr bis dahin bekannten Welt, unter ausgedörrten Orgelkakteen erscheint ihr wie eine Vision das saftige Grün der Mainebene. Ihr Ausflugsdampfer legte da an, wo auch heute noch in Mainz die Dampfer anlegen, am Uferkai unter den Platanen. Unter ihrer Anleitung geht man in Richtung Christofstraße, an der Christofskirche vorbei, die in der Erinnerung der Erzählerin unbeschädigt ist, obwohl sie die Nachricht empfangen hat, daß auch sie beim letzten Bombenangriff auf das Stadtzentrum zerstört wurde. In der Häuserzeile der Flachsmarktstraße findet man ungefähr den Platz, auf dem einst das Geschäft des Vaters stand, eines bekannten Mainzer Kunsthändlers. Und man erreicht schließlich, durch die Bauhofstraße kommend, Ecke Kaiserstraße das Elternhaus der Netty Reiling.

An der Beschreibung dieses Weges durch Anna Seghers kann man lernen, was Prosa ist. Treffpunkt zwischen Subjekt und Objekt. Phantastische Genauigkeit. Strenge Gebundenheit, grenzenlose Freiheit. Verzauberung von Fakten in neue Realität.

Der visionäre, an topographische Richtpunkte gebundene Weg durch eine bestimmte Stadt wird der Emigrantin zugleich ein Weg durch die Zeiten, durch dreißig Jahre, die Häuser gebaut und in Trümmer gelegt, ihre Bewohner aufgezogen und zugrunde gerichtet haben und sich nun in den Kopf einer Erzählerin kuschen, die gelassen über sie verfügt. Die auch über die Zukunft mit verfügt; denn, da sie in Gedanken durch ihre zerstörte Heimatstadt geht, „erinnert" sie sich an etwas, was erst noch geschehen soll.

Im Jahr 1947 wird die nach Deutschland Heimgekehrte diesen Gang in Wirklichkeit gehen. Darüber gibt es kein Zeugnis. Alles war drei, vier Jahre zuvor schon gefühlt und ausgedrückt. Die Wirklichkeit hat es nicht mehr übertreffen können.

Ein anderer Weg, den Anna Seghers einmal gegangen ist, wird in einer Erzählung dieses Bandes beschrieben. Anfang Mai 1934 wiederholt sie den letzten Weg des Koloman Wallisch, den Fluchtweg jenes Mannes, der einer der Führer des Februaraufstands der österreichischen Arbeiter war und der nach Niederschlagung des Aufstandes verraten, ergriffen, verurteilt und gehenkt wurde. Da hat sie in ihrem eigenen Land schon Hitler an die Macht kommen sehen. Ein Emigrationsjahr liegt hinter ihr; die Flucht aus Berlin, der Grenzübertritt in die Schweiz, wo ihr der Gedenkstein für Georg Büchner, jenen anderen deutschen Schriftstelleremigranten, eine „schneidende Begrüßung" ist. Durch „Aufstand der Fischer von St. Barbara" ist sie seit sechs Jahren bekannt. Ebensolange ist sie Mitglied der Kommunistischen Partei.

Weit in der Vergangenheit liegen die wilden Versammlungen der zwanziger Jahre, auf denen sie manchmal das Wort ergriff, verblaßt sind die Umzüge und Demonstrationen, an denen sie teilnahm, verstreut über alle Welt „Die Gefährten" – Revolutionäre aus Ost- und Südosteuropa, die nach dem blutigen Sieg der Konterrevolution in ihren Ländern nach Deutschland geflohen waren und denen Anna Seghers ein Buch widmete: „Ein paar Seiten erzählten Lebens nach vielen heißen Jahren gelebten Lebens.“ Ihre Genossen aus dem Bund proletarisch-revolutionärer Schriftsteller leben nun, neben jenen früheren Flüchtlingen, in anderen Exilländern. Alle, die sich zur deutschen Literatur zählen können, haben Deutschland verlassen müssen. Ganz und gar glaubte das Volk der Dichter und Denker, auf seine Dichter und Denker verzichten zu können.

Nicht vergänglich, keineswegs verblaßt ist die Bindung der Anna Seghers an die revolutionäre Bewegung. Die marxistische Theorie und die Praxis des Klassenkampfes sind ihr – wie anderen kommunistischen deutschen Schriftstellern ihrer Generation – Schlüssel zu einer neuen Realität geworden, zu Bezirken, die noch niemand beschrieben hatte. Sie haben ihr Leben verändert, sie haben ihm eine Richtung gegeben auf die Hauptkonflikte der Zeit zu. Weggefegt waren mit einem Schlag die alten Dekorationsstücke, deren sämtliche möglichen Arrangements zueinander in Literatur schon durchgespielt waren. Unvergeßlich und unersetzbar ist die Erfahrung, da gewesen zu sein, wo Geschichte gemacht wird, und nicht immer nur da, wo sie kommentiert und konsumiert und verdorben wird.

Diese Erfahrung zu wiederholen und zu festigen, geht Anna Seghers im Frühjahr 1934 nach Österreich. Hier, an der jüngsten Kampflinie zwischen der alten und einer neuen Welt, muß das Wesen beider Wirklichkeiten deutlich hervorgetreten sein. Sie will sehen, was daraus entstanden ist. Sie will die Menschen sehen, die gekämpft haben.

Sie findet die Kämpfer als Gefangene, als Angeklagte in den Prozessen der Dollfuß-Justiz, als Geschlagene, als Opfer, in abseitige Ecken der Friedhöfe verscharrt. Sie geht durch die Arbeiterviertel und sieht die Spuren der Kämpfe. Sie findet die Zerstörungen in der Genossenschaftssiedlung „Karl Marx“, die heute in den Geschichtsbüchern genannt wird, als Zentrum des Widerstands von sozialdemokratischen Schutzbündlern und Kommunisten. In diese Siedlung legt sie das Wohnzimmer der Frau Kamptschik. Einen ungeeigneteren Ort zum Aufstellen eines Maschinengewehrs hätte niemand sich ausdenken können. Exotischer und unsinniger wäre der friedfertigen Frau Kamptschik auch ein Krokodil in ihrer Stube nicht vorgekommen. Dann sieht man: Das Maschinengewehr, gerade an diesen Platz postiert, gerade der sinnlosen, verzweifelt leeren Friedfertigkeit einer Frau Kamptschik gegenübergestellt, reißt mit einem Schlag den Sinn dieser Kämpfe auf und das, was von ihnen übrigbleibt.

Nach Paris zurückgekehrt, schreibt Anna Seghers ihren Bericht über das, was sie gesehen hat: „Der Weg durch den Februar". „In diesem Buch", sagt sie, „sind die österreichischen Ereignisse in Romanform gestaltet. Manche Vorgänge sind verdichtet worden; man suche auch nicht nach den Namen der Personen und Straßen. Doch unverändert dargestellt sind die Handlungen der Menschen, in denen sich ihr Wesen und das Gesetz der Ereignisse gezeigt hat." In fünf Tage zusammengedrängt alles, was Menschen im Kampf erleben können, bis hin zum bitteren Geschmack der Niederlage, den sie selbst gut kennt. Dargestellt, an einzelnen Menschen, die sozial und politisch sich dauernd verschlechternde Lage der Arbeiterklasse; die Notwendigkeit, einen Kampf aufzunehmen, auf den man nicht genügend vorbereitet ist; der Mut, der aus verlorenen Schlachten moralische Siege macht: Gewehre, Handgranaten und Maschinengewehre der nicht entschlossen geführten Arbeiterverbände gegen die schwere Artillerie, die Granatwerfer, Panzerautos, Tanks und Flugzeuge der regulären Truppe, die von Einheiten der nationalistischen „Heimwehr" verstärkt wird.

Fünf Tage – eine der Generalproben des europäischen Faschismus. Die nächste wird Spanien sein. Kanzler Dollfuß hat noch Zeit, Österreich eine neue reaktionäre Verfassung aufzuzwingen, ehe er, fünf Monate nach seinem blutigen Sieg über die Arbeiter, von Faschisten ermordet wird. In Frankreich, wohin Anna Seghers zurückkehrt, hat sich genau in den gleichen Februartagen 1934 die Volksfront formiert. Die Schriftstellerin beginnt – in den Pariser Cafés, in denen sie unter Menschen ist und doch in Ruhe gelassen – die Arbeit am „Siebten Kreuz". Am Fluchtweg eines deutschen Kommunisten aus einem KZ legt sie einen Querschnitt durch die Gesellschaft Hitler-Deutschlands. Sie beendet dieses Manuskript, das später als eines der ersten Bücher der Welt zeigt, daß der Faschismus sich zuerst gegen das eigene Volk, dann erst gegen andere Völker gerichtet hat, kurz vor dem Einmarsch der deutschen Truppen in Paris. Mit Mühe kann sie sich mit ihrer Familie in den unbesetzten Süden des Landes retten. Ehe sie weiterzieht, diesmal über den Ozean, gibt es eine kurze Pause in einer kleinen südfranzösischen Stadt. Sie liest hintereinander alle Balzac-Romane aus der Stadtbücherei und glaubt zu begreifen, was der Franzose getan hat: Irgendeine wichtige soziale Veränderung, einen die ganze Gesellschaft erschütternden Vorgang nimmt er zum Anlaß, um zu untersuchen, wie die Menschen verschiedener Schichten darauf reagieren mußten. Strikt hat er sich also an die Hauptquelle der Konflikte gehalten – die Kreuzungspunkte zwischen den sozialen Interessen und den individuellen Charakteren der Menschen. Anna Seghers, die diese Methode an Balzac entdeckt, hat im Grunde schon immer das gleiche getan.

„Wir kennen doch keinen Unterschied zwischen ‚innen' und ‚außen'. ... Wir beschreiben das fade Licht der Glühbirnen nicht, um einen malerischen Eindruck hervorzurufen, sondern weil sich auch in diesen Glühbirnen wie in jedem Gegenstand die Klassenlage seines Gebrauchers zeigt. ... An Gegenständen Spuren finden, die Spuren einer Lage!" („Kleiner Bericht aus meiner Werkstatt", 1932.)

Das ist etwas anderes als naturalistisch Milieu geben. Das Innenleben aller Gestalten ist unlösbar mit den äußeren Umständen verquickt, ein Hin und Her von Ursache und Wirkung, die das Handwerk des Erzählers schwierig und reizvoll machen. Der Eindruck, hier werde in filmischem Stil erzählt, täuscht, so stark auch die optische Phantasie des Lesers angeregt wird. Die Prosa der Anna Seghers läßt sich schwer verfilmen. Noch in der scheinbar objektivsten Beschreibung ist der Erzähler anwesend, verrät er sich durch die Grundhaltung, den Ton und durch einzelne plötzlich aufleuchtende Sätze. Eigentlich durch jeden Satz, in dem das Bewußtsein des Autors und sein Stoff zu einer neuen Realität verschmelzen, der Realität der Literatur.

So entsteht neben den drei fiktiven Koordinaten der erfundenen Figuren die vierte, unfiktive, des „wirklichen" Erzählers. Es ist die Koordinate der Tiefe, der Zeitgenossenschaft, des unvermeidlichen Engagements, die nicht nur die Wahl des Stoffes, sondern auch seine Färbung bestimmt. Die Vision, von der ein Autor lebt, verwandelt das Material, das ja nicht nur ihm bekannt und zugänglich ist, in Dichtung, die nur er machen konnte. Ein sehr merkwürdiger, nicht genug bestaunter Vorgang.

Anna Seghers erzählt von Grund auf. Ihre Figuren sind mit einer Landschaft, einer Familie, einer Arbeit, mit ihrer Klasse verbunden und werden durch echte Bedürfnisse, nicht nur durch psychologische Reize stimuliert. Sie schafft ihnen, mag sie sie auch zu den ungewöhnlichsten Prüfungen ausersehen haben, zunächst eine sichtbare, hörbare, riechbare Umwelt, ein Alltagsleben, von dem aus ungewöhnliche Leistungen erst ungewöhnlich, gewöhnliches Versagen um so verständlicher werden. Aber diese Beziehung zwischen der sozialen Lage und den Handlungen ihrer Personen wird kein fatalistischer Automatismus. Sie, als Schöpfer, gibt ihren Geschöpfen die Freiheit der Wahl zu nützlichen, vernünftigen Entscheidungen, die allerdings in dieser Zeit meist die schwierigsten und gefährlichsten sind.

Sehr früh schon, als sie sicher war, daß sie schreiben sollte, sah Anna Seghers „zwei Linien“ vor sich: „Erzählen, was mich heute erregt, und die Farbigkeit von Märchen. Das hätte ich am liebsten vereint und wußte nicht, wie.“ Sie hat immer Legenden und Märchen geschrieben; sie entdeckt aber auch legendäre, gleichnishafte Züge in heutigen Stoffen. Immer wieder mag ein einzelner als erster in den Wald gehen und sich daran machen, das lange verweigerte Holz zu schlagen, das für ihn Leben bedeutet: Vielleicht ist seine Sehnsucht nicht Holz, sein Kampfplatz nicht der Wald, und sein Instrument nicht gerade eine Axt. Immer wieder wird eine Frau ihre bestickten Kissen und sauber gebürsteten Matratzen und all den sorgfältig gehüteten Plunder, mit dem man sie zu fesseln verstand, eines Tages plötzlich hinter sich werfen: Es muß nicht ein Maschinengewehr sein, das ihr die Augen aufreißt. Immer wieder werden Menschen sich finden, die im entscheidenden Augenblick gerade jenen Bruchteil vom Millimeter an Präzisionsarbeit verweigern, der sie selbst zu Präzisionsinstrumenten herabwürdigen würde, bedroht von den Produkten ihrer unmenschlich genauen Arbeit. Und immer wieder mag, irgendwo auf der Welt, ein einzelner oder ein ganzes Volk das härtere, strengere, selbstgemachte Leben dem zweifelhaften Geschenk eines Lebens aus zweiter Hand vorziehen – wie der Rückkehrer, dessen Motive zur Rückkehr in die damalige sowjetische Besatzungszone gar nicht so verschieden sind von den eigenen Motiven der Erzählerin bei der Wahl ihres künftigen Wohnorts. – Insofern sind alle diese Geschichten Modelle. Zeitgemäße Abwandlungen uralter Stoffe.

Doch so dicht und dauerhaft auch das Material scheint, aus dem in diesen Geschichten die Hütten der Holzfäller von Hruschowo gemacht sind, das blankgeputzte Wohnzimmer der Frau Kamptschik mitsamt ihrem dicken, weißbestrickten Kind, das gelehrig einen

Gummihund mit Brosamen füttert – es ist doch eine andere Art Material, als das, aus dem die Dinge gemacht sind, die wir sonst kennen. Denn es bleibt durchsichtig. Es hindert den Blick nicht, durch die fast zufälligen Schauplätze auf die wichtigen, dauernden, sich wiederholenden Vorgänge zu sehen. Solche Grundvorgänge, von denen sie fasziniert ist und die nach der Überzeugung der Erzählerin seit Tausenden von Jahren hinter vielfältigen Variationen die gleichen geblieben sind, bestimmen die Struktur ihrer Arbeiten und bewahren sie davor, je nebensächliche Konflikte, abwegige Situationen vorzuführen.

Beim Wiederlesen dieser fünf Geschichten denke ich an die Leser, die sie zum erstenmal in die Hand bekommen. Wie werden sie sie aufnehmen? Als fremdartige Historien? Als überholte Berichte aus merkwürdigen Zeiten – aus der ersten Hälfte dieses Jahrhunderts, die vielen Überlebenden hartnäckig wie ein schwer durchschaubarer Wechsel zwischen goldenen und finsteren Perioden vorkommt? Als Chroniken von Märtyrern und Heiligen, ohne Bezug zum eigenen Leben? Oder schlicht als kommunistische Propagandaschriften?

Es sind ja vor allem Erzählungen – kleine Stücke aus dem großen Lebenswerk einer Autorin, die von Anfang an danach getrachtet hat, ihre Leser dem schauerartigen Wechsel „goldener" und „finsterer" Zeiten nicht blindlings zu überlassen, sondern ihnen getreulich und wahrhaftig zur Seite zu stehen. Es gibt Wahrheiten, die um so wahrer werden, je mehr Menschen sich dazu entschieden haben, für sie einzustehen. Anna Seghers hat sich früh entschlossen, an den Sinn dieses bunten irdischen Gewebes, das sie liebt, zu glauben. Ihr Leben war schwierig, manchmal abenteuerlich und gefährlich genug, um ihr eine Erfahrung immer neu zu bestätigen: daß die Solidarität der Menschen untereinander und die Sehnsucht nach einem vernünftigen, menschenwürdigen Leben weder durch Gewalt zu zerstören noch durch

Verführung oder lang anhaltende Unterdrückung zu ersticken sind. Die Nachlässigkeit der Resignation hat Anna Seghers sich nie erlaubt. In jeder Phase ihres bewußten Lebens hat sie ihre Kraft jener historischen Kraft zugefügt, die imstande sein kann, das Zusammenleben von Menschen auch in Zukunft zu sichern und ihm einen Sinn zu geben.

Jede ihrer Geschichten ist ein Zeugnis für ihre strikte Meinung, die sie oft ausgesprochen hat: Der, dem ein Talent gegeben ist, hat eine höhere Verantwortung als irgendein anderer dafür, die produktive Sehnsucht seiner Mitmenschen zu teilen, sie auszudrücken, ihr auch in schweren Zeiten treu zu bleiben und sie um keinen Preis der Welt zu verraten.

1970

Bei Anna Seghers

Sie zaubert. Bezaubert. Wie geht das zu: Zaubern in nüchterner Zeit?

Indem sie sich selbst nicht gestattet, zu wissen, was sie da tut. Eine Ahnung davon sorgfältig vor sich versteckt. So weiß sie also und weiß nicht und wacht streng über alles: über die Dauer des Zaubers, seine Zusammensetzung und seine Wirkung, über Wissen und Nichtwissen und darüber, daß dies alles immer in der richtigen Mischung vorhanden, der Vorrat immer aufgefüllt ist, die Anstrengung hinter dem schwebenden Gleichgewicht unbemerkt bleibt und wir also getrost und zu unserem Glück daran glauben können.

Durchtrieben und gerissen und listig, sagen ihre Freunde: unschuldig und naiv und ohne Arg ist sie, und das alles zu gleicher Zeit. Man hat schon viel über sie gesagt, nicht alles kann sie bis ins Herz dringen lassen. Braucht sie es, daß man sie liebt? Sie sieht wohl, daß wir es brauchen.

Dieser Name? Seghers? Ein reiner Zufall, sagt sie, wenn man sie danach fragt, denn sonst redete sie nicht davon. Ich schrieb und veröffentlichte doch schon kleine Geschichten vor dem „Aufstand der Fischer". Darunter war eine – wie sagt man: gruslige oder grausliche Geschichte von einem holländischen Kapitän. Ich schrieb sie in der Ich-Form, als ob dieser Kapitän mein Großvater war. Ich mußte ihm ja auch einen Namen geben. Auf der Suche nach einem holländischen Namen kam ich auf Seghers, das ist ein Grafiker aus der Rembrandt-Zeit;

wahrscheinlich ging mir das als Lautverbindung durch den Kopf. Nun mußte ich die Geschichte ja irgendwie zeichnen, und da dachte ich mir, als Enkelin des Alten müßte ich mich auch Seghers nennen ...

Ein reiner Zufall, wenn man nicht weiß, daß sie schon als Kind das Meer schrecklich liebte, daß sie heulte und brüllte, wenn sie einmal nicht im Sommer dahin fahren sollten; daß sie belgische und holländische Fischer von klein auf kannte; daß sie ihre Doktorarbeit über das Thema: „Jude und Judentum im Werke Rembrandts" geschrieben hat ... Von dieser Art sind in ihrem Leben die „Zufälle".

Man hat den Klingelknopf neben dem Namensschild gedrückt, sie steckt oben den Kopf zum Fenster raus und gibt umständliche Anweisungen, wie die Tür anzufassen sei, damit sie keine Schwierigkeiten mache. Ihr ist es lieber, daß man amüsiert als daß man befangen ist. Sie hantiert in der Küche, läßt sich nicht helfen. Ich kann es nicht leiden, sagt sie, wenn alle wie verrückt umherrennen.

Ihr kann es passieren, daß sie Besucher verwechselt – nie aber ihre Eigenschaften. So hat sie am Ende doch immer mit dem Richtigen, zwar nicht mit dem richtigen Namen, aber mit dem richtigen Menschen gesprochen.

Faß sie nur nicht an! beschwört sie jeden Besucher, der sich dem Kachelofen nähert, an dem die zerbrechlichen mexikanischen Tonglöckchen hängen. Vor den Bücherreihen, aus denen ungern ein Exemplar verliehen wird, haben die russischen Gipselche und das ganze Puppen- und Kleintierzeug Posten bezogen, das man in Moskau in Straßenbuden auf der Gorkistraße kaufen kann. Der Zeitungsstapel neben dem Sofa wächst heimtückisch von Mal zu Mal, aber der Kaffeetisch ist friedlich, nahrhaft und erinnert an die vielen Kaffee- und Eßtische, die in ihren Büchern als Zuflucht für Bedürftige aufgestellt sind.

Also, erzähl! Immer ermuntert sie alle Leute zum Erzählen. Zwar kennt sie alles, was Menschen zustoßen kann, aber sie bleibt neugierig und anrührbar. Sie ist frei von dem Verhängnis, ihr eigenes und anderer Leute Leben als „Stoff" zu empfinden und dadurch beides zu verderben, Leben und Schreiben. Doch bleibt unvermeidlich der Einbruch des Unwirklichen ins Wirkliche und der Schrecken, der darin steckt. Einmal, als „Die Toten bleiben jung" erschienen sind, bekommt sie einen Brief von einer Frau, die sie sogar von einer der Stationen ihres eigenen Lebens flüchtig kennt, auch ihren Sohn. Dieser Sohn sei gegen Ende des Krieges ebenso erschossen worden wie früher sein Vater, beides Kommunisten. Sicher haben Sie in Ihrem Buch meine beiden gemeint, schreibt sie. Woher haben Sie nur so genau über sie Bescheid gewußt?

Da ist mir kalt geworden, sagt sie, an dem friedlichen Kaffeetisch.

Übrigens könnte keine Macht der Welt sie dazu bringen, in ihrem Kopf eine zufällig passierte Geschichte der erfundenen „wahren" vorzuziehen. Einmal, als ein Kollege auf ihren Wunsch eine Begebenheit aus seinem Leben ein zweites Mal erzählen muß, unterbricht sie ihn nach den ersten Sätzen: Du – höre mal zu, du hast da eben vergessen zu sagen, was doch gerade das Wichtigste ist: nämlich daß du *wußtest*, der andere, dein Genosse, war ein Verräter.

Wie kommst du darauf? sagt der Erzähler. Natürlich wußte ich es nicht, wie hätte ich mich sonst so vorschriftswidrig verhalten können!

Eben gerade darum! beharrte sie. Du hattest ihn doch noch nicht aufgegeben! Du *mußt* es gewußt haben!

Aber Anna! Ich werde doch meine eigene Geschichte kennen!

Sie verstummt, sichtlich verstimmt. Am Ende redet sie dem Erzähler dringlich zu: Aber wenn du's aufschreibst, nimmst du meine Fassung, ja? Sonst glauben's dir die Leute womöglich nicht . . .

Eine französische Schriftstellerin spricht von den „blauen Augen der Anna Seghers". Wenn man ihre braunen Augen sieht, freut man sich, wie gründlich die sich geirrt hat; bis ein bestimmtes Licht einfällt und sie die Augen auf eine bestimmte Weise zusammenkneift: da schimmern sie blau. Ihr Blick ist oft zweifelnd, sogar mißtrauisch, das ist ihr Preis an die Bitterkeit mancher Erfahrung. Ein Freund, mit dem sie in tiefgehenden Streit gerät, appelliert an ihre Güte. Lächelnd, doch jenen blauen warnenden Schimmer in den Augen, zitiert sie ihm einen spanischen Vers, in dem von Pistolen die Rede ist, die man immer bei sich tragen müsse, um gegebenenfalls aus vier Läufen schießen zu können. Als der Freund sagt: Sei nicht böse!, erwidert sie: Warum eigentlich nicht? Kennst du die Geschichte von den Dauisten und den Konfutseanern, denen man gesagt hatte, sie sollten sich versöhnen? Warum denn nur, wandten sie ein, wenn man von der Wurzel her verschieden ist? – Sie begleitet den Freund, der für lange wegfährt, zur Haustür, zögert, lacht, zieht seinen Kopf zu sich herunter und küßt ihn.

Fast ungläubig sieht sie aus, wenn sie sagt: Das ist schön. Sie schwankt, überlegt noch einmal, dann wiederholt sie fragend: Das ist doch schön, nicht? Es freut sie, etwas schön zu finden: ein Buch, das neu entstanden ist, einen Menschen, ein Haus, eine Gegend. Oder die geliebten Plastiken im Ostasiatischen Museum, denen sie leicht über den Rücken streicht: Schön . . . – Einmal, als in einer Versammlung eine wilde Diskussion über die harte Schreibweise im Gange war und eine Rednerin, entrüstet über den Stil mancher Bücher, emphatisch ausrief: Und unser Leben ist doch so schön!, da kam aus der Ecke, in der Anna Seghers saß, der leise Zwischenruf: Schön und hart!

Oft scheint es so, daß sie erst zufrieden ist, wenn sie in einer Erscheinung, die ganz eindeutig und leicht mitteilbar scheint, auch ihr Gegenteil entdeckt hat: das Komische im Tragischen, den Funken Bedauernswertes im Bösen, das Gramm Eigennutz im Guten, das Profane im allzu Erhabenen, den nützlichen Zweifelspunkt im Unbezweifelbaren. Einmal, in Moskau, bei einer Delegationsreise, verspätet sie sich zum Mittagessen im Hotel. Sie sei im GUM gewesen, dem Warenhaus am Roten Platz. Schweigend löffelt sie ihre Suppe, aber es arbeitet in ihr. Schließlich muß es heraus: Du – ob der Marx das gewußt hat? – Was denn, Anna? – Na: Wie viele Blusen diese großen Völker brauchen! Im GUM sind nämlich gerade Berge von Blusen angekommen . . .

Einmal hat man sie gefragt, wie sie zum erstenmal von der russischen Oktoberrevolution gehört habe. Das ist nun ganz ulkig, sagt sie. Ich saß zu Hause in Mainz auf einer Bank am Fluß, und neben mir saßen zwei Weiber und tratschten. Da kam die Rede auf ein Kind, das da auch herumspielte. Es war der einen von einer Verwandten aus Rußland geschickt worden, wo sie doch gerade diese Revolution hatten. Und die Frau wunderte sich, wie diese Ideen gleich ansteckend sein müßten, sogar für Kinder. Denn als dieses Kind kürzlich gesehen hatte, wie weiße französische Besatzungsoffiziere einem Negersoldaten eine Tafel Schokolade gegeben hatten, damit er ihnen eine Brücke bewache, sagt doch der Junge: Der ist schön dumm, daß er ihnen ihre Brücke für eine Tafel Schokolade bewacht . . . Übrigens, fügt sie hinzu, war ich meiner ganzen Gemütsart nach kommunistisch gesinnt . . .

Sie liebt den Ausdruck: Das Leben ist dicht besetzt, und sie liebt das dicht besetzte Leben, so wie ihres ist, und die Lust, die sie daran hat; sie liebt Menschen, die diese Lust mit ihr teilen, ohne Zimperlichkeit und ohne Trübsinnigkeit. Sie liebt es, zu schreiben (wenn auch das, gemessen am anderen, eine andere Art Liebe ist), am liebsten – in Ländern, in denen es wirkliche Cafés gibt – in so einem Café, in Paris, Marseille, Pamiers, Martinique . . . Keiner kümmert sich um einen, nicht mal der Kellner, und man hat doch alle die Leute um sich und kann hinausschauen auf die Straße. Sie kritzelt ihre linierten Schulhefte voll, die sie keineswegs aufhebt, wenn das Manuskript abgeschrieben ist: Wozu denn? Ich hab sowieso noch genug Papier um mich herum! – Übrigens, das, was ich gemacht habe, nicht besonders viel, nicht besonders wenig, ist bloß zustande gekommen, weil ich jeden Tag ein bißchen gearbeitet habe ...

Und sie liebt es, zu reisen – am besten auf dem Schiff, weil man da so gut arbeiten kann. Dreimal ist sie in ihrem Leben von Europa nach Amerika und zurück gefahren. Unterwegs fühle sie sich wohler als irgendwo sonst, das Unterwegssein liebe sie noch mehr als das Ankommen.

Auf dem Schiff, sagt sie, wird der Kurs heute noch nach Sonne, Mond und Sternen bestimmt. Man fühlt sich wie zu Hause, wenn man zum zweiten, dritten oder fünften Mal dazukommt, wie ein junger Matrose, der noch angelernt wird, mag er tagsüber auch ein freches Maul haben, nun ganz still und brav und gewissenhaft alle Viertelstunde mit dem Sextanten herumarbeitet. Da fällt doch all das Schriftstellergezänk hinunter in die See ... Durch den freundlichen Kapitän bekommt man auch einen Sputnik zu sehen – wie einen blinkenden Stern –, den ich sonst nicht gefunden hätte. Und erst der Himmel! Wie langsam der südliche Himmel, das Kreuz des Südens hinten herunterrutscht wie eine Mütze und dafür ein anderer Himmel heraufkommt ...

Wenn man ihr lange zugehört hat, hört man ihre Stimme auch hinter den Seiten ihrer Bücher, spröde, gelassen, in einem Tonfall, als vergleiche sie während des Erzählens das merkwürdige Leben der Menschen mit jenem Wissen über menschliche Belange, das ihr von Natur aus gegeben ist. Ein Gefühl von Wiedererkennen stellt sich beim Hörer oder Leser ein, von Geborgenheit, selbst wenn die Leute, mit denen sie umgeht – im Leben wie in ihren Büchern –, alles andere als Geborgene sind.

Sie öffnet den Wandschrank in der Ecke, zieht die Mappen mit ihren alten Arbeiten heraus, gibt sie weg, ohne je wieder danach zu fragen. Den Herausgeber älterer Arbeiten sucht sie zu Änderungen zu bewegen: Mach das mal weg! Ja, gewiß hab ich's mal geschrieben. Es stimmt aber nicht. Überhaupt ist das doch Unsinn mit dieser Zitatentreue. Ich hab schon als Schulkind alle Zitate geändert. Wenn ich zum Beispiel dachte, daß ich einen Aufsatz mit einem Zitat abschließen sollte, dann hab ich mir eben ein Schillerzitat ein bißchen geändert. Und nie hat es jemand gemerkt.

Vielleicht ist auch das noch eines ihrer Kunststücke: daß sie in uns das Gefühl weckt, man müsse sie mit Schutz und Liebe umgeben – nicht um ihret-, sondern um der anderen willen eingefädelt. Denn daß jemand unter uns lebt, ganz von dieser Welt und doch in Kontakt mit anderen Welten, zu denen nicht jedermann Zugang hat (ein Kontakt, der sie sicher macht und überhaupt nicht schutzbedürftig) – diese Tatsache könnte sonst ein Gefühl von Entmutigung in uns aufkommen lassen. So gibt sie sich fast verlegen darüber, daß sie alles durchschaut, lächelt entschuldigend, während sie unbeirrbar ihr Magierhandwerk betreibt, dessen Wert sie kennt.

Was sollten wir nötiger brauchen als die Hoffnung, daß wir sein können, wie wir es uns insgeheim wünschen – wenn wir nur wirklich wollen?

November 1970

Fortgesetzter Versuch

Über Anna Seghers zu schreiben, kommt mir jedesmal schwieriger vor. Wir kennen uns fünfzehn Jahre. Vorher kannte ich sie natürlich. Ich hatte ihre Bücher gelesen, hatte sie auf Versammlungen gesehen, sie reden hören, die Aura bewundert, die sie umgab. Sie umgibt sie noch heute. Es gibt eine Legendenperson, die heißt „die Anna“, und sie ist, wie jede Legendenperson, mit ihrem Urbild nur teilweise identisch, zum anderen Teil aber aus den Bedürfnissen derer gemacht, die die Legende schaffen. Damals sah ich nicht, welche Probleme für die von der Legende betroffene Person selbst entstehen können. Staunend hörte ich wildfremde Personen miteinander über „die Anna“ reden. Zu mir sagte man – es war 1959, ich arbeitete in der Redaktion der Neuen Deutschen Literatur: Geh zur Anna und mach ein Interview.

Es war ein heißer Tag, die Markise über ihrem Balkon war heruntergelassen. Ins Zimmer fiel ein gedämpftes Sommerlicht, das mir sehr gefallen haben muß, denn ich erinnere mich noch heute daran. Ich muß ziemlich jung gewesen sein: Bei aller gebotenen Ehrfurcht hoffte ich doch auf meine Fragen diejenigen Antworten von ihr zu bekommen, die ich mir gedacht hatte. Heute weiß ich, daß sie sich mit mir abgerackert hat, und ich weiß, was es bedeutet, wenn sie den Kopf zurückwirft und inständig ausruft: Aber nein!

Wir saßen schon auf denselben Plätzen, die wir auch später immer einnahmen. Wenn sie sich eine Antwort überlegte, nahm sie schon jene in sich zusammengezogene Haltung an, neigte leicht den Kopf nach rechts und bewegte, während sie die Augen fast schloß, probeweise die Lippen. Ich fragte mich, ob sie es denn nötig hatte, solche einfachen Fragen, die man ihr und die sie sich selbst Dutzende von Malen gestellt haben mußte, immer noch zuerst bei sich auszuprobieren. Es kann auch sein, daß in meinem Kopf noch die Vorstellung war, Ruhm und das, was wir „Meisterschaft" nannten, machten das Leben und Arbeiten leichter.

Zum Mittag kündigte sie ein leichtes Sommeressen an. Es gab überbackenen Blumenkohl und Weißwein, es schmeckte mir sehr. – Später in der Redaktion, als wir ihre Antworten durchlasen, sagten wir tadelnd und gelinde bekümmert: Die Anna hat wieder mal ihren Kopf für sich. Wir nämlich waren mächtig sattelfest in dem, was wir für marxistische Literaturtheorie hielten.

Das bisher letzte Mal war ich ungefähr vor zwei Monaten bei ihr. Wir schreiben den Oktober 1974, und man muß die Texte für ihren 75. Geburtstag schon vor dem 74. fertigmachen, so lang sind jetzt die Druckzeiten.

Vier Uhr ist die übliche Zeit, damit es abends nicht so spät wird. Zum Fach in der Küche, in dem die Blumenvasen stehn, muß man sich hochrecken. Der Kaffee wird nach der konventionellen Methode aufgebrüht; ein Versuch, eine neue Kaffeemaschine auszuprobieren, schlug fehl und wird nicht wiederholt. Wie immer ist der Tisch gedeckt. (Die im Teigmantel gebackenen Äpfel habe ich von ihr übernommen.) Sie trinkt ganz wenig Kaffee, mehrmals ein Schlückchen. Es sind die gleichen Möbel, auf denen wir sitzen, im Zimmer hat sich nichts verändert – bis auf die neuen Polsterbezüge und die neue Gasheizung, die zu meinem Leidwesen den schönen Kachelofen außer Betrieb gesetzt hat. Das Licht, allerdings, ist das frühere Licht nicht mehr, obwohl doch wieder Sommer ist wie damals. Anna Seghers ist schmaler geworden, aber wenn sie sich konzentriert, neigt sie den Kopf nach rechts, schließt die Augen und zieht sich in sich selbst zusammen, bewegt auch unwillig die Lippen. Du, höre mal zu! sagt sie wie damals. Und inständig ruft sie: Aber nein!, wenn ihr Urteil über eine Person, über ein Buch, über einen Vorgang nicht mit dem meinen übereinstimmt. Das kommt vor, öfter wohl unausgesprochen als ausgesprochen. Mitten im größten Ernst, eben hat sie noch unerbittlich die Augen aufgerissen, geht dann ihr Lachen auf, und sie sagt etwas mit Mainzer Klangfarbe.

In diesem Augenblick – oder etwas später, als wir dazu übergegangen sind, „richtig schön zu tratschen", wie sie es nennt und wie wir beide es lieben (mitten im Lachen wird sie dann manchmal ernst), oder noch später, als ich in der Küche beim Abwaschen helfen darf, was neu ist: Irgendwann an jenem Nachmittag ist mir der Gedanke gekommen, daß ich einmal sagen sollte, was mir fehlte, wenn ich sie nicht kennen würde.

Ich wußte gleich, daß so ein Plan undurchführbar wäre. Es sollte sich ja nicht darum handeln, über „Einflüsse" zu reden. Obwohl ich mir den Tonfall, in dem „Transit" geschrieben ist, oder die Haltung der Ich-Erzählerin in „Ausflug der toten Mädchen" jederzeit herstellen kann, auch ohne die Bücher zur Hand zu nehmen. Obwohl ich die Suggestivkraft dieses Tonfalls und dieser Haltung ganz gut kenne. Obwohl Sätze und kleine Passagen aus ihren Büchern, aus Gesprächen, Aufsätzen und Reden bei bestimmten Gelegenheiten wie Signale in mir aufleuchten: So erzeugen die letzten Sätze des ersten Abschnitts vom „Siebten Kreuz", so oft ich sie lese, immer das gleiche Gefühl in mir, ein beinah glückliches Aufatmen: „Jetzt sind wir hier. Was jetzt geschieht, geschieht uns." Es kommt vor, daß ich dieses Gefühl wiedererkenne, mitten in Vorgängen, die mit dem „Siebten Kreuz" nichts zu tun haben, und daß sich erst dann diese Sätze einstellen, die nun mal an dieses Gefühl gebunden sind.

Aber der Versuch, allen Spuren nachzugehen, die ihre Arbeit und ihr Leben, beide nicht voneinander zu trennen, in mir hinterlassen haben, wäre zum Scheitern verurteilt. Wenn ich nur an die Landschaften denke, deren erster Eindruck auf mich durch die Tatsache gefärbt war, daß sie sie beschrieben hatte oder mit ihnen in Berührung gekommen war. Einmal habe ich versucht, den Standort zu finden, von dem aus dieser Franz Marnet am Anfang des „Siebten Kreuz" über die Rhein-Main-Ebene blickt. Einmal bin ich in Mainz den Weg nachgegangen, der im „Ausflug der toten Mädchen" genau angegeben ist: von der Dampferanlegestelle unter den Uferplatanen bis zum elterlichen Haus, das ja, wie der größere Teil der Mainzer Innenstadt, zerstört wurde. Eine der Lehrerinnen, die jenen Ausflug begleitet hatten, habe ich sprechen können, eine sehr alte Frau, die sich gut erinnerte und sagte: Ja, es ist so gewesen, wie sie es geschildert hat. Eine ehemalige Klassenkameradin sagte mir am Telefon: Sie war etwas anders als wir. In meinem Zimmer setzte sie sich auf den Teppich und fragte mich: Wen hast du eigentlich lieber, deinen Vater oder deine Mutter? Ich bitte Sie: Was soll man darauf sagen?

Einmal bin ich nach Winkel am Rhein gefahren und habe auf dem Friedhof das Grab der Günderrode gesucht und gefunden: Ihr Name war mir in den Essays und Briefen von Anna Seghers immer wieder aufgestoßen. Sie nennt ihn unter den Namen anderer deutscher Dichter der gleichen Generation, die „ihre Stirnen an der gesellschaftlichen Mauer wund rieben" und die zur klassischen Vollkommenheit nicht gelangen konnten. Einmal, als ich in Paris am Café de la Paix vorbeifuhr, fiel mir ein (ob es stimmt, weiß ich nicht), daß sie hier manchmal gearbeitet haben soll, bis der Einmarsch der deutschen Wehrmacht sie weitertrieb, und ich wünschte für Sekunden, was man sich nicht wünschen soll: Dieses Café und dieser Teil der Stadt hätten sich erhalten, wie sie damals waren. Und bei der Landung in New York mußte ich merkwürdigerweise an sie denken, obwohl sie ja Amerika fast fünfunddreißig Jahre früher, mit dem Schiff und als Emigrantin, erreicht hatte und es außer der Ankunft selbst und einem Abglanz jenes durchdringenden Gefühls von Fremdheit, das sie empfunden haben muß, nichts Vergleichbares gab.

Es gibt Augenblicke, in denen mein Blick durch den ihren und – soweit man das sagen kann – in den ihren verwandelt wird. Es gibt die Gegenwärtigkeit einer Sprache und die Faszination durch die Haltung derjenigen, der es möglich ist, so zu sprechen (ein Sprechen übrigens, das das bloße Nach-Sprechen von selbst verbietet). Dies sind „Einflüsse", gewiß, aber es ist mehr als das und noch etwas anderes. Ein Modell? – Das könnte widrig sein. Zu häufig hat unsere Generation sich modeln lassen sollen. Dies ist nun gerade ihre Sache nicht. Leere Bewunderung, Abhängigkeit, Unterwerfung wäre das Letzte, was sie brauchen würde. Ihre Autorität ist stark, doch nicht überwältigend (sie selbst, übrigens, Autorität respektierend, ist wohl auf Zeit zu täuschen, zu überwältigen ist sie nicht durch fremde Autorität).

Nein: Es ist der seltene Glücksfall, daß ein anhaltendes, eindringliches Interesse an einem von Grund auf anderen Lebensmuster mir erlaubt hat, Genaueres über mich selbst zu erfahren. Nichts Heilsameres kann einem, glaube ich, passieren, als daß Gefühl und Verstand zu gleichen Teilen – wonach jeder sich sehnt – in Anspruch genommen, ja: in Mitleidenschaft gezogen sind durch diese fortgesetzte Erfahrung, die nicht einem leicht zu beschädigenden Vorbild, sondern einem Menschen gilt, dessen eigene innere Widersprüche ihn hellhörig machen für den Widerspruch in dieser Zeit. („Heilsam" – damit wäre auch jenes „Rettungsmittel" gemeint, das Goethe gegen „große Vorzüge eines anderen" einzusetzen pflegte: Er nannte es Liebe.)

Obwohl – oder weil – es dabei bleibt, daß Menschen verschiedener Generationen etwas Undurchdringliches füreinander haben, man sollte das nicht leugnen. Es kommt vor, daß man inne wird: Man steht auf verschiedenen Seiten der Generationsschranke; man versteht sich nicht immer, man ist voneinander befremdet. Ob man es nun sagt oder nicht – jedenfalls gibt es einen notwendigen Schmerz der Fremdheit im Bannkreis gewünschter Nähe, dem muß man sich aussetzen, neben so vielen unnötigen Schmerzen, die wir einander zufügen.

Nicht von Ideen ist hier die Rede (nicht allein von Ideen), sondern von Kunst: Ihre Zeit fließt anders, sie trägt ihr andere Beispiele zu, geschlossenere Schicksale. Sie sah nicht nur eine andere Wirklichkeit – sie sieht auch Wirklichkeit anders. Ein pädagogischer Rückhalt in manchen ihrer Bücher ist unverkennbar.

Dieser Vorbehalt auch in der Beziehung zu einem Jüngeren soll nicht bestritten sein, doch ist er leicht durchschaubar und darf ignoriert werden. Sie verkleinert eigene Sorgen, streitet sie auch ab und gesteht sie dem Jüngeren erst recht nicht zu. Um so bewegender, wenn sie rückhaltlos und unverhüllt aus Sorge handelt. Nie werde ich vergessen, wie sie mich – das ist jetzt neun Jahre her – zu einem Gang ins Ostasiatische Museum nötigte, als mir der Sinn nach nichts weniger stand als nach ostasiatischer Skulptur, und wie sie mir, obwohl von unserer gemeinsamen Sorge kaum die Rede war, fast nur durch Gesten meinen Sinn für die Rangordnung gewisser Probleme zurechtzurücken suchte.

Erschütterung soll sich nach ihrer Meinung nicht entäußern. Sie ist durch die Schule gegangen, in der man es lernt, sich zusammenzunehmen. Exaltierte Gefühle und überschießende Reaktionen mag sie nicht, auch nicht in der Kunst. In solchen Fällen gebraucht sie das Wort „übertrieben“: Das find ich übertrieben. Oder auch: arg übertrieben. Da kann man auch hören, was selten vorkommt: Das versteh ich nicht.

Maßvoll sein – wer wünschte es sich nicht? Sie hat, vielleicht überraschend für sie selbst, ihr Maß gefunden. Das wird man nicht „edle Einfalt und stille Größe“ nennen, überhaupt auf eine Formel schwerlich bringen können. Doch auf seinem Grund liegen unbezweifelbare und unbezweifelte Gewißheiten. Anders ist Maß nicht zu gewinnen, noch weniger zu halten. Ich habe sie beunruhigt gesehen über das Unmaß an Ungewissem, aus dem Nachgeborene (auch darum ohne Aussicht auf klassische Vollkommenheit) wieder glauben schöpfen zu müssen. Doch ist sie von innen her unterrichtet nicht nur über die Umstände, unter denen ein „classischer Nationalautor" entsteht, sondern auch über die verzweifelten, meist vergeblichen Bemühungen jener Generationen, denen ihre Zeit sich zu einem bündigen Bild nicht runden will. Und da sie selbst lebendig, beunruhigt und neugierig ist, kann sie nicht nur gelten lassen, sondern freudig begrüßen, was sie für talentiert hält, und sie kann es, wo nötig, verteidigen. Wie belangvoll das Zusammentreffen gewisser Lebensalter mit gewissen Etappen der Zeitgeschichte ist – wer sollte es wissen, wenn nicht sie?

Ich breche ab. Ich gebe ein Vorhaben auf, das sich, wie ich wußte, nicht durchführen läßt. Manches steht ihm entgegen. Auch natürlich immer noch Ehrfurcht, auch natürlich die Scheu vor der Berührung jener Tabus zwischen Menschen, an die man nicht rühren soll. Was ein anderer Mensch einem gibt – wenn er es nicht durch einen einzelnen Zug, nicht durch abgesonderte Handlungen, sondern durch sein ganzes Dasein tut –, das ist schwer zu sagen. Und wenn Gründe für Dankbarkeit so zahlreich sind, kann man nicht alle nennen.

November 1974

Die Dissertation der Netty Reiling

> Wallau saß blutüberströmt gegen die Wand. Zillich sah von der Tür aus ruhig zu ihm hin. Etwas Licht über Zillichs Schulter, dieses winzige, blaue Herbsteck, belehrte Wallau zum letztenmal, daß das Gefüge der Welt festhielt und festhalten würde, für welche Kämpfe auch immer.
>
> *Anna Seghers, Das siebte Kreuz*

Was interessiert uns heute noch an dieser Doktorarbeit, mit der die Studentin der Kunstgeschichte, Sinologie und Geschichte Netty Reiling 1924 an der Hohen Philosophischen Fakultät der Ruprecht-Karl-Universität zu Heidelberg promoviert? Wir, die wir keine Rembrandtspezialisten sind, suchen in dieser Abhandlung über die Darstellung des Judentums im Werke Rembrandts Spuren, welche die nahe bevorstehende, nein: gleichzeitig stattfindende Verwandlung der Netty Reiling, Tochter des Mainzer Kunsthändlers und Antiquars Isidor Reiling, in die Schriftstellerin Anna Seghers ankündigen. Denn im gleichen Jahr schon, zu Weihnachten 1924, bringt die Frankfurter Zeitung in ihrem Feuilleton den Beitrag: Die Toten auf der Insel Djal – Eine Sage aus dem Holländischen – Nacherzählt von Antje Seghers. Die Zeit, in der sie über das jüdische Motiv in Rembrandts Arbeiten nachdenkt, ist auch die Zeit, in der sie sich von den Wissenschaften verabschiedet und ihren Beruf findet; es ist die Zeit ihrer Selbstbenennung mit dem Namen Seghers.

Über ihre Studienzeit wird sie später als über eine Phase erster selbständiger Lebenserfahrung sprechen: „Als Studentin, als ich meine Umwelt zu begreifen begann, Liebe und Leid und viele Erscheinungen der Gesellschaft, Elend und Hunger und Kämpfe um ein besseres Leben, las ich mit wachsender Leidenschaft mehrere Romane von Dostojewski.“ Das, was sie durch diese Bücher, vor allem aber durch Menschen erlebte, scheint in ihrer Erinnerung fester zu sitzen als das, was sie in ihren Studienfächern lernte.

Sie beschäftigte sich mit ostasiatischer Kunst, lernte Chinesisch, um die Inschriften auf den chinesischen Bildwerken entziffern zu können. Einem engen Studienfreund aus dem ostasiatischen Institut, Philipp Schaeffer, den sie bei ihrer Rückkehr aus der mexikanischen Emigration in Deutschland wiederzufinden hoffte, der aber als Mitglied der Schulze-Boysen-Harnack-Gruppe von den Nationalsozialisten hingerichtet worden war, widmet sie 1975 ein Gedenkblatt. „Sorglos, offenherzig waren wir damals“, schreibt sie. „Wir waren bereit, uns zu freuen! Wir fanden immer etwas zum Freuen, trotz der bedrohlichen Zeit, trotz aller Bedrängungen.“ Schaeffer lehrte sie Konfuzius und Laotse lesen, „Kenntnisse über Sun Yat-sen und seine drei Volksprinzipien verschafften wir uns allein“.

In Heidelberg bekommt sie ihren ersten praktisch-politischen Anschauungsunterricht. „Ich war beim Studium bald bekannt geworden mit Emigranten, die nach der blutigen Reaktion und Verfolgung in ihren Ländern das Studium in Deutschland beendeten. Sie öffneten mir die Augen für viele politische Vorgänge, für den Klassenkampf.“ Manche dieser Schicksale hat Anna Seghers in ihrem Erzählungskranz „Die Gefährten“ beschrieben. Damals lernt sie auch den ungarischen Kommunisten László Radványi kennen, der ihr Mann wird. Mit dem Kreis dieser ausländischen Emigranten kommt, noch ehe sie wirklich zu schreiben begonnen hat, das Motiv des Internationalismus in ihr Werk, das sie neben der Vielfalt deutscher Motive immer mitgeführt hat.

Was den Ausschlag dafür gab, daß sie sich selbst nach dem niederländischen Radierer und Maler Hercules Seghers nannte, wissen wir nicht. Sie selbst erinnert sich nicht, 1920 an dem Seminar von Wilhelm Fraenger über Hercules Seghers teilgenommen, auch nicht, Fraenger, der genau in den Jahren ihres Studiums eine herausragende Erscheinung am Heidelberger kunstwissenschaftlichen Institut gewesen sein muß, näher gekannt und durch ihn wesentliche Anregungen erfahren zu haben. Das schließt nicht aus, daß sie Fraengers Studie „Die Radierungen des Hercules Seghers", die 1922 erschien, gelesen hat; eher wäre es erstaunlich, wenn sie eine so vielbesprochene Arbeit, die in ihrem engsten Umkreis publiziert wurde, nicht gründlich zur Kenntnis nahm, als sie sich daranmachte, über Rembrandt zu arbeiten, dessen früher verstorbener Zeitgenosse Seghers war. Jedenfalls aber kannte sie die Ausführungen Wilhelm von Bodes über Hercules Seghers – sie zitiert Bode in ihrer Dissertation. Sie kannte das Schicksal dieses Hochbegabten, der, zu seiner Zeit unverstanden, in Armut, ausgestoßen, noch vor seinem fünfzigsten Lebensjahr zugrunde ging und lange von der Nachwelt vergessen war. Es kann nicht ganz ohne einen geheimen Sinn sein, daß sie sich für ihre eigenen künstlerischen Bemühungen gerade dieses Namens annahm, während sie als Wissenschaftlerin ein Motiv im Werk des Vollendeten, des Klassikers, Rembrandts, untersuchte.

Sie hat in den ersten Jahren literarischer Arbeit immer mit der Möglichkeit eines Scheiterns gerechnet, und sie hat sich lange eine Sensibilität für jene Künstler bewahrt, die an einem Zeit-Bruch zerbrechen, nicht zu klassischer Vollendung kommen; in ihren Briefen an Georg Lukács hat sie Kleist, Lenz, Büchner, Günderrode, Hölderlin verteidigt. Inwieweit sie mit ihrer Namensgebung auch einen Akt der Identifizierung mit jenem Nicht-Klassiker vornimmt, können wir nur vermuten. Viele Jahre später bemerkt sie einmal lakonisch: „In meiner Arbeit gab es keine Krisenzeiten." So unvorstellbar ein solcher Tatbestand wäre – wer sollte ihr widersprechen? Auch wenn die Wahl eines Pseudonyms nicht ihre einzige, vielleicht nicht einmal ihre wichtigste Methode ist, sich der auf ihre Person, auf Konfliktsituationen gerichteten Neugier zu entziehen.

Ein Nachhall ihrer mächtigen Kinder- und Jugendsehnsucht nach den Niederlanden, der Rheinmündung, der Nordsee klingt im Namen des Niederländers sicherlich mit. Antwerpen war ihr vertraut, mag ihren Begriff von Stadtschönheit mitgeprägt haben. Dort hatte in der ersten Hälfte des siebzehnten Jahrhunderts jener Seghers gelebt – wie Rembrandt, von dem Netty Reiling Originale kennt, Drucke und Reproduktionen im kunsthistorischen Seminar findet.

Schon früher während ihrer Studienzeit hat sie bei ihrem Professor Carl Neumann über die Entstehung des Porträts in der deutschen Kunst gearbeitet, die sie auf das Grabmal zurückführt. (Fünfzehn Jahre später wird sie in einem ihrer Briefe an Lukács schreiben: „Der Bürger stellte sich auf dem Altarbild dar als Stifter, auf Grabmälern usw. Schließlich gab es die ersten einzelnen abgeschlossenen Porträts, recht fragwürdige Versuche und doch Rembrandts Vorläufer.") Sehr alte römische Grabmäler hat sie in ihrer Heimatstadt Mainz gesehen. In ihrem jüdischen Elternhaus, bei Besuchen der Synagoge, empfing sie Eindrücke von jüdischen religiösen Bräuchen, ohne sich an sie gebunden, ohne sich von der andersgläubigen Umwelt abgesondert zu fühlen. In Heidelberg lernt sie die Gedankenwelt des Zionismus kennen. Ich glaube, daß sie sehr früh schon den nüchtern abwägenden Blick der Epikerin gehabt hat, der häufig mit Teilnahmslosigkeit verwechselt wird, aber doch eigentlich nichts anderes anzeigt als die Fähigkeit, mehr als nur die eigene Zeit in ihrem Auf und Ab zu überblikken.

Nimmt man alles zusammen, erscheint ein Thema wie „Jude und Judentum im Werke Rembrandts" für die vierundzwanzigjährige Netty Reiling nur natürlich. Unter einem Vorrat von Themen wählt man, wenn auch oft unbewußt, was einem in irgendeinem Sinne naheliegt. Die speziellen Fragen, die man seinem Thema stellt, können Auskunft geben über ein spezielles Interesse, das sich im Fragenden, vielleicht noch nicht voll ausgebildet, anbahnt.

Die Doktorandin, skeptisch gegenüber den vorliegenden Deutungen der Judendarstellung bei Rembrandt, fragt in ihrer Dissertation, wie später so oft in ihren Essays über Schriftsteller, nach jenem merkwürdigen Vorgang, der im Künstler Gesehenes, Erfahrenes, Gedachtes zum Kunstwerk umformt; nach dem „Schaffensprozeß", der, bei aller Verschiedenheit, für den Maler und den Schriftsteller auch Gemeinsames hat: Grunderlebnisse, Originaleindrücke werden durch zeitbedingte Sehweisen und die subjektive Lebensphilosophie des Künstlers transformiert, so daß ein und derselbe Gegenstand in verschiedenen Epochen, aber auch in verschiedenen Lebensphasen eines Künstlers, unterschiedlich dargestellt werden kann. Ebendies, stellt Netty Reiling fest, widerfährt der Judendarstellung in der bildenden Kunst: Im Mittelalter gefärbt durch die feindselige Haltung christlicher Maler zum Juden, wird sie später, zuerst in den Niederlanden, neutralisiert und bekommt einen Zug zum phantastisch Exotischen, der auch den frühen Judendarstellungen Rembrandts anhaftet, die, so meint die Referentin im Gegensatz zu früheren Bearbeitern des Themas, nicht auf jüdische Modelle aus seiner Umwelt zurückgehen können; Rembrandt kannte in seiner Frühzeit nur die voll integrierten Sephardim, die aus Spanien und Portugal durch die Inquisition vertriebenen reichen jüdischen Familien der Oberschicht. Ihre Beweisführung, die in dem Schlußsatz gipfelt, daß „Rembrandt zu der Gestaltung vom Judentum gelangt ist nicht aus dem jüdischen Ideenkomplex seiner Zeit heraus, sondern trotz seiner", umkreist die Frage, welche Rolle der Jude als vorgestellter „Idealtypus" für biblische Themen, welche er als konkretes Modell für die realistische Darstellung jüdischer Wirklichkeit im Werk des Malers Rembrandt spielt.

Wie auch immer die Antworten, die die Studentin

ihrem Material entnimmt, zu beurteilen sein mögen – interessant scheint mir, daß sie nicht zu einer werkimmanenten Untersuchungsmethode greift, sondern möglichst genau das soziale Umfeld Rembrandts untersucht und herausfindet, daß es erst durch den Zustrom verfolgter armer Juden aus Osteuropa in den vierziger Jahren für Rembrandt Modelle von typisch jüdischer Ausprägung in Amsterdam gab. Bezeichnend, für *sie* bezeichnend scheint mir die Frage, ob man bei Rembrandt die „jüdische Wirklichkeit" in einer „Weise gestaltet finden (könnte), daß, wenn diese Wirklichkeit selbst auch verlorengegangen wäre, ihr Kern uns in Rembrandts Bild erhalten" bliebe. In diesem Satz drückt sich eine Vision vom Sinn aller Kunst aus, die Anna Seghers sich bis heute bewahrt hat. In der gleichen Zeit, in der sie in die Rembrandtwelt eindringt, findet sie ein gesteigertes Leben in Dostojewskis Romanen: „Das Leben war dichter als meins, die Menschen waren mehr Menschen, ihre Freiheit war mehr Freiheit, der Schnee war auch mehr Schnee, das Korn mehr Korn." – „Russische Menschen, sagten wir uns" – so steht es in ihrem mehr als dreißig Jahre später geschriebenen Dostojewski-Essay –, „besäßen solche gewaltigen Leidenschaften, die zu gewaltigen Konsequenzen führten. – Wir verglichen sie mit unseren eigenen bläßlich-kleinbürgerlichen Sippen, die zu keinem starken Gefühl, zu keinem Gefühlsausbruch fähig waren." Sie verfolgt in diesem Essay ihren Urgedanken, daß Kunst nicht bloße Widerspiegelung, sondern eine Kondensierung und Steigerung von Wirklichkeit ist, der in ihrer Rembrandtarbeit zuerst auftaucht. Aber auch andere Gedankensplitter blitzen in dieser frühen Untersuchung auf, die später in die großen Zusammenhänge ihrer eigenen Romanarbeit gestellt und ausgeführt werden. Als sie über jene drei Stufen des künstlerischen Prozesses nachdenkt, die sie bei Tolstoi formuliert findet, mag sie längst vergessen haben, daß sie sie ähnlich schon einmal in den drei Phasen von Rembrandts Judendarstellung entdeckt hatte.

„Er bringt auch nicht eigentlich leidende Menschen, sondern von einem plötzlichen oder sonderbaren Unglück betroffene", beobachtet sie bei Rembrandt. In den frühen Arbeiten der Anna Seghers spielt das sonderbare Unglück eine große Rolle für jene Menschen, denen ein Glück außerhalb ihrer Reichweite lag. In „Grubetsch", ihrer ersten längeren Erzählung, die 1927 veröffentlicht wird, fragt sich Anna: „Was ist das, ein Unglück? Ist es wie der Hof dort unten und wie das Zimmer dort hinten? Oder gibt es auch noch andere Unglücke, rote, glühende, leuchtende Unglücke? Ach, wenn ich so eins haben könnte!"

In Anna Seghers' Romanen und Erzählungen herrscht oft ein Rembrandtlicht, das einzelne Figuren, Gruppen oder Gegenstände aus ihrer im Halbdunkel bleibenden Umgebung heraushebt, und wenn es sich als ein Pünktchen in die Augen einer Person zurückzieht. Von einer bestimmten Gruppe der Rembrandtschen Porträts jüdischer Gestalten schreibt Netty Reiling: „Er malt diese Gesichter, wie er einen dunkeln Hinterhof oder eine öde und unscheinbare Landschaft gemalt hat, die noch niemand vor ihm in seinem Reichtum von Ausdruck sehen konnte und den man erst im Bilde wiedererkennt." Anna Seghers beginnt ihre Erzählung „Grubetsch", die Menschen auf einem Hinterhof schildert, mit dem Satz: „Wenn die Laterne am eisernen Arm über der Kellertür ein anderes Licht in sich getragen hätte als einen niedergebrannten Gasstrumpf, sie würde doch nur die Pfütze im gerissenen Holzpflaster beleuchtet haben, einen weggeworfenen Pantoffel und einen Haufen verfaulter Äpfel."

Februar 1980

Zeitschichten

> Erzählen, was mich heute erregt, und die Farbigkeit von Märchen. Das hätte ich am liebsten vereint und wußte nicht, wie.
> *Anna Seghers*

Besonders deutlich werden in den Stücken dieses Bandes die „zwei Linien", die Anna Seghers erzählend vereinen wollte, die märchenhafte und die realistische; je genauer man sie zu fixieren sucht, desto schwieriger wird es, sie gesondert herauszupräparieren. Eine unlösbare Verbindung ist das mythische Element mit dem realen Grundstoff, das realistische Element mit dem mythischen Inhalt eingegangen. „Mythisch", „real" – alle diese Eigenschaftswörter müßte man in Anführungszeichen setzen; die Umrisse dieser Begriffe sind uns heute wenig scharf; für die Seghers sind sie niemals scharf gewesen. Ohne Grenzen zu spüren, ist sie immer zwischen den verschiedenen Welten hin- und hergegangen; das Bedürfnis, die eine einzige Welt, in der sie lebte und in der alles möglich war, ausgefallene Wunder und quälendster Alltag, in Begriffe wie „Wirklichkeit" und „Phantasie" zu pressen, hat sie nicht gekannt. Wie die frühen Erzähler, die in ihren Erzählstrom Götter und Menschen, Taten und Träume hineinzogen, hat sie ihre Grunderlebnisse nicht zerstückeln können, um einzelne Stücke in verschiedene Reservate zu sperren; vielmehr empfängt jeder Erfahrungsbereich sein besonderes Licht durch den anderen: Mythologische Tiefe haben die zeitgenössischen Erzählungen, zeitgenössische Brisanz die Legenden, Mythen, Märchen. Diese Verschmelzung ist das Zeichen ihrer Prosa.

Auch ihre Figuren schöpft sie aus einem ursprünglichen Vorrat von Gestalten. In ihrer frühesten Erzählung greift sie den ersten mit einem kühnen Griff heraus, den sehr sonderbaren Pfarrer von der Insel Djal. Diese Geschichte, „Die Toten auf der Insel Djal“, Weihnachten 1924 in der Frankfurter Zeitung gedruckt, „eine Sage aus dem Holländischen, nacherzählt von Antje Seghers“, schlägt den Ton an: „Die Toten auf dem Friedhof von Djal sind ein sonderbares Volk. Manchmal zuckt es in ihren Gebeinen so heftig, daß die hölzernen Kreuze und Grabsteine zu hüpfen anfangen. Besonders im Frühjahr und Herbst, wenn das Pfeifen und Heulen in der Luft losgeht, können sie gar nicht mehr an sich halten.“ Der Pfarrer von Djal treibt es so wüst wie die gestrandeten toten Seefahrer, er stampft auf ihre Gräber und brüllt: „Ruhe da drunten!“ – „Und die Leiber kuschten sich vor seiner Stimme.“ Mit einem wilden Entzücken läßt die sehr junge Erzählerin – sie ist vierundzwanzig – die Toten und ihren Pfarrer ihr Unwesen treiben. „Er hätte der Leibhaftige sein können, wenn er nicht gerade der Pfarrer von Djal gewesen wäre.“ Der ist der erste Entwurf für jene Reihe furchtloser Männer, die Anna Seghers dann über ihr ganzes Werk fortsetzt: „So einer brauchte keine Kinder und Geschwister, kein Weib und keine Liebschaft. Für so einen gab es auf Djal wildere, großartigere Wollust, brausendere Leidenschaften.“

Hull, der die Fischer von St. Barbara zum Aufstand anstachelt, ist ein Nachfahre dieses Mannes, wie er ein Bruder des Woytschuk aus den „Bauern von Hruschowo“ ist; alle tragen sie Züge des Koloman Wallisch aus dem österreichischen Aufstand von 1934, und alle sind sie eng verwandt mit dem Georg Heisler, dem Kommunisten, der im „Siebten Kreuz“ gejagt wird. Ihre älteste irdische Verkörperung aber scheint der sagenhafte Jason aus dem „Argonautenschiff“ zu sein: Gelassen, kühn, frei sind sie, ungerührt durch die Schicksale, die sie heraufbeschwören. Unbeschwert von irdischen Bindungen. Kühl. Nüchtern. Allein. Zum Abenteuer bereit. Gebrannt von der Gier nach Leben: ein Grundtyp, den die Seghers aus archaischen Zeitaltern in die Industriegesellschaft unseres Jahrhunderts herüberholt und der sich in dieser ihm merkwürdig fremden Umwelt auf diejenige Seite schlägt, die ihm Möglichkeit zu leben verspricht.

Was nun den Pfarrer von der Insel Djal angeht – der, stellt sich heraus, ist in Wirklichkeit ein Toter, und er hat vor Hunderten von Jahren Gott aus seinem Grab heraus so lange zugesetzt, bis er ihn noch einmal „ins Leben lassen mußte". Auf seinem Grabstein aber, unter den anderen Grabsteinen auf dem Friedhof von Djal, steht der Name Jan Seghers. Und die Autorin dieser „Sage", die mit bürgerlichem Namen Netty Reiling heißt, zeichnet ihr Werk, da sie sich als eine Art Enkelin des Alten empfindet, mit seinem Namen. Unaufdringlich, doch deutlich wird ein Verwandtschaftsanspruch angemeldet. Daß dieser Name zugleich der Name eines Zeichners und Radierers der Rembrandt-Zeit ist – Hercules Seghers –, dem sie im kunstgeschichtlichen Seminar in Heidelberg begegnet sein wird und der in seiner Zeit unverstanden blieb und früh zugrunde ging, gibt dieser Selbsttaufe eine weitere Dimension.

Die Frauenfiguren der Seghers – abgesehen von der Göttin Artemis, die das gleiche gelassene unbewegte Wesen hat wie sonst die Männer – sind eher unauffällig, still, zäh, bewahrend, auch dienend, treu, anspruchslos, liebend. Sie sind kaum beunruhigt durch jene „Lust auf absonderliche, ausschweifende Unternehmungen", zu der die Autorin sich in der einzigen autobiografischen Geschichte bekennt, die im Zentrum dieses Bandes und für mich, neben dem „Siebten Kreuz", neben „Transit", im Zentrum des Werks von Anna Seghers steht. Diese Lust, fügt sie hinzu, sei bei ihr längst gestillt, bis zum Überdruß. Die Fernsehnsucht hat sich in Heimweh verkehrt.

Beinahe zehn Jahre dauerte das Leben in der Emigration, als Anna Seghers in Mexiko den „Ausflug der toten Mädchen" schreibt. Die Emigrantin sitzt, das ist die Ausgangssituation, am Rande eines mexikanischen Dorfes auf einer Bank, um auszuruhen, „der äußerste westliche Punkt, an den ich jemals auf Erden geraten war". Hier stockt die Nacherzählung, die, wie sorgfältig sie auch angelegt wäre, in jedem Fall die Erzählung verfälschen müßte. Dreißig Jahre vor dieser Rast in einem fremden Land hat zu Hause, in Deutschland, ein Ausflug lebendiger Mädchen aus einer Mainzer Schulklasse stattgefunden. Die Erzählerin hat, heiter, scheint ihr heute, unbeschwert, an ihm teilgenommen; inzwischen sind die meisten Schulfreundinnen durch die Nationalsozialisten, durch den Krieg, den sie angezettelt haben, ums Leben gekommen. Trauer ist das Teil der Überlebenden, und ein schweres Gefühl von Sinnlosigkeit, gegen das sie, wie sie es sich angewöhnt hat, durch Arbeit, durch Pflichterfüllung angeht. Erzählen, Schreiben ist ja auch immer Sinngeben. Diesen Ausflug der toten Mädchen gibt es nur, kann es nur geben, indem er so und nicht anders beschrieben wird; er erscheint nur in dem Geflecht von berichtenden, nachdenkenden, erinnernden Sätzen, in das er eingebunden ist; keinen dieser Sätze könnte man herauslösen, ohne daß ein Loch in das Gewebe gerissen würde, durch welches das Nichts, gegen das die Erzählerin ihren Wortverband aufrichtet, in den Erzählraum, was heißt: in den Raum von verbürgten Werten, von Gesittung und Zivilisation, eindringen würde. Selbst in Müdigkeit, Schwäche, drohender Hoffnungslosigkeit gefangen – es sind die Jahre 1943/44 –, knüpft sie ein Prosa-Netz, mit dem sie mehrere Zeiten auf einmal einfangen und in ihren Bericht einbringen kann: Gegenwart, mehrere „reale" Vergangenheiten und mehrere Möglichkeitsformen von Vergangenheit und Zukunft. An dieser Erzählung, fand ich schon immer, könnte man lesen lernen. Hier wird erzählt, um die Zeit zu verstehen, aber auch, um sie zu verkürzen, und die Voraussetzung dafür ist, sie im wahren Sinn des Wortes zu durchschauen, ihre Schichtungen durchsichtig zu machen: Das kann, von allen künstlerischen Ausdrucksformen, nur die Literatur. Sich in dem Rahmen, den Ort und

Zeit aufspannen, ungezwungen bewegen; das schwebende künstlerische Bewußtsein im Medium Zeit steigen und sinken lassen, Jahrzehnte vorbeigehen lassen, einen Augenblick fixieren. Eine Form der Freiheit in einer, wenn auch fiktiven, Realität vorführen, nach der wir im Traum uns sehnen; intensives Dasein in seinem künstlerischen Widerschein, das aber weniger scheinhaft, künstlich und ersatzweis ist als das wirkliche Leben der meisten.

In allen Geschichten und Romanen der Seghers ist da jemand, der süchtig nach einer roten, glühenden, brausenden Wirklichkeit ist, nach etwas ganz und gar „Unkleinbürgerlichem", Revolutionärem, nach der Essenz der oft matten, blassen Alltage, nach dem schmackhaften Kern der oft faden Frucht, von der wir alle essen müssen. Wenn ich sie recht verstehe, ist für sie diese Sehnsucht, welche die verschiedensten Zeitalter miteinander verbindet, das eigentlich Menschliche, Dauernde. „Die Grundstoffe haben sich seit zweitausend Jahren nicht geändert. Die Abwandlungen sind vielfältig." Die Abwandlungen betreffen das in manchem verschiedene, in manchem immer gleiche Schicksal jener menschlichen Sehnsucht und derer, die sie weitergeben.

Einmal nur, eben in „Ausflug der toten Mädchen", heißt die Person unverblümt und unverstellt „ich". Ein Ich, das zugleich normal und verzaubert ist; dem es gegeben ist und gelingt, uralte Märchenmotive zu Hilfe zu rufen, um eine maßlos gewordene, heillose Gegenwart doch noch einmal bannen zu können, im doppelten Sinn: ins Wort bannen und zugleich (und dadurch) ihre bedrohlich zerstörerische Macht über die eigene Psyche bannen.

Wie gut glauben wir jenes Tor zu kennen, durch das man hindurchgeht, um am anderen Ende als Verwandelte in einer anderen Welt wieder herauszukommen. („Ich trat in das leere Tor. Ich hörte jetzt inwendig zu meinem Erstaunen ein leichtes, regelmäßiges Knarren. Ich ging noch einen Schritt weiter. Ich konnte das Grün im Garten jetzt riechen ...") War es ein Goldregen, der in einem dunklen Torweg auf sie herabgeregnet ist, oder war es ein pechschwarzer Fluch? Und wenn sie nicht mehr im gleichen Land ist – warum nicht auch in einer anderen Zeit? Wenn nur der Name geblieben ist, bei dem man sie nennt; wenn sie sich nur an ihn halten kann, so mag doch alles andere auch seine Richtigkeit haben. „Netty!" – „Mit diesem Namen hatte mich seit der Schulzeit niemand mehr gerufen."

Eine solche direkte Nennung ihres Mädchennamens ist unerhört. Nicht umsonst bekennt sie, daß sie ihn verloren hatte, wohl auch vergessen, verleugnet. Denn nicht nur die anderen, „Freunde und Feinde", auch sie selbst hatte sich ja anders benannt. Sie hatte mit ihrem neuen Namen ein öffentliches Leben geführt, war als Kommunistin politisch aktiv gewesen, gefordert, zu Beginn der Hitlerzeit in Deutschland gesucht und verfolgt worden; in eine Reihe allgemeiner Hauptwörter faßt sie diese Jahre zusammen, die ihren neuen Namen befestigt haben: „... in Straßen, Versammlungen, Festen, nächtlichen Zimmern, Polizeiverhören, Büchertiteln, Zeitungsberichten, Protokollen und Pässen ..." Und erst in einer Zeit der Schwäche, als sie von einem Auto in den Straßen Mexikos angefahren worden war, wochenlang bewußtlos gelegen hatte, ihre Abwehr gegen das Geständnis endgültiger Verluste und die Trauer darüber nicht mehr standhielt – erst da, bezeichnenderweise eben da erscheint als Hoffnung dieser alte Name, „... von dem ich in Selbsttäuschung glaubte, er könnte mich wieder gesund machen, jung, lustig, bereit zu dem alten Leben mit den alten Gefährten, das unwiederbringlich verloren war."

Persönliches, Autobiografisches, Intimes hat Anna Seghers immer zurückgehalten; dieselbe Erschütterung, die ihr mit dem Mädchennamen Kindheit und Jugend wieder heraufgeholt hat, hat die Hemmschwelle gegen die Aufnahme persönlicher Motive in die Literatur überwunden. Die Wachsamkeit gegenüber spontanen Äußerungen – sicher auch eine politische Wachsamkeit aus den Kämpfen der zwanziger und dreißiger Jahre – ist nicht nur durch die lange physische Bewußtlosigkeit herabgesetzt; auch der Schmerz, den sie durch Nachrichten aus Deutschland erfährt, drängt aus der Sprachlosigkeit heraus, schmilzt den Widerstand gegen persönliche Entäußerung weg. Wünsche, die sie sich in strenger Selbstdisziplin nicht gestattet, können endlich ausgesprochen werden. Rückhaltlos wird die eigene Verfassung benannt durch Wörter wie Bestürzung, Trübsinn, Müdigkeit, Sehnsucht, Heimweh, Grauen. „Was erzählbar ist, ist überwunden"? Hier wird nicht Überwundenes erzählt. Erzählt wird, um sich zu retten. Um Distanz zu gewinnen.

Der Schleier von Dunst, der immer wieder über den verschiedenen Landschaften der Erzählung aufsteigt, der das Gegenwärtige verhüllt, Vergangenes, Entferntes enthüllt – das ist auch ein Schleier von Tränen, durch den die Erzählerin blickt, und es ist jene imaginäre Wolke, in der eine Göttin oder ein Gott dem Menschen erscheint, um ihn, in ihr verborgen, an einen anderen Ort zu versetzen. Versetzt kommt diese Deutsche sich ja vor in diesem fremden Land, in dem, vielleicht nur für sie, die Zeit stillsteht, auch die Zeit, die fürs Erzählen gebraucht wird. „Draußen", „drüben", jenseits des Ozeans, geht eine ganz andere, heftige, fürchterliche Zeit weiter, die mit den entsetzlichsten Nachrichten in die Zeit-Nische der Erzählerin einbricht: Ihre Mutter wurde von den Nationalsozialisten deportiert; ihr Vater ist tot; ihre Heimatstadt Mainz ist zerstört. Überleben, sehen müssen, wird zur schärfsten Qual.

Jetzt bewähren sich die Muster, in denen sie zu erleben, zu denken, zu erzählen gewohnt ist; sie stehen zur Verfügung und ermöglichen das Benennen von Unaussprechlichem; es gelingt, auch die Ereignisse, die sie selbst unmittelbar betreffen, vor jene Zeit-Tiefe zu rükken, die sie zwar nicht entschärft, aber objektiviert und Wiederholungen in diesen einmalig erscheinenden Vorgängen kenntlich macht. Ein böses Märchen, was da mit diesen sauberen, blanken Mädchen geschieht, geschehen wird: Die Märchenmotive gehören zur Namen-Magie und zur Einführung der Traum-Zeit, und wie im Märchen eindeutig zwischen Gut und Böse geschieden werden kann, darf auch die Erzählerin durch ein einfaches Prüfmittel die Guten von den Bösen scheiden: durch die Frage, wie sie sich unter den Nationalsozialisten verhalten haben, verhalten werden. Denn das Schulkind Netty, in das die Erzählerin zurückverwandelt wurde, hat mit der Kindergestalt nicht zugleich die kindliche Unschuld und Unwissenheit empfangen: Wissend, leidend an dem Wissen, sieht es in den Freundinnen um sich herum zugleich die Erwachsenen, die schuldig wurden oder standhielten; und es hat, ein schreckliches Geschenk der Götter, den Zukunftsblick auf das Ende der meisten.

Der Glanz über der Rheinebene, wie das Heimweh sie ihr vorspiegelt, die leuchtende Intensität, mit der eine unberührte, idyllische Landschaft heraufbeschworen wird, ähnelt der Schönheit des Waldes, der Wiese, des Flusses in deutschen Märchen; die spielenden Kinder scheinen so schon von den Romantikern gesehen, gemalt, beschrieben zu sein. „Wir winkten alle zu den drei weißen Häuschen, die uns von klein auf vertraut waren, wie aus Bilderbüchern mit Hexenmärchen." Und wie in Bilderbüchern ein guter Zauber blitzschnell in arge Verhexung umschlagen kann, so geht es mit diesen Mädchen, deren schönste, zarteste, anmutigste, wie vom Zauberstab berührt, in einen bösen Wahn verfallen, herzenskalt, verräterisch, gewissenlos werden kann. Und einer anderen Haar, „jetzt noch so schwarz wie Ebenholz, wie das Haar Schneewittchens, sollte über und über weiß sein, als sie ... im vollgepferchten plombierten Waggon von den Nazis nach Polen deportiert" wurde. Es mag sein, daß der Name „Auschwitz", in dem das Elend, der Wahn, das Verbrechen eines Jahrhunderts sich sammelte als tödliches Gift – daß dieser Name noch nicht aus Deutschland heraus, noch nicht über das Meer gedrungen war; daß die Erzählerin ihn noch nicht kannte; noch nicht die Zahl wissen konnte, die Todeszahl, die an diesen Namen geknüpft ist. Aber die Kälte, das Vorgefühl eines nie wieder gutzumachenden Unheils hat sie erreicht; ihr Anhauch verdüstert die strahlende Jugendlandschaft.

Wir erfahren nicht, wie der Ort heißt, der das Ausflugsziel der Schulklasse ist. So könnte es auch Winkel gewesen sein, jener Ort im Rheingau, an dem die Dichterin Karoline von Günderrode 1806 sich selbst den Tod gab. Anna Seghers hat von der Günderrode gewußt, hat ihr Schicksal öfter erwähnt, und ganz abwegig erscheint es nicht, ihren frühen Tod mit dem gewaltsamen Sterben der Mädchen in dieser Erzählung in Verbindung zu bringen; früh kann man in der deutschen Geschichte jenen Punkt ansetzen, von dem an zuerst geistig, künstlerisch arbeitende Menschen ein unlebbares Leben vorfanden und von dem jene verhängnisvollen Entwicklungslinien ausgingen, die über Kadavergehorsam, Selbstkasteiung, Chauvinismus und Ausbeutung jene besondere deutsche Variante des Wahndenkens produzierten, die dann im Nationalsozialismus gipfelte. Besonders bedroht sind Freundschaft und Liebe; paradigmatisch können, von heute aus gesehen, der Günderrode Verlust eines Freundes, Savignys, und eines Geliebten, des Professors Creuzer, an ein Amt, an den Staat und seine Forderungen erscheinen; mehr als hundert Jahre später treibt einer, indem er das Hakenkreuz zum Fenster heraushängt, seine Frau in einen schamvollen Tod; läßt dagegen die eine der beiden engsten Freundinnen der Erzählerin sich von Gestapo-Leuten schlagen und einsperren, um ihren Mann nicht zu verraten; weigert die andre sich, nach dem Tod ihres Geliebten an einen hohen SS-Mann geraten, die Kinder ihrer früheren Freundin vor dem Zugriff des Staates bewahren zu helfen. Wie eine Legende werden die Schicksale dieser Freundinnen, Marianne und Leni, erzählt. Diese Erzählhaltung verstellt nicht unseren Blick auf den Ursprung ihrer Schicksale in früheren Geschichtsepochen, auch nicht die Assoziation an Vorläufer; der Günderrode Name nur als ein Signal, das gerade in dieser Landschaft aufblitzt.

Und es scheint auch diese Erzählhaltung zu sein, die, weit zurückreichend in die Vergangenheit, offen bleibt für eine Zukunft, welche für den Zeitpunkt des Schreibens fast utopisch erscheinen muß; fragt man sich nach dem Grund für diese Offenheit, die man mit einiger Scheu auch Hoffnung nennen könnte und die nirgends direkt ausgesprochen wird, so findet man ihn in der Anwesenheit der Erzählerin. Auch wenn sie mit Mitteilungen über ihre Lage und ihre Verfassung nicht zurückhält, bleibt sie doch ein Umriß, ein ausgesparter weißer Fleck, auf den sich Zukunftserwartung projizieren läßt, eine Stimme, die tief beteiligt, doch nicht exaltiert zu sprechen weiß und vor allem wahrhaftig ist; zwar weiß sie nicht, ob diese wie ihre anderen in der Emigration geschriebenen Erzählungen und Romane je in Deutschland gelesen werden; doch kann sie nicht aufhören, der verblendeten Sicht auf eine verzerrte „Realität", die in ihrer Heimat die meisten Menschen behext hat, ihre aus Geschichte, Mythos, Märchen und Legende geschaffene verbürgte Wirklichkeit gegenüberzustellen. Das Leben in ihren Prosastücken ist dichter als das der meisten ihrer Leser. Den Abgrund zwischen den Wünschen der Menschen und der Ersatzbefriedigung, die ihnen angeboten wird, kann Literatur nicht überbrücken, und die Frage, ob die Erinnerung an archaische Strukturen und Verhaltensweisen den Menschen der Neuzeit, des Industriezeitalters, überhaupt noch berühren kann, ob die einstmals aktive Funktion der Märchen, in der Maschinenwelt zu romantischen Betäubungsmitteln verkommen, wiederzubeleben ist – diese Frage stellt sich jedem Erzähler, der in Erinnerungs- und Geschichtsverlust eine Voraussetzung für den Orwellschen Roboter-Menschen eines rein technischen Zeitalters sieht. Es ist auch die Frage, ob die Menschen von heute für real nur das nehmen können, was greifbar, eßbar, brauchbar, sofort verwertbar ist, oder ob ihnen jenes Gewebe menschlicher Beziehungen, wie es die Prosa auch der Seghers ihnen vorführt, ihnen als wirklich, realistisch, wünsch- und machbar erscheint. Diese bewahrende Rolle der Prosa ist, seit Anna Seghers den „Ausflug der toten Mädchen" schrieb, womöglich noch gewachsen.

Die Erzählung endet mit der Beschreibung einer Rheinfahrt – auch das Motiv der Fahrt ist ja eines der ältesten, das die Literatur kennt –, die, so kurz sie ist, „alle Reisen über unendliche Meere verblassen" läßt, und mit jenen fünf Seiten, auf denen der Gang der Erzählerin durch das zerstörte Mainz vorweggenommen wird, der ihr „in Wirklichkeit" noch bevorsteht und über den sie dann, Jahre später, Schweigen bewahren wird. Ich bin einmal, wiederum viele Jahre später, die Erzählung als Wegweiser benutzend, diesen Weg nachgegangen: von den Platanen an der Uferstraße durch das neu aufgebaute Mainz, in dem fast nur noch die Kirchen das frühere Bild der Stadt bewahrt hatten, vorbei an der Stelle in der Flachsmarktstraße, an der einst die Kunst- und Antiquitätenhandlung des Vaters der Seghers, Isidor Reiling, gewesen sein mußte, bis dorthin, wo das Haus gestanden hatte, in dem sie mit ihrer Familie wohnte. Mit einer ihrer früheren Lehrerinnen, die inzwischen sehr alt geworden war, habe ich in einem turmartigen Zimmer gesessen. Sie sagte: Es ist alles so gewesen, wie sie es beschrieben hat. Und ich hörte die Telefonstimme einer ihrer früheren Mitschülerinnen: Wir haben uns alle wiedererkannt.

Diese Erlebnisse und Bilder sind mir stark verblaßt. Ganz deutlich und nah sind mir, von einem Lesen zum anderen, Menschen, Schicksale, Landschaften und Stimmungen, die sie in ihrer Geschichte beschrieb. An diesem einen Beispiel habe ich versucht, die „Linien", die Anna Seghers zusammenführt, zu verfolgen. Auf unterschiedliche Weise tauchen sie in den andern Erzählungen wieder auf.

Mai 1983

Transit: Ortschaften

TRANSIT gehört zu den Büchern, die in mein Leben eingreifen, an denen mein Leben weiterschreibt, so daß ich sie alle paar Jahre zur Hand nehmen muß, um zu sehen, was inzwischen mit mir und mit ihnen passiert ist. Diesmal war die Pause, in der ich es nicht gelesen hatte, länger als üblich gewesen. Im Frühjahr nahm ich es in einer handlichen, vor allem leichten Reclam-Ausgabe mit nach Frankreich, wenn ich auch wußte, daß ich dort kaum Zeit zum Lesen haben würde. Nun bekam aber meine Reise eine unerwartete Doppelbödigkeit durch dieses Buch, das ich so genau kannte, doch zum erstenmal an den Schauplätzen las, von und mit denen es handelt; und das Buch, dessen Handlungshintergrund die Jahre 1940/41 sind, bewährte seine Gegenwärtigkeit an den Orten, aus denen es hervorgegangen war.

Es fing mit Zufällen an: daß ich in Paris ganz in der Nähe jener Stätten wohnte, an denen die Verwicklungen um den toten Schriftsteller Weidel ihren Ausgang nahmen; daß ich mich also tagelang auf dem Boulevard St. Germain, im Umkreis der Metro-Station Odéon bewegte, schließlich sogar glaubte, die Bank gefunden zu haben, auf der der namenlose Ich-Erzähler aus TRANSIT den Auftrag bekommt, dem Schriftsteller Weidel in seinem Hotel einen Brief zu überbringen. Als ich das Buch zum erstenmal las, muß auch mir dieser Weidel ein zufälliger Name gewesen sein, nichts Besonderes, eine Art Chiffre. Mehr als tot kann ein Toter nicht sein; „tot“ ist in allen Sprachen der Welt ein Adjektiv, für das es keine

Steigerungsstufe gibt. Aber während ich auf der Suche nach einer bestimmten Adresse den ganzen Boulevard Raspail hinaufging (genau wie damals der Namenlose), mußte ich mich fragen, ob manche Toten nicht mit der Zeit immer lebendiger werden. Meine Adresse lag dann nahe der Rue de Rennes, wo auch Weidels Hotel gestanden hatte – Weidel, der für mich seit langem kein Unbekannter mehr ist. Der mir für den österreichischen Schriftsteller Ernst Weiß steht, mit dem er dessen Schicksal teilt: Auch der – nein, der zuerst! – brachte sich in dem in TRANSIT beschriebenen Pariser Hotel um, als die deutsche Wehrmacht heranrückte, im Frühsommer 1940. Für wen alles dieser Name im Lauf der Zeit noch würde stehen müssen, das konnte Anna Seghers damals gar nicht wissen. Drei Namen deutscher Schriftsteller, die 1940 Selbstmord verübten, aus dem gleichen Grund wie Ernst Weiß: Walter Hasenclever, Carl Einstein, Walter Benjamin. Auch sie, wegen der absurden Bestimmungen der französischen oder spanischen Behörden, daran verzweifelnd, ob sie ihren Naziverfolgern noch einmal würden entgehen können.

Sehr genau, glaube ich, drückte Hasenclever – gestorben in jenem Lager Les Milles, von dem noch die Rede sein soll – die innere Verfassung, die Stimmung dieser Flüchtlinge aus, Antifaschisten, Verfolgte des Naziregimes, die, schon vorher in ihrem Gastland nur geduldet, meist ohne Arbeitserlaubnis, an der unteren Grenze des Existenzminimums, im Mai 1940 beim Überfall der deutschen Truppen auf die westlichen Länder groteskerweise als „feindliche Ausländer" in Lagern interniert, dadurch ihren Todfeinden als leichte Opfer geradezu angeboten wurden: „Wir Verbannten. Wir Heimatlosen. Wir Verfluchten, was haben wir noch für ein Recht zu leben? ... Was wir gedacht und geschrieben haben, was wir, Angehörige eines Volkes, das nie seine Dichter begriffen hat, dennoch glaubten verkünden zu müssen, es versinkt im Gespensterzug der Dämonen."

Anna Seghers hatte in einem gespenstischen Zug von

Millionen Flüchtlingen versucht, mit ihren zwei Kindern den Wehrmachtstruppen zu entkommen, die aber waren motorisiert und überholten die Flüchtlingstrecks: Man lese die Szene in TRANSIT nach. Zurück also nach Paris. Versteck, Unterschlupf, getrennt von den Kindern, in wechselnden Quartieren, bei Freunden, Genossen, Unbekannten. Ihr Mann ist in Le Vernet interniert, dem Straflager für linke Emigranten und Spanienkämpfer, weitab, in der Nähe der Pyrenäen. Die deutsche Schriftstellerin geht durch die Straßen von Paris, setzt sich in Cafés und lauscht, selber schweigend, auf das Deutsch der jungen Soldaten, begierig auf Zwischentöne. Sie riskiert es auch, im Hotel nach ihrem Kollegen Ernst Weiß zu fragen, den sie kennengelernt, der ihr Eindruck gemacht hatte, durch seinen Drang, sich ihr zu eröffnen. Da erfährt sie, daß er tot ist, auch, wie er starb. Was sie nicht erfährt: daß Manuskripte von ihm verloren sind, daß aber sein letztes vollendetes Manuskript gerettet wurde, wenn auch nicht in einem Handkoffer: Er hatte es zu einem Preisausschreiben nach New York geschickt, wo es ankam, als sein Autor vielleicht schon tot war – jenes Manuskript, das viel später unter dem Titel „Ich, der Augenzeuge" als Buch erschien und den Werdegang eines Arztes aus bürgerlicher Familie beschreibt, der gegen Ende des ersten Weltkriegs in einem Lazarett auf einen hysterisch erblindeten Gefreiten trifft, den er heilt. Der Mann hieß Adolf Hitler.

Ähnlich erging es anderen ungedruckten Büchern. Auch Anna Seghers rettete vom „Siebten Kreuz" nur jene Kopie, die sie einem Freund in New York geschickt hatte und hielt monatelang das Ganze für verloren, und Lion Feuchtwanger konnte den dritten Band seiner Josephus-Trilogie noch über das US-Konsulat in Marseille seinem amerikanischen Verleger zustellen lassen, während er selbst schon, aktionsunfähig, im erwähnten Lager Les Milles interniert war. Papier, schreibt die Seghers in TRANSIT, scheine von allen Stoffen der Welt ganz besonders schwer zu verbrennen oder zu vernichten zu sein, und tatsächlich erweist sich der Handkoffer mit der Hinterlassenschaft des Toten als unzerstörbar, als ebenso dauerhaft wie dieser Tote selbst. Ich würde das nicht metaphysisch deuten wollen. Ich würde in solchen tapferen, auch trotzigen Sätzen ein Bedürfnis nach Selbstbehauptung sehen, unter Umständen, die auf Selbstaufgabe angelegt waren. Die Zähigkeit, mit der Anna Seghers an TRANSIT gearbeitet hat – zeitgleich mit den Ereignissen; selbst Transitärin; selbst antichambrierend in den Konsulaten von Marseille; wartend in den Cafés; bedroht von der Gefahr, doch noch in die Hände der Deutschen zu fallen oder ihnen ausgeliefert zu werden, unter schwerstem psychischen Druck also –, diese Zähigkeit ist *auch* ein Beweis für die Stärkung, die solche Art Disziplin, solche Art Arbeit liefern können.

Mir aber stand nun noch einmal das Abenteuer bevor, mich in diese grundeinfache, zugleich schier unentwirrbar komplizierte Geschichte hineinzubegeben, mich von dieser trügerisch nüchternen Sprache in einen Sog von Abgründigkeit hineinziehen zu lassen, mich einem Blick auszusetzen, der beinahe körperlos ist, dem bestenfalls noch eine Stimme zugehört, die angeblich nichts anderes will als „einmal alles erzählen, von Anfang bis zu Ende". Auch eines dieser von vorgetäuschter Harmlosigkeit triefenden Unterfangen in diesem Buch; vielmehr: die Grund-Täuschung. Nur daß ich jetzt etwas besser begreife, wozu mein Erzähler sie braucht: um sich die todgefährliche Realität vom Leibe zu halten, wenn auch manchmal nur um Haaresbreite – um gerade soviel, daß er sie noch betrachten und von ihr erzählen kann.

Der superschnelle, bequeme Zug Paris–Marseille schneidet irgendwo die heute nur gedachte, zu Beginn der vierziger Jahre höchst reale Linie zwischen dem „besetzten" und dem „unbesetzten" Frankreich, festgelegt im Waffenstillstandsabkommen zwischen Hitler-Deutschland und der Pétain-Regierung im Juni 1940, die jeder Gefährdete in Richtung Süden zu überschreiten suchte. So auch unser Namenloser aus TRANSIT, so auch, vor ihm, Anna Seghers. Geleitet wird sie von ihrer französischen Freundin Jeanne Stern – der Übersetzerin dieses Buches ins Französische –, der sie, unterwegs in der ihnen beiden unbekannten frühherbstlichen Landschaft, einen Satz aus einem französischen Roman zitiert: „Auf verlorenem Weg zum verlorenen Land". – „Mutterseelenallein" – das „ergreifende urdeutsche Wort" scheint der Französin auf diese Grenzüberschreiterin zugeschnitten. Der Erzähler aus TRANSIT, ein unzerstörbarer Schatten, immer neben ihnen. „Wir küßten den ersten französischen Posten, auf den wir stießen. Wir waren gerührt und fühlten uns frei. Ich brauche Ihnen nicht zu erklären, daß dieses Gefühl uns trog." Freilich. Und nicht nur dieses – ein *jedes* Gefühl muß sie trügen, das aus der Übereinkunft auf eine Weltordnung herauswächst, die in Auflösung begriffen ist – ein Vorgang, der den Seelenmechanismus des Zeugen, des Opfers dieser Auflösung überfordert; schutzeshalber wird er stillgelegt; das Ergebnis ist Starre, „tödliche Langeweile", inmitten des Weltuntergangs. Alles, womit man sich identifizieren konnte, ist zerschlagen, verraten, es schwindet, wenn man genau drauf sieht. So muß die Identität des namenlosen Erzählers unscharf sein; immer, wenn man sie genau ins Auge fassen will, scheint sie an den Rändern zu verschwimmen, wird unkenntlich wie der Charakter gewisser Lebewesen, denen die Natur eine Schutzfarbe zugeteilt hat, damit sie überleben können.

Anna Seghers findet für sich und die Kinder eine Unterkunft in Pamier, nicht zu weit entfernt vom Lager Le Vernet, wo sie in regelmäßigen Abständen ihren Mann besuchen kann. Kaum einer ihrer Freunde weiß, wo sie ist, viele halten sie für verschollen. So sitzt sie in dem gottverlassenen Winter von 1940 auf 41 oft in dem einzigen Café des Ortes, wo man geheizt hat, wo man ihr einen Kaffee und ein Glas Wasser bringt und sie dann nicht weiter behelligt. Da liest sie hintereinanderweg alle Bände der „Menschlichen Komödie" von Balzac, und sie sucht und findet den Drehpunkt für seine Fabelkonstruktionen heraus: Er nimmt ein merkwürdiges, herausfallendes Ereignis seiner Zeit, stellt es in die Mitte des Romans und fragt sich, wie sich die Personen, die er erfunden hat, zu diesem Ereignis verhalten mögen.

„Ein Transit – das ist die Erlaubnis, ein Land zu durchfahren, wenn es feststeht, daß man nicht bleiben will." Wieder eine von diesen bündigen Definitionen, und ein unschuldiges Angebot dazu, den Titel zu interpretieren. Wenn wir nur nicht lange schon auf der Hut wären vor den glatten, unschuldigen Deutungen dieses Berichterstatters; wenn wir nur nicht unwillkürlich auf der Lauer lägen, ihn wiederum bei einer seiner schamlosen Untertreibungen zu erwischen. In gleicher Unschuld werden ja die anderen möglichen Bedeutungen dieses terminus technicus der Konsulate heraufbeschworen: hindurch-, hinübergehen im weitesten und vielfältigsten Sinn. Wir nehmen teil an der Aufblätterung, an der Wandlung eines Wortes, dem wir im Lauf der Handlung immer mehr Gleichniskraft zutrauen, bis der Erzähler/die Erzählerin uns an jenen unbewußt schon erwarteten Punkt bringt, da Marie, ihr Transit in der Hand, den Freund fragt: „Wie mag es dort drüben sein? . . . Dort drüben. Wenn alles vorbei ist." Und wir spüren am Erschrecken und Zögern des Namenlosen wie an uns selbst, daß jetzt von dem anderen, dem endgültigen Hinübergehen die Rede ist, welches unsere Sprache mit den Grenzübergängen des *Lebens* gleichsetzt. Daß das Transit, nach dem alle diese Menschen auf der Jagd sind, sie nicht nur zur Durchfahrt in ein bestimmtes, auf diesem Globus auffindbares Land berechtigt; daß da ein ganz anderes Bestimmungsland immer mitgemeint ist, welches ihnen in ihren Alpträumen – und alptraumhaft ist die Struktur des Buches – nur zu nahe rückt. Und daß da ein anderer Meister noch regiert als der alles durchdringende Wind, der Mistral, der, solange er weht, wahrhaftig „Meister" ist. „Der Tod ist ein Meister aus

Deutschland" – die Zeile steigt auf, und die flinken Wehrmachtsautos mit den uniformierten Kommissionen auf der Suche nach Opfern, auch hier – sie sind seine Gehilfen, sie sind die meist unsichtbaren, doch immer gegenwärtigen Anpeitscher dieser ganzen angstvollen Fluchtbewegung. Aber wiederum: So gleichnishaft die Grund-Situation dieses Buches war, zum Ende unseres Jahrhunderts hin immer mehr wird: in unzähligen Einzelheiten ist sie historisch festlegbar und festgelegt, heute noch nachprüfbar. So ist ein Brief erhalten, den Anna Seghers auf Französisch an den Zürcher Verleger Oprecht schrieb und in dem sie ihn bittet, er möge umgehend dem Generalkonsul von Mexiko in Marseille bescheinigen, daß er sie persönlich und als Verleger kenne und daß Anna Seghers der Schriftstellername von Mme. Radványi sei ... Und wie eigenartig berührt sind wir, welch Schauder packt uns, wenn wir lesen, „daß auch Ernst Weiß ein mexikanisches Visum erhalten hatte, am selben Tag und auf derselben Liste wie Anna Seghers." (Hans-Albert Walter, „Anna Seghers' Metamorphosen", Frankfurt a. M. 1984) Nie wird einer die Anteile persönlichster Erfahrung der Autorin von der Erfahrung der absichtlich und kunstvoll changierenden Person des Erzählers von Transit trennen können; sicher ist, daß eben daher die unbedingte Authentizität dieses Buches rührt. So daß es müßig ist zu fragen, wer da spricht: „Ich habe damals zum erstenmal alles ernst bedacht: Vergangenheit und Zukunft, einander gleich und ebenbürtig an Undurchsichtigkeit, und auch den Zustand, den man auf Konsulaten Transit nennt und in der gewöhnlichen Sprache Gegenwart. Und das Ergebnis: nur eine Ahnung – wenn diese Ahnung verdient, ein Ergebnis genannt zu werden – von meiner eigenen Unversehrbarkeit."

Wir, in unserer Gegenwart, kamen, nachdem wir die gedachte Linie zwischen dem ehemals besetzten und dem ehemals unbesetzten Frankreich überschritten hatten, im gegenwärtigen Marseille an, danach im gegenwärtigen Aix-en-Provence, und das Buch, das mich begleitete und in dem ich jeden Abend ein paar Seiten las, machte mir die Oberfläche der Städte und Landschaften durchsichtig, und mich machte es, inmitten der dichtesten Gegenwart, stärker noch als sonst zur Durchreisenden. Konnte man es noch einen Zufall nennen, daß ich auf jene französischen Germanisten stieß, die seit einigen Jahren die Schicksale deutscher Emigranten im Süden Frankreichs während des zweiten Weltkriegs erforschen? Das Buch, das entstand („Les Camps en Provence. Exil, Internement, Déportation 1933–1942", Aix-en-Provence 1984), die Ausstellung, die erarbeitet wurde, erscheinen mir als Akte einer späten Gerechtigkeit gegenüber jenen ehemaligen Exulanten, die in den Fluchtländern nur zu oft als Unglücksboten gemieden, dann interniert wurden. Zu den Aufgaben der Germanisten hatte es gehört, den älteren unter ihren Landsleuten Vorgänge abzufragen, an die diese nicht gerne denken, von denen sie noch weniger gerne reden wollten. Jüngere, unbefangene Leute können sich – wer wüßte das besser als wir Deutschen! – dem Trauma von Schuld und Versagen in der eigenen Nation eher stellen als die unmittelbar Beteiligten.

Kaum wunderte es mich noch, daß zur rechten Zeit die rechte Begleiterin sich einstellte für die gewünschte Fahrt in die Vergangenheit, die den Namen heutiger Ortschaften trug: Les Milles, Marseille. Les Milles: Anna Seghers hat es gekannt, dorthin war ihr Mann überstellt worden, um seine Ausreise nach Mexiko vorzubereiten. Aus der lieblichsten provenzalischen Landschaft nähert man sich der kleinen Stadt, registriert die wie überall gekappten Platanen in den schmalen Straßen, gelangt schnell, der Bahnlinie folgend, zu jener Fabrik, die heute wieder Ziegelsteine herstellt und die einst, über und über ziegelrot, aus den Produkten aufgebaut wurde, die sie hervorbrachte. Unbehelligt gehen wir auf den Hof. Ziegelkies, Ziegelstaub unter jedem Schritt. Was mag der Mistral, den wir inzwischen kennen, aus diesem

Hof machen; in was für einen roten, zähen Schlamm mag er sich bei Regen verwandeln, verwandelt haben für die 3000 Internierten, die im Hauptgebäude der damals stillgelegten Fabrik untergebracht waren (Lion Feuchtwanger hat es beschrieben: „Der Teufel in Frankreich"). Wir trafen wenige Arbeiter, die Transportkarren über den Hof schoben und nicht auf uns achteten. Wir waren ja auf der Suche nach einem bestimmten Schuppen, reckten uns zu verstaubten Fenstern hoch, blickten durch Schlüssellöcher verlassener Gebäude, bis wir schattenhafte Umrisse von Figuren an einer Wand entdeckten: Hier mußte es sein. Das waren sie, die Fresken von Les Milles, mit denen sich Namen wie der von Max Lingner – ehemaliger Internierter von Les Milles – verbinden. Zwischen uns und diesem Freskenfries nur eine wacklige Tür, mit einem Vorhängeschloß gesichert, und wir ohne jedes amtliche Papier, das uns den Zutritt zu diesem inzwischen zum Denkmal erklärten, daher abgesicherten Ort geöffnet hätte. Der Mut sank uns – allerdings gingen wir von preußisch-deutschen Sitten aus. Die französische Portiere nämlich, eindringlich von unserer Begleiterin über uns und unser Anliegen unterrichtet, *sprach* zwar wie jede amtliche Person in jedem Land: Daß diese Remise gar nicht ihr, sondern als Kulturdenkmal einem anderen Ministerium unterstellt sei; daß sie also über den Schlüssel dazu nicht verfügen dürfe und so weiter – aber sie *handelte* wie eine Französin: Wenn Madame von so weit hergekommen sei . . ., und reichte den Schlüssel durch das Fensterchen. Sie sei gepriesen. Der Schlüssel paßte. Die Tür öffnete sich. Wir betraten den Arbeitsschuppen, dessen *Wesen* zwar, wie wir soeben erfahren hatten, durch die unermüdlichen Bemühungen der Germanisten verwandelt war: in ein Kulturdenkmal; dessen *äußere Erscheinung* aber davon keinerlei Notiz genommen hatte. Staub, Schmutz, herumliegendes, teilweise unbrauchbares Arbeitsgerät, Reste von Maschinen; in einer Ecke ein Holzverschlag, sicherlich für den Meister; in der diagonal gegenüberliegenden Ecke jenes Eisenöfchen, das über Jahre, Jahrzehnte hin Wände und Decke mit einer gleichmäßig dicken Rußschicht vollgequalmt hat. Oben aber, in vielleicht vier Meter Höhe, wo der Freskenfries entlangläuft, hat jemand – wiederum die neugierigen Germanisten? – vor kurzem versucht, etwas von diesem Ruß durch kreisförmige Wischbewegungen mit einem feuchten Tuch zu entfernen.

Wir stellen uns nun in der Mitte des Raumes auf, legen den Kopf in den Nacken und drehen uns langsam um unsere eigene Achse. Zuerst fällt unser Blick auf ein helles Viereck an einer der Schmalwände: Dort muß ein Bild gehangen haben. Ja, erfahren wir: das Porträt des Marschalls Pétain. Sehr glaubhaft, denn noch heute ist unter dem weißen Fleck ein Appell des Marschalls an seine Landsleute lesbar, patriotisch und allgemein: Man möge ihm helfen, eine Kette bilden, ihm die Hände reichen. – Da scheint uns der andere Zuspruch, übrigens mit der gleichen Schriftschablone aufgemalt, in der gleichen Farbe: blau, an der einen Längsseite des Schuppens entschieden passender für die, an die er sich richtete: „Si vos assiettes ne sont pas très garnies, puissent nos dessins vous calmer l'appétit“: Ein Appell an die Kameraden, sich für die schlecht gefüllten Teller durch den Anblick der Zeichnungen schadlos zu halten.

Die meisten der Motive, die wir, je genauer wir hinsehen, um so besser erkennen können, entpuppen sich denn auch als eine Art von Hungerphantasien: Auf der dem Pétain-Spruch gegenüberliegenden Schmalwand sieht man eine Reihe von Männern verschiedener Hautfarbe an einer Tafel sitzen und genußvoll essen und trinken, was das Zeug hält. Anderswo: phantastische Früchte, Eßwaren. Landszenen: Bauern bestellen den Acker. Prestataires (die Uniform der Prestataires nennt der Erzähler in Transit „die unansehnlichste Uniform aller Armeen des Weltkrieges“) schleppen ein Riesenbrot, rollen ein Riesenfaß.

Die Fresken werden auf den Herbst 1940 datiert.

Außer den Namen von Max Ernst und Max Lingner, dessen Handschrift man zu erkennen meint, werden noch dutzende Namen anderer Maler genannt, Deutsche und Österreicher, die ebenfalls durch dieses Lager gegangen sind. Hundert derartiger Lager, größere, kleinere, hat man inzwischen aufgespürt, noch lebende Zeugen aus der Nachbarschaft zum Reden gebracht. Ehemalige Emigranten, Internierte, deren Angehörige, die im Süden Frankreichs geblieben sind, aufgesucht. Fotos, Briefe durchgesehen. Auch die Überlebenden waren, wie sich herausstellte, in den meisten Fällen nicht darauf versessen, ihre Erinnerung noch einmal aufzuwühlen. In einem Fall hat man bei der Witwe eines Fotografen, der damals wie besessen fotografiert hat, ein ganzes Fotoarchiv gefunden, darunter viele Porträts von Emigranten, die allerdings sicherheitshalber größtenteils mit falschen Namen versehen wurden ... Es ist mehr als nur Genugtuung, die ich empfinde bei diesen Berichten. Ich bin bewegt, weil sich eine anscheinend lebenswichtige, oft bezweifelte Überzeugung hier einmal zu bestätigen scheint: daß die Kämpfe, die Leiden, auch die Verirrungen einer Generation doch nicht ganz spurlos mit ihr vergehen; daß in der nächsten, der übernächsten Generation plötzlich wieder intensiv nach ihnen gefragt werden kann.

Oder was treibt mich so unwiderstehlich an die Ortschaften, an denen die Bücher spielen? Warum genügt mir die sichtbare Wirklichkeit einer Stadt nicht? Marseille. Vor mir liegt eine ältere Schwarz-Weiß-Postkarte, die die Straße und den Häuserbogen um den Alten Hafen herum zeigt, Zentrum der Wege und Meditationen des Transit-Erzählers. Erleichtert hat unsere kundige Begleiterin diese Karte von einem Ständer mit alten Postkarten heruntergeangelt: Endlich hat sie die Bestätigung, welches der heute umbenannten Restaurants das Café „Mont Ventoux“ gewesen ist, das in Transit, wenn auch irrtümlich „Mont Vertoux“ genannt, so oft erwähnt wird. Es liegt, wo es liegen muß: an der Einmündung der Cannebière in das Hafenbecken. Ja: Da hat dieser Erzähler sitzen und entweder auf das Wasser des Alten Hafen hinausblicken oder, mit dem Rücken zum Wasser, stundenlang in das Feuer starren können, auf dem man die Pizza buk, jenes „sonderbare Gebäck", von dem man „etwas Süßes" erwartet, „da beißt man auf Pfeffer". Da hat die Seghers gesessen zwischen ihren Gängen auf verschiedene Konsulate und Schiffahrtsbüros und hat an TRANSIT geschrieben. Wie wir muß sie oft und oft auf die in die Pflasterung des Kais eingelassene Steinplatte getreten sein, auf der vermerkt ist: Hier kamen um 400 vor Christi die ersten Griechen an. Von hier aus verbreiteten sie die Zivilisation in der westlichen Welt. – Die Autorin, deren Blick von Anfang an auf historische Weite eingestellt war, wird diesen Anstoß nicht gebraucht haben für ihre Assoziationsketten über die Ankömmlinge, Besetzer, Verfolgten der Jahrtausende, die, von See her oder aus dieser heute „Cannebière" genannten Straße aus dem Inneren Europas, gerade in dieses Becken gespült worden sind. Ein distanzschaffender Blick, womöglich geeignet, den Zugriff der eigenen Bedrängnis für Stunden zu lockern. Eines aber blieb: der namenlose Schrecken vor der erzwungenen, vielleicht endgültigen Abkehr von diesem Europa.

Wir haben nicht im ehemaligen „Mont Ventoux" gegessen, das heute nicht nur anders heißt, sondern aufgemöbelt wurde, nobler, den Bedürfnissen reicher Touristen angepaßt, wie viele Restaurants und Cafés um das alte Hafenbecken. Wir saßen eine Ecke weiter. Der Blick beinahe derselbe. Unsere Begleiter erzählten uns von Alltagsproblemen des heutigen Frankreich, und ich mußte mich fragen, was es mir bringen konnte, die Orte, die ich so oft in Gedanken gesucht hatte, nun wirklich zu sehen. Hatte ich, hatte irgendein Leser die Bestätigung nötig, daß es diese Cannebière wirklich gibt; daß sie zwar nicht genau so, aber ähnlich ist wie die Straße, die man sich vorgestellt hat. Daß es auch diese Treppen gibt, auf denen nun also auch wir hinaufsteigen können in das Gewirr der alten Gassen. Das „korsische Viertel" allerdings, in dem der George Binnet mit seiner Freundin Claudine und dem goldhäutigen Jungen wohnte, wurde von der Wehrmacht, als sie dann im November 1942 auch den bis dahin unbesetzten Süden Frankreichs noch besetzte, dem Erdboden gleichgemacht: „aus hygienischen Gründen", wie es hieß. Diese verspätete Meldung trifft mich wie ein Schlag, ich empfinde Empörung über das übliche Maß hinaus. Dagegen versetzt es mir einen freudigen Stoß, daß das Hotel in der Rue du Relais, jener „winzigen Gasse" am Cours Belsunce, noch da ist, in dem der Arzt und Marie gewohnt haben sollen, in dem „in Wirklichkeit" aber, wie ich heute weiß, Anna Seghers mit ihren Kindern ein paar Monate lang gelebt hat, bis sie endlich im März 1941 auf der „Capitain Paul Lemerle" mit ihrer Familie das gefährliche Marseille verlassen konnte. Aus der Erinnerung hat sie dann weiter beschrieben: den Cours Belsunce, der heute noch aussieht wie ein arabisch-türkischer Basar, die Rue de la Providence, in der wir, nun schon aufgeregt, das Hotel des namenlosen Ich-Erzählers aus TRANSIT suchten: Als könne er wirklicher werden durch den Ort, an dem er gewohnt hatte . . . Bis wir erfuhren, dieses Hotel steht nicht mehr, und unsere Suche endete. Immer hat es mich erstaunt, daß Anna Seghers, deren Irrfahrt als Transitärin zu ihrem vorläufigen Bestimmungsland Mexiko noch lange nicht vorbei war, unbeirrt weiter die Fäden dieses Verwirrspiels, welches die Handlung von TRANSIT ja *auch* ist, in den Händen halten und in die von ihr vorgesehene Ordnung bringen konnte. Eine Strenge im Chaos – so, als habe sie sich selber zu einer ganz besonders strengen Konzentration auf etwas zwingen wollen, was *nicht* in der Alltagsmühsal und in den Existenzsorgen des Emigrantendaseins aufging. „Zwei Männer kämpfen um eine Frau, aber die liebt in Wirklichkeit einen dritten Mann, der schon tot ist" – dies wäre so neu nicht, die Seghers sagt es selbst, indem sie sich auf Racine beruft. Die Sinnlosigkeit eines solchen Kampfes ist allerdings eine der geheimen, dunklen Energiequellen des Buches. Vergeblich muß sein, was jeder der beiden Männer, manchmal in letzter Anstrengung, tut: Maries Liebe kann nicht erworben, nicht verdient; sie kann nur geschenkt werden.

„Sehe" ich, nachdem ich sie nun mit leiblichen Augen gesehen habe, die Straßen und Plätze in TRANSIT, die Hotels und Cafés, durch die der Namenlose, Marie, der Doktor irren, deutlicher? Nein. Eigentlich nicht. Das deutliche Bild, das ich vorher hatte, hat sich befestigt. Wo nicht, wird sich wohl mein Vor-Bild aus der Lektüre des Buches durchsetzen. Die Orte, die pure Realität, braucht die Seghers, wie jeder Schriftsteller, um ihre Täuschungen daran zu befestigen – ein scheinheiliger Gebrauch der „Wirklichkeit" der anderen Realität zuliebe, die nicht abgetragen, zerbombt, verbrannt werden kann, die Welt ihrer Bücher. Zu jedem Transit, zu jeder Grenzüberschreitung, auch zu der in die Kunst, ist eine Sehnsucht nach „Unversehrbarkeit" nötig, die, immer erneut in Frage gestellt, sich immer wieder erneuert, ausgerechnet an den Werken der Literatur. Mag sein, daß ich mich dessen versichern wollte durch Augenschein.

September 1985

Zeitgeschehen

Probleme junger Autoren

So friedlich liegst du vor mir
auf der Karte, westliche Heimat.
Einen Finger breit ist der Raum
zwischen Werra und Main,
mit meinen Händen decke ich dich zu,
nicht um zu vergessen, nein,
um dich zu lieben.

Diese Zeilen sind aus dem Poem „Sichtbar wird der Mensch" des jungen Schriftstellers Walter Werner. Ein Lyriker leidet an Deutschland, an der Spaltung seines Landes. Schmerzvoll-liebende Passagen hat auch der Roman „Entscheidung" von Anna Seghers, wenn er westdeutsche Landschaft, einfache Menschen vom Rhein beschwört. Ein solches Buch findet sich nicht mit der Spaltung ab, es gibt seinen Beitrag, sie zu überwinden.

Aber versteht unsere Literatur – besonders die Literatur der *jungen* Schriftsteller – sich schon immer als Teil, als Kernstück der künftigen sozialistischen deutschen Nationalliteratur? Bemühen wir uns wirklich, mit unserem Buch, unserem Gedicht zur *ganzen*, zwar jetzt auseinandergerissenen, aber doch auf die Dauer unteilbaren Nation zu sprechen? Oder haben wir uns unbewußt schon mit dem Zustand von heute abgefunden? Ist es überhaupt noch möglich, Bücher zu schreiben, die hüben wie drüben in gleicher Weise wirken?

Das sind, gerade jetzt vor dem V. Deutschen Schriftstellerkongreß, Hauptfragen für unsere Literatur. Wir haben nur noch nicht genügend verstanden, daß es nicht irgendeine, sondern *die* Forderung an einen deutschen Schriftsteller unserer Zeit ist, Nationalbewußtsein schaffen zu helfen. Das heißt: unser Volk seine ganz besondere Lage, seine ganz besondere Verantwortung in der heutigen Weltsituation verstehen zu lehren. Ein Buch wie Anna Seghers' „Entscheidung" sorgt dafür, daß die Wunde der „offenen Grenze" nicht vernarbt. Es hält – wie vorher Deutschlandgedichte Johannes R. Bechers oder Brechts – die Sehnsucht nach einem schönen, einheitlichen, von der düsteren Last der Vergangenheit freien Deutschland wach. (Bertolt Brecht sagt in seiner „Kinderhymne": „Und weil wir dieses Land verbessern, lieben und beschirmen wir's. Und das liebste mag's uns scheinen, so wie andern Völkern ihrs.")

Man beginnt in letzter Zeit, über Züge des Provinzialismus in unserer Literatur zu sprechen. Nach meiner Ansicht wirkt eine literarische Arbeit immer dann provinziell, wenn sie ihr eigenes, natürlicherweise begrenztes Thema nicht als einen Teil des großen Themas unserer Tage zu sehen und zu gestalten vermag. So wichtig es ist, das Leben in unseren Betrieben, zum Beispiel in den sozialistischen Brigaden, zum Gegenstand unserer Literatur zu machen, so tragen doch gerade in letzter Zeit manche dieser Geschichten enge, provinzielle Züge. Warum? Ich glaube, weil der Autor die neuen Erscheinungen in unseren sozialistischen Brigaden zu isoliert und oberflächlich „abschildert", weil er sie nicht als Teil eines großen Umwandlungsprozesses in unserer Republik begreift – eines Prozesses, der den ganzen Menschen in allen seinen Lebensäußerungen erfaßt; weil er oft nicht zu zeigen versteht, wie unsere Anstrengungen mit dem Kampf der Menschheit auf der ganzen Erde zusammenhängen.

Ich bin sicher, daß man über Menschen, die hier bei uns leben, die in einem Betrieb arbeiten oder in einer Genossenschaft, die Ärzte, Lehrer, Ingenieure, Wissenschaftler sind, so schreiben kann, daß es auch einen Bauern am Rhein, einen Arbeiter im Ruhrgebiet packt, ergreift, vielleicht aufrüttelt. Provinziell ist nicht der *Stoff* der Literatur, sondern höchstens ihr *Gehalt*. Es ist nicht richtig, wenn junge Schriftsteller klagen, sie könnten keinen Beitrag zur nationalen Thematik unserer Literatur leisten, weil sie Westdeutschland nicht kennen. Dieser Einwand beruht zum Teil auf einem Mißverständnis. „Nationale Thematik" bedeutet nicht unbedingt: einen Stoff haben, der teils hier, teils drüben spielt; sondern: unser Leben, die Vorgänge, die sich bei uns vollziehen, die Veränderungen im Leben unserer Gesellschaft und der Menschen, die bei uns leben, als national bedeutsam darzustellen.

Ältere Genossen erinnern uns immer *wieder* an die große nachhaltige Wirkung sowjetischer Bücher und Filme auf Menschen, die in kapitalistischen Ländern lebten, in den zwanziger Jahren. Wie konnte „Zement" von Gladkow oder der „Panzerkreuzer Potemkin" auf Leute, die an bürgerliche Lebensformen, an ganz andere Themen und Stoffe, an eine bürgerliche Literatur gewöhnt waren, so nachhaltig wirken? Eben weil sie aus den Büchern und Filmen (selbst aus weniger meisterhaften als den beiden, die ich nannte) den Atem einer großen, ernst zu nehmenden Veränderung spürten; weil hier das Neue, das sich damals erst unter größten Schwierigkeiten in einem Land der Welt vollzog, als das künftig Natürliche, weil Menschengemäße für alle Menschen geschildert wurde.

März 1961

Diskussionsbeitrag zur zweiten Bitterfelder Konferenz 1964

Alle unsere öffentlichen Diskussionen in den letzten Monaten, die Beschlüsse der Partei zu verschiedenen Gebieten unseres Lebens haben einen gemeinsamen Kern. Es geht darum, die Möglichkeiten, die unsere Gesellschaft in ihrer jetzigen Etappe bietet, besser zu nutzen, die Voraussetzungen zu schaffen, daß die erkannten Gesetze des Sozialismus bewußt angewendet werden können in der Wirtschaft, in der Wissenschaft, im Bildungswesen. Worin bestehen die Möglichkeiten unserer Gesellschaft für die Kunst?

Manchmal werden immer noch Klischeeantworten angeboten: materielle Förderung, Betriebsverträge, öffentliche Ehrungen von Künstlern. Das alles ist etwas, aber es ist nicht das Wesentliche. Das Wesentliche springt einem in die Augen, wenn man – wie ich zum Beispiel kürzlich – für einige Tage in Westdeutschland ist. Meine Gesprächspartner dort waren meist junge Menschen, übersatt von dem platten Antikommunismus ihrer offiziellen Propaganda, an sachlichen Informationen über die DDR brennend interessiert. Man konnte sehen, daß die Jugend besonders empfindlich reagiert auf das Ende jenes Trancezustandes, in den das sogenannte Wirtschaftswunder für Jahre Teile der westdeutschen Bevölkerung versetzt hat. Man steht jetzt in dieser imponierenden Warenkulisse und fragt sich: Was nun? Man fragt uns: Wißt ihr was Besseres? Man erwartet von uns wohlüberlegte, praktische, brauchbare Antworten.

Daraufhin liest man auch unsere Bücher. Man erwartet keine platten Antworten, keine Ausflüchte. Man kann durchaus auch Probleme vertragen.

Man wundert sich über unsere Themen. Das ist mir besonders aufgefallen. Man sagt uns: Was ihr da schreibt, das halten westdeutsche Schriftsteller nicht für literaturfähig: die wirklichen, im täglichen Leben entstehenden Konflikte junger Leute, den Alltag von Millionen Menschen, das gewaltige Thema des Arbeiters in einer hochentwickelten Industriegesellschaft, die Kampfaktionen, die – wie zum Beispiel die Ostermarschbewegung – außer ihrem politischen Gehalt eine große moralische Bedeutung für jeden einzelnen ihrer Teilnehmer haben. Sie bedeuten nämlich, daß in einem streng abgezirkelten, sehr begrenzten Bereich gesellschaftlicher Betätigungsmöglichkeit sich plötzlich für sie ein Feld auftut für Aktivität, für Initiative, für Kühnheit, für Ideenreichtum, überhaupt für die Entwicklung einer Persönlichkeit – übrigens auch für die Förderung künstlerischer Talente.

Wir haben an einer Ostermarschrevue teilgenommen. Da haben wir Songs und Lieder gehört mit spritzigen, frechen Texten, von Laien gesungen und begleitet, die jedem FDJ-Abend zur Förderung junger Talente Ehre machen würden. Zum Beispiel gab es einen Text – drüben muß die Polizei von jeder Demonstration benachrichtigt werden, und sie begleitet die Demonstration vorn und hinten mit Jeeps –: „Der Polizei ein Osterei. Die Polizei ist auch dabei. Die Polizei, dein Freund und Helfer, sie ist auch dieses Jahr dabei." Ihr könnt euch denken, wie die das singen ... Wir haben mitgesungen. Diese jungen Leute, in denen wie in jedem Menschen das Bedürfnis ist, sich selbst in Kunst ausgedrückt zu sehen, fühlen sich – das war eine unserer interessantesten und ich muß auch sagen unerwarteten Beobachtungen – von der westdeutschen Literatur im Stich gelassen. Sie sagten uns: Von euch müßte mal einer herkommen, das alles hier genau kennenlernen und darüber schreiben. Nicht etwa, daß sie kommunistische Bücher haben wollten; aber sie haben uns zugetraut, daß wir uns auf alle Fälle um die Bereiche des Lebens kümmern würden, die sie interessieren und in denen sich ihre täglichen Probleme und Konflikte abspielen. Denn wir sind natürlich in sehr vielen Punkten ganz verschiedener Meinung gewesen. Darüber gibt es überhaupt keinen Zweifel.

Sie sehen, daß man mit uns nicht nur über Ästhetik, sondern auch über Ökonomie, Politik, Soziologie und Psychologie zum Beispiel reden kann. Sie stimmten spontan unserer Ansicht zu, daß ein Schriftsteller viel wissen muß, um in den komplizierten Organismus der modernen Gesellschaft eindringen zu können, und sie suchen, was ganz natürlich ist, unsere Gesellschaft, unsere Ideale, unser Bild vom Menschen in unseren Büchern.

Wir können auch lernen in diesen Diskussionen. Wir müssen uns daran gewöhnen, daß manches, was uns selbstverständlich ist, dort noch nie gehört wurde. So wurde es ihnen noch nie gesagt. Nicht jede Frage, die uns dumm vorkommt, ist provokatorisch gemeint. Ich habe zwar früher schon gewußt, daß wir verantwortlich für Westdeutschland sind, jetzt fühle ich mich verantwortlich gegenüber ganz bestimmten Menschen. Es geht mir jetzt so, daß alles, was ich nicht gut genug mache oder was wir zusammen nicht klug genug machen, nicht offensiv genug – mir scheint, wir sollten viel offensiver sein, mehr positive Tatsachen schaffen und viel weniger in die Defensive gehen gegenüber falschen Ansichten, sondern unsere positiven Tatsachen ihnen entgegensetzen –, daß alles, wo wir nicht schnell genug vorwärtskommen, wo wir nicht konsequent genug Hemmnisse überwinden, sogar dann, wenn sie schon erkannt sind, daß mich das alles jetzt nicht nur in unserem Namen ärgert, sondern auch in ihrem Namen, im Namen dieser jungen Leute. Denn sie sind, wenn sie es auch nicht wissen, auf uns angewiesen und wir auf sie.

Die westdeutschen Zeitungen wittern natürlich irgendeine Art von Unrat. Sie geben Alarmzeichen, darunter sogenannte Kritiken unserer Bücher. Vergleicht man sie untereinander, hat man den Eindruck, daß hier eine Art automatisch arbeitendes Elektronengehirn durch die Speisung mit zwei einander entgegengesetzten und sich ausschließenden Informationen in Unordnung geraten ist. Die eine Information ist: Es gibt keinen zweiten deutschen Staat, also auch keine zweite deutsche Literatur. Die zweite: Da entsteht in jenem nicht existierenden Staat unter den Bedingungen extremer Unterdrückung Literatur. Da wird diese Literatur, die sich mit den gesellschaftlichen Verhältnissen im Staat auseinandersetzt, sie begleitet, aktiv an ihnen mitarbeitet, nicht nur freiwillig von den unterdrückten Bürgern gelesen, und zwar in Massen, sondern sie wird auch heiß diskutiert. Da gibt es Meinungsverschiedenheiten, heftige Gegensätze, aber weiterhin Literatur.

Nun kann jeder westdeutsche Rezensent nach seinem Charakter, nach der Färbung seiner Zeitung oder nach der finanziellen Lage und dem Grad der eigenen Desinformation über uns eine Variante aussuchen, wie er diese beiden unvereinbaren Axiome doch zu einer Literaturkritik verarbeitet. „Revolte gegen das Regime" – wünschen sich die einen, „besonders raffinierte kommunistische Propaganda" – warnen die anderen. Falsches Lob soll uns schmeicheln, falscher Tadel uns schrekken. Besonders tut sich da die Gilde der „Ostexperten" hervor, jene Leute, die vor ein paar Jahren noch bei uns waren und sich sehr sozialistisch gebärdeten. Aber was wirklich los ist – Tucholsky würde sagen, sie wissen es nicht; Kenntnisse wären hier vonnöten, dialektisches Denken, die Fähigkeit, Prozesse zu begreifen. Da fällt die Klassenschranke, und der Apparat hakt aus. Er läuft leer und kaut nur noch an ein paar unverdaulichen Fakten herum. Man möchte ihnen sagen: Spart euch die Mühe! Mit uns rechnet nicht! Doch da sie nicht glauben wollen, daß in unserem Lande in fast zwei Jahrzehnten der Sozialismus zur menschenbildenden Kraft geworden ist, daß er die tägliche Arbeit von Millionen Menschen darstellt und kein Hirngespinst, werden sie auch diesen gutgemeinten Rat wahrscheinlich nicht annehmen.

Nun gibt es ja Leute, die können sich daran gewöhnen, einen Apfel zu Boden fallen zu sehen und jemanden seelenruhig immerzu dabei sagen zu hören: Er fällt nicht. Solche Leute gibt es auch bei uns, aber sie haben geringere Chancen auf die Dauer. Es gibt Künstler, die den Streit um den Apfel für unerheblich halten, die da überhaupt keinen Apfel sehen, sondern zum Beispiel Leere. Wir haben in Frankfurt am Main den Bergman-Film „Das Schweigen" gesehen, der unerhörtes Aufsehen machte, bis zu Anfragen im Bundestag. Am Nachmittag des gleichen Tages waren wir im Auschwitzprozeß, und zwar in jener Sitzung, in der das Gericht sich darauf konzentrierte, den Sachverständigen Professor Kuczynski der Befangenheit zu bezichtigen, anstatt die Wahrheit seines Beweises über die Verflechtung großer Chemiekonzerne mit dem faschistischen Staat zu überprüfen. Aus beidem, dem Film und dem Prozeß, gingen wir mit Beklommenheit. Wir konnten den Eindruck nicht loswerden, daß diese beiden Ereignisse auf komplizierte und indirekte Weise, aber doch miteinander zusammenhängen: die drückende, sterile, bürokratische Atmosphäre dieses Prozesses, die drückende, sterile Leere, Angst, Einsamkeit und Verzweiflung dieses Films. Eine Kunst, die den Menschen allein läßt in einer solchen Welt, die nur noch Symptome registriert und auf jede Deutung verzichtet, die eigentlich nur den Selbstmord übrigläßt, eine solche Kunst liefert den Menschen aus, sie suggeriert ihm die Relativität aller moralischen Werte, sie trägt dazu bei, ihn letzten Endes auch wehrlos zu machen gegen Auschwitz.

Da wirkt dann in der gleichen Stadt – um nur einmal die Widersprüchlichkeit der Erscheinungen drüben zu zeigen – unter solchen Umständen die Feststellung einer einfachen Wahrheit von der Bühne herunter wie eine Sensation. Man stellt sich hin und sagt, was alle wissen: Der Apfel fällt. Wir sahen die Aufführung des „Stellvertreters" von Hochhuth, in dem es – einen Tag nach dem Auschwitzprozeß – von der Bühne herunter folgenden Dialog zwischen dem Vertreter der katholischen Kirche und diesem Auschwitzdoktor gab. Der Vertreter der katholischen Kirche sagt: Menschen brennen hier, der Brandgeruch von Fleisch und Haaren. – Darauf der Doktor von Auschwitz: Sie reden dummes Zeug. Was Sie sehen, ist lauter Industrie, Schmieröl und Roßhaar, Arzneien und Stickstoff, Gummi und Granaten. Hier wächst ein zweites Ruhrgebiet heran, IG-Farben und Buna haben hier Filialen, Krupp demnächst. Luftangriffe erreichen uns nicht, Arbeitskräfte sind preiswert. –

Ich komme auf meine Ausgangsfrage zurück: Worin bestehen die Vorzüge der sozialistischen Gesellschaft für die Kunst? Ich muß sagen, zum Beispiel darin, daß wir als Bürger der DDR in diesem Auschwitzprozeß mit anderen Gefühlen sitzen konnten als unsere jungen Begleiter neben uns, Bürger der Bundesrepublik. Sie machten uns zum Beispiel auch darauf aufmerksam, was wir nicht bemerkten, daß wir im Gespräch dauernd die Vokabel verwendet haben: bei uns in der DDR. Jemand sagte zu mir: Ich würde nicht im Traume daran denken, jemals zu sagen, bei uns in der Bundesrepublik, nicht einmal soweit würde ich mich mit diesem Staat identifizieren.

Für die Kunst bestehen die Vorzüge unserer Gesellschaft darin, daß ihr Wesen mit den objektiven Gesetzen der Entwicklung, mit den objektiven Interessen der Menschen übereinstimmt, daß sie also nicht den Ehrgeiz hat, als mystisches, undurchschaubares Etwas vor den Leuten zu erscheinen; man kann sie mit einigem Fleiß kennenlernen, ihre komplizierte Struktur in ihren offenen und geheimen Keimen, in ihrer Widersprüchlichkeit. Die Wahrheit über sie zu verbreiten schadet ihr nicht, sondern nützt ihr. Zum erstenmal in der menschlichen Geschichte stellt sie keinen unüberbrückbaren Widerspruch mehr dar zum humanistischen Wesen der Kunst. Soweit, glaube ich, sind wir uns alle einig.

Nach diesen Feststellungen aber fangen die meisten Fragen an, über die wir uns gerade in der letzten Zeit gestritten haben. Jetzt nämlich beginnen die Meinungsverschiedenheiten über konkrete Sachen: Was ist denn Wahrheit? Und was ist die Wahrheit der Kunst, die statistische, die soziologische, die agitatorische? Was kann man den Lesern an Problematik und Konflikten zumuten?

Ich will euch hier ein Beispiel erzählen, das mir kürzlich ein Kollege von seiner Zusammenarbeit mit einer Zeitung berichtete. Man hatte ihn als Reporter zu einem besonders gut beleumdeten Brigadier einer Baubrigade geschickt, der kürzlich in die Partei eingetreten und dessen Bild schon überall erschienen war. Man hatte ihm gesagt: Und nun zu dem Bild die wahrheitsgetreue, lebensechte Reportage! Er ging zu dem Brigadier und fand einen sehr aufgeschlossenen Menschen, der ihn sofort einlud mitzukommen und ihm alles erzählte. Schon auf der Autofahrt in seine Wohnung ging es los. Der Kollege sagte: „Es ist nett, daß du mich mit nach Hause nimmst zu deiner Familie!"

„Ach Gott, Familie, mit der Frau stehe ich in Scheidung."

„Aber du hast doch Kinder?"

„Na ja", sagte der Brigadier, „Kinder ... Mein Sohn sitzt gerade im Kittchen wegen versuchter Republikflucht."

Dann sagte mein Kollege: „Aber du bist doch in die Partei eingetreten aus Überzeugung?"

Sagte der andere ehrlich: „Klar, ehrlich. Das war so: Unsere Brigade hatte furchtbar viel gegen schlechte Arbeitsorganisation und alle möglichen Mängel und Fehler zu kämpfen. Und wir sind nicht durchgekommen, obwohl ich ein ganz gut ausgebildetes Mundwerk habe. Da haben meine Kumpel gesagt: Hier nützt bloß eins, einer von uns tritt in die Partei ein, dann kann er besser auf den Tisch hauen. Da ich der Brigadier bin, fiel die Wahl natürlich auf mich, und so bin ich in die Partei eingetreten."

Der Schriftsteller schwieg darauf wahrscheinlich eine gewisse Zeit lang, ein wenig betroffen. Da sagte der Brigadier nach einer Weile zu ihm: „Weißte, laß dir darüber keine grauen Haare wachsen. Es ist schon in Ordnung, daß ich drin bin, das habe ich inzwischen gemerkt."

Der Schriftsteller findet das prima und schreibt das. Nun fängt der Kuhhandel an. Ihr müßt wissen, es ist keine ausgedachte Geschichte – darum erzähle ich sie. Bei ausgedachten Geschichten ist es ja noch schwieriger.

Also jetzt geht es los: „Muß denn der mit seiner Frau in Scheidung stehen?"

„Ja", sagt der Schriftsteller, „ich weiß nicht, ob er muß, aber er steht."

„Kannst du das nicht streichen?"

„Gut, aber dann haben wir gar kein Familienleben, und kein Familienleben, das ist für den sozialistischen Menschen auch nicht typisch."

„Dann laß wenigstens das mit dem Sohn weg!"

„Aber die Leute, die den Brigadier kennen, kennen auch den Sohn!"

Darauf hat der Schriftsteller gesagt: „Hört zu, ihr habt mich zu dem geschickt, ich habe mir das nicht ausgesucht."

Da stellte sich heraus, sie hatten einen anderen Brigadier im Kopf, sie wollten einen anderen auf der Zeitungsseite haben.

Der Auftrag wurde zurückgezogen, ein Auftragshonorar wurde gezahlt. Insofern ging die Sache friedlich aus. – Es wurde gestern über die Mitarbeit des Schriftstellers an unserer Presse gesprochen. Stellt euch vor, zwei, drei oder vier solcher Erfahrungen, und jeder Schriftsteller klappt sein Notizbuch zu und versucht sich anderweitig.

Ich war vorige Woche in der 8. Klasse einer Schule, in

der ich zur Jugendweihe sprechen soll, und habe versucht, die Kinder vorher etwas kennenzulernen. Ich habe über Literatur gesprochen. Da meldete sich ein kleiner Junge von vierzehn Jahren und sagte: „Frau Wolf, ich habe in letzter Zeit vier Jugendbücher gelesen. In allen vieren gab es einen durch und durch überzeugten FDJler, der alle positiven Eigenschaften hatte, die es auf der Welt gibt, und seine viel schlechteren, ihn umgebenden Kameraden überzeugte. Finden Sie das richtig?"

Ich war diplomatisch und fragte ihn: „Wie ist es denn in Wirklichkeit?"

Da antwortete er ganz lakonisch: „Abweichend."

Nun habe ich tatsächlich nicht den Mut aufgebracht, diesem Jungen die Gesetze des Typischen in der Literatur zu erklären, sondern ich habe gesagt: „Es sollte ruhig mal einer über das Abweichende schreiben."

Manchmal kommt man mit den Leuten von der Zeitung, von denen ich vorhin gesprochen habe, in folgende Lage: Sie haben irgendwie das Gefühl, sehr ehrlich wahrscheinlich: Jetzt sitzen wir alle schön gemütlich zusammen – in einer Troika oder in einem Düsenflugzeug – und reisen dem Sozialismus entgegen. Und dann beobachten sie irgendwelche Schriftsteller und Künstler, im Gestänge herumturnend und irgendwo dranrumbohrend. Und jetzt wird Alarm gegeben: Die bohren den Tank an! Darauf müssen wir uns auf Diskussionen darüber einlassen, wo der Tank liegt, denn diese Leute haben nicht immer den Bauplan der Maschine vor Augen. Ich will nicht behaupten, daß alle Schriftsteller und Künstler ihn immer vor Augen hätten, aber es kommt doch vor; denn auch wir leben fünfzehn Jahre in unserer Republik und haben unsere wesentlichen Eindrücke und unsere Erziehung hier erfahren, genau wie jeder andere normale Bürger. Nun gut, es wird also Alarm gegeben, riesige Rettungsmannschaften werden in Bewegung gesetzt, die sowohl diese Leute als auch uns hindern, ordentlich auf unserem Gebiet zu arbeiten. Wir müssen mit einer Hand immer abwehren und sagen: Laßt doch, laßt doch, das ist nicht der Tank! Das dauert aber sehr lange. Wenn die Maschine jahrelang fliegt und nicht abstürzt und vielleicht sogar trotz unserer Bohrerei die Geschwindigkeit beschleunigt hat, dann erst sind sie bereit, mit uns über den Bauplan der Maschine zu diskutieren. Und trotzdem passiert es uns dann nach langer Zeit immer noch, daß hinter uns getuschelt wird, wenn wir durch irgendeinen Saal gehen: Das waren doch die, die damals ... ihr wißt schon ... den Tank! – Ihr könnt jetzt darüber lachen, und ich kann Witze erzählen. Vor einem halben Jahr noch hätte ich keine Witze erzählt, und ihr hättet vielleicht nicht gelacht. Das gehört zu dem Kapitel „Konflikt und Überwindung".

Ich möchte nur sagen, daß diese Art, uns anzubohren, auch daran hindert, die wirklichen Anbohrer zu erkennen. Das sollte man sich überlegen. Sie hindert uns auch daran, im richtigen Moment und schnell genug konsequent selbstkritisch zu sein, was für uns dringend notwendig ist. Wir müssen vielleicht noch mehr als jeder andere Mensch möglichst schnell zu einem selbstkritischen, echt kritischen Verhältnis zu unserer eigenen künstlerischen Arbeit kommen. Es ist interessant, daß mir dabei im letzten Jahr nicht die offizielle Kritik im allgemeinen geholfen hat, sondern die Diskussion, die ich mit „normalen" Lesern hatte. – Das war keine Polemik! Es haben sich nämlich tatsächlich im letzten Jahr alle Widersprüche oder wenigstens alle wichtigen Widersprüche, die in der jetzigen Etappe unserer kulturellen Entwicklung auftreten, offen gezeigt. In all diesen Diskussionen ging es eigentlich nicht nur um Literatur, sondern es ging um alle Probleme unseres Lebens.

Wer könnte behaupten, daß wir dabei nicht viel zu lernen gehabt hätten! Ich habe zum Beispiel FDJ-Versammlungen erlebt, in denen plötzlich, ohne daß ich das voraussehen konnte, über den Begriff der Heimat diskutiert wurde. Da habe ich mehr gelernt als die Jungen, die dort diskutiert haben. Der FDJ-Sekretär kam danach zu mir und sagte: Eigentlich stand das Thema „Heimat",

„DDR“ usw. erst auf unserem Plan für die nächste Woche. Er war etwas durcheinandergekommen. In mancher Lehrerversammlung, in der schon damals ganz offen über Probleme diskutiert wurde, die jetzt im neuen Bildungssystem aufgegriffen worden sind, habe ich gedacht: Wenn jetzt der zuständige Schulrat da wäre!

Ich möchte nur noch ganz wenige Sätze über die Rolle sagen, die die Literaturkritik in unserer Gesellschaft spielen könnte, die sie aber nicht spielt. Der Geschmack und die Urteilssicherheit und die Erschütterungsfähigkeit der Leser sind viel weiter fortgeschritten als die Literaturkritik. Sie lassen sich in dem Klischee der schematischen Literaturbesprechung alten Stils gar nicht mehr erfassen. Ich war selbst Germanistin und schimpfe nicht gern auf meine Berufskollegen. Aber ich habe mir überlegt: Woher kommt es eigentlich, daß die Kritiken so unlebendig und so schematisch sind? Ich habe manchmal den Eindruck, daß viele Kritiken nicht für die Leute geschrieben werden, die sie lesen sollen, und auch nicht für den Autor, sondern für irgendwelche in der Einbildung vorhandenen höheren Instanzen, die sich dazu freundlich äußern sollen. Da schwingt noch die Tendenz zu großer Vorsicht und eventuell sogar der Angst aus einer Zeit mit, in der selbständiges Denken und Verantwortungsbewußtsein noch nicht so selbstverständlich waren wie heute.

Ich bin der Meinung, daß man zum Beispiel als Trapezkünstler unbedingt mit Seil, Schutzgürtel und Netz arbeiten muß. Aber wenn man schreibt – auf welchem Gebiet auch immer –, kann man nicht mit Netz arbeiten; da muß man schon ein kleines Risiko eingehen, das aber mit Verantwortung verbunden sein soll.

April 1964

Eine Rede

Sie alle sind schon mehr als einmal dabeigewesen, wenn jemand plötzlich anfing, aus seinem Leben zu erzählen. Jeder von Ihnen hat schon einem oder vielen anderen von sich selbst erzählt. Vielen Menschen, die zu meiner oder einer älteren Generation gehören, kommt heute ihre eigene Vergangenheit ganz abenteuerlich und unwahrscheinlich vor. Wie oft hört man: Wenn das jemand aufschreiben würde – es wäre ein ganzer Roman! – Ist Ihnen schon aufgefallen, daß die meisten sogenannten wahren Geschichten mit dem Satz enden: Schade; so was kann ja niemals geschrieben werden ...

Ich will hier nicht den alten Streit fortführen, ob alles, was im Leben vorkommt, einen gebührenden Platz in der Kunst finden kann und muß; vielmehr will ich versuchen, ein paar Lebensgeschichten zu erzählen. Beide Männer, die mir ihre Geschichten selbst erzählt haben, sind heute Mitte Dreißig. Der eine, der mir vor kurzem in einem Bürozimmer im Verwaltungshaus eines großen Werkes gegenübersaß, wiederholte immer wieder, selbst erstaunt: Das kann nie im Leben einer schreiben!

Er ist in den baufälligen Arbeitervierteln einer alten Stadt geboren, Kind einer großen Arbeiterfamilie. Er war ebenso arm wie klug und wißbegierig, auch ehrgeizig. Seine Mutter nahm das Stipendium für die Oberschule vom Nazistaat. Der Junge nahm das braune Hemd und die „Führer"schnur und glaubte, er sei Glied eines Herrenvolkes, und der Weg aus der Arbeitervorstadt führe über Polen und Rußland – Länder, die von minderwertigen Rassen bewohnt seien. Das Wort „Klasse" hat er, bis er sechzehn Jahre alt war, nur mit Haß und Verachtung aussprechen hören. Mit einem zu großen Stahlhelm bedeckt, ein viel zu schweres Gewehr auf der Schulter, verbiß er sich 1945 fanatisch mit einem Trüppchen Verzweifelter in die Verteidigung seiner Heimatstadt. Mit einem der ersten Transporte unverbesserlicher Kriegsverbrecher wird er tief nach Rußland hinein verschickt – für drei Jahre. „Dort", sagte er, „war ich, der Proletenjunge, wieder Putzer der Herren Offiziere. Was da mit mir los gewesen ist – das kann keiner schreiben."

Er kommt zurück. Die ihn einst weggeschickt haben, Kommunisten, wollen ihm nun die Hand reichen. Er schlägt diese Hände weg. Er beginnt als ungelernter Arbeiter in einem Betrieb.

Heute ist dieser selbe Mann, fünfunddreißigjährig, Doktor der Ökonomie und Leiter eines großen Werkes. Was in den letzten fünfzehn, zwanzig Jahren mit ihm passiert ist, muß man wohl die Geburt eines Menschen nennen. Jedesmal, wenn man ihn trifft, ist er in heftige Kämpfe und Auseinandersetzungen verwickelt. „Mensch", sagt er, „was hier dauernd los ist, das kann kein Mensch schreiben!"

Anfang dieses Jahres saß ich in Westdeutschland mit einem jungen Mann zusammen, einem Altersgenossen dieses Werkleiters. Seine Geschichte hatte einen anderen Kehrreim, den ich damals zum erstenmal hörte: „Ich frage mich manchmal, was aus mir geworden wäre, wenn ich bei euch in der DDR leben würde."

Dieser Mann hatte günstigere Startbedingungen als unser Werkleiter. Sein Vater, ein sozialdemokratischer Journalist, ließ nicht zu, daß die Nazis ihm seinen Sohn wegnahmen. Er brachte ihn nach Kriegsende in die Politik. Der Junge wurde ein begeisterter Jugendfunktionär der SPD, bekannt und erfolgreich in seinem Bezirk. Auf großen Versammlungen stritt er erbittert gegen die Kommunisten. Jeder, der ihn kannte, sagte ihm eine gute Karriere voraus.

Dieser selbe Mann ist heute kleiner Angestellter in einer nebensächlichen Verwaltungsstelle. Eines Tages stand er vor der Entscheidung: prinzipienlos den antirevolutionären Weg seiner Partei mitgehen oder zu seinen eigenen neuen politischen Einsichten stehen. Er wird wegen zu starker Linkstendenzen aus der SPD ausgeschlossen. Seine frühere Partei warnt heute öffentlich vor ihm als vor einem gefährlichen kommunistischen Unterwanderer. Jeder, der ihn kennt, sagt, er habe seine Karriere verpfuscht. Sein Leben sind die Abende und das Wochenende, wenn er zu jungen Menschen geht, wenn er reden, werben, organisieren kann. Der größere Teil seiner Talente und Fähigkeiten liegt brach. Er fragte uns: Wie wäre ich heute, wenn ich bei euch lebte?

Die bürgerlichen Romane und Dramen der letzten zwei Jahrhunderte sind voll von tragischen Geschichten: Ein junger Mann will einen großen, edlen Traum im Leben verwirklichen, aber er zerbricht physisch oder moralisch an den Schranken seiner Gesellschaft, an ihrer Unfruchtbarkeit, ihrer Stumpfheit. Werther, Julien Sorel, Anna Karenina müssen zugrunde gehen. Es gibt Statistiken oder Schätzungen über die Opfer der Kriege seit Hunderten von Jahren. Keine Statistik wird je über das Drama derjenigen Rechenschaft ablegen, deren Begabung, vielleicht Genialität mißbraucht oder erstickt wurde. Keiner wird je die Menschen zählen, die den langsamen Tod der Verbitterung, der Resignation, der Selbstaufgabe gestorben sind.

Wir fangen gerade an, die ersten Sätze von anderen Geschichten zu schreiben. Wahrhaftig keine Märchen von ewig lächelnden Leuten, die auf rosigen Wolken wandeln. Erzählungen von schwer, oft unter Anspannung aller Kräfte arbeitenden Leuten. Berichte von Menschen, die sich entschlossen haben, unter „Glück" nicht Faulheit und Unterdrückung, sondern Produktivität zu verstehen und unter „Unglück" nicht Verlust an Eigentum, sondern den Verlust der Möglichkeit, schöpferisch zu sein. Zum erstenmal treibt die Wirklichkeit uns Lebensstoff zu, der uns nicht zwingt, unsere Figuren physisch oder moralisch zugrunde gehen zu lassen. Die Konflikte werden dabei nicht schwächer, sondern eher schärfer, moralischer, das heißt: menschlicher. Tausende von einzelnen, oft komplizierten, den ganzen Menschen aufwühlenden Antworten auf die alte Frage, ob der Mensch sich selbst erschaffen kann – ohne Antreiberei, freiwillig und bewußt mit seinesgleichen zusammenarbeitend.

Die Gefahr, bestimmte persönliche Erlebnisse, bestimmte Zeitereignisse zu über- oder zu unterschätzen, bedroht jeden. Man braucht manchmal lange Zeit, um die Bedeutung einer Entscheidung, einer Bekanntschaft, die Tragweite eines Irrtums oder einer Unterlassung ganz zu begreifen. Die Geschichtsbücher sind voll von kuriosesten Fehleinschätzungen kluger Leute über ihre eigene Zeit. Wir, die wir intensiver über unsere Geschichte nachdenken, als das in Deutschland früher üblich war, behaupten nicht, nach diesen fünfzehn Jahren am Ziel zu sein. Unsere Erfahrung hat uns gelehrt, daß hinter jedem Ziel neue Anforderungen auftauchen. Aber wir können sagen: In diesem Teil Deutschlands, der vor zwanzig Jahren noch von Faschisten beherrscht und von verbitterten, verwirrten, haßerfüllten Leuten bewohnt wurde, ist der Grund gelegt zu einem vernünftigen Zusammenleben der Menschen. Die Vernunft – wir nennen es Sozialismus – ist in den Alltag eingedrungen. Sie ist das Maß, nach dem hier gemessen, das Ideal, in dessen Namen hier gelobt oder getadelt wird.

Ich glaube nicht, daß wir uns später korrigieren müssen, wenn wir das heute schon als Tatsache und als *den* entscheidenden Fortschritt in unsere Geschichtsbücher schreiben.

Oktober 1964

Notwendiges Streitgespräch

Als ich mir überlegte, worüber ich hier sprechen könnte, fiel mir ein neues Spiel ein, das meine achtjährige Tochter erfunden hat. Sie hat ihre eigene Lage in dieser Welt entdeckt und ist noch in der glücklichen Situation, sich in konzentrischen Kreisen ausdrücken zu können. Sie zeichnet als äußersten Kreis den Kosmos, in dem eine Menge Kosmonauten herumschwirren; die Erdkugel ist ein zweiter Kreis, Europa folgt, dann Deutschland, obwohl sie sich darunter nichts vorstellen kann; einen Kreis für die DDR, einen für Berlin und neben Berlin einen kleinen Kreis für den Ort, in dem wir wohnen. In die Mitte dieses Kreises schließlich macht sie einen Punkt, und daneben schreibt sie: „Ich".

Diese eigenartige Weltkarte fiel mir ein, als ich über unsere Diskussion nachdachte, die mich sehr bewegt. Ich versuche mich selbst an die Stelle dieses Pünktchens „Ich" zu setzen. Wir alle stimmen – wenn wir schon diese Hierarchie anerkennen – bis zu dem Begriff „Europa" überein, dazu in der sehr wichtigen Zeitbestimmung „zwanzigstes Jahrhundert" und in der noch wichtigeren gesellschaftlichen Bestimmung „sozialistisches Land". Dann aber kommen geographisch unbedeutende, für den einzelnen aber bedeutsame Unterschiede: „Deutschland", „DDR", „Berlin". Diese Worte ziehen wahrscheinlich bei jedem aus Bewußtsein und Unterbewußtsein einen ganzen Faden von Assoziationen hervor, aus Vergangenheit und Gegenwart. Und bei jedem verschiedene.

Wie gut wäre es, und wie leicht wäre mir, hier zu sprechen, könnte ich unter dem Stichwort „DDR" nur den Begriff „sozialistisches Land" assoziieren und nicht auch den anderen: DDR – einer der beiden Staaten im ehemals einheitlichen Deutschland. Ich assoziiere also auch: „Westdeutschland". Ich denke an einen Tag im März 1964 in Frankfurt am Main. Vormittags war ich im Auschwitzprozeß, zufällig in jener Verhandlung, bei der der Sachverständige der Nebenklage, ein Professor aus der DDR, abgelehnt wurde wegen „Befangenheit": Er hatte die Verflechtung des Konzentrationslagers Auschwitz und der SS mit dem IG-Farben-Konzern dokumentarisch belegt. Am Abend dieses selben Tages sah ich das Stück „Der Stellvertreter" von Rolf Hochhuth, in dem von der Bühne herunter die Verflechtung eben dieser beiden Institutionen Nazideutschlands bestätigt wird. Am Nachmittag dieses Tages, bei einer Diskussion in einem Jugendklub, hatte ich vor mir die sehr informationshungrigen, gespannten, intelligenten Gesichter junger Leute, die etwas über die DDR erfahren wollten. Ich las ein Kapitel aus meinem Buch. Man sagte mir, das sei doch kritisch gegenüber der DDR, ich sei also wahrscheinlich ein versteckter Gegner, der sich nur nicht offen äußern könne. Ich verneinte. Man sagte: Ihr Leute aus der DDR seid komisch, ihr seid immer so unnachgiebig. Mit Polen und Tschechen läßt sich's besser reden. Sie sind kritischer gegen ihren Sozialismus und bestehen nicht so auf ihrer Ideologie.

In diesem Moment dachte ich an den Ärger, den ich zu Hause habe. Ich dachte daran, daß ich mich oft über Engstirnigkeit ärgere – ärgere ist ein sehr schwaches Wort –, über Gängelei, über Banausentum, über falsche Anforderungen, die an Literatur gestellt werden, über falsches Lob, falschen Tadel, über mangelnde Weltoffenheit, über mangelnde Veröffentlichung von Büchern, deren Veröffentlichung ich für unerläßlich halte (also eine nicht genügende Verlagspolitik), und ich verteidigte, dieses alles nicht vergessend, mit meiner ganzen Überzeugungskraft und Beredsamkeit in diesem Frankfurter Forum die DDR.

Warum? Leide ich vielleicht an Schizophrenie? Leide ich vielleicht an jener Art von „revolutionärer Disziplin", die Stefan Heym vorhin als „Unterordnung" definierte, und die mir in dieser Form nicht als revolutionäre Disziplin bekannt und akzeptabel ist? Ich hoffe, daß ich an beidem wenig oder immer weniger leide. Eher leide ich an einem zu stark entwickelten Vorstellungsvermögen. Ich kann mir nämlich zum Beispiel vorstellen, *wie* ich heute wäre, hätte ich seit 1945 in Westdeutschland gelebt. (Ich kann mir nicht vorstellen, *was* ich wäre. Denn ob ich geschrieben hätte, weiß ich natürlich nicht.) Ich kann's mir ein bißchen vorstellen nach einem Brief einer meiner Freundinnen aus meiner Kindheit und frühen Jugend. In diesem Brief, den ich nach zehnjähriger Trennung bekam, bedauert sie meine kommunistischen Verirrungen; aber die verzeiht sie mir, da ich ja nichts anderes kenne, ihrer Meinung nach. Sie schwärmt von der westdeutschen und westeuropäischen Wohlstandsgesellschaft, in der nur die Leute arm sind, die nicht arbeiten wollen, wie zum Beispiel die Süditaliener und die Spanier, in deren wohltuend faulenzender Nähe sie am liebsten ihre Ferien verbringt. In diesem Moment erinnerte ich mich, daß schon ihr Vater eine ziemlich ausgeprägte Neigung für Spanien hatte. Allerdings als Offizier der faschistischen Luftwaffe, im Jahre 1936.

Ich kehre zu meinen westdeutschen Gesprächspartnern zurück. Ich verteidigte also vor ihnen die DDR, obwohl ich nicht verteidige, was nicht zu verteidigen ist. Obwohl ich weiß, daß ich mir damit eine wohlwollende Behandlung der westdeutschen Presse verscherze, für die nur eine antikommunistische oder eine „reine" Literatur in Deutschland gut ist. Obwohl ich weiß, daß Grass und Johnson und Enzensberger, die ich schätze, und vielleicht auch die Redakteure der „Zeit", sich gern mit mir und meinen Kollegen gemeinsam auf einen Stein der Berliner Mauer setzen und das Schicksal Deutschlands beweinen würden. Eines Deutschland, dem nach ihrer Meinung nun einmal nicht zu helfen ist. Gern würden sie uns auf diesem Stein unter Tränen an ihr Herz drücken. Und dabei würden sogar unsere „kleinen literarischen Schwächen" mit untergehen, die sie sonst angeblich so hindern, mit uns über Literatur zu reden. Wir würden uns auf diesem Stein als einheitlich empfindende Bürger einer Welt und eines Jahrhunderts fühlen, die als Ganzes im Schatten der Bombe stehen. Es würde sich zeigen, daß in den Augen vieler westdeutscher guter und weniger guter Schriftsteller unsere literarische Hauptschwäche nicht in formalen Mängeln, sondern darin besteht, daß wir die Welt, oder um bescheidener zu sein, dieses unser Land und die Leute, die hier leben, für veränderbar halten: in dem Sinne, wie Brecht es getan hat.

Der Sog und die Verlockung der Leere, der Selbstaufgabe sind sehr stark. Für westdeutsche Schriftsteller, Autoren eines Landes, in dem es keine legale, wirklich sozialistische Linke gibt, um die sie sich hätten gruppieren können, kann ich das bis zu einem gewissen Grad verstehen. Sehr stark scheint aber auch der Drang zu sein, andere in diesen Sog mit hineinzuziehen.

Warum aber soll ich auf all das verzichten, was uns befähigen könnte, der Realisierung jener düsteren Voraussicht über das Schicksal der Welt entgegenzuwirken? Auf die Fähigkeit, historisch zu denken; den Mechanismus der Gesellschaft zu „durchschauen" ist ein großes Wort, aber: der Durchschaubarkeit näherzukommen; mich produktiv zu den Widersprüchen zu verhalten, die mir entgegentreten und die mir oft sehr zu schaffen machen; die gesellschaftlichen Wurzeln geistiger, auch literarischer Erscheinungen zu sehen; und, nicht zuletzt: immer wieder neu zu versuchen, eine Haltung zu finden und zu festigen, deren Fehlen sich in der Vergangenheit Deutschlands so oft verhängnisvoll ausgewirkt hat, so daß es nicht einmal ein wirklich passendes deutsches

Wort für sie gibt und man zu dem französischen „Citoyen“ greifen muß.

Ich bilde mir ein, daß alles das, auch eine solche Art der Diskussion in Westdeutschland, auch im Sinne – um ein Beispiel zu nennen – des tschechoslowakischen Autors Mňačko sein müßte, mit dem ich einmal eine Nacht in Prag zusammengesessen habe. Wir unterhielten uns über die Möglichkeit, aus diesem Deutschland, das er aus seiner finstersten Zeit, als ein auf der tiefsten Stufe der faschistischen Unterdrückung Stehender kannte, ein neues, ein anderes Deutschland zu machen; über die Frage, ob aus der Jugend dieses Landes etwas werden könne, woran man anknüpfen solle, worauf man aufbauen müsse. In diesem Zusammenhang sind, scheint mir, von den literarischen Erscheinungen Westdeutschlands aus der letzten Zeit das Hochhuth-Stück „Der Stellvertreter“ und der offene Brief an Mňačko, den der Autor in der „Zeit“ veröffentlicht hat, sehr wichtig für uns. Von dem Stück und auch von dem Brief fühle ich mich direkt angesprochen und frage mich: Erheben wir uns eigentlich schon auf die Höhe der Fragestellungen, die literarisch in dem Stück von Hochhuth verarbeitet sind, das auf einer genauen, unbestechlichen Analyse und Dokumentation beruht, aber zugleich diese Leidenschaftlichkeit hat. In Klammern vermerkt: Sofort wurde ihm in vielen westdeutschen Zeitungen der Vorwurf gemacht, er schreibe im Stil des 19. Jahrhunderts; und er sagt selbst, daß die Aufführungsmöglichkeit seines Stükkes mit der Mainlinie endet, weil südlich davon die CDU-Fraktionen in den Stadtparlamenten zu stark sind und die Theaterpolitik bestimmen. Hochhuth ist ein Einzelgänger in der westlichen Literatur. Die Frage, die er in seinem Brief an Mňačko stellt – eine seiner Hauptfragen –, die er ehrlich stellt, ohne provozieren zu wollen, aber auch ohne eine Antwort schon vorwegnehmen zu wollen: Wie können Sie gleichzeitig Schriftsteller und Parteimitglied sein? – diese Frage habe ich direkt auf mich bezogen.

Ich gebe zu, daß aus der tiefen Überlegung dieser Frage die meisten Konflikte entstehen und entstanden sind, die wir in den letzten Jahren hatten und die sehr hart waren, für jeden einzelnen. Es war ganz deutlich, daß auch Hochhuth den Spalt fürchtet, der sich zwischen Wahrheit und blindem Parteigängertum auftun kann. Und es ist ebenso klar, daß die schärfsten Konflikte für einen Schriftsteller, und noch dazu heute, immer in dem Bereich der Wahrheitsfindung und in dem Versuch liegen werden, diese Wahrheit literarisch auszudrücken. Das ist ein Prozeß, in dem wir Jüngeren, wie ich glaube, erst ganz am Anfang stehen, der einer weitreichenden Überlegung noch wert ist und einer starken Hilfe nicht nur unserer deutschen Genossen bedarf. Wir sind dabei angewiesen auf die Kommunikation mit dem sozialistischen Ausland.

Es hat sich inzwischen bei uns aber auch gezeigt, daß Literatur, die sich dieser Fragestellung überhaupt nähert, ein notwendiges Organ der Gesellschaft wird, unserer Gesellschaft, und von ihr auch als solches anerkannt wird. Denn die Quelle einer jeden Literatur sind ja nicht andere Bücher, nicht diese oder jene Ahnenreihe, ihre Quelle ist der Lebensstoff, die Problematik des Landes und der Zeit, aus der heraus und für die sie entsteht. Die Literatur einer neuen Gesellschaft hat schon immer versucht, eben dieser ihrer Gesellschaft zum Bewußtsein ihrer selbst zu verhelfen.

Oft wird uns von westdeutschen Autoren entgegengehalten, sie könnten schreiben, was sie wollten. Die Gegenfrage liegt nahe: Was aber wollt ihr? – Max Frisch spricht einmal in seinem Tagebuch davon, es gäbe keine „terra incognita“ mehr für Prosaschriftsteller der bürgerlichen Welt. Alle Konflikte dieser Gesellschaft seien abgehandelt und abgesteckt, man könne nur noch nach Varianten suchen und die möglichst kunstvoll beschreiben. Eine solche Variante ist wahrscheinlich auch sein „Gantenbein“. Interessant war mir die Sartresche Begründung für seinen Verzicht auf den Nobelpreis: seine Abwendung von der Literatur als Selbstzweck und seine Zuwendung – natürlich eine jahrelang schon vollzogene Zuwendung – zur Literatur als gesellschaftlicher Erscheinung.

Die Fruchtbarkeit unserer Gesellschaft für die Literatur scheint mir nicht darin zu bestehen, daß sie es ihr leichter macht; nicht darin, daß sie ihr abgeschliffenere oder kleinere Konflikte anbietet; sondern darin, daß sie neuartige Konflikte produziert, produktive Konflikte.

Trotz der durch den Personenkult und den Dogmatismus noch einmal mächtig angeschwollenen, von der Literatur unbedingt zu verarbeitenden Problematik des Menschen, der von der Gesellschaft zerbrochen wird, physisch oder moralisch, möchte ich doch sagen, daß schon Züge einer Gesellschaft sich zeigen und auf Beschreibung warten, die menschlichere Konflikte produziert. Und diesen Prozeß möchte ich gern mit dem, was ich schreibe, unterstützen und beschleunigen helfen. Literatur ist von ihrem Wesen her direkt an die sozialistische Gesellschaft gebunden, insoweit und insofern sich diese Gesellschaft einer größeren Vervollkommnung des Menschlichen, der Möglichkeiten des Menschen nähert. Zu einer Erfassung dieser Stoffe gehört allerdings, daß wir das Wunschdenken überwinden, daß wir nicht über fremde Einflüsse lamentieren, sondern untersuchen, warum sie noch wirksam werden können; und daß wir uns endlich klarwerden, daß wir sie nur durch eigene gute Leistung zurückdrängen werden. Eine Nüchternheit im besten Sinne tut uns not, und ich glaube, daß solche Gespräche wie dieses hier dazu beitragen werden.

Es zeigt sich eine wachsende Bereitschaft beim Leser, diesen Weg mitzugehen. Die Leserversammlungen, die im letzten Jahr sehr zahlreich bei uns stattgefunden haben, waren nicht getragen von Heuchelei, die Stefan Heym für den bei uns herrschenden Zustand hält, sondern sie waren beherrscht von dem ernsthaften Versuch breiter Schichten von Menschen, eben diese Heuchelei zu überwinden und sich über sich selbst und ihre Entwicklung ganz offen Klarheit zu verschaffen. Ich weiß, daß die Bücher, an denen sich diese Diskussionen entzündeten, nicht in erster Linie wegen ihres literarischen Wertes dazu genommen wurden, sondern vor allem wegen ihrer Problematik. Aber ich verstehe nicht, wieso ein Buch wie Erwin Strittmatters „Ole Bienkopp" von Stefan Heym als ein Roman dargestellt wird, in dem es darum gehe, daß einige Rinderoffenställe von einem dummen Bürgermeister erzwungen worden seien. Für diejenigen der ausländischen Gäste, die dieses Buch nicht kennen, möchte ich doch der Gerechtigkeit halber sagen: Es handelt sich um ein Buch, in dem der Weg und das Schicksal eines Menschen, eines wirklichen Kommunisten, dargestellt wird, der an dogmatischen Entstellungen und Rückständigkeiten, also Überresten der Personenkultzeit, zerbricht und physisch zugrunde geht. Und es war kein Zufall, daß sich an diesem Buch eine ernste und scharfe Diskussion entzündet hat, deren Ausgang nicht von Anfang an klar war; es gab durchaus auch die Möglichkeit, daß Dogmatiker da die Oberhand hätten gewinnen können. Aber eben das ist nicht eingetreten: wegen aller dieser offenen Diskussionen und weil dieses Buch von einer breiten Leserzustimmung getragen war, gegen die einige Dogmatiker nichts hätten machen können, selbst wenn sie es gewollt hätten.

Hinzu kommt etwas anderes. Besonders in der Jugend besteht ein wachsendes Bedürfnis, mit Schriftstellern und anderen, die sich darum kümmern wollen, gemeinsam über den Sinn der Anstrengungen und Kämpfe nachzudenken, denen sie sich tagtäglich aussetzen. In unserem Land ist sehr viel gearbeitet worden und wird sehr viel gearbeitet. Und die Frage ist jetzt akut: Wofür arbeiten wir? Wofür machen wir überhaupt diesen Sozialismus? Denn es kann passieren, daß über den Mitteln – Politik, Ökonomie – das Ziel vergessen wird: der Mensch. Hier, glaube ich, ist der Punkt, an dem die Literatur aufpassen und ihren Platz verteidigen muß. Mich interessiert natürlich nicht in erster Linie, mit welchen

Produktionsmitteln werden wir morgen produzieren. Mich interessiert, was für Menschen werden diese automatischen Anlagen bedienen? Was für einen Menschentyp bringt unsere Gesellschaft hervor? Wird das ein apolitischer Technokrat sein? Werden es Sozialisten sein? Hier hat unsere Literatur, glaube ich, ihre eigentliche Aufgabe, die ihr auch nicht streitig gemacht wird (obwohl wir keine wirkliche Literaturkritik und eine noch weitgehend dogmatische Literaturwissenschaft haben und obwohl es immer noch vorkommt, daß ganz falsche, oberflächliche Einschätzungen von Büchern eine große Rolle spielen). Wer gewinnt also die Oberhand? Werden das die Zyniker sein, die wir auch haben? Oder sind es diejenigen, die ehrliche, echte Fragen haben und die, wenn wir sie nicht unterstützen, wenn wir nicht auch ihre Fragen formulieren helfen, tatsächlich unterliegen können? Ich kann mich nicht auf den Standpunkt dessen stellen, der abwartet: Wer wird denn da nun gewinnen? und am Ende sagt: Ich hab's doch immer gesagt: die Zyniker!

In Westdeutschland wird uns oft entgegengehalten: Ihr seid Utopisten. Sozialismus ist eine Utopie. Spreche ich also für eine utopische Literatur? Eben nicht. Vielmehr glaube ich, daß aus der Genauigkeit der Beschreibung dessen, was heute ist, die Veränderungen bewirkt werden müssen, die uns unserem Ziel näherbringen. Dazu sind viele Mittel möglich, die ich hier nicht alle aufzählen kann. Einige scheiden für mich aus. Zum Beispiel: Resignation. Mystizismus, Verzicht auf Erkenntnis. Als ebenso untauglich erscheinen mir: Apologetik des Bestehenden (die nämlich auch ein Verzicht auf Erkenntnis ist); provinzielle Selbstzufriedenheit und Enge; Isolation anstelle lebendiger Auseinandersetzung mit allen geistigen Erscheinungen, welche die Welt heute hervorbringt; jede Art von Simplifikation und Rechthaberei, und natürlich jede Art von Vergewaltigung des wirklichen Lebens sowohl in der Realität als auch in der Literatur.

Die objektiven Voraussetzungen, diesen Weg in der Literatur weiterzugehen oder ernsthaft zu beginnen, sind bei uns da. Es gehörte dazu auch eine größere innere Sicherheit, ein größeres Selbstbewußtsein als Bürger dieser Republik, das wir uns in den letzten Jahren erworben haben. Einer der Versuche, diesen Weg weiter abzustecken, vielfältiger zu werden, tiefer zu überlegen, ist, wie mir scheint, diese Tagung, auf der wir auch andere Standpunkte hören wollten und gehört haben.

Wir wollten, soweit es nötig ist, zu erklären versuchen, wie und warum wir zu unserer heutigen Haltung als Schriftsteller der DDR gekommen sind, die übrigens durchaus nicht in allen Punkten einheitlich ist. Ich erinnere an das Anfangsbild der konzentrischen Kreise; an die letzten Bestimmungen, die uns unterschieden: „Deutschland", „DDR". Ich möchte jetzt hinzufügen, daß, ungeachtet tiefgehender Unterschiede in der Situation unserer Länder und Literaturen, zur Zeit schon die Faktoren stärker wirksam sind, die Ihre und unsere Lage einander ähnlich machen. Gerade sie können solche Gespräche wie dieses so fruchtbar machen.

Dezember 1964

Fünfundzwanzig Jahre

Gedanken zu einigen Fotos der sowjetischen Front-Illustrierten aus dem Kriegsjahr 1941, darstellend Frauen und Männer, Partisanen und Soldaten, bei der Verteidigung ihres Landes.

Auf wen schießt diese junge Frau? Wen hat sie da, einhundert oder zweihundert Meter von ihr und fünfundzwanzig Jahre von uns entfernt, vor der Mündung ihres Gewehrlaufs?

Das nächste Bild: Drei Mädchen. Der Himmel, nirgends so hoch wie in Rußland im August, ruht in jenem Sommer auf ihren Bajonetten. Das Entsetzen, daß der haltbare, sichere Himmel verletzt, durchlöchert, zerfetzt werden kann, liegt hinter ihnen. Auch der Stoß in ihrem Innern, als ihnen klar wurde, daß sie es sind, niemand anders als sie, die sich vor dieses Land zu stellen haben. Der Entschluß liegt hinter ihnen, der Abschied, der Aufbruch. Sie werden auf den Gegner zielen, der singend, lachend, hühnerjagend durch ihr wehrloses Dorf zog. Zum Umziehen war keine Zeit, es fehlt auch an Uniformen. Die Kleider, die man bei der Ernte trug, tun es auch. Die Festigkeit der Gurte um die Hüften. Die ungewohnte Schwere der Patronentaschen. In fremden Worten der eigenen Sprache der Befehl.

Dasselbe Land noch, aber das Gewehr auf der Schulter hat alles verändert. Die bewaldeten Hügel, einst, vor der undenklichen Zeit von sechs Wochen, die Felder begrenzend, Ausflugsziel für den Sonntag – heute Versteck, erste Verteidigungslinie. Noch eine Spur von Staunen im Blick für den jungen Mann, der gestern den Kolchosbrigaden ihre Feldabschnitte zuwies und heute Kampfaufträge gibt. Kein Wort wird er zu wiederholen haben.

Alles verändert, auch das eigene Gesicht. Die beiden anderen Gesichter beginnen schon, ihm ähnlich zu werden – ähnlich auch, über Hunderte von Kilometern, dem Gesicht jener Frau, die im nächtlichen Leningrad Luftschutzwache hat, ähnlich den Gesichtern der Mädchen, die Eierkörbe zur Sammelstelle bringen. Und dabei stehen die großen Veränderungen ihnen noch bevor. Was werden sie noch mit ansehen müssen, was werden sie noch zu tun gezwungen sein! Die Zeit wird auseinanderbrechen in „davor" und „danach", und niemand sollte sich darüber täuschen, daß dieser Riß heilbar sein könnte. Nichts wird sein, wie es war. Der letzte Rest von Weichheit wird mit dieser Hoffnung schwinden.

Wenn diese Frauen am Leben geblieben sind – wie sehr wünscht man es, wie wenig wahrscheinlich ist es –, werden sie sich an den Sommerhimmel des Jahres einundvierzig nicht erinnern. Es wird ihn nicht gegeben haben. Nichts wird es gegeben haben, was dieser Sommer ihnen schuldig war. Man soll nicht denken, irgend etwas davon ließe sich nachholen: ein einziges Lied, ein Arbeitstag, ein Traum, eine Liebe. Zerschossen, zerbombt. Verengt das Leben auf das Schußfeld vor Kimme und Korn; auf einen Punkt, den weißen Fleck da vorne, das verhaßte Gesicht des Feindes.

Doch als wir vor das rote Moskau kamen
Stand vor uns Volk von Acker und Betrieb
Und es besiegte uns in aller Völker Namen
Auch jenes Volks, das sich das deutsche schrieb.

Doch: der Gegner ist anwesend. Er ist in den Gesichtern dieser Frauen und Männer, schon verworfen. Daß kein Angreifer je in den Gesichtszügen des Volks zu lesen versteht, das er überfällt! Daß er nicht zurückprallt vor seiner ruhigen Dauerhaftigkeit! Daß immer wieder und immer noch leichthin der Preis gezahlt wird, der Eintrittspreis in die Schule der Aggressoren: Menschenverachtung. Blinde Anbetung der Kriegsmaschinerie, die sich in der Tat, wie es scheint, ins Unendliche vervollkommnen läßt. Das ist dann, was sie „Fortschritt" nennen. Und hinter all den Stahlwänden immer armseliger der Mann, der befehlsgemäß auf die Hebel drückt.

Auf der anderen Seite: Menschen. Zehn Fotos aus Moskauer Archiven. Die Gegner des deutschen Faschismus in den Hochsommertagen des Jahres einundvierzig.

Fünfundzwanzig Jahre. Auf wen zielt diese junge Frau? Nicht mehr auf uns. Entlassen, für immer entlassen aus der Zwangsschule der Aggressoren.

Das ist es, was wir Befreiung nennen.

Juni 1966

Deutsch sprechen

1

> Nun ist es also gesagt und auf deutsch . . ., denn was das heißt, mit jemand deutsch reden, das wissen wir. Da lieber schon friedlich.
>
> *Johannes Bobrowski, „Lewins Mühle"*

Es wird wieder deutsch geredet in Deutschland. Deutsch für Deutsche, Deutsch für Ausländer. Gut deutsche Sprachkurse für jedermann. Nicht erst seit heute und gestern übrigens. Aber seit kurzem in zwei westdeutschen Länderparlamenten. Da scheint es höchste Zeit, genauer hinzuhören.

Da stehen sie also wieder: „Mann neben Mann, Schulter an Schulter", „rückhaltlos hinter dem deutschen Soldaten der Vergangenheit und Gegenwart", neigen sich vor den Gräbern der Hauptkriegsverbrecher; sind fest entschlossen, „dem Russen klarzumachen, daß wir uns niemals dazu zwingen lassen, unter ein Verzichtpapier unsere Unterschrift zu setzen"; verneinen natürlich den Krieg als politisches Mittel, aber „können's doch nicht ändern, daß es nun mal Kriege gibt"; das nennt sich selbst „nationale Faust", „Wachhund" und fordert in diesen Eigenschaften „die Wiederherstellung unseres geschlossenen Siedlungsraumes" und: „Schluß mit den einseitigen Prozessen zur Vergangenheitsbewältigung".

Unschöne Worte. Unschöne Formulierungen für unschöne Wünsche. Oder doch zumindest sprachliche Entgleisungen, unanständige Töne im gut parfümierten demokratischen Salon. Das alles kann man doch auch ganz anders sagen . . . Die Amtsträger der NPD sagen den aufgescheuchten Managern der anderen Parteien laut und kräftig, was die ihnen können, da sind die ganz beleidigt und drehen sich weg, wenn weiter unbekümmert deutsch geredet wird. Humanisieren zum Beispiel, auf deutsch interpretiert: Man wolle ja „nichts aus der Nazizeit verniedlichen", schon „gar nicht das entsetzliche Problem der Behandlung der Juden". Hier sträubt sich die gut deutsche Zunge plötzlich gegen das gut deutsche Wort „Massenmord". Ähnlich die sonst auch nicht zimperliche „Deutsche National- und Soldatenzeitung": „Erst die aufgeklärte Moderne suchte – unter dem Gebot der Vernunft und Menschenwürde – den Vorgang des Tötens zu humanisieren: Sie erfand den schmerzlosen Galgen, den elektrischen Stuhl – und die Gaskammer."

Dieser Gedankenstrich will bewältigt sein. Mit dem werden wir es, wenn nicht alles trügt, noch zu tun kriegen, mit ihm und den cleveren nationalen Jungs, die ihn da munter und unauffällig über die Kluft in diesem abgründigen deutschen Satz legen.

Nein: hier sind Fachleute am Werk. Ein ehemaliger Reichsschulungswart des NS-Bundes deutscher Technik und ein ehemaliger Gauredner der NSDAP aus Schlesien haben die Musterreden der NPD für die hessischen und bayrischen Landtagswahlen entworfen. Da darf nicht jeder wild daherreden, wie es ihm ums deutsche Herze ist. Da wird sogar noch gezügelt, da werden Kataloge mit Antworten auf die gängigsten Fragen verteilt, da hat aus allen NPD-Mündern einhellige Entrüstung über das „völlig unbegründete Nazigeschrei" zu tönen. Um so bemerkenswerter die sprachgeregelten Leistungen der Redner dieser Partei, der, wie sie versichern, brauchbares „Menschenmaterial" zur Verfügung steht. Sie wenden sich „an jenen Teil der Bevölkerung, der aus Haltung und Gesinnung noch einen nationalen Antrieb hat"; der noch (oder wieder) von „deutschen Tugenden beseelt" ist: „selbstloser Hingabe bis zum Tod, Fleiß und Pflichterfüllung". 224548 Wähler in Hessen, 390286 Wähler in Bayern stimmten für selbstlose Hingabe bis zum Tod – nur sie?

Am Tag nach der Landtagswahl in Bayern fielen an der New Yorker Börse die Kurse deutscher Aktien.

Im gleichen Maß sank die ohnehin stark strapazierte Laune der „legitimen Rechten“ im westdeutschen Parlament. Da hatten ihnen diese tölpischen Außenseiter mit ihrer groben Redeweise womöglich den Kredit im Ausland versaut. Da mußte man doch Maßnahmen ergreifen. Keep smiling, sagt sich jeder Geschäftsmann, wenn aus den Hinterräumen seines Ladens der Streit zwischen seinen Angestellten und dem Gerichtsvollzieher bis in die Verkaufsräume zu hören ist. Es ist nichts, sagte auch Staatssekretär von Hase, er wisse nichts vom „Wiederbeleben des Nazismus in der Bundesrepublik“, und darin pflichtete ihm Herr Heß selber denn auch bei, Mitglied des NPD-Bundesvorstandes, Mitglied der NSDAP seit 1930: Er sei „ideologisch niemals NS-geprägt gewesen“. Beweis: Er habe „die Pauke Richard Wagners immer als Vorwegnahme der NS-Propaganda im Musikalischen empfunden“. Seit 1950 (!) habe er „immer gesagt: Wir spielen Holz, Oboe, Klarinette und Streicher, aber nicht Tuba und Pauke mit Schellenbaum.“

Das beruhigt uns. Da ist vermutlich auch jener Journalist jüngst bei einer NPD-Versammlung nur mit Holz aus dem Saal geprügelt worden: wenn nicht Oboe, dann wenigstens Stuhlbein. Mit dem mußte mal dringend deutsch geredet werden.

Aber das ist, sagen die führenden Amtswalter der Partei, alles erst der Anfang.

Und das kann man ihnen leider glauben.

2

> Die vereinigte Stärke unserer Bundesgenossen reicht aus, um das Reich der Sowjetunion von der Landkarte streichen zu können.
>
> *Franz Josef Strauß, 1956*

Als ob es um die NPD ginge.

Recht behalten macht nicht immer Spaß. Ich denke in diesen Tagen oft an einen Brief aus Hannover, den ich vor einem Jahr bekam, als ich nach einem Aufenthalt in der Bundesrepublik die Besorgnis geäußert hatte: eine neue faschistische Entwicklung sei nicht ausgeschlossen. – Aber kein Mensch, hieß es da in dem Brief, höre doch auf diese Verrückten!

Auch daran ist etwas Wahres. Denn hätte man zu hören verstanden, seit Jahren, hätte man sich nicht angewöhnt, eine unglaubliche Äußerung eines Politikers nach der anderen zu überhören – ganz so überrascht, gar so verstört dürfte man jetzt eigentlich nicht sein.

Ganz abgesehen mal vom verflossenen Bundesminister Seebohm (CDU): „Wir neigen uns in Ehrfurcht vor jedem Symbol unseres Volkes – ich sage ausdrücklich, vor jedem –, unter dem deutsche Menschen ihr Leben für ihr Vaterland geopfert haben." Ein notorischer Ehemaliger, Schönheitsfleck im früheren Kabinett. – Überhört.

Dann also vielleicht lieber Franz Josef Strauß, in seinen Sturm-und-Drang-Jahren, vor der Spiegel-Affäre und seiner unfreiwilligen Quarantänezeit ein unerschöpflicher Quell offenherzigster Äußerungen: „Unsere Planung: im Anfang diplomatisch-politische Schritte, in der Mitte ökonomisch-technische und am Ende militärische." So 1961. Ob vor oder nach dem 13. August, ist nicht überliefert. – Überhört.

Überhört oder überlesen die makabre Übereinstimmung zwischen diesem eindeutigen Satz und dem markigen Dichterwort des Wilhelm Pleyer, der 1945 den wider Erwarten noch lebenden Teil der deutschen Bevölkerung zum Opfertod für den Führer aufrief („Die große Bewährung, in deren Zeichen unsere Tage stehen, gipfelt im unbedingten Einsatz des Lebens." Völkischer Beobachter, 18. März 1945). Zwanzig Jahre später schließt er sein Buch „Europas unbekannte Mitte" mit folgender Feststellung: „Soviel steht klar: Ungeachtet dessen, ob die weltpolitische Lage schon nächstens sich reif zeigt oder ‚hoffnungslos' erscheint, müssen die Deutschen bereit sein – für alle Möglichkeiten bereit. Am Anfange dieser Bereitschaft steht die Aufklärung, in der Mitte die Geduld, am Ende aber steht der Sieg der Wahrheit und Gerechtigkeit, die Rückkehr der Deutschen in das Sudetenland." Noch Fragen?

Für die Strauß-Pleyerschen Sprachbemühungen gibt es inzwischen ein kurzes amerikanisches Wort: Eskalation. Jetzt hängt anscheinend von den Interpreten alles ab: Ob sie es schaffen, zwischen den Satz des heutigen Ministers und den fast gleichlautenden des früheren und heutigen Nazis den haarfeinen Abstand zu zwängen, auf den man sich doch soviel zugute hält: den Abstand zwischen „noch" demokratisch und „schon" faschistisch.

Das Modell, das ausländische Journalisten angesichts der jüngsten westdeutschen Vorgänge „schaudernd" vor Augen hatten, ist nun gewiß nicht mehr zu leugnen. Feuchtwangers „Erfolg" liest sich wieder wie ein Gegenwartsbuch – eine gedämpfte, harmlosere Voraussage der schwer vorstellbaren westdeutschen Gegenwart allerdings. Würde mein Briefpartner mich heute verstehen, wenn ich sagte: Besser für möglich halten, was kein Mensch für möglich hält? Besser hinhören, wenn irgendwo in Deutschland die Sprache von Neurotikern wieder in Versammlungen und Landtagen gesprochen wird. Besser Komplexe von Politikern – antikommunistische zum Beispiel, völkische zum Beispiel – ernst nehmen.

Besser sich erinnern, daß etwas, was wie eine schlechte Burleske anfängt, als Tragödie enden kann.

Wie sagte doch Strauß einst, in seiner bajuwarischen, deftigen Periode, als er noch Gelegenheit hatte, ein paar bescheidene Sozialisierungswünsche der SPD abzuwehren: „Eine Frau kann nicht ein bißchen schwanger sein. Sie ist es ganz oder gar nicht."

Wie demokratisch kann eine Bundesrepublik sein: zwischen „Fall Rot" und „Fall ex?"

3

> Ich meine, wir müssen der Öffentlichkeit zunächst eines klarmachen: Den Unternehmer gibt es nicht. Die Unternehmerschaft als Ganzes bildet keineswegs eine geschlossene soziale Gruppe. Sie bildet keine soziale Klasse.
>
> *Dr. Dr. Ernst Schneider, Präsident des westdeutschen Industrie- und Handelstages*

Man hat es mit Zauberkünstlern und Illusionisten zu tun, gegen die jeder Profi, der vor den Augen der Zuschauer einen weißen Elefanten von der Bühne wegmanipuliert, wie ein blutiger Anfänger wirkt. Im Handumdrehen lassen die erstaunliche Scharen von Lebewesen aller möglichen Gattungen in ihren weiten Ärmeln verschwinden. Den Unternehmer zum Beispiel. Ihn gibt es ja gar nicht. Noch weniger freilich die *Klasse* der Unternehmer. Am wenigsten, wenn diese Steigerung möglich wäre, die Arbeiterklasse. Das kommt, weil man nicht in einer kapitalistischen, sondern in einer „pluralistischen" Gesellschaft lebt. Da wird die Politik nicht von Interessengruppen, sondern von politischen Parteien bestimmt, die ganz unabhängig sind. Da ist die Oder-Neiße-Linie auch keine Grenze, da ist der östliche Nachbarstaat auch kein Staat, sondern eine sogenannte „DDR".

Nichtanerkennung, Nichtanerkennung, Nichtanerkennung.

Das frißt um sich, das wird Denkmethode, das zwingt zu abenteuerlichen Sprachkonstruktionen: Wenn ihre Worte Brücken wären, darüber möchte kein Mensch gehen. Da wächst dann die Menge der Tatsachen, über die man nicht spricht. Es steigt die Zahl der Tabus. Eine Eingeweihtensprache wird nötig. Augurensprache, Komplicensprache. Und für die Öffentlichkeit: mit möglichst vielen verschwommenen, vagen Formulierungen möglichst wenig sagen. Sich nicht beim Wort nehmen lassen.

Der Wohlstand, solange er krisenfrei anhält, schirmt gegen die Realität ab. Falls jemand, langsam im Denken, nach der Wirklichkeit, dem weißen Elefanten, fragt, zeigt man statt seiner die weiße Limousine vor, die Waschmaschine, „Persil bleibt doch Persil!“ und: „Wir sind wieder wer!“, Reklameslogan vom Exbundeskanzler Erhard persönlich. Nun ist aber „Sicherheit“ nur so lange eine gute Losung, wie die Sicherheit anhält. „Erschöpfte freie Marktwirtschaft“ ist schon nicht mehr ganz so gut. Aber wieso denn, fangen die Leute an zu fragen, wie kam denn das?

Und dies war schon immer der Moment, die mühsam zurückgehaltenen ganz großen Gefühle ausbrechen zu lassen. „Siehst du den Mond über Soho“ – ach ja, sie sehen ihn und besingen ihn immer noch, die modernen Macky Messer. Nicht ohne Rührung hört man sie jetzt auf ihren Unternehmertagungen über Liebe reden anstatt über die Profitrate. Eine Liebe, die sie tiefer glücklich machen würde als dieser ganze schnöde Mammon: die Liebe ihrer „Arbeitnehmerschaft“ nämlich, die ihnen, Gott sei's geklagt, nicht im erwünschten Maße zufließt. – Oder Blut und Tränen. Womit nämlich sind ihre Betriebe aufgebaut? „Unsere Betriebe, und auch der meine, sind nur mit Fleiß und Schweiß aufgebaut. Sie sind mit Blut und Tränen erstellt.“ Mit dem „Herzblut des Unternehmers“, genau gesagt. Einer bloß kann es nicht lassen, seine Kollegen an den schlichten, harten Alltag zu erinnern: Man solle sich, „jeder einzelne – mit der Presse, mit dem Rundfunk, mit dem Fernsehen gut stellen, mit jedem Lokalredakteur und jedem kleinen Mann“, sonst könnte es „ins Auge gehen“. – Hat da einer „Ganoven“ gedacht? Oder „Bestechung“? Viel, viel Liebe wird nötig sein, ein solch häßliches Wort wieder zuzudecken . . .

Die Realität kommt näher, wird unbequemer. Die normalen demokratischen Selbsttäuschungsmittel, die Drogen und Narkotika, beginnen an Wirkung zu verlieren. Und dies war schon immer der Moment für den stärkeren Tobak: für die „nationale Faust“. Rauschgift für Enttäuschte. Beklemmend ist es doch, wie sie sich nicht einmal Mühe geben, eine neue Variante zu erfinden.

Die Zauberkünstler aber auf ihrer schummrigen Bühne stellen sich schockiert, wo sie doch bloß ertappt sind. Wenn sie die Unruhe im Saal nicht mehr ignorieren können, fangen sie an, auf die Ränge zu schimpfen. Ihre Vorstellung war, wie immer, einwandfrei, deutsche Markenware. Diese Lümmel aber, die da krakeelen, wie können sie so plump, so politisch instinktlos sein, nachdem sie zwanzig Jahre Gelegenheit hatten, sich an ihren Zauberkunststückchen zu schulen!

Vielleicht erwägt der eine oder andere sogar, ein Stückchen von diesem weißen Elefanten Wirklichkeit vorzuzeigen – der natürlich die ganze Zeit über in der Kulisse gestanden hat – : zur Abschreckung. Aber dazu scheint es jetzt auch zu spät zu sein.

4

... Mich interessiert jetzt nur das durch ein Waschmittel zu beruhigende Gewissen der netten Durchschnittsfrau, und es fällt mir nicht schwer, mir Herrn Saubermann in irgendeinem Säuberungskommando vorzustellen ... Das weißeste Weiß der netten kleinen Durchschnittsfrau und ihres Mannes, des Herrn Saubermann, ist das vollendete Nichts, das sich nicht mehr ordnen läßt.

Heinrich Böll, „Brief an einen jungen Nichtkatholiken“

Die Beschwörungsformeln, das Abrakadabra der Waschwunderreklame, beginnen ihre magische Kraft zu verlieren. Was macht man mit Leuten, die, bisher vollauf beschäftigt, jeden Tag neu „das strahlendste Weiß ihres Lebens“ zu erzeugen, auf einmal merken, daß sie sich dabei zu Tode langweilen, und die nun lieber ein bißchen mit Schlagholz spielen wollen?

Wenn die Unternehmer sich der Liebe ergeben, die Politiker ihrem Hobby, der schwarzen Kunst, dann müssen eben Schriftsteller anfangen von Politik und Profit zu reden. Wie Heinrich Böll, der eine bittere, sarkastische, tief beunruhigte Sprache spricht, mit deutlichen Untertönen von Trauer und Verzweiflung: „Herr Saubermann und seine nette kleine Durchschnittsfrau sind das letzte, allerletzte Signal, einer gewissenlosen Gesellschaft keinen Einblick ins Gewissen mehr zu geben ..." Böll schließt die Möglichkeit nicht aus, daß auch dieses allerletzte Signal übersehen, überfahren wird; daß die herrschende Klasse „mit Terror, mit Geld, Propagandamitteln, durch eine fast komplette Gleichschaltung der Opposition, der Zeitungen, durch systematische Denunzierung aller Gegner" auch diesmal wieder, auch in Zukunft, wie einst bei der Durchsetzung der Wiederaufrüstung, ihr Ziel erreichen könnte. Daß der größere Teil der Bevölkerung nicht mehr fähig sein könnte, die Losung: „Wir sitzen alle in einem Zug" zu durchschauen. Daß dann, was da im Zug sitzt, nur noch „Schlachtvieh" ist – wie Christian Geissler schon vor Jahren ein Fernsehspiel nannte.

Hoffnungsvoll sieht man Fotos wie die von der Antinotstandskundgebung in Frankfurt am Main, auf der Hans Magnus Enzensberger sprach: „Das, was da im Bunker hockt und noch in der Stunde seines politischen Ablebens die Verfassung bricht, hat, mit einem Wort, Angst vor jedem einzelnen von uns, und zwar mit Recht. Und weil sie Angst haben, diese politischen Bunkerleichen, weil sie selber der Notstand sind, von dem sie faseln, darum hecken sie Paragraphen aus, die diesen Notstand verewigen sollen. ‚Im Ernstfall', sagte der Herr von Hassel, ‚kann nur das funktionieren, was schon im Frieden funktioniert.' Da es aber im Frieden nicht funktionieren will, wird es das einfachste sein, den Frieden ganz abzuschaffen."

Hoffnungsvoll sieht man neben Enzensberger ein Vorstandsmitglied der IG Metall stehen, liest seine klare Analyse der Ursachen, die zu den Bunkermanövern der vereinigten Bonner Regierung führen, hört seinen Appell zur Vereinigung gegen die Gefahr, die da droht. Man atmet auf bei einer Sprache, die sagt, was ist, die man gebrauchen kann wie ein Instrument: zur Argumentation, zur Analyse, zur Überzeugung, zum Widerstand. Eine Sprache, die nicht zur Vernebelung erfunden wurde, sondern zur Enthüllung: die das strahlendste Weiß der netten Reklamefrau gräulich nennt und die formierte Gesellschaft: Diktatur der Monopole. Und die aufdeckt, wie das eine mit dem anderen zusammenhängt.

Unsere Sprache. Die genaue, brauchbare Sprache der Vernunft. Die Hoffnung und die Verantwortung, die darin liegen, daß auch wir – deutsch sprechen. Daß man unsere Worte hören, unsere Angebote und Verlautbarungen lesen kann. Daß sie, gestützt auf die Wirklichkeit, auf die moralische und materielle Kraft des anderen Deutschland, den unheimlichen Mechanismus des noch einmal aufgemöbelten alten verhängnisvollen Modells diesmal außer Kraft setzen könnten. Den Zug vor dem allerletzten Signal doch noch stoppen.

Es muß gesagt werden, immer wieder, geduldig, klar und beweiskräftig: daß es sich um letzte Signale handelt. Und daß der Preis für das Nein, solange noch Zeit ist – ein Preis, den heute so viele, selbst beunruhigte Menschen in Westdeutschland noch scheuen –, eines Tages geringfügig erscheinen wird gegenüber dem Preis für das Schweigen: Es kostet Kopf und Kragen.

Unsere Hoffnung ist: Es wird deutsch gesprochen in Deutschland. Friedlich.

Dezember 1966

Probe Vietnam

1

„Wie Sie wissen“, sagte der Generalsekretär der UNO anläßlich des Krieges in Vietnam, „ist das erste Opfer in Zeiten von Kriegen und Feindseligkeiten die Wahrheit.“ Die Wahrheit opfern, die hier gemeint ist, hätte Folgen für die ganze Welt. Ungeheuerliche, unabsehbare Folgen, könnte man wahrheitsgemäß sagen, wenn nicht alle Worte, die diesen Krieg charakterisieren können – zutreffende und lügenhafte –, längst gebraucht und, wie es scheint, verbraucht wären. Doch hat es Sinn, sich zum Sprechen zu zwingen, auch wenn einem vor den Fakten, den Taten und dem, was zu tun ist, das Wort im Hals steckenbleiben will.

Dieser Krieg, fast nie unterbrochen seit einem Vierteljahrhundert, dauert als nackte Aggression der USA nun schon über zwei Jahre. So lange erträgt die Welt, erträgt jeder einzelne von uns einen unerträglichen Zustand. Er würde schneller beendet werden, wenn jeder einzelne ihn wirklich als unerträglich empfinden würde. Jeder, der wollte, hat sich über die politischen, wirtschaftlichen und militärischen Vorwände unterrichten können, die das große Amerika dazu gebracht haben, 400000 Mann und jährlich 700 Millionen Dollar gegen ein kleines Land zu schicken, dessen 30 Millionen Einwohner die Antipoden der Amerikaner auf dieser Erdkugel sind. Jeden Abend spielen sich auf den Bildschirmen in unseren Wohnungen dokumentarische Mord- und Folterungsszenen ab, die ein Horrorfilm scheuen würde. Würden wir uns an den Schrecken gewöhnen, vergrößerte sich damit die Gefahr. Denn Gewöhnung an den Schrecken, Lähmung durch Terror gehören zu dem System, welches diesen Krieg hervorgebracht hat und nun dafür sorgen muß, daß die Summen wieder hereinkommen, die er kostet.

Warum geht diese Rechnung nicht auf?

2

Vor einem Jahr konnte man einen verwundeten amerikanischen Flieger, dem bei örtlicher Betäubung in einem Dschungellazarett ein Bein amputiert wurde, abgerissene Sätze ins Mikrophon stammeln hören: „Napalm auf Frauen und Kinder – glauben Sie mir, es ist die Hölle. Wollt, es wär vorbei ..." Heute bezeichnet man in Meldungen westlicher Länder den Präsidenten von Amerika als „Gefangenen von Entwicklungen, die er nicht gewollt hat". – Das bedeutet, beide, der befehlshabende Präsident und sein ausführender Soldat, sind an den gleichen Mechanismus gekettet, wenn auch an verschiedenen Stellen und mit verschiedener Verantwortung. Es bedeutet, daß die Eskalation der Verbrechen an einem fremden Volk unweigerlich zur Eskalation der Unfreiheit im eigenen Land führt. Daß eine Politik, die von einer katastrophalen Verkennung der wirklichen Lage ausgeht, wie an einer Hexenkette gerade das hervorzieht, was sie zurückdrängen wollte, und das unmöglich macht, was ihr erklärtes Ziel ist. Es bedeutet, daß das mächtigste Land der „freien Welt", von einer Gruppe kurzsichtiger Militärs, Industrieller und Politiker zum zynischen Mißbrauch seiner Macht getrieben, dadurch die inneren und äußeren Widersprüche selbst weiterentwickelt, die es doch durch einen Schwertstreich hatte aus der Welt schaffen wollen. Es bedeutet schließlich, daß jeder amerikanische Soldat in Vietnam nicht für, sondern gegen die Interessen seines eigenen Landes kämpft.

Die moralische Überlegenheit des schwächeren Gegners ist durch Bombenteppiche und Bakterienwaffen nicht auszugleichen. Der unbeugsame Wille eines Volkes zur Freiheit ist eine Kraft, mit der das große Amerika rechnen muß.

3

Verbohrt in ihre barbarische Unvernunft, schlagen die Amerikaner auf Vietnam und meinen ein jedes Volk, das nicht mehr Objekt der Geschichte sein will, sondern mit wachsendem politischem und nationalem Selbstbewußtsein über sich selbst verfügt. Meinen jeden lebendigen menschlichen Gedanken, der ihrem pragmatisch-technischen Weltbild im Wege steht. Meinen im Grunde jeden Menschen, der sich seiner Verwandlung in ein manipulierbares Instrument, in einen willfährigen Konsumenten, in eine Ware widersetzt.

Es mag stimmen, was viele sagen, daß Vietnam eine Probe ist. „Kriegslaboratorium" nennen es die amerikanischen Generäle. Sie nutzen die Möglichkeit, ihre Waffentechnik zu testen.

Ich glaube, daß eher wir alle auf die Probe gestellt sind als die Waffen. Vietnam ist eine Probe auf die Fähigkeit der Menschheit, ihren Lebenswillen zu organisieren.

Wenn wir diese Probe bestehen, wird dieser Krieg kein Vor-Krieg sein.

Januar 1967

Zu einem Datum

Kommunisten? Kannte sie einen, das war der Schuster Sell aus dem Dorfe G. Den oder besser dessen Fuhrwerk teilte sie wie jedes andere zu Spanndiensten ein, da haute er seine Schirmmütze auf den Tisch des Gemeindebüros und schrie: Immer ich, das ist doch auffallend, haben die Großbauern Sie vielleicht geschmiert, Fräulein? Da knallte sie ihre saubere gerechte Liste neben seine speckige Mütze und schrie auch, Schuster Sell lief weg und schlug mit der Tür. Der Bürgermeister aber, dessen Amtszeit bemessen war, weil man höheren Orts seine feine Unterscheidung zwischen Mitglied der NSDAP und Nazi nicht auf die Dauer akzeptieren wollte – der Bürgermeister brachte ihr bei, was Gerechtigkeit ist. Nämlich nicht gleiche Behandlung für alle, sondern Vorrechte für die jeweils Herrschenden: dazumal für den Großbauern Otto Müller, heutzutage eben für den Schuster Wilhelm Sell. Liste ist Liste, sagte sie, und Pferd ist Pferd. Da erwiderte ihr der Bürgermeister: Englisch mögen Sie ja sprechen können, Fräulein, aber sonst müssen Sie noch bannig viel lernen.

Dann war da noch der andere, ein toter Kommunist, Bierkutscher, und sein Sohn hatte ihn angezeigt. Abhören feindlicher Sender, sagte der Buchhändler Krüger, Verbreitung zersetzender Parolen, das heißt, Rübe ab, wo der noch dazu Kommunist war. So liefen also immer noch Kommunisten unter den Menschen herum, es erstaunte sie sehr, und sie sah sich alle Bierkutscher genauer an. Der eine, der, den sein Sohn angezeigt hatte, fuhr mit seinem Bierwagen durch ihren Schlaf, und sie befragte ihn, warum diese Kommunisten nicht aufhören konnten, feindliche Sender abzuhören, wo es doch verboten und auch unnötig war, denn was wollten sie dort um jeden Preis erfahren? Sie glaubte, sie müsse den Sohn vor dem Vater verteidigen, aber der Vater erlaubte sich einen gewissen Blick (das war das einzige, was sie von ihm deutlich sah: denn wie sahen Kommunisten überhaupt aus?), vor dem die Verteidigung des Sohnes unaufhörlich wieder zuschanden wurde. Sie litt unter zu lebhaften Vorstellungen; so konnte sie nicht umhin, sich immer wieder vorzustellen, wie der gute Sohn jenen braven Entschluß faßt. Wie er sich aufmacht, die Behörde zu suchen, die Anzeigen dieser Art entgegennimmt. Wie hieß doch gleich diese Behörde? Der Name fiel ihr ein. Aber wo wohnte sie eigentlich in ihrer Stadt? Unkenntnis praktischer Tatsachen, zu Recht warf man ihr das vor. Jetzt sucht der brave Sohn schon das Zimmer, in welchem man speziell Denunziationen gegen Väter – auch gegen Mütter? – registriert. Was steht auf dem Türschild? Da tritt der Sohn schon ein. Da knallt er die Hakken zusammen, reißt den rechten Arm hoch, grüßt mit Heil Hitler und erklärt: Hiermit erstatte ich Anzeige gegen meinen Vater, den Bierkutscher. Dann mußte sie sich wieder vorstellen, wie es der Vater erfuhr: Aber Ihr eigener Sohn war es doch, der uns pflichtgemäß informierte, wollen Sie Ihren Sohn Lügen strafen? Da mußte sie sich vorstellen, daß der Vater nun vielleicht tot war und der Sohn jeden Morgen aufwachen und leben sollte, und sie fühlte, ohne es auch nur in Gedanken auszusprechen, daß ihr nicht sehr daran lag, diesem überaus pflichtgetreuen Sohn zu begegnen. Obwohl dies nicht unmöglich war, denn Söhne liefen mehr durch die Straßen der Stadt als Bierkutscher.

Da riß sie die Vorstellungskette ab und versuchte erfolglos, den Bierkutscher zu vergessen.

Zu dem Datum, das hier gegeben ist, muß ein merkmalsfreier Tag gehört haben. Nebenan trieb die Witwe Gideon ihren Sohn Heiner rund um den Tisch, diesen Dieb, der ihr Brot gefressen hatte, sie griff zum Ausklopfer, aua, schrie Heiner, alte Sau! Sein Vater war im Krieg. Am eigenen Tisch, durch eine dünne Tür von den beiden getrennt, ißt man seine zwei Scheiben von dem schweren Schwarzbrot, das die Bauersfrau, bei der die Familie wohnt, einem am Wochenende zugesteckt hat. Man hungert nicht, und man ist nie satt. In dem großen Spiegel der Waschkommode ist ein Gesicht, dahinter das Kopfteil eines Bettes und eine verblichene Tapete, und was das alles miteinander zu tun hat, will einem nicht einfallen.

Man rennt die vier Treppen runter, durch den Torweg, die Fritz-Reuter-Straße lang in die Stadt, zur Schule am Pfaffenteich, wo die Englischlehrerin, eine Einheimische, sich jeden Morgen mit dem gleichen Lächeln entschuldigt, daß sie erwachsenen Schülerinnen die Köpfe nach Läusen absuchen muß, und wenn man auf etwas neugierig ist, dann darauf, wie lange der Vorrat von diesem Lächeln reicht. Typhus hatte ich sowieso schon, kann man gelassen erklären, bloß um auszuprobieren, ob gewisse Leute bei gewissen Wörtern noch zusammenzucken. Hildegard Pietsch fehlt nun den dritten Tag, vielleicht weiß eine von den Damen ... Eine weiß. Abtreibung, Miß Heymann, wie heißt doch das englische Wort dafür?

Der „Don Carlos“ war übrigens in der hinter uns liegenden braunen Zeit verboten, sagt die Deutschlehrerin, geben Sie Gedankenfreiheit, Sire! Das muß man ihr auf Teufel komm raus bestreiten, bei uns war er nicht verboten, es ist die reine Lüge, daß Schiller verboten gewesen sein soll. Dann sagt man sich plötzlich, daß einem nichts gleichgültiger sein könnte als dieser verbotene oder unverbotene Schiller, und verfällt in Schweigen. Wissen möchte man bloß, warum die Deutschlehrerin gestern auf der Straße geweint hat. In der Pause bekommt man die verlegene Erklärung, daß es sich um Kartoffeln gehandelt habe, die sie wieder nicht bekommen konnte, und ihre kranke Mutter ... Unter dem Aufsatz über „Persönlichkeiten, die die neue Ordnung aufbauen" steht, „geschraubter Stil", das juckt einen nicht, denn wie könnte man über diese Dinge anders als geschraubt schreiben? Ruth hat eine Eins, ihr Aufsatz wirke überzeugend. Bist du denn überzeugt? Sie zuckt die Achseln. Kommst du nun am Ersten Mai mit Vergißmeinnicht oder nicht? Na klar, was denkt ihr von mir?

Man müßte etwas dagegen tun können, daß einem alles egal ist, auch diese blödsinnigen Vergißmeinnicht, aber man kann nichts dagegen tun. Ruth hat wieder einen Brief unter ihrer Bank gefunden, ihr Freund geht in die Jungenklasse, die nachmittags im gleichen Raum unterrichtet wird, sie wird ihn heiraten, ihre Mutter, die bald an Krebs sterben wird, sei damit einverstanden. Man selbst findet niemals einen Brief unter der Bank, auch das hat einem egal zu sein.

Mitten in der Mathematikarbeit wird Elisabeth ohnmächtig, allerdings waren ihre Augen in dem kleinen Gesicht schon in den letzten Wochen größer als zulässig schien. Man schleppt sie zum Wasserhahn, man hält ihren Puls unter den Strahl, das tut gut, sagt sie mit schwächlicher Stimme, mir war ja bloß heiß. Nun kann es ja im April in einer ungeheizten Schule niemals heiß sein, aber Elisabeth ist aus Königsberg und hat vier kleinere Geschwister zu Hause. Jemand stellt die unpassende Frage, ob zufällig einer was zu essen bei sich habe, da bestreitet Elisabeth heftig, daß sie Hunger hat. In der Pause bringt ihre Mutter ihr eine Scheibe Brot von den neuen Brotkarten, die ißt sie heimlich. Ilsemarie bekommt ihren Hustenanfall, bei ihr haben Sie sich natürlich angesteckt, wird der Lungenarzt zwei Wochen später zu einem sagen, sie ist ja hochgradig positiv. Man beugt sich mit ihr über ein Lateinbuch. Da hätten wir ja nun diese nagelneue Zeit, sagt der Lateinlehrer, die alten Texte aber bleiben, und mich soll doch verlangen zu wissen, ob Sie imstande sind, einen einfachen Satz wie den folgenden zu übersetzen: Tempora mutantur, die Zeiten ändern sich, wie wir Lateiner sagen, und wir ändern uns in ihnen.

Was halten Sie davon, hat man die Deutschlehrerin gefragt, als man sie in dem alten Pfarrhaus besuchte, wo sie einem barfuß entgegenkam. Die Zeiten ändern sich, sagt sie, wir ändern uns, Christus bleibt. Was meinen Sie, wer mir die Kraft gegeben hat, diese Fahne nicht zu grüßen, niemals, kein einziges Mal? Kennen Sie eigentlich die „Iphigenie"? Wirklich nicht? Nehmen Sie, lesen Sie. Auf dem Bett in der Kammer der Witwe Gideon: Alle menschlichen Gebrechen sühnet reine Menschlichkeit. – Ja, ja, gewiß, man will nicht unhöflich sein.

Die hagere schwarze Dame in dem Restaurant mit den großen, zur Hälfte zugenagelten Bogenfenstern polkt jeden Mittag sorgfältig mit der Messerspitze die Augen aus vier grünlichen Pellkartoffeln, dann zerquetscht sie sie mit Schale in der Einheitssoße zwei und ißt sie auf. Sie spricht niemals ein Wort, denn sie kann nicht in aller Öffentlichkeit Pellkartoffeln mit Schale essen und dabei mit ihren Tischgenossen plaudern, als wäre nichts. Draußen kommt Ruth mit ihrem Freund vorbei, er hat krauses schwarzes Haar, wo sie doch blond ist, sie haben die Finger ineinandergehakt, sie sehen niemanden, man kann ihnen folgen, so lange man will, man hat immer wissen wollen, was das ist, Liebe.

Man starrt allen Leuten frech ins Gesicht, das ist ein Spiel, man treibt es jeden Tag, denn da ist keine Gefahr, daß man plötzlich ein Gesicht kennen müßte. Dann hält doch eines an, beginnt eine erfreute wörtliche Rede, es, das Gesicht, sei doch die Anneliese, erkenne man es denn nicht? Zeit spult schnell in einem zurück, eine andere Stadt, andere Straßen, ein Schulhof – ach ja, die Anneliese. Man verstellt sich, als erschrecke man wirklich, daß die Anneliese mit dem allerletzten Zug noch rausgekommen ist, mit dem, den die Panzerspitzen dann in Brand geschossen haben. Da hat sie neulich die Sieglinde getroffen, ja weißt du nicht mehr, die Bannführerin? Doch. Die Bannführerin Sieglinde hat einmal eine schreckliche Szene gemacht, weil die Theatergruppe winzig kleine Gucklöcher in einen teuren Theatervorhang gebohrt hatte, deutsche Mädel tun das nicht. Sie ist nun also fertig mit allem, die Bannführerin, die Bonzen von der Kreisleitung haben sie doch glatt sitzenlassen und Lebensmittelkisten in ihre Autos gepackt, vor meinen Augen hat sie einen Weinkrampf gekriegt, du, die will von nichts mehr was hören. Wenn einem nur nicht total egal gewesen wäre, womit die Bannführerin fertig war.

Die Idee, sagt Anneliese, mag ja ihr Gutes gehabt haben, aber die Ausführung! Man verabschiedet sich schnell, gibt der Anneliese noch eine falsche Adresse, damit man auch fernerhin unbehelligt auf dem Bett der Witwe Gideon liegen und in Diedrich Speckmanns „Herzensheiligen" lesen kann. „Willst du, o Herz, ein gutes Ziel erreichen, mußt du an eigner Angel schwebend ruhn." – „Der erscheint mir als der Größte, der zu keiner Fahne schwört."

Dem Fenster, das bis zum Fußboden herunterreicht, nähert man sich manchmal versuchsweise, die Straße da unten, dieses Wimmelvolk von Menschen, das einen nichts angeht, in das man nicht hineinkommen kann, dieser Sog vom Fenster her, unheimlich. Da klammert man sich am Bett fest, oder man flüchtet in die Küche, da sitzt wenigstens Heiner am Tisch und sieht zu, wie man sich jeden Abend aus Hafermehl eine Wassersuppe kocht.

Die Wahrheit ist, daß ich erst zweieinhalb Jahre nach jenem 21. April 1946 meine erste marxistische Schrift las. Es war ein schöner Herbsttag, pfundweis aß ich die kleinen säuerlichen Äpfel, die meine Großmutter mir ins Fenster reichte, nachts notierte ich mir – falsch, wie man sehen wird – den Titel der Schrift in mein Tagebuch: Feuerbach und die ausgehende klassische Philosophie.

Wäre nicht das der Anfang gewesen, muß ich mir heute sagen, hätte sich etwas anderes gefunden, aber nun war es eben gerade das. „Und so wird im Lauf der Entwicklung alles früher Wirkliche unwirklich ..." Wenn ich etwas erfahren hatte, so dies: Wie einstmals Wirkliches allmählich unwirklich wird, von einer unheilbaren Krankheit ausgezehrt, der man leicht selbst mit verfiel. Das, was sie „Zeit" nannten, fuhr wie ein hermetisch verschlossener Zug an einem vorbei, ohne Zielangabe.

Was diesem Tag auch folgte – eine lange Geschichte, die man mit vielen Generationsgenossen teilt und vielleicht einmal wird erzählen können – : an jenen Anfang habe ich manchmal zurückgedacht, ohne den Wunsch nach Widerruf. So wie ich heute nicht ohne Rührung meine alten Kopierstiftstriche am Rande jener Schrift von Friedrich Engels betrachte. „An die Stelle des absterbenden Wirklichen tritt eine neue, lebensfähige Wirklichkeit." Das sollte der Vorgang werden, der dann mein Leben ausfüllte. Ahnte ich es an jenem Abend? Keineswegs.

Ich will versuchen, genau zu sein. Ich lief damals hinaus. Es war eine kühle Nacht, herbstlich, mit dünner, klarer Luft. Wir wohnten an einem Berg. Die Sterne oben und die Stadtlichter unten schienen wie immer einander zu spiegeln. Ich ging die Thomas-Müntzer-Straße hinauf, bis zur Blutrinne, einer Mulde, in der nach jenem Gemetzel vom 15. Mai 1525 das Blut der aufständischen Bauern zu Tal geflossen sein soll. Die Schönheit der Nacht war mir zuwider. Die gleichmäßige Mondsichel, diese raffinierte Täuschung, stieß mich ab. Der schiefe Kirchturm, das romantische Wahrzeichen der Stadt, hätte seine Beharrlichkeit aufgeben und endlich einstürzen sollen. Alles hätte auf uns Bezug nehmen sollen, auf uns, deren Gleichgültigkeit nun ein Ende hatte.

Januar 1971

Diskussionsbeitrag zum VII. Schriftstellerkongreß der DDR 1973

Zu unserer Debatte: Es ist interessant, daß die Diskussion über Geschichte und Geschichtsbewußtsein in unserem Kreis an zwei neuralgischen Punkten emotional besonders bewegt wird: es sind genau die Punkte, die auch bei mir Emotionen erwecken – nämlich die von Volker Braun genannten „offenen Enden der Geschichte", das heißt die Zeit, in der wir leben, die Widersprüche, in denen wir stehen, die wir selbst mitproduzieren und die sich oft als Konflikte in uns niederschlagen. Wenn es sich dabei um echte, bedeutende Konflikte handelt, die großen Zeit-Widersprüchen entsprechen, dann ist es, glaube ich, sehr wichtig, daß wir sie weder verkleinern noch verleugnen. – Der zweite Punkt, der eben diese Emotionen weckt, ist die jüngste deutsche Geschichte, die Zeit des Faschismus.

Bei einer Arbeit, die zunächst diese Zeit zu betreffen scheint, erfährt man interessanterweise, daß sie genauso die Gegenwart betrifft, und zwar in folgendem Sinn: Eine ernsthafte Auseinandersetzung mit dieser Vergangenheit ist nur möglich, wenn sich der Autor gleichzeitig der andauernden ernsten Auseinandersetzung mit der Gegenwart stellt, die er als „seine Zeit" empfindet. Man erfährt, daß man die Grunderlebnisse, die zum Beispiel meine Generation, die man selbst in verschiedenen Gesellschaftsordnungen hatte, als Autor nicht säuberlich trennen und auseinanderreißen kann, als hätten sie in verschiedenen Personen stattgefunden. Man muß sie wirklich *andauernd* und immer neu zu verarbeiten suchen. Hier zum Beispiel liegen im schreibenden Subjekt „Reserven an Realismus" – eine Fragestellung, die mich in Volker Brauns Diskussionsbeitrag besonders fasziniert hat. – Mich hat übrigens jeder Satz in diesem Referat interessiert, ich fand es ausgezeichnet. Hier kann leider nicht genügend darauf eingegangen werden, weil es so lakonisch formuliert ist und man nicht alles sofort verstehen, noch weniger es behalten konnte. Aber ich hoffe, daß es bald gedruckt vorliegt und dann wirksam werden und bleiben wird.

Zu den „Reserven an Realismus": Die liegen natürlich in den noch nicht erkannten oder noch nicht definierten oder noch nicht ausgesprochenen Widersprüchen. Die Literatur kann diese Reserven angehen, indem sie konsequent diese Widersprüche formuliert und sie durch fruchtbare Fragestellungen produktiv zu machen sucht. – Wenn man sich einem sogenannten „Vergangenheitsstoff" nähert, zeigt sich ein eigenartiges Phänomen: Für meine Generation, die am Ende des Krieges verhältnismäßig jung war, fünfzehn bis sechzehn Jahre alt, aber nicht jung genug, um noch ohne Bewußtsein zu sein, die also stellungnehmend – und in den meisten Fällen falsch stellungnehmend – gelebt hat, kommen Kindheit und Jugend noch einmal mit voller Wucht zurück. Es ist, als käme die Vergangenheit in Wellen über uns. Wenn ich es richtig sehe – und auch an mir richtig beobachtet habe –, gab es eine erste Phase der gedanklichen Verarbeitung der Einflüsse jener faschistischen Zeit – das *mußte* auch am Anfang stehen –, die erschütternd genug war und uns auch veränderte; doch haben wir die Problematik zu früh für „erledigt" gehalten: Das fiel zusammen mit einer Phase der Vergangenheitsbewältigung in unserer Gesellschaft, in der wir versucht waren, den Faschismus an „die anderen" zu delegieren als Tradition und als Vergangenheit. Diese Zeit scheint mir vorbei. Wir machen das nicht mehr. Aber es war kein Zufall, daß wir es gemacht haben, und mir kommt es so vor, als ob unsere Diskussion über die „Väter" noch Spuren dieser Haltung zeigte. Natürlich kann man sich geistige Väter adoptieren; man kann das sogar mehrmals in seinem Leben tun – aber man kann sich keinen biologischen Vater adoptieren, niemals, obwohl vielleicht eine ganze Generation gar nicht so abgeneigt gewesen wäre, das zu tun. Man kann ihn aber auch nicht wegdelegieren, und man kann eine Kindheit, die man nicht nur als Objekt, also passiv, erlebt hat und die einen geformt hat, nicht wie niemals gewesen von sich abtun.

Das gehört nach meiner Ansicht primär zum Geschichtsbewußtsein: unser Verhältnis zu der Geschichte, die wir selbst erlebt und mitgemacht haben. Ich frage mich zum Beispiel, ob das, was unsere Generation in der Gegenwart zu leisten imstande ist – auch *wie* sie handelt –, und das, was sie schuldig bleiben muß, weil sie es nicht leisten *kann*, mit in ihrer Kindheit begründet liegt. Es ist nicht so einfach, eine Kindheit abzuschütteln, die einem zum Beispiel einen tiefen Autoritätsglauben eingefressen hat. Es ist nicht so einfach, eine Kindheit loszuwerden, die nicht von Wissen, sondern von bedingungsloser Gläubigkeit geprägt war und von einer Reihe anderer Faktoren, die hier wahrscheinlich jeder kennt. Jeder wird wissen, wovon ich spreche. Aber merkwürdigerweise wissen unsere Kinder es nicht. Warum nicht? Weil wir es ihnen nicht sagen können. Wir haben es auch bis jetzt nicht geschrieben. Warum, ist klar: weil es unerhört schwer ist. Weil man da auf eine solche Fülle innerer Tabus – auch äußerer Tabus – stößt, wie ich es zum Beispiel, die ich mir des Problems all die Zeit über scharf bewußt gewesen bin, nicht für möglich gehalten hätte. Es wird also nicht vollständig gelingen.

Als schreibendes Subjekt kann man überhaupt nur versuchen, diesem Stoff näherzutreten, wenn man sich eines gesellschaftlichen Standorts sicher ist, der einem eine radikale Kritik auch an sich selbst, der man einmal war, ermöglicht. Sonst könnte eine solche Arbeit einen vernichten. Aber auch dann ist es ungeheuer schwer.

Genau das aber zeigt mir, daß es sich um „Unerledigtes" handelt, worüber zu sprechen ist. Solcher Komplexe gibt es viele. Volker Braun hat andeutungsweise von einigen gesprochen.

Es wäre ein großes Thema für einen neuen Diskussionstag, darüber zu sprechen, wo diese unerledigten Punkte in unserer Gegenwart liegen. Sie haben teilweise mit dieser Vergangenheit zu tun, teilweise haben sie ganz andere Wurzeln. Sie bedrücken uns nicht weniger, sind, wie Gabriele Eckart sagte, nicht weniger schwierig und lasten unter Umständen nicht weniger auf uns – oft sogar mehr, weil wir uns leidenschaftlich für sie engagieren. Jedenfalls: Für die Literatur ist wichtig, daß diese einander ablösenden, einander überlagernden Konfliktreihen sich in ein und demselben Menschen austoben. Da kann man sich vorstellen, was in solchen Menschen manchmal los ist ... Aber weder unsere Leser noch unsere Kinder können sich das bisher vorstellen. Es taucht sogar hier und da – neulich trat es mir in einem Kreis jüngerer Autoren entgegen und machte mich betroffen – eine gewisse fatalistische Haltung zu Konflikten auf, soweit sie noch gesellschaftliche Tabus sind. Ein junger Autor konnte nicht verstehen, daß jemand sich in einer Zeit, da bestimmte Vorgänge oder Einsichten oder Wahrheiten und so weiter unter Tabu stünden, überhaupt mit ihrer Darlegung abplagt: Da der Fortschritt sich unweigerlich durchsetze, würde in fünf oder zehn Jahren sowieso jedermann wissen und einsehen, was diesen Autor jetzt so quält. Man hätte also nur den Moment abzuwarten, an dem die Gesellschaft bereit sei, das solange als Tabu geltende Problem offen in Empfang zu nehmen. Wahrscheinlich ist das eine Einzelmeinung. Wenn sie sich häufiger fände, sähe ich tatsächlich eine Gefahr für die Entwicklung unserer Literatur.

November 1973

Diese Lektion: Chile

Zu allem anderen, was wir in diesen Wochen aus Chile sehen und hören müssen, erfahren wir: Die Junta hat dem Wort „compañero“ die Ehre angetan, es durch Dekret zu verbieten. Sie hat das letzte Manuskript des Dichters Pablo Neruda aus seinem zerstörten Haus geraubt. Sie hat den Namen der vor sechzehn Jahren gestorbenen chilenischen Dichterin Gabriela Mistral „gestrichen“.

Diese Lektion wollen wir gründlich lernen.

Selten haben wir wie in diesen sechs Wochen darunter gelitten, daß uns nur das Wort zur Verfügung stand, das ohnmächtige Wort. Dabei mußten wir Bilder sehen, bei denen es uns die Sprache verschlagen wollte. Wir wissen: Nichts, was wir sagen können, wäre imstande, das Schluchzen, die Klagen, die Anklagen und Flüche der Frauen im Leichenschauhaus von Santiago zu überbieten. Wir wissen: Kein einziges Wort erreicht noch einen der Ermordeten. Und es sind Tausende.

Die heutigen Herren in Chile aber – im Besitz der Machtmittel, ausgestattet mit der Brutalität, sie in der schauerlichsten Weise anzuwenden –, sie können es damit nicht genug sein lassen. Sie müssen Worte verfolgen und diejenigen, die berufen sind, sie zu sprechen: lebende und tote Dichter. Damit verraten sie sich. Sie sind in Panik.

Und uns verraten sie, was sie am heftigsten ersehnen – mehr noch als die sofort großzügig von der Weltbank gewährten Dollarkredite – und was sie niemals von uns erhalten dürfen: Gewöhnung, Schweigen, Vergessen. Jetzt müssen wir das im Lande Allendes verbotene Wort „compañero“ um so besser hüten, die Abnutzung, die es leicht durch alltäglichen Gebrauch erfährt, von ihm nehmen und es wieder mit vollem Bewußtsein sprechen: Genosse. Nie wie in diesen Wochen waren Pablo Nerudas Gedichte in den Händen so vieler Menschen. Der Verlust eines seiner Manuskripte trifft uns wie ein persönlicher Verlust, denn keine Seite eines Dichters ist durch etwas anderes oder einen anderen ersetzbar.

Jetzt wollen wir die Stimme der Gabriela Mistral, die doch ein General nicht „streichen“ kann, bei uns hören und wollen uns klarmachen, wie groß die Gefahr eines jeden wahrhaftigen, eindeutigen, das wirkliche Leben berührenden Wortes für die Gewalthaber ist, die auf Lüge, Verdrehung und Schweigen angewiesen sind.

November 1973

Berliner Begegnung

Liebe Kollegen, beinahe wäre es mir lieber gewesen, ich wäre nicht mehr drangekommen; dann wäre noch deutlicher geworden, als es so schon ist, daß es sich bei dem Thema, über das wir sprechen, um eine Männerangelegenheit handelt: Das ist meine Überzeugung.

Im Laufe dieses letzten Jahres habe ich einmal – ich glaube, es war im April – eines jener Erlebnisse gehabt, die man selten im Leben hat und die man nicht vergißt: Das war angesichts einer Fernsehnachrichtensendung. Der Sprecher oder die Sprecherin referierte, daß eine Expertenkonferenz – ich glaube, sie tagte in London – zu dem Ergebnis gekommen war, Europa habe noch eine Überlebenszeit von drei oder vier Jahren – für den Fall, daß die jetzige Politik weitergeführt würde.

Da hatte ich eine Minute, in der das geschah, was in drei oder vier Jahren geschehen soll.

Ich muß sagen, daß diese Minute nicht nur negativ in mir gewirkt hat – lähmend –, sondern sie hat auch sehr viel Zorn freigesetzt und Freiheit. Wenn es so ist oder so sein soll, wenn manche es sich wünschen oder es jedenfalls planen, daß dieses Europa zugrunde geht, dann darf man sich ja wohl noch einiges herausnehmen; zumindest fragen. Zum Beispiel frage ich – nicht erst seitdem, aber besonders seitdem: Was eigentlich – wenn Überleben von Verdiensten abhängt, was ja natürlich nicht der Fall ist; aber da wir Intellektuelle sind, in bestimmten ethischen Begriffen erzogen, kommen uns eben auch solche Fragen –, was eigentlich hat diese Kultur gegeben, daß sie zu überleben verdient.

Es ist mir einiges eingefallen. Ich war über mich selbst ein wenig erstaunt: Bisher hatte ich eher dazu geneigt, die mörderischen, expansionistischen, andere Völker und Erdteile unterdrückenden und ausraubenden Züge in der Geschichte des Abendlandes zu betonen. Ich stelle diese Frage hier, im positiven Sinn, daß Ihnen auch einiges einfallen möge. Ich glaube nämlich, das gehört zur Friedensvorbereitung und zur Kriegsverhinderung. Ich glaube, diese neue Durcharbeitung unserer Kultur gehört zu unseren Aufgaben als Schriftsteller.

Ein Satz war mir in dieser Minute auch eingefallen – wiederum eine Frage –, den ich seitdem nicht mehr aus meinem Kopf herauskriege, der mich sehr stört und den ich nicht ohne Bedenken weitergebe: Hat Hitler uns eingeholt? – Dieser Satz kam mir spontan, dann erst fragte ich mich, wie mein Kopf, mein Unbewußtes ihn gemeint haben mochten. Gemeint war er wohl so: Hitler hat es nicht geschafft, Europa zu vernichten, wonach es ihn ungeheuer verlangte, wie wir wissen; wenn er schon die Tür hinter sich zuschlug, dann sollte das mit einem solchen Krach geschehen, daß ganz Europa davon zusammenstürzen sollte. Dies hat er nicht geschafft, auf Grund von historischen Bedingungen, auf Grund der Leistungen von Armeen, die wir kennen.

Nun ist eine historische Lage eingetreten, die diese selbe Frage wieder auf die Tagesordnung setzt, und ich muß sagen, neben dieser großen Freiheit, die sich mir da auftat, machen eine ungeheure Beklemmung und ein schweres Gefühl von Verantwortung mir zu schaffen.

Daraus ergibt sich meine nächste Frage, die für mich weitreichend geworden ist, die ich hier nur andeuten kann: Sollten wir nicht, angesichts der „Lage“, in der wir uns nun befinden, ernsthaft beginnen – mehr, als wir es bis jetzt tun, mehr, als es auch durch diese Tagung angefangen wurde – zu denken und für möglich zu halten, was eigentlich nicht geht? Ich bin nämlich der Meinung, uns kann nur noch helfen und retten, *was eigentlich nicht geht.* Was für möglich zu halten wir uns abgewöhnen ließen.

Beispielsweise muß ich mich dazu bekennen: Hätte Hermlin mich gefragt, als er diese Tagung in seinem Kopf herumtrug, ob ich es für möglich halte, daß sie zustandekommt – ich hätte gesagt: Nein, ich halte das nicht für möglich. Sie ist aber zustandegekommen. Ich finde sie sehr wichtig, mit allem, was gesagt wurde, sehr wichtig, und in ähnlicher Weise stelle ich mir vor, weiterzugehen.

Mehr noch als die Frage, die ich vorhin zitierte, plagt mich eine Überlegung, von der ich mich nur langsam und widerstrebend, inzwischen aber so fest überzeugt habe, daß es sehr schwer fallen würde, mir das Gegenteil zu beweisen: Diese Raketen, diese Bomben sind keine Zufallsprodukte dieser Zivilisation. Eine Zivilisation, die imstande war, derartig exakt ihren eigenen Untergang zu planen und sich, unter solch furchtbaren Opfern, die Instrumente dafür zu beschaffen – eine solche Zivilisation ist krank, wahrscheinlich geisteskrank, vielleicht todkrank. Diese Raketen, diese Bomben sind ja entstanden als genauester und deutlichster Ausdruck des Entfremdungssyndroms der Industriegesellschaften, die mit ihrem „Schneller, Besser, Mehr" alle anderen Werte diesem „Wert" Effektivität untergeordnet haben, die Massen von Menschen in ein entwirklichtes Scheinleben hineingezwungen und die besonders die Naturwissenschaften in den Dienst genommen haben. Ihre „Wahrheiten", das heißt: Fakten, als *die* Wahrheit anerkennen, bedeutet: Was nicht meßbar, wägbar und verifizierbar ist, das ist so gut wie nicht vorhanden. Es zählt nicht, so wie überall, wo das „Wirkliche" und Wichtige entworfen, hergestellt und geplant wird, Frauen nicht zählten und nicht zählen. Man muß sich doch einmal vorstellen, wie es sich auswirken muß, wenn die Hälfte der Menschen, die in einer Kultur lebt, *von Natur aus* überhaupt keinen Anteil hat an ihren Hervorbringungen; und eben auch daran nicht – hindernd –, wenn diese Kultur ihren eignen Untergang plant. Vielleicht sollte man einmal nicht nur mit einem Lächeln darüber hinweggehen, nicht nur abwehren, was eine Frau da wieder mal vorzubringen hat in bezug auf Wirksamkeit oder Unwirksamkeit ihres Geschlechts. Dieses Wegdrängen des weiblichen Faktors in der Kultur hat genau in dem Zeitraum begonnen, über den Helmut Sakowski eben sprach: als die minoische Hochkultur durch die mykenischen Expansoren überlagert, vernichtet wurde. Homer hat diese Kämpfe Hunderte Jahre später in seinem berühmten Epos verherrlicht: Kampfbeschreibungen sind die ersten Beschreibungen der abendländischen Literatur, Schlachtenschilderungen, Beschreibung von Schlachtgeräten: der Schild des Achill. Daran, ist mir klar geworden, kann ich nicht anknüpfen. Das kann meine Tradition nicht sein. Es ist kein Hymnus denkbar auf die Schönheit der Atomrakete. Auch unsere Ästhetik muß neu durchdacht werden.

Eine letzte Bemerkung. Das Wort: „Im Krieg schweigen die Musen“ – gilt es etwa schon? Ich habe den Eindruck, daß unsere Gesellschaft, daß wir zu leicht bereit sind, uns in einen Vor-Krieg hineinzubegeben: Darüber bin ich am meisten betroffen, davor möchte ich am meisten warnen.

Was die Kunst seit Hölderlin, Goethe und Büchner behauptet hat, dann wieder, mit Nachdruck, in diesem Jahrhundert; wofür die Künstler mißverstanden, verhöhnt, ihre Bücher verboten und verbrannt wurden und werden, wofür sie vertrieben, eingesperrt, gefoltert und umgebracht wurden und werden, das hat sich leider bestätigt: Das Absurde ist die Wahrheit, das Phantastische ist realistisch, und das Denken des „gesunden Menschenverstands“ ist wahnwitzig. Angesichts solcher Tatsachen und Zustände muß ich mich weigern, in meine Arbeit das Kalkül eines Atomkriegs hineinzunehmen. Ich kann nur arbeiten für diese Zeit, die *nicht* Kriegszeit ist, und für die Zeit „danach“, in der, hoffentlich, die Abrüstung zunächst beginnt, dann durch Verträge gesichert ist. Ich hoffe, es noch zu erleben, daß dann eine Zeit ohne Waffen kommt, in der der bleierne Druck, der auf uns liegt, weicht. Ich denke, für diese Zeit muß die Literatur heute schon arbeiten, so phantastisch und utopisch es erscheint: Das mit schaffen helfen, was, nach den Definitionen von Wissenschaft und Politik, überhaupt nicht „wahr“ ist oder nicht einmal vorhanden, nämlich nicht „effektiv“: all das, dessen andauernde Abwesenheit eben jene Todesverzweiflung hervorgebracht hat, an der die „zivilisierte“ Menschheit leidet und die sie dazu treiben könnte, sich in den Tod zu stürzen: Freundlichkeit, Anmut, Duft, Klang, Würde, Poesie; Vertrauen, auch Spontaneität – das eigentlich Menschliche. Das, was am ehesten verfliegt, wenn eine Vorkriegsatmosphäre sich breitmacht. Dagegen, finde ich, müssen wir anschreiben – auf Hoffnung hin, wie Bobrowski sagte.

Auf die Frage, die junge Leute mir oft stellen, wie man leben soll in einer solchen Zeit, kann ich nur sagen, wie ich es versuche: ignorieren, was alles nicht „wahr“ sein soll, und es in seinem persönlichen Leben wahr zu machen suchen. Und als Autor: so schreiben, daß die Gesellschaft, in der man lebt, den größten Nutzen davon hat. Das bedeutet: kritisch. Die Gesellschaft durch Kritik auf das aufmerksam machen, was ihr helfen könnte, zu leben und zu überleben. Davon kann ich mich auf keinen Fall abhalten lassen.

Dezember 1981

Haager Treffen

Ausgehend von der Beobachtung, daß seit der Berliner Begegnung europäischer Schriftsteller und Wissenschaftler im Dezember 1981 die Ablehnung der Kriegsvorbereitung, die sich am deutlichsten durch die wahnsinnigen Rüstungsanstrengungen beider Seiten manifestiert, allgemein geworden ist, daß nicht nur Autoren und Wissenschaftler, sondern Massen von Menschen wissen und sagen, was sie *nicht* wollen: Krieg und alles, was zum Kriege führt; daß auch die Regierungen beider, im Kriegsfall einander vernichtender Seiten wieder und wieder bekundet haben und bekunden, daß sie Krieg nicht wollen; daß also eine weitgehende Übereinstimmung in Europa herrscht, was zu verhindern ist, wenn auch noch nicht wie: von all dem ausgehend, scheint es mir an der Zeit, deutlicher und genauer zu sagen, *was wir wollen.* Ich bin nämlich davon überzeugt, daß wir alle, alle die Länder, aus denen wir kommen, Friedfertigkeit lernen müssen, ernst und ehrlich in einen Lernprozeß eintreten müssen, der jede Art geistigen Streits nicht nur zuläßt, sondern voraussetzt, übt und wahrscheinlich steigert, der aber jeden Neben- und Hintergedanken an eine Machtlösung der Spannungen zwischen den Blöcken und innerhalb der Blöcke vollständig ausschließt und bis in die Generalstäbe hinein die Versuchung, mit einem Erst-, Zweit- oder Drittschlag auch nur vorbeugende Planspiele zu betreiben, absolut ächtet.

Über die Schwierigkeit, eine solche Forderung nicht

nur verbal anzuerkennen, sondern zu leben, mache ich mir keine Illusionen, aber ich bin sicher, daß aus einem Zustand des Nicht-Kriegs, in dem wir uns befinden, immer wieder, und schnell, wirklicher Krieg werden kann, und daß Friede nur von friedensfähigen Völkern ausgehen wird. Mir scheint, daß Autoren in besonderem Maße verpflichtet und in der Lage sind, vertrauensbildend zu wirken, was heißt: Friedensfähigkeit herzustellen.

Den Vernichtungsphantasien, die heute so viele Kräfte binden, so viele Kräfte unterdrücken, müssen schöpferische Phantasien entgegengesetzt werden, konkrete Utopien. Das Humanum fördern. Die Ethik nicht den Waffensystemen anpassen. Dem Hauptargument beider Seiten, die jeweilige Gegenseite würde in jede Blöße, die man sich gäbe, hineinschlagen, in allem Ernst vertrauensbildende Maßnahmen entgegensetzen. Auf diesem Feld können Konferenzen wie diese praktisch Fortschritte erzielen, z. B., indem von ihnen die Anregung ausgehen kann, gemeinsame Lesungen von Schriftstellern verschiedener Länder in möglichst vielen Ländern zu veranstalten, unter dem Motto: Schriftsteller lesen für den Frieden; indem der Kreis der Autoren, die an der Arbeit dieser Konferenzen teilnehmen, bewußt und systematisch erweitert wird, nämlich besonders auf jüngere Schriftsteller und Schriftstellerinnen, die Generationen vertreten, die die Erfahrung „Krieg" nicht hatten, und die ein Recht darauf haben, sich selbst gegen die Bedrohung ihrer Zukunft mit ihren Mitteln zu wehren. Ferner, indem man überlegt, wie diese Reihe: Appell der Schriftsteller; Berliner Begegnung, Haager Konferenz, Interlit in Köln – fortgesetzt wird und ob zwischen den einzelnen Tagungen irgendeine Art von Kontinuum denkbar wäre, damit die Arbeit eine Beständigkeit bekommt.

Meine Anregungen, die selbstverständlich offen und fair jede Modifikation erlauben, zielen darauf, daß die Impulse der Berliner Begegnung, die in der DDR, aber nicht nur dort, ein großes Echo hatte, Hoffnungen weckte, lebendig bleiben.

Wir als Schriftsteller haben in unserer Arbeit an untergründige, unbewußte Ströme in uns zu rühren, aber wir wollen damit keinen Irrationalismus freisetzen, sondern beitragen zu jener Vernunft, in der beides beschlossen ist: Rationales und Emotionales.

Mai 1982

Antwort an einen Leser

Anfang September bekam ich einen Brief aus Freiburg im Breisgau. Sein Absender, ein „junger Mensch“, wie er sich selbst nennt, Vater von drei Kindern, der mit geistig behinderten Kindern arbeitet, Medizin studiert, stellt mir einige Fragen.

Die erste lautet: Darf ich noch hoffen? – Gibt es noch Wege aus der Gefahr? lautet die zweite. Die dritte: Welche Kraft zu leben haben Sie erproben können, die unserer Zukunft standhält? Und er endet mit einem Ausrufesatz: Bitte: Lassen Sie uns alles daran setzen, daß Frieden herrscht zwischen unseren Ländern. Wirklich alles! Und noch mehr!

„Lieber Herr D.“, schrieb ich damals, Anfang Oktober, „was könnte ich Ihnen schreiben? Schon vierzehn Tage habe ich Ihren Brief bei mir liegen lassen, habe immer wieder an ihn denken müssen; er ist so dringlich, daß ich ihm nicht ausweichen kann, so persönlich, daß ich auch persönlich darauf antworten muß; den Offenbarungseid allerdings, den er fordert, kann und will ich nicht leisten, immerhin Bruchstücke davon. Auch eine Abwehr war in meiner ersten Reaktion auf Ihren Brief; ich könnte sie in dem Satz zusammenfassen: Warum ich? Warum sollte ich ‚Wege aus der Gefahr‘ wissen, warum sollte gerade ich verpflichtet sein – von ‚berechtigt‘ rede ich nicht! – eine Meinung zu äußern, der ein anderer mehr Gewicht beimißt als den vielen anderen Meinungen dieser Monate.

Ich weiß nicht, ob in dieser Abwehr auch Flucht liegt,

glaube es kaum. Eher ist darin eine Erfahrung meines Lebens – und gerade danach fragen Sie ja –, daß in diesem Jahrhundert und in diesem Kulturkreis sehr viele Menschen, zeitweise auch ich, einem starken, überstarken Hang nach Autoritäten nachgaben und nachgeben", was ja hieß und heißt, sage ich heute, über zwei Monate später, meinen Brieftext anhaltend: Was ja hieß und heißt, das eigne Denken, die eigne Tat, die eigne Verantwortung für beides der „Autorität" zu übertragen. Dies aber wollte mein Briefpartner gewiß nicht, und er wird meine Erklärung verstanden haben, daß ich weder aktiv noch passiv an solchen Vorgängen Anteil haben wolle. „Aber da sind wir schon", schrieb ich weiter, „in der Erörterung der Fragen. Und wenn wir es so nehmen können: als eine Erörterung, als ein gemeinsames Nachdenken, das nicht zu schlüssigen Antworten führen muß, dann könnte es möglich sein, mich auf Ihre Fragen einzulassen.

Wenn ich mich beobachte, ertappe ich mich täglich, nächtlich auf einem andauernden inneren Monolog, der kaum abreißt: Ist Europa, sind wir zu retten? Wenn ich scharf, rational überlege, alle mir zugänglichen Informationen über die Rüstungen beider Seiten mir vor Augen halte, vor allem die Denkstrukturen, die diesen Rüstungen zugrunde liegen, dann heißt meine Antwort: Nein, oder: Wahrscheinlich nicht."

Soll ich solche Sätze über einen Sender geben? Wieder lege ich meinen Brief beiseite. Im Lauf dieses letzten Jahres, es war im April, habe ich eines jener Bewußtseinserlebnisse gehabt, die man selten im Leben hat und die man nicht vergißt. Der Sprecher von Fernsehnachrichten meldete, eine in London tagende Expertenkonferenz sei zu dem Ergebnis gekommen, Europa habe noch eine Überlebenszeit von drei, vier Jahren – für den Fall, daß die jetzige Politik weitergeführt werde. Da erlebte ich eine Minute, in der das geschah, was in drei, vier Jahren geschehen soll. Diese Minute hat nicht nur negativ in mir gewirkt – lähmend; aber ist Gelähmt-Sein nicht sinnlos geworden? –, sie hat Zorn in mir freigesetzt und Freiheit. Wenn sie es wagen, die Vernichtung dieses Europa ins militärische Kalkül zu ziehn, dann dürfen wir, Morituri in den Statistiken der nuklearen Planungsstäbe, uns ja wohl noch einiges herausnehmen; dann ist ja wohl auch unsere Unterordnung unter die Logik, deren letzte Erscheinungsform die Rakete ist, sinnlos geworden, was heißt, daß wir nicht radikal genug sein können in unseren Fragen nach den Ursachen dieser radikalen Bedrohung; angesichts der „Lage", militärisch gesprochen, in der wir uns befinden: sollte nicht gedacht, vorgeschlagen und versucht werden, was „eigentlich nicht geht"? Da der „Boden der Tatsachen", auf den uns zu stellen wir immer wieder aufgefordert werden, potentiell verseucht ist; ist es da so abwegig, wenn wir uns nach einem andern Grund umsehen? Wo selbst die Wortpaare, deren gegensätzliche Bedeutung die Geschichte festgeschrieben zu haben schien – „Angriff" und „Verteidigung", ihre innere Spannung verloren haben und in das Kraterwort „Vernichtung" abgestürzt sind: sollten wir nicht mit Wörtern zu sprechen versuchen, die noch etwas bedeuten?

So denke ich heute. An Herrn D. aber schrieb ich weiter: „Eine Zivilisation, die imstande ist, ihren eignen Untergang zu planen und sich unter ungeheuren Opfern die Mittel dafür zu beschaffen, erscheint mir wie krank. Die Rakete, die Bombe sind ja keine Zufallsprodukte dieser Kultur; sie sind folgerichtige Hervorbringungen expansionistischen Verhaltens über Jahrtausende; sie sind vermeidbare Verkörperungen des Entfremdungssyndroms der Industriegesellschaften, die sich mit ihrem Mehr! Schneller! Genauer! Effektiver! alle anderen Werte untergeordnet, viele von ihnen, die auf menschliches Maß berechnet waren und nicht auf die Unmaße gigantischer Instrumente, einfach verschlungen haben. Die Massen von Menschen in ein entwirklichtes Objekt-Dasein gezwungen und besonders die Naturwissenschaften in den Dienst genommen, die Fakten, die sie liefern, in den Rang der einzig gültigen Wahrheit erhoben haben, was heißt: Was nicht meßbar, wägbar, zählbar, verifizierbar ist, ist so gut wie nicht vorhanden. Es zählt nicht. So wie überall da, wo das ‚Wirkliche', wirklich Wichtige, entworfen, geplant und hergestellt wird, Frauen nicht zählten und nicht zählen: seit dreitausend Jahren. Die Hälfte der Menschen, die in einer Kultur leben, haben *von Natur aus* keinen Anteil an den Hervorbringungen, in denen sie sich erkennt." Also auch keinen Anteil, fällt mir ein, an den Gedanken- und Produktionsexperimenten, die ihren Untergang betreffen. Tatsächlich: An den Forschungen für die Waffen unserer Zeit, an der Entwicklung der Technik für sie, an der Planung ihres Einsatzes und an der Befehlsgewalt über sie hat keine einzige Frau Anteil. Wenn Männer ihr Heil und Unheil an die Objekte gebunden haben, die sie herstellen; wenn sie, in heilloser Vertauschung von Zweck und Mitteln, sich den technischen Abläufen unterordnend, in rigorose Arbeitsteilung gezwungen, in rigide Hierarchien eingebaut, auf gefühlsfernes, „sachliches" Denken und Verhalten dressiert, sich selbst verlieren müssen – wie verloren sind, falls sie nicht aufbegehren, in dieser Leistungspyramide erst die Frauen? Wo finden sie, wo finden wir, noch einen Platz, der nicht, indem er unseren Lebensunterhalt sichert, zugleich die Grundlagen für unser biologisches Leben auf dieser Erde antastet und untergräbt?

Gerate ich vom Hundertsten ins Tausendste? Kann es ein Zufall sein, daß alle Widersprüche unserer todessüchtigen Kultur sich an ihren Waffensystemen erkennen lassen? „Lieber Herr D.", schrieb ich, „an Stimmen, die diese Vorgänge richtig beschrieben, aus dem Leiden, dem Konflikt, dem Widerspruch heraus, hat es nicht gefehlt. Sie wurden, das mindeste zu sagen, überhört. Was die Kunst seit Hölderlin, Goethe und Büchner behauptet hat, dann wieder, mit Nachdruck, in diesem Jahrhundert; wofür die Künstler mißverstanden, verhöhnt, ihre Bücher verboten und verbrannt wurden und werden;

wofür sie vertrieben, eingesperrt, gefoltert wurden und werden, das hat sich leider bestätigt: Wir bringen hervor, was uns tötet; das Absurde ist wahr, das Phantastische ist realistisch, und das formallogische Denken des ‚gesunden Menschenverstandes' ist wahnwitzig. Die Prognosen der Kunst treffen zu, die fortschrittsbesessenen Voraussagen der Wissenschaft richten sich nun gegen ihre Erfinder. Die Bedürfnisse, denen sie dienten, die sie weckten, die sie bedienen – zu viele davon ‚verkehrt' – sind entfesselt und peitschen sie weiter. Wohin, wagen sie kaum noch zu fragen.

Wie verhängnisvoll erweisen sich jetzt jene Lücken in unserem Denken und Fühlen, wie verhängnisvoll alles, was uns zu sehen, hören, riechen, schmecken, empfinden und zu sagen nicht erlaubt wurde und wird. Jene Zensur und Selbstzensur, frage ich mich, die immer vor allem verhindern will, daß wir uns selbst sehn, wie wir sind; die das Bedürfnis nach Selbsterkenntnis niederhält, an seiner Stelle ein tiefes Ohnmachtsgefühl erzeugt, und, da man sich selbst, unerkannt, nicht lieben kann, eine allgemeine Unfähigkeit zu lieben: wie hängen sie, Zensur und Selbstzensur und alle die anderen Beschränkungen vitaler Lebensbedürfnisse, mit der Gewalttätigkeit unserer Zivilisation zusammen? Mit dem Irrglauben, mehr und entsetzlichere Waffen bedeuten mehr Sicherheit? Mit der Angst vor dem selbstgeschaffenen Mythos ‚Feind' – also mit der Gefahr, die Widersprüche des einen Systems, die verschleiert und mit den Widersprüchen des anderen Systems verdeckt werden, durch einen Gewaltakt zu lösen anstatt durch produktive Veränderungen?

Ich frage, lieber Herr D., ich frage. Wenn die Gespenster erwachen . . .

In einer ganz oder teilweise falschen, selbstgefälschten Realität zu leben bedeutet auch, daß Rausch und Wahndenken naheliegen. Die von Rausch und Wahndenken Befallenen scheinen aber gegen Argumente der Vernunft immun zu sein. Warum eigentlich? Vermutlich, weil die Leere, die sich in Rausch und Wahndenken flüchtet, sich mit ihnen betäuben muß, eine panische Angst davor entwickelt, sich selbst gegenüberzutreten und jene langwierige, anstrengende Arbeit einer Selbsterziehung und Selbsterkenntnis anzufangen, die dazu führen könnte, daß man die Übertragung der eignen Ängste und Schwächen auf ein Feindbild nicht mehr braucht. Und daß man sich selbst auch empfinden, sogar als ‚stark' empfinden kann, wenn man Stärke nicht mehr durch Waffen demonstriert: das wäre, was wir ‚Reife' nennen; sie ist in unserer Zivilisation schwer zu haben. Leichter ist es, Andersdenkende immer auch als ‚realitätsfremd' zu diffamieren." Ich lasse den Brief sinken. Denke nach. Suche nach Einsprüchen, die ich geltend machen könnte.

Das ist der bängliche Aspekt, der sich aus meiner Arbeit der letzten Jahre unabweisbar ergibt: Der Gedanke plagt mich, daß unsre Kultur, die das, was sie „Fortschritt" nennt, nur durch Gewalt erzielen konnte, durch Unterdrückung im Innern, durch Vernichtung und Ausplünderung fremder Kulturen, die ihren Wirklichkeitssinn bei der Verfolgung materieller Interessen verengt hat, die instrumental und effektiv wurde – daß eine solche Kultur an den Punkt kommen mußte, an dem sie ist.

Und, fast noch bedrängender, bildet sich in mir der Satz: Hitler hat uns eingeholt. Was er beinahe, nicht ganz geschafft hat: Europa zu zerstören, könnte die Konstellation zuwege bringen, die der Zweite Weltkrieg hinterlassen hat. Schwer fällt es mir, diesen Gedanken wegzuschieben, zu meinem Brief zurückzukehren. „Lieber Herr D.". Was kann noch kommen?

„Lieber Herr D., ‚Komm! ins Offene, Freund!' beginnt Hölderlin um 1800 eine seiner Elegien. Eine utopische Aufforderung, die er, wenige Verse später, mit nüchternster Wirklichkeitssicht koppelt: ‚Trüb ists heut, es schlummern die Gäng und die Gassen und fast will / Mir es scheinen, es sei, als in der bleiernen Zeit.' Treffender könnte ein Vergleich nicht sein. Und über uns, lesen wir anderswo, schließt sich der Himmel aus Stahl.

Soll auch die Literatur, frage ich mich und Sie, die einst in dem großen Epos des Homer mit Schlachtenschilderung und Waffenbeschreibung begann, mit Heroenkult und Lobpreisung der gottähnlichen Heeresführer – soll auch sie sich an der Austreibung der Utopie beteiligen? Kann sie, anknüpfend an die prachtvolle Beschreibung des Schilds, den Achill trug, einen Hymnus auf die Neutronenbombe anstimmen? *Müßte* sie es nicht wollen und können, wäre diese, wären die anderen Waffen, was ihre Schöpfer und potentiellen Benutzer von ihnen behaupten: die eigentlichen Friedensstifter?

Nein. Von allen guten Geistern verlassen sind wir nicht. Sie, lieber Herr D.", schrieb ich, „müssen aus Ihrer Arbeit mit behinderten Kindern, die Sie ja nicht zu Produzenten abrichten können, ähnliche Wirkungen an sich selbst erfahren wie ich, schreibend ‚auf Hoffnung hin', wie Johannes Bobrowski es sagte. Geht es Ihnen ähnlich? Unter dem Druck der Gefahr wächst die Intensität des Nachdenkens, Suchens, Zusammenlebens. Man erlaubt sich keine Mätzchen wie Lebensmüdigkeit, Endzeitgefühle. Mit aller Schärfe weiß man nun – wie ein Mensch, der erfahren hat, daß er unheilbar krank ist –, daß man leben will, und daß man umdenken lernen muß, auch umfühlen.

Denn nicht Mächtiges ists, zum Leben aber gehört es,
Was wir wollen, und scheint schicklich und freudig zugleich.

Hölderlin. Schicklich und freudig? Was denn? Uns kommt es fast maßlos vor, was er darunter verstehn will: ‚kosten und schaun das Schönste, die Fülle des Landes.' Und doch: Darunter können auch wir nicht gehn. Was ignoriert und geleugnet wird, müssen wir schaffen, Freundlichkeit, Würde, Vertrauen, Spontaneität, Anmut, Duft, Klang, Poesie. Ungezwungenes Leben. Was schnell, was zuerst verfliegt, wenn der friedlose Friede in Vor-Krieg überzugehn droht. Das eigentlich Menschliche. Was uns bewegen kann, diesen Frieden zu verteidigen.

Was können wir Deutschen anderes tun als besonders friedfertig sein – mit allem, was dieses Wort auch an Geschichtssinn und Geschichtswissen, an Selbstkritik und wohlverstandenem Selbstbewußtsein, an Aufmerksamkeit für die Bedürfnisse und die – oft gerade von Deutschen verursachten – empfindlichen Punkte unserer Nachbarvölker einschließt, und, auf Dauer gesehn, auch an Verständnis für die Erscheinungsbilder und Zielstellungen anderer Kulturen. An Sensibilität dafür, wenn woanders auf der Welt Völker in der Gefahr sind, vernichtet zu werden, und Menschen verhungern.

Sie sehen, lieber Herr D., es gelingt mir nicht, in winzigen Zeiträumen zu denken. Nur wenn ich die schwarze Wand vor uns in Gedanken durchstoße, mich ‚ins Offene' begebe, weicht die Zwangsidee, daß wir nicht mehr zu retten seien. Kaum zu hoffen wag ich, der Spruch Hölderlins könne einmal, wenn glücklichere Nachfahren an uns denken, auf uns zutreffen: ‚Wir, so gut es gelang, haben das Unsre getan.'"

Mein Brief geht zu Ende. Wie schließe ich? Lieber Herr D., deutlich sehe ich die Anfechtbarkeit meiner Überlegungen, die, das bestreite ich nicht, um unsere Ohnmacht kreisen; die auf ein Wunder aus sind: aus einem Nichts ein Etwas zu machen, aus Ohnmacht Wirkung. Aber ist es nicht genau das, was die Friedensbewegung in der Bundesrepublik leistet? Beweist, daß die Furcht vor der Vernichtung die Furcht vor den Obrigkeiten überwältigen kann, daß die Jugend dem Verdikt „no future", das über sie verhängt schien, ihre Vision eines gewaltfreien Zusammenlebens entgegensetzt? In diesem Sinne sprach vor wenigen Tagen der Friedensforscher Robert Jungk auf der „Berliner Begegnung" – jener Zusammenkunft von Schriftstellern und Wissenschaftlern aus beiden deutschen Staaten und einigen

Ländern Europas, die ich in dieser Zusammensetzung, in diesem Geist und an diesem Ort noch vor Monaten für unmöglich gehalten hätte. Sind dies nicht Anzeichen dafür, daß hier und da unternommen wird, was „eigentlich nicht geht“?

Ist es nicht bemerkenswert, daß zum erstenmal die Völker, die gegeneinander aufgeboten werden sollen, einander nicht hassen? Vertieft das die tragischen Aspekte der Zukunft? Heißt es uns, im Gegenteil, hoffen?

„Ich danke Ihnen“, schrieb ich am Ende, „lieber Herr D., ich danke Ihnen für Ihren Brief und grüße Sie.“

Dezember 1981

Zwei Briefe

An den Präsidenten
der Ohio State University,
Columbus, Ohio, USA

22.5.1983

Sehr geehrter Herr Präsident,
dankbar habe ich Ihre Mitteilung entgegengenommen, daß die Ohio State University beabsichtigt, mir einen Ehrendoktorgrad zu verleihen. . . . Um so mehr bedaure ich es, daß die Umstände, unter denen das Commencement stattfindet, es mir unmöglich machen, den mir zugedachten Titel anzunehmen. Als Gast Ihres Landes möchte ich es vermeiden, mit der offiziellen Politik der Regierung der USA in Verbindung gebracht zu werden: Dies wäre aber unvermeidlich, wie Sie sicher zustimmen werden, da der Vizepräsident der Vereinigten Staaten, Mr. George Bush, während der gleichen Zeremonie den Ehrendoktorgrad erhalten wird. Kaum einer meiner Leser, die die Richtung meiner Arbeit, meine Überzeugungen und insbesondere mein Engagement innerhalb der Friedensbewegung in Europa kennen, würde das verstehen. Meine Glaubwürdigkeit als Schreibende aber, die ich den verschiedensten Seiten gegenüber bisher verteidigen konnte, ist die unverzichtbare Grundlage meiner Arbeit. . . .

Mit vorzüglicher Hochachtung
Christa Wolf

Berlin, den 12.9.1983

Sehr geehrter Herr Präsident,
aus persönlichen Gründen kann ich Ihren Brief vom 29. Juni dieses Jahres erst heute beantworten. Ihr Angebot, mir den Ehrendoktorgrad Ihrer Universität in absen-

tia zu erteilen, gibt mir Gelegenheit, die Vorbehalte zu konkretisieren, die ich im Frühjahr gegen eine Annahme dieses Titels haben mußte.

Vor allem möchte ich klarstellen, daß nichts anderes als meine eigene Überzeugung mich leitete, als ich damals den Titel ablehnte. Ich bin ein Gegner der Konfrontation zwischen Ost und West, ich halte die Verteufelung des jeweils anderen Systems durch Politiker im Zeitalter der Atombombe für hoch gefährlich, und ich bin gegen die Aufstellung neuer nuklearer Waffensysteme in Europa, also auch und vor allem gegen die Aufstellung der neuen USA-Raketen auf dem Boden der Bundesrepublik Deutschland. Bei verschiedenen Anlässen habe ich während meines Aufenthaltes in den USA deutlich gemacht, für wie gefährlich ich diese Absichten und die Politik halte, die hinter ihnen steht. Diese Meinung hätte ich aber in Anwesenheit des Vizepräsidenten der USA auf dem Commencement im Frühjahr nicht ausdrücken können, und ich wäre dadurch in eine für mich unerträgliche Lage gekommen.

Ihrem Brief, sehr geehrter Herr Präsident, entnehme ich Ihren Wunsch, mir den Ehrendoktortitel zu für mich annehmbaren Bedingungen zu verleihen. Ich bedanke mich für Ihr Entgegenkommen und nehme den Titel von der Ohio State University, der ich mich verbunden fühle, gerne an. Diesen Brief bitte ich Sie bei der Verleihung verlesen oder in der Studentenzeitung veröffentlichen zu lassen.

Mit vorzüglicher Hochachtung
Christa Wolf

Der weiße Kreis

Die Vorgabe: Ein weißer Kreis in grünem Umfeld. Ich weiß, diesen weißen Kreis soll ich als Kugel sehen, er soll auf die Größe des Erdballs wachsen (dessen Aura ja übrigens blau, nicht grün sein soll: Der blaue Planet). Der weiße Kreis – eine immense Projektionsscheibe, auf welche die Künstler ihre Visionen werfen sollen. Rettet das Leben auf der Erde. Mir scheint, zu diesem Satz wurde in den letzten Jahren alles gesagt, was dazu gesagt werden kann. Wieder kommt es mir so vor, als ob die Maler es leichter hätten. Sie können, sie müssen sich ein Bild machen – ein Schreckensbild, ein Wunschbild, ein Warn- oder Mahnbild. Die Erde, ihre vollkommene Form – die Kugelgestalt – durch frevelhaften Mißbrauch ungeheurer Energien zerbrechend. Oder: Die Erde, friedliche Heimstatt von Mensch und Tier.

Wer würde das eine nicht angstvoll von sich weisen, wer nicht das andere herbeisehnen. Wir leben in dem ungemütlichen Gelände zwischen Katastrophe und Idylle, und so wird es, falls wir überleben, lange bleiben. Als erstes wären also vielleicht die trügerischen Versprechungen und die trügerischen Hoffnungen zu entlarven, ja, zu zerstören: Wer tut das schon gerne, wer läßt es sich schon gerne antun. Auf dem Grund dieser Verhaltensweisen liegt das Selbstbild der Angehörigen kleiner Stämme, die jeden Angehörigen eines anderen Stammes als fremd, barbarisch sahen. Angst liegt auf dem Grund der sonst schwer verstehbaren qualvollen Langsamkeit, mit der die heute lebenswichtigsten Einsichten sich ausbreiten, Angst dirigiert das Abwehren, Zurückweisen, das Sich-selbst-Reinwaschen, das Andere-Beschuldigen, dieses tödliche Zögern vor wirksamen Handlungen.

Der weiße Kreis: Das sind die anderen. Der andere Kulturkreis. Die andere Art, auf dieser Welt zu sein, die mich bedroht. Wäre es vorstellbar, daß Gruppen von Menschen eher ihre Selbstvernichtung einkalkulieren – nicht nur durch die Waffen, übrigens –, als ernsthaft eine radikale Änderung ihrer Lebensweise in Betracht zu ziehen? Die Frage scheint absurd. Steht sie denn so? Auf wen weisen also die anklagenden Hände, die die Maler zeichnen, wen flehen die Kinderaugen auf ihren Plakaten an? Und was leistet der Appell wirklich, der mich, wie viele sicherlich, direkt und persönlich traf: Rette das Leben auf der Erde. Ja, fühlt man sich inständig erwidern. Gewiß. Unbedingt. Und hört dann, laut genug, in sich die Frage: Aber wie denn. Wie!

Ist es nicht tröstlich, daß eine Ausstellung, ein Buch wie diese zustandekommen, als gemeinschaftliches Werk so vieler Maler aus so vielen Ländern? Doch. Es tut gut. Es ist ein Freudenfunken. Es stärkt. Es kann Menschen, die am Verzweifeln sind, ein Hoffnungszeichen sein. Ob es andere, die von Feindbildern nicht lassen können, in ihrer starren Haltung ein wenig erweichen kann, das weiß ich schon nicht. Ich zweifle. Gehen sie überhaupt in diese Ausstellung? Nehmen sie ein Buch wie dieses in die Hand?

Die Erde ist kein weißer Kreis, kein unbeschriebener Planet. Unter der Oberfläche, die wir Heutigen ausbeuten und dabei immer häufiger zerstören, stoßen wir in immer tieferen Schichten auf immer frühere Kulturen. Seit Tausenden von Jahren versuchen die einander ablösenden Zivilisationen, ihre Götterzeichen, das heißt: ihr Bild von sich gewaltsam dem ihnen bekannten Erdkreis aufzuprägen. Ebenso lange haben sie das Rechtfertigungsgedröhn der Kunst gebraucht, erhalten, wenn es sein mußte: erzwungen. Dies sind unsere historischen Wurzeln, da wurden unsere Begierden, Gewohnheiten und Maße geschaffen. Zu den frühesten Vorfahren, die, mag sein, friedlich in ungegliederten Verhältnissen lebten, führt kein Weg zurück. Es gibt die leere Stelle nicht, in die hinein sich ein Paradies entwerfen ließe, und die alten Paradiese würden uns Heutigen eher kleine Höllen sein. Rückzüge und Auswege dieser Art sind uns versagt, zur Zeit probieren wir Seitensprünge, Winkelzüge, hinhaltende Manöver und täuschen uns und andere.

Der weiße Kreis, der mich so fasziniert, erscheint mir jetzt als der blinde Fleck im Gesichts- und Bewußtseinsfeld unserer Kultur, der es uns verwehrt, gerade dasjenige zu sehen und wahrzunehmen, was wir am dringendsten kennen müßten: den Ursprung der Angst, die uns zwingt, uns so selbstmörderisch zu wappnen und die Lebensmittel für die nach uns Kommenden zu vernichten. Eine tief sitzende und schon nicht mehr gespürte Versagensangst, immer wieder hochgetrieben durch den Dauersporn zu immer noch höherer Leistung. Diesen Sporn zu entschärfen, dieses Suchtmittel unserer Kultur, den Industrieländern zu entziehen, bedeutete, ihnen ihr zentrales Götzenbild zu rauben und die Leere, die es nur notdürftig verdeckt, auf einmal offenkundig zu machen. Da könnte der weiße Kreis zum schwarzen Loch werden, alte Werte verschlingend, ehe noch ein neues Wertegerüst in Ansätzen sich hat bilden können. Man kennt die schweren Entzugserscheinungen bei Süchtigen.

Was tun?

Vor Jahren lud mich ein junger Lehrer in einer mittleren Universitätsstadt der USA in seine Schule ein. Ich sah, wie sich in der Pause schwarze und weiße Kinder auf dem Schulhof prügelten. Ich sah im Klassenzimmer die Kluft zwischen der Sitz-Insel der schwarzen Kinder und der der weißen. Ich hatte in den Schulbussen die schwarzen Kinder isoliert auf den hinteren Plätzen sitzen sehen. In der Stunde, an der ich teilnahm, erzählte der junge Lehrer den Schülern von den unterschiedlichen Vorstellungen, die sich verschiedene Völker von der Entstehung des Weltalls, von Himmel und Erde, Sonne, Mond und Sternen machten. Er erzählte ihnen die Sage der Grönlandeskimos, dann ließ er die Kinder diese Sage spielen. Ein weißes Mädchen sprach die Sonne, ein schwarzer Junge den Mond. Einst soll der Mond mit seiner jüngeren Schwester, der Sonne, zusammen in einem Hause gewohnt haben. Sie liebten einander sehr, und der Mond, der schließlich von Leidenschaft zu seiner Schwester ergriffen wurde, begann sie nachts zu besuchen. Die Sonne schämte sich, steckte ein Stück Torf in Brand und lief damit aus dem Haus. Auch der Mond steckte ein Stück Torf in Brand, schwang sich aufwärts und verfolgte die Schwester. Die Schwester aber flog schneller, und das Torfstück des Mondes erlosch bald. So entstanden Sonne und Mond. Die Sonne wärmt, weil ihre Fackel noch brennt, der Mond aber ist kalt, weil die seine erloschen ist.

Es war still in der Klasse. Seitdem denke ich manchmal, wenn ich den weißen Kreis des Mondes sehe, an den schwarzen Jungen, der, wenn auch nur für Minuten und im Spiel, zu einem weißen Mädchen „Schwester", und an das weiße Mädchen, das zum erstenmal zu einem schwarzen Jungen „Bruder" sagte. Nicht daß ich glauben könnte, daß den Kindern ein solches Erlebnis über den Tag hinaus nachgegangen ist. Aber der junge Lehrer schien mir so beschaffen zu sein, daß er seinen Schülern jeden Tag die Gelegenheit für wenigstens eine solche Erfahrung schuf.

Juni 1985

Nachweise

Die Texte dieser Auswahl beruhen auf den Erstveröffentlichungen, den Manuskripten oder auf den letzten Auflagen der bisher erschienenen Sammlungen „Lesen und Schreiben", Berlin und Weimar 1973 (2., erweiterte Auflage), „Fortgesetzter Versuch", Leipzig 1982 (3., erweiterte Auflage), und Christa Wolf, Gerhard Wolf „Ins Ungebundene gehet eine Sehnsucht. Gesprächsraum Romantik", Berlin und Weimar 1985 (zitiert als „Ins Ungebundene").

Die Nachweise nennen den Erstdruck (soweit ermittelt) und die Textvorlage, enthalten knappe Angaben zum Anlaß des Textes und, wenn erforderlich, kurze Anmerkungen zu Personen und Sachverhalten.

Selbstauskünfte

Einiges über meine Arbeit als Schriftsteller – In: Junge Schriftsteller der Deutschen Demokratischen Republik in Selbstdarstellungen, Hrsg. Wolfgang Paulick, Leipzig 1965.

Tagebuch – Arbeitsmittel und Gedächtnis – In: Lesen und Schreiben, Berlin und Weimar 1972.

Rundfunkbeitrag.

Abgebrochene Romane – In: Situation 66. 20 Jahre Mitteldeutscher Verlag Halle, Halle/Sa. 1966.

Selbstinterview – In: Kürbiskern (München), Heft 4/1968, unter dem Titel „Nachdenken über Christa T. – ein Selbstinterview". Text nach „Fortgesetzter Versuch".

Rundfunkbeitrag für die Sendereihe des Berliner Rundfunks „Autoren kommen zu Wort" vom 27. 12. 1967.

Das „Selbstinterview“ leitete eine Lesung aus dem Manuskript von „Nachdenken über Christa T.“ ein.

Gegenwart und Zukunft – In: Woprossy Literatury (Moskau), Heft 12/1970. Text nach Neue Deutsche Literatur (Berlin), Heft 1/1971.

Die in Moskau erscheinende Monatszeitschrift Woprossy Literatury hatte Schriftsteller aus der DDR um die Beantwortung folgender Fragen gebeten:

1. Welches sind Ihrer Meinung nach die wichtigsten Veränderungen, die sich in den vergangenen zwanzig Jahren in der Wirklichkeit der DDR vollzogen haben, und wie haben sie sich im geistigen und moralischen Antlitz der Zeitgenossen widergespiegelt?

2. Welche Veränderungen vollziehen sich im Arsenal der künstlerischen Mittel und in der Genre-Struktur der DDR-Literatur, und welche davon erscheinen Ihnen am perspektivreichsten?

3. Woran arbeiten Sie im Augenblick, welche Pläne haben Sie für die Zukunft?

Die Neue Deutsche Literatur veröffentlichte einige dieser Antworten unter dem Sammeltitel „Wortmeldungen. Schriftsteller über Erfahrungen, Pläne und Probleme“.

Dankrede zum Fontane-Preis – Unveröffentlicht.

Der Fontane-Preis wurde Christa Wolf am 22. 12. 1972 in Potsdam verliehen.

Über Sinn und Unsinn von Naivität – In: Eröffnungen. Schriftsteller über ihr Erstlingswerk, Hrsg. Gerhard Schneider, Berlin und Weimar 1974. Text nach „Fortgesetzter Versuch“.

Ein Satz. Bremer Rede – In: Süddeutsche Zeitung (München) vom 11./12. 2. 1978. Text nach „Fortgesetzter Versuch“.

Rede anläßlich der Verleihung des Bremer Literaturpreises für 1977 am 26. 1. 1978 für das Buch „Kindheitsmuster“.

biblioteka universalis – In: Das Reclam Buch, Mitteilungen des Verlages Philipp Reclam jun. Nr. 52 (Sonderheft), Leipzig 1978. Text nach „Fortgesetzter Versuch“.

Auskunft – In: Deutsche Akademie für Sprache und Dichtung, Jahrbuch 1979, Heidelberg 1979.

Vorstellung bei der Aufnahme in die Deutsche Akademie für Sprache und Dichtung, Darmstadt.

Anekdotisches – In: Autoren. Verleger. Bücher. Ein Almanach. Für Hans Marquardt zum 12. August 1985. Mit einer Bibliographie seiner Bücher und einer Chronik des Verlages 1946 bis 1984, Leipzig 1985.

Irritation – In: Das Haus in der Französischen Straße. Vierzig Jahre Aufbau-Verlag. Ein Almanach, Berlin und Weimar 1985.

Netzwerk – Unveröffentlicht.

Rede anläßlich der Verleihung des Franz-Nabel-Preises der Stadt Graz am 8. 3. 1983.

Warum schreiben Sie? – In: Libération (Paris), März-Heft 1985. Text nach Manuskript.

Antwort auf eine Umfrage unter europäischen Autoren.

Wiener Rede – In: Der Falter (Wien), Heft 6/1985. Text nach Manuskript.

Rede anläßlich der Verleihung des Österreichischen Staatspreises für Europäische Literatur am 11. 3. 1985 in Wien.

Zeitgenossen I

Brecht und andere – In: Lesen und Schreiben, Berlin und Weimar 1972. Text nach „Fortgesetzter Versuch".

Rundfunkbeitrag für die Sendung von Radio DDR II (Berlin) „Werk und Bekenntnis. Selbstzeugnisse von Schriftstellern" vom 20. 4. 1966.

Die zumutbare Wahrheit. Prosa der Ingeborg Bachmann – Nachwort zu: Ingeborg Bachmann, Undine geht, Leipzig 1973. Text nach „Fortgesetzter Versuch".

Das Eigene. Juri Kasakow – Vorwort zu: Juri Kasakow, Larifari und andere Erzählungen, Berlin 1966. Text nach „Fortgesetzter Versuch".

Der Sinn einer neuen Sache. Vera Inber – In: Lesen und Schreiben, Berlin und Weimar 1972. Text nach „Fortgesetzter Versuch".

Rundfunkbeitrag für die Sendereihe des Deutschlandsenders (Berlin) „Dichtung der neuen Epoche. Schriftsteller der DDR über sowjetische Literatur" vom 15. 11. 1967 unter dem Titel „Der Platz an der Sonne".

Ein Briefwechsel – In: Was zählt, ist die Wahrheit. Briefe von Schriftstellern der DDR, Halle/Sa. 1975.

Gedächtnis und Gedenken. Fred Wander: Der siebente Brunnen – In: Sinn und Form (Berlin), Heft 4/1972. Text nach „Fortgesetzter Versuch".

Fragen an Konstantin Simonow – In: Neue Deutsche Literatur (Berlin), Heft 12/1973. Text nach „Fortgesetzter Versuch".

Das Gespräch entstand im Auftrag der Zeitschrift Neue Deutsche Literatur für das thematische Heft „Literarische Werkstatt UdSSR – DDR". Es fand am 21. 7. 1973 auf der Datsche Konstantin Simonows bei Moskau statt. Die Dolmetscherin L. I. Gerassimowa übersetzte. Es wurde auf Tonband gesprochen und später nur leicht redigiert. Den russischen Text übersetzte Eva Dannemann.

Sinnwandel. Zu Thomas Mann – In: Thomas Mann – Wirkung und Gegenwart. Aus Anlaß des hundertsten Geburtstages herausgegeben vom S. Fischer Verlag, Frankfurt/M. 1975. Text nach „Fortgesetzter Versuch".

Max Frisch, beim Wiederlesen oder: Vom Schreiben in Ich-Form – In: Text und Kritik, Heft 47/48, München 1975. Text nach „Fortgesetzter Versuch".

Gespräch mit Elke Erb – In: Elke Erb, Der Faden der Geduld, Berlin und Weimar 1978.

Berührung. Maxie Wander – Vorwort zu: Maxie Wander, Guten Morgen, du Schöne. Frauen in der DDR. Protokolle, Darmstadt und Neuwied 1978. Text nach „Fortgesetzter Versuch".

Zum Tod von Maxie Wander – In: Mitteilungen der Akademie der Künste der DDR (Berlin), Heft 6/1978.

Maxie Wander starb am 20. 11. 1977.

Begegnungen. Max Frisch zum 70. Geburtstag – In: Begegnungen. Eine Festschrift für Max Frisch zum siebzigsten Geburtstag, Frankfurt/M. 1981.

Preisverleihung. Günter de Bruyn – In: Mitteilungen der Akademie der Künste der DDR (Berlin), Heft 1/1982. Text nach „Fortgesetzter Versuch".

Laudatio zur Verleihung des Lion-Feuchtwanger-Preises an Günter de Bruyn am 30. 9. 1981 in Berlin.

Lieber Heinrich Böll. Zum 65. Geburtstag – In: Ein Autor schafft Wirklichkeit. Heinrich Böll zum 65., Köln und Bornheim/Merten 1982.

Franz Fühmann. Trauerrede – In: Sinn und Form (Berlin), Heft 5/1984, unter dem Titel „Worte des Gedenkens".

Franz Fühmann starb am 8. 7. 1984. Die Rede wurde bei der Trauerfeier der Akademie der Künste der DDR am 16. 7. 1984 gehalten.

Struktur von Erinnerung. Elisabeth Reichart: Februarschatten – Nachwort zu: Elisabeth Reichart, Februarschatten, Berlin und Weimar 1985.

Elisabeth Reichart (geb. 1953 in Steyregg), studierte von 1975–1983 Geschichte und Germanistik in Salzburg, lebt seit 1982 in Wien. Ihr erstes Buch, „Februarschatten", erschien 1984.

Erinnerung an Friedrich Schlotterbeck – Nachwort zu: Friedrich Schlotterbeck, Je dunkler die Nacht ..., Stuttgart 1985. Text nach Manuskript.

Friedrich Schlotterbeck starb am 7. 4. 1979 in Groß Glienicke.

Zeitgenossen II

Fragen an Anna Seghers – In: Neue Deutsche Literatur (Berlin), Heft 8/1959, unter dem Titel „Anna Seghers über ihre Schaffensmethode. Ein Gespräch".

Das siebte Kreuz – Nachwort zu: Anna Seghers, Das siebte Kreuz, Berlin 1964. Text nach „Fortgesetzter Versuch".

Ein Gespräch mit Anna Seghers – In: Neue Deutsche Literatur (Berlin), Heft 6/1965, unter dem Titel „Christa Wolf spricht mit Anna Seghers".

Rundfunkgespräch im Deutschlandsender (Berlin) vom 3. 3. 1965 unter dem Titel „Vom ‚Aufstand' zur ‚Entscheidung'".

Glauben an Irdisches – Nachwort zu: Anna Seghers, Glauben an Irdisches. Essays aus vier Jahrzehnten, Hrsg. Christa Wolf, Leipzig 1969. Text nach „Fortgesetzter Versuch".

Anmerkungen zu Geschichten – Nachwort zu: Anna Seghers, Aufstellen eines Maschinengewehrs im Wohnzimmer der Frau Kamptschik, Neuwied und Berlin 1970.

Bei Anna Seghers – In: Liebes- und andere Erklärungen. Schriftsteller über Schriftsteller, Hrsg. Annie Voigtländer, Berlin und Weimar 1972. Text nach „Fortgesetzter Versuch“, dort unter dem Titel „Begegnungen mit Anna Seghers 1“.

Fortgesetzter Versuch – In: Über Anna Seghers. Almanach zum 75. Geburtstag, Hrsg. Kurt Batt, Berlin und Weimar 1975. Text nach „Fortgesetzter Versuch“, dort unter dem Titel „Begegnungen mit Anna Seghers 2“.

Die Dissertation der Netty Reiling – Vorwort zu: Netty Reiling (Anna Seghers), Jude und Judentum im Werke Rembrandts, Leipzig 1981. Text nach „Fortgesetzter Versuch“.

Zeitschichten – Nachwort zu: Anna Seghers, Ausgewählte Erzählungen, Hrsg. Christa Wolf, Darmstadt und Neuwied 1983.

Transit: Ortschaften – Nachwort zu: Anna Seghers, Transit, Rom 1986. Text nach Manuskript.

Zeitgeschehen

Probleme junger Autoren – In: Freiheit (Halle) vom 1. 4. 1961 unter dem Titel „Für hüben und drüben. Diskussionsbeitrag zur Vorbereitung des V. Deutschen Schriftstellerkongresses“.

Diskussionsbeitrag zur zweiten Bitterfelder Konferenz 1964 – In: Protokoll der von der Ideologischen Kommission beim Politbüro des ZK der SED und dem Ministerium für Kultur am 24. und 25. April im Kulturpalast des Elektrochemischen Kombinats Bitterfeld abgehaltenen Konferenz, Berlin 1964.
Stenogramm des Beitrags.

Eine Rede – In: Lesen und Schreiben, Berlin und Weimar 1972.
Rede auf einer Festveranstaltung zum 15. Jahrestag der DDR in Potsdam.

Notwendiges Streitgespräch – In: Neue Deutsche Literatur (Berlin), Heft 3/1965.

Diskussionsbeitrag zu einem internationalen Kolloquium, das Anfang Dezember 1964 in Berlin stattfand, bei dem Autoren und Literaturwissenschaftler aus sozialistischen Ländern über Tendenzen der zeitgenössischen deutschen Literatur sprachen und besonders das Problem der unterschiedlichen Entwicklung der Literatur in beiden deutschen Staaten und die Literaturpolitik, die internationale Wirksamkeit der DDR-Literatur und ihre Tradition diskutierten.

Stenogramm des Beitrags.

Fünfundzwanzig Jahre – In: Freie Welt (Berlin), 1. Juliheft 1966. Text nach „Lesen und Schreiben".

Deutsch sprechen – In: Neues Deutschland (Berlin) vom 29. 12. 1966. Text nach „Lesen und Schreiben".

Spiegel-Affäre: 1962 wurde gegen das Nachrichtenmagazin „Der Spiegel", veranlaßt durch den damaligen Verteidigungsminister Franz Josef Strauß, wegen der Veröffentlichung einer Analyse des militärpolitischen Konzeptes der Bundeswehr der Vorwurf des Landesverrats erhoben. Dieses Verfahren führte zu einer innenpolitischen Krise und zur Umbildung der Bundesregierung, Strauß mußte aus dem Kabinett ausscheiden.

Hassel, Kai-Uwe von (geb. 1913 in Gare), 1954–62 Ministerpräsident von Schleswig-Holstein und Mitglied des Bundesrates, 1956–61 stellvertretender Bundesvorsitzender der CDU, 1962–69 Bundesminister für Verteidigung und 1966 Bundesminister für Vertriebene, Flüchtlinge und Kriegsgeschädigte.

Probe Vietnam – In: Vietnam in dieser Stunde. Künstlerische Dokumentation, Hrsg. Werner Bräunig, Fritz Cremer u. a., Halle/Sa. 1968. Text nach „Lesen und Schreiben".

Zu einem Datum – In: Sinn und Form (Berlin), Heft 1/1971. Text nach „Lesen und Schreiben".

Diskussionsbeitrag zum VII. Schriftstellerkongreß der DDR 1973 – In: VII. Schriftstellerkongreß der DDR, 14.–16. 11. 1973, Berlin, Protokoll der Arbeitsgruppen, Berlin und Weimar 1974.

Diskussionsbeitrag in der Arbeitsgruppe „Literatur und Geschichtsbewußtsein".

Stenogramm des Beitrags.

Diese Lektion: Chile – In: Chile – Gesang und Bericht, Halle/Sa. 1975, unter dem Titel „Diese Lektion wollen wir gründlich lernen".

Berliner Begegnung – In: Berliner Begegnung zur Friedensförderung. Protokoll, Hrsg. Akademie der Künste der DDR, Berlin 1982.

Die Berliner Begegnung fand auf Initiative von Stephan Hermlin vom 13.–14. 12. 1981 in der Hauptstadt der DDR statt, ihre organisatorische Ausrichtung erfolgte durch die Akademie der Künste der DDR und die Akademie der Wissenschaften der DDR.

Stenogramm des Beitrags.

Haager Treffen – In: „Es geht, es geht ..." Zeitgenössische Schriftsteller und ihr Beitrag zum Frieden – Grenzen und Möglichkeiten, Hrsg. Bernt Engelmann u. a., München 1982.

Das Haager Treffen fand als Fortsetzung der Berliner Begegnung vom 24.–26. 5. 1982 in Den Haag statt.

Stenogramm des Beitrags.

Antwort an einen Leser – In: Deutsches Allgemeines Sonntagsblatt (Hamburg) vom 31. 1. 1982. Text nach Christa Wolf. Materialienbuch, Hrsg. Klaus Sauer, neue, überarbeitete Ausgabe, Darmstadt und Neuwied 1983, dort unter dem Titel „Ein Brief".

Rundfunkbeitrag für den Südwestfunk (Baden-Baden) vom 31. 12. 1981.

Zwei Briefe – Unveröffentlicht.

Der weiße Kreis – In: Katalog von „Save Life On Earth". International Posters, Cambridge, USA 1985. Text nach Manuskript.

Unter dem Titel „Save Life On Earth" wurden Künstler aus aller Welt aufgerufen, Friedensplakate zu gestalten. Die Grundlage für alle Bildideen sollte ein weißer Kreis auf grünem Grund bilden.

Inhalt

Selbstauskünfte